WITHDRAWN
HARVARD LIBRARY
WITHDRAWN

LES PREMIERS MISSIONNAIRES PROTESTANTS DE MADAGASCAR

(1795-1827)

Collection « Hommes et Sociétés »

Conseil scientifique : Jean-François BAYART (CERI-CNRS)
Jean-Pierre CHRÉTIEN (CRA-CNRS)
Jean COPANS (Université Paris-V)
Georges COURADE (IRD)
Alain DUBRESSON (Université Paris-X)
Henry TOURNEUX (CNRS)

Directeur : Jean COPANS

KARTHALA sur internet : http://www.karthala.com
Paiement sécurisé

Couverture : Les berges de la rivière Ivondro, lieu de la première mission en 1818. Lithographie extraite de S. P. Oliver : *Madagascar and the Malagasy*, Londres, 1865.

© Éditions KARTHALA, 2001
ISBN : 2-84586-133-8

Vincent Huyghues-Belrose

Les premiers missionnaires protestants de Madagascar

(1795-1827)

KARTHALA
22-24, bld Arago
75013 Paris

INALCO
2, rue de Lille
75007 Paris

BV
3625
.M2
H89
2001

INTRODUCTION

Installé bien avant la colonisation française, considéré par nombre de gouverneurs et d'administrateurs coloniaux comme un ferment de rébellion, le protestantisme malgache fut assurément en Imerina à l'origine du nationalisme et de la lutte pour l'indépendance. Protestantisme et nationalisme ont pu se confondre au début du XXe siècle dans l'esprit des élites de la capitale. C'est que l'histoire elle-même se confondait avec celle du protestantisme, mais un protestantisme malgache dont l'Europe n'avait pas à revendiquer la responsabilité. La foi chrétienne des Malgaches trouvait sans doute en Grande Bretagne sa préhistoire, mais une préhistoire si lointaine que, finalement, elle ne les concernait plus. Dans la destinée culturelle de Madagascar, l'introduction du protestantisme occupe donc une place exceptionnelle, mais ambiguë. C'est à partir de 1817, qu'à travers la mission protestante envoyée de Londres, s'exerça le plus profondément l'influence chrétienne sur le peuple merina. Dès les années 1820, des milliers de jeunes Malgaches suivirent l'enseignement intellectuel, pratique et moral des missionnaires britanniques. Sont-ils donc quand même à l'origine de tout ?

Si l'on considère l'introduction de la civilisation technique, dite "moderne", à Madagascar, l'importance des missionnaires est admise, leur action relativement bien connue. Le cas de Madagascar est même présenté par l'historiographie classique comme le modèle du transfert initial de civilisation, comme ce qui aurait dû se passer de façon générale au XIXe siècle et qui émerge, aujourd'hui, dans le Sud-est asiatique sans autre référence religieuse que le culte de l'argent. En adoptant l'idéologie chrétienne, le peuple malgache aurait pu, dès l'aube du XIXe siècle, accéder au progrès matériel, scientifique et moral des grandes nations riveraines de l'Atlantique du Nord. En acceptant plus tôt et plus complètement le christianisme, les Malgaches "auraient pu" rattraper moralement l'Europe occidentale, nous disent les historiens protestants ; en se convertissant au monde atlantique, Radama a failli rendre possible une "ère Meiji" malgache par l'adoption de ses techniques et de son mode d'éducation de masse, écrivent les chercheurs laïcs. Quel que soit le bien-fondé de ces différentes interprétations, une chose est sûre : à Madagascar, l'historien comme l'homme de la rue moyennement éduqué interprètent d'ordinaire l'entrée du christianisme dans le pays comme l'aube d'une ère nouvelle, l'épiphanie de la lumière au milieu des "ténèbres de l'ignorance et de la barbarie".

Les premiers missionnaires (1818-1836) donnaient déjà de leur œuvre une telle appréciation, on peut même affirmer qu'ils ont légué à leur postérité le vocabulaire et les cadres pour rendre compte de leur "geste". Ils étaient venus pour procéder au sacrifice de la culture païenne, au nom de l'Evangile.[1] Le christianisme se confondait dans leur esprit avec la "civilisation chrétienne", avec celle de l'Europe occidentale.

Mais quel christianisme ? Et ces missionnaires d'où venaient-ils, qui étaient-ils ? Cela ne nous était toujours pas dit au cœur des années 1970. Car, après lecture des histoires générales de Madagascar, des multiples histoires particulières de l'Eglise à Madagascar ou des missions protestantes dans le monde, on ne pouvait guère comprendre les origines de l'introduction du christianisme, le pourquoi et le comment de la venue des missionnaires, sans recourir aux déterminismes de la dialectique marxiste-léniniste, au credo du développement assisté ou à la Providence divine.

Des premiers temps de l'église protestante à Madagascar, on ne sait pas plus que des premiers siècles de l'Eglise chrétienne dans l'Empire romain. Des premiers missionnaires on ne connaît rien de plus que des premiers apôtres du Christ. Ce sont des héros, des personnalités exceptionnelles qui échappent par leur oeuvre à leur milieu et à leur temps pour devenir ces "fondateurs" dont parle Desroche, sans passé ni origine puisqu'ils sont eux-mêmes un commencement.[2] Incarnation de vertus qui transcendent le temps, modèles plus encore qu'exemples, ces hommes échappent à l'histoire et sont au cœur d'une mythologie, sans cesse ravivée par leurs successeurs. Saints héros fondateurs, ils animent une épopée qui s'est passée, disait Mircea Eliade, *in Illo Tempore,* au commencement du temps.[3] Ils nous introduisent dans le domaine des archétypes moraux, au-dessus des contingences humaines, par la coloration didactique voire normative qu'on donne à leur histoire. Ils sont véritablement ce que tout chrétien doit être en son âme et esprit, quelle que soit la nature et la situation de son enveloppe charnelle. En fait, une épopée mythique de la première mission de Madagascar, mais point d'histoire.

Cet état de choses méritait quelque lumière. Que l'on veuille attribuer aux desseins de la Providence, à l'action du Saint Esprit, la conversion d'un peuple n'a rien de surprenant ; historiens et sociologues s'accordent pour reconnaître que certains conditionnements surnaturels ou transcendants échappent à l'analyse scientifique, mais sont partie intégrante d'une explication de la conversion qui se voudrait exhaustive.[4] Il reste que cette action du Saint-Esprit ne peut être conçue comme absolue, mais doit être interprétée en rapport avec l'histoire et en tenant compte d'un contexte sociologique et anthropologique particulier. C'est ce que refusait l'historiographie du protestantisme à Madagascar.

---

1 BASTIDE (R.) : "Sociologie des missions protestantes".
2 DESROCHE (H.) : *L'homme et ses religions.*
3 ELIADE (M.) : *Le sacré et le profane*, p. 60-69.
4 MEHL (R.) : "Approche sociologique des mouvements charismatiques", dans *Bulletin de la Société de l'Histoire du Protestantisme français*, oct.-nov. 1974, t. CXX, p. 555-573.

Pour comprendre cette situation, il faut remonter aux origines de l'histoire "moderne" de Madagascar qu'elle soit de plume européenne ou malgache. Les missionnaires, en particulier William Ellis dont l'ouvrage fondamental date de 1838, furent les premiers à concevoir une histoire de Madagascar commençant vraiment et seulement avec Radama Ier, avec l'ouverture du pays à la civilisation européenne. Leur grande préoccupation était de rendre compte des transformations qui s'opéraient dans l'île sous leurs yeux, et parfois en conséquence de leur action. Mais ils écrivaient pour des Européens, et même pas pour l'ensemble de leurs congénères, mais seulement pour ceux de leurs compatriotes qui partageaient leur enthousiasme pour la mission, et qui donc connaissaient *a priori* leurs origines et leurs motivations. Cette histoire destinée à édifier et à exalter ne pouvait s'embarrasser de circonstances humaines, son passé rejoignait son avenir dans l'accomplissement des Ecritures. Dans un but de propagande, les missionnaires revenus en Europe sous Ranavalona 1ère se devaient de valoriser au maximum leur action initiale sur le terrain. Les derniers partis d'Imerina, en 1836, avaient laissé derrière eux une petite chrétienté qui s'était fortifiée et développée dans une indépendance forcée et malgré de dures persécutions. Cette situation leur offrit le thème des martyrs, développé d'abord par des Européens à l'usage des Européens, qui devait leur permettre de préparer leur retour et de faire la démonstration du succès de leur oeuvre. N'avaient-ils pas été capables de bâtir en terre païenne une communauté suffisamment forte pour résister, seule, à tous les orages ? N'avaient-ils pas fondé l'église malgache, n'avaient-ils pas réalisé les desseins de la Providence ?

Le retour des missionnaires, en 1861, montra que les chrétiens malgaches, livrés à eux-mêmes durant de longues années, ne l'entendaient pas ainsi. Il leur semblait que l'Eglise malgache était née de la persécution et non de la prédication, que les chrétiens martyrs avaient porté le témoignage d'une église nationale, affranchie de la tutelle des missionnaires étrangers.[5] Ceux-ci, loin d'avoir fondé l'église malgache, n'avaient fait qu'apporter un message promis à toutes les nations. On voulut donc les oublier. Pour s'en débarrasser on en fit les agents désincarnés de la Providence, on les dépouilla de leur épaisseur humaine, de leurs origines, de leur qualité d'étrangers pour en faire les instruments d'un projet divin sur Madagascar qui, depuis la fondation de la L.M.S et par une suite de circonstances miraculeuses, conduisait à la conversion des souverains en 1869 et à la constitution du "royaume chrétien de Madagascar"[6]. Dans la même logique, on aimerait aujourd'hui encore faire de Radama l'introducteur du protestantisme, mais on sait

---

5 KRUGER (E.) : "L'Isan'Enim-Bolana", dans *Les Missions protestantes*.
6 On notera que, dans sa thèse, Françoise Raison rompt avec l'interprétation de la conversion royale comme "ralliement définitif à l'Occident" qui est étrangère aux Malgaches. Elle n'envisage cependant pas que, pour l'historiographie malgache, la conversion est la phase finale de la malgachisation du christianisme. Il est dès lors définitivement débarrassé de sa tare originelle blanche et étrangère.

qu'il ne se soucia jamais de religion et qu'il n'y eut point de chrétien sous son règne. Quant à Ranavalona Ière, dont on a longtemps fait une païenne fanatique et une barbare hostile à la "Civilisation", on est bien gêné de ses huit années de "tolérance", de ses réalisations techniques et commerciales, et on évite de dire que c'est bien sous son règne que furent baptisés les premiers chrétiens malgaches.

La conquête française vint ajouter un nouveau facteur d'interprétation. Dès son installation, l'administration coloniale considéra le protestantisme comme intimement lié à l'influence anglaise ; au fil des ans elle crut y voir un ferment de nationalisme et de rébellion. Le résultat de cette mise en suspicion fut que les tendances nationalistes du protestantisme malgache, qui s'étaient manifestées contre les missionnaires anglais au temps de l'indépendance, se trouvèrent renforcées sous la domination blanche. On peut penser que c'est pour calmer les inquiétudes de l'administration française que les historiens malgaches comme Rabary et Ravelojaona semblent parfois prendre leurs distances par rapport aux missionnaires anglais et à leur culture.[7] Leur démarche est plus profonde. Les intellectuels Malgaches de cette époque eurent la chance de se renforcer dans la certitude qu'ils ne devaient rien à l'Europe, surtout rien à la France, puisque christianisme et civilisation avaient précédé de 65 ans l'arrivée des conquérants qui prétendaient "civiliser". Pour eux la nation malgache se trouvait sur la voie du progrès bien avant les incitations civilisatrices des gouverneurs et des colons français.

Pourtant, le protestantisme, source de civilisation, n'est pas sorti du néant. Il n'est pas non plus né à Madagascar, mais bien en Europe. Cette dette à l'égard de l'étranger qui aurait pu être gênante et source de complexes n'a jamais troublé les certitudes nationalistes d'alors.[8] L'ennemi c'était la France, mais le protestantisme et sa civilisation étaient, en principe, d'importation anglaise ; la lutte s'organisait contre le colonialisme : mais aucun plan de conquête n'avait présidé à l'introduction du protestantisme dans l'île. Reste que ses introducteurs étaient des étrangers, des blancs ; on finit donc par ignorer leur nature. Au terme de cette démarche historiographique, seul est conservé le souvenir du roi Radama, prince éclairé qui sut accueillir et favoriser non pas la "Civilisation", mais les techniques et les hommes pour assurer le mieux être de son peuple. Ainsi ne demeure que la seule mémoire des martyrs malgaches qui "naturalisèrent" le protestantisme, qui le lavèrent avec leur sang de la souillure étrangère.

---

7 Dans les *Daty Malaza* de Rabary, l'éloge des missionnaires, pères fondateurs, est inconditionnel. Mais ils sont rejetés, comme nous l'avons dit plus haut, dans l'irréalité du mythe.
8 L'impression d'ensemble qui se dégage des ouvrages protestants de la période coloniale est qu'il est facile pour les auteurs malgaches de reconnaître une dette vis à vis de l'étranger lorsqu'il a disparu de l'île. (Corpus provenant du Bureau de la censure du Gouverneur général que j'ai déposé au Département d'Histoire à Tananarive et d'archives familiales à Ankadiaivo.)

En accord avec les fondements universalistes du christianisme, l'histoire ainsi organisée a longtemps permis aux protestants malgaches d'assumer à la fois une identité nationale et une croyance venue de l'étranger, ce qui n'a rien d'exceptionnel dans l'histoire mondiale du christianisme à commencer par celle de l'Europe chrétienne.

Est-il pourtant bien nécessaire d'avoir recours à un "mythe fondateur" pour concilier des exigences qu'on voudrait contradictoires quand l'histoire elle-même fournit des nuances et des apaisements ? L'histoire seule permet de récupérer et d'assumer le passé. La nostalgie des origines vierges de toute influence extérieure n'est pas compatible avec l'inévitable acculturation du monde actuel, ouvert et sans distances. L'étape fondamentale qu'a été pour Madagascar l'introduction du protestantisme et l'ouverture à la civilisation nord-atlantique ne peut prendre sa véritable dimension et servir à l'avenir, que si l'on déchire le voile de légendes qui la recouvre.

Ainsi que le soulignait Octave Mannoni, l'évangélisation comme la colonisation, ne mettent pas en présence des civilisations mais des individus. Dans l'Imerina du XIXe siècle, cette mise en présence concerne le groupe des missionnaires blancs, fermé, limité en nombre et assuré de son éternelle vérité, et celui, extensible, perméable et malléable jusqu'à un certain point, des païens malgaches.

Le missionnaire est un individu qui a été élevé dans une situation particulière : famille, culture et religion de ses origines constituent la "clé" première de toute compréhension de son engagement dans l'évangélisation et de ses attitudes et réactions sur le terrain. Et cet homme, investi d'un rôle majeur dans le drame que joue l'Atlantique protestant sur la scène mondiale, on ne peut comprendre son personnage et juger de son interprétation que si l'on connaît l'argument de la pièce. Robert Mandrou, écrivait d'ailleurs : "Aucun de ces hommes ne se suffit a lui-même ; chacun d'eux apparaît isolé non comme un individu mais comme un personnage jouant un rôle : *persona* au sens scénique du mot".[9] Le personnage du missionnaire est en grande partie le résultat d'une évolution historique qui colore son interprétation de l'Evangile, son apostolat et les exigences qu'il s'impose et prétend imposer aux autres.

La mission en ce sens est à la fois une relation personnelle à l'Evangile, et une attitude particulière dans la foi, mais elle doit nécessairement s'incarner dans des mots, dans un message qui n'est pas forcément la lettre des Ecritures. Observons qu'elle peut emprunter d'autres formes d'expression humaine, le chant, la musique, l'architecture, aussi bien que le travail technique, les vêtements ou l'assistance médicale, en somme le comportement général (*behaviour*) du missionnaire. Ainsi définie, la prédication est lourde de contingences culturelles et historiques. La forme et le contenu du message divin, tels qu'ils ont été présentés à Madagascar, témoignent non seulement d'une disposition et d'une psychologie personnelles, mais d'une technique

---

9 MANDROU (R.) : *Introduction à la France moderne*, p. 18.

apprise, d'un ton acquis dans un contexte qui est l'arrière-plan culturel, la formation du missionnaire.

Ces hommes déplacés volontairement dans des conditions difficiles à des milliers de kilomètres de leur terre natale, qu'est-ce qui les motivait ? L'historiographie malgache propose des réponses bien contradictoires à cette question.

Les protestants sont persuadés qu'avant la fondation du christianisme à Madagascar, il n'y a que l'erreur et la barbarie, le temps obscur et sans profondeur. Ils rejettent les missionnaires, avant leur arrivée, dans un ailleurs indéterminé, et délaissent les préliminaires de l'entrée du christianisme parce qu'en dehors de l'histoire. Il en va de même pour tout ce qui précède l'essor de la "civilisation" à Madagascar, sous le règne de Radama 1er. Pourtant, un certain positivisme leur fait considérer que la civilisation était inscrite potentiellement dans l'univers malgache comme dans toutes les sociétés humaines qui sont passées ou doivent passer par différents stades d'avancement. Le rôle qu'ils accordent aux missionnaires est celui d'avoir accéléré le processus d'évolution non pas en apportant eux-mêmes la civilisation, mais en fournissant aux Malgaches la clé pour s'ouvrir au progrès matériel et moral, c'est-à-dire l'Evangile. Dès lors il leur importe peu de savoir pourquoi et comment ces hommes sont venus, qui ils étaient, quelles étaient leurs origines ethniques, sociales et religieuses, puisqu'il est dit qu'ils ne furent que les agents d'une destinée promise à toutes les nations de la terre et dont seule la Providence est responsable. Leur comportement et leurs actes sont connus d'avance, ils ont apporté la Bible et dévoilé le chemin du Progrès. Rien ne témoigne mieux de cette orientation de l'historiographie malgache que le petit ouvrage de Damantsoa : il n'y est pas une seule fois question des missionnaires. Le but de l'auteur est de prouver que les Malgaches, monothéistes, étaient de tout temps des "chrétiens potentiels" auxquels il ne manquait que l'étincelle de la vérité, c'est-à-dire l'arrivée (quasi miraculeuse puisque non expliquée par l'auteur) de la Bible.[10]

Il s'agit là d'un cas extrême bien évidemment, puisque la plupart des ouvrages consacrés à l'histoire de Madagascar prennent en compte le rôle des missionnaires. Pourtant on s'aperçoit très vite à les lire qu'ils n'éclairent pas davantage le mystère de l'introduction du christianisme à Madagascar. L'historiographie française quant à elle ne conçoit en aucune façon l'Imerina comme promise à la civilisation et au christianisme qui y ont été importés de toutes pièces d'Europe. Ces ouvrages tentent souvent de démontrer que l'évangélisation protestante, réalisée par des sujets britanniques, n'était qu'une forme sournoise de colonisation au profit de la Grande Bretagne pour contrer les visées impériales de la France ; c'est l'interprétation que donne un anticolonialiste marxiste-léniniste comme P. Boiteau.[11] Tout cela n'est pas entièrement faux. D'autres historiens, pour la plupart liés à une mission protestante, qu'ils soient britanniques ou français, ont tenté de prouver que les

---

10 DAMANTSOA : *Ny Niandohan'ny Fivavahana*.
11 BOITEAU (P.) : *Madagascar*.

missionnaires du début du siècle n'avaient aucun lien avec quelque pouvoir colonisateur que ce fût, qu'ils n'étaient que les agents du Christ, donnant de leur action une interprétation parallèle à celle de l'historiographie malgache.[12] Aucun de ces travaux ne satisfait car ils oublient trop que les missions du XIXe siècle furent des entreprises voulues et organisées au départ de l'Europe sur un plan religieux et non économique ou politique, même si la situation historique en a fait des agents plus ou moins conscients d'autres intérêts.

C'est le cadre général de cet expansionnisme religieux que je me suis efforcé de reconstituer dans une première partie. Comprendre pourquoi des ressortissants de la première puissance européennes en sont venus à s'intéresser à une île de l'océan Indien, a exigé l'analyse de toute la littérature de voyage produite en Europe depuis le XVIe siècle en relation avec Madagascar. De cette investigation, il ressort que l'intérêt porté à Madagascar était particulièrement vif chez les Britanniques, qu'il a culminé au XVIIIe siècle et qu'il a pris une coloration religieuse et civilisatrice de plus en plus accusée avec le temps. A la fin des années 1700, cette littérature produite en Angleterre a pris la forme d'enquêtes destinées à documenter et à décider une expédition missionnaire parmi les non-conformistes..

L'importance prise par Madagascar dans les rêves de colonisation des milieux dirigeants britanniques s'explique assez facilement par le contexte économique et politique du monde dans la seconde moitié du XVIIIe siècle. A partir des années 1760, les deux plus grandes puissances maritimes et commerciales du moment, Grande Bretagne et France, cherchent à investir l'Inde et l'Asie et déplacent les pôles d'attraction européens de l'Atlantique vers l'Océan Indien. Privés d'escales sur la route des Indes, au-delà du Cap, à cause de la présence française dans les Mascareignes, les Britanniques reportent leur attention sur Madagascar qui permet d'emprunter la route du canal de Mozambique. Mais cette géopolitique de l'océan Indien ne peut pas rendre compte de l'évangélisme des rapports qu'entretinrent alors les Anglais avec Madagascar.

Pour comprendre la nature religieuse de l'expansionnisme britannique, il faut d'abord savoir qui, en Grande Bretagne, s'intéressait le plus à Madagascar. Cette enquête ne se borne donc pas à retrouver les milieux qui nourrissaient alors "le rêve de Madagascar", elle veut aussi comprendre pourquoi certains groupes sociaux et ethniques, en Grande Bretagne, se trouvaient plus particulièrement tenaillés par la diffusion du christianisme dans le monde et comment se manifestait et s'organisait cette ardeur évangélique.

C'est ainsi que se dégage le contexte d'apparition de la *London Missionary Society*, organisme qui se chargea de l'envoi des premiers missionnaires protestants à Madagascar. On objectera que l'histoire de la naissance de la L.M.S. est loin d'être inconnue et qu'il pouvait paraître

---

12 Cf. surtout CHAPUS (G. S.) : *Quatre vingt années d'influence européenne en Imerina...*

superflu de la reprendre.[13] En fait il ne s'agit pas seulement ici de faire l'étude de la L.M.S depuis l'Europe mais de comprendre, depuis Madagascar, quelles étaient les intentions, les motivations et les méthodes de cette lointaine et mystérieuse association qui dépêcha deux missionnaires à Tamatave en 1818. Il s'agit aussi d'examiner d'où lui venaient les moyens financiers et les hommes qu'elle envoya en Imerina, comment elle se les procurait. Enfin cette enquête cherche, à comprendre comment et pourquoi la *London Missionary Society* s'est assuré pour longtemps le quasi-monopole de la diffusion du protestantisme dans cette région du monde, comment elle a pu fondre les différents intérêts qui portaient les Britanniques vers l'océan Indien et regrouper les divers milieux qui nourrissaient ces intérêts dans une entreprise organisée et suivie.

Au départ, la L.M.S. ne s'intéressait pas particulièrement à l'Afrique, ses grands desseins étaient tournés vers le Pacifique puis vers l'Inde. Comment ses Directeurs furent-ils amenés à concevoir puis à décider une mission pour Madagascar, c'est ce que cherche à élucider la deuxième partie de cet ouvrage. Dans un premier temps, la Direction de la L.M.S. s'est contentée de récupérer l'héritage du XVIIe siècle, et ses plans visèrent la côte occidentale de Madagascar bien connue par les voyageurs anglais, seule accessible alors aux navires britanniques. Elle disposait pour réaliser ses projets d'un homme d'une valeur exceptionnelle : Vanderkemp.

La mort de ce pionnier de l'évangélisation britannique en Afrique du Sud, pas plus que l'issue malheureuse de la tentative de Tamatave en 1818-1819, n'expliquent que la mission protestante ait délibérément renoncé à évangéliser les côtes de Madagascar. La côte ouest était pourtant familière aux Britanniques et tous les projets soumis à la direction de la L.M.S. jusqu'en 1811 la concernaient. La côte est leur fut ouverte à partir de 1810 et le capital d'informations, amassé depuis un siècle dans les Mascareignes, leur fut transmis. Mais c'est au centre de l'île, dans des régions inconnues jusqu'alors, que la Société décida de faire porter tous ses efforts.

Cette modification de la stratégie d'approche de Madagascar, après 1811, ne peut s'expliquer que par la modification de l'équilibre des royaumes à l'intérieur de Madagascar, par la transformation politique de l'océan Indien et par le rôle que la Grande Bretagne prétendait y jouer désormais. D'une certaine façon, la Société Missionnaire de Londres s'est mise alors au service de l'impérialisme britannique. La logique de ses origines et de ses soutiens en Grande Bretagne, l'y conduisait naturellement, les conceptions missiologiques de ses Directeurs également. C'est donc l'Imerina dans sa plus simple définition, tel que le roi Radama l'avait reçu de son père, Andrianampoinimerina en 1810 qui fut le théâtre d'action de la L.M.S. mais ses missionnaires se mirent, en quelque sorte, au service du Royaume de Madagascar.

---

13 Sur l'histoire de la L.M.S. voir TURTAS (R.) : *L'Attivitá*, et le compte-rendu que j'en donne dans *Omaly sy Anio*, n° 7-8, 1978, p. 363-370.

Dans la deuxième section de cette étude, j'ai voulu éclairer, à partir des archives de la Société, cette action missionnaire mal connue. Les lettres et les journaux que les envoyés de la L.M.S. adressaient à Londres permettent de suivre au jour le jour les développements d'une entreprise qui fut loin d'être sereine. Les difficultés internes que les missionnaires rencontrèrent et, en particulier les conflits qui éclatèrent entre eux, furent la cause de crises répétées qui faillirent compromettre la poursuite de la mission. "L'homme ne vit pas seulement de prière et de pensée, écrivait Braudel, il est aussi pratiquement ce qu'il mange. Ce prosaïsme nous invite à redescendre, à voir les choses de près au ras du sol, au risque de remarquer ce qui les divise et les particularise et non plus les confond".[14] En l'occurrence, ce furent les hommes qui se trouvèrent divisés à un point tel qu'ils jugèrent préférable de ne pas accroître leur nombre et limitèrent volontairement à l'Imerina l'extension de l'évangélisation.

Les causes de ces divisions sont propres au groupe missionnaire. La première vient de la composition même de la colonie ainsi formée et des tâches qu'elle se proposait d'accomplir. La L.M.S. voulait évangéliser et enseigner "arts et métiers". Pour réaliser ce double projet, elle envoya en Imerina deux groupes d'hommes : des missionnaires éduqués, conscients de leur importance et persuadés de la primauté d'une culture purement intellectuelle d'une part, des artisans sachant tout juste lire et écrire, mais acceptant mal la place de subalternes qu'on leur faisait, d'autre part. Ces oppositions se doublèrent sur place, de ressentiments ethniques opposant les véritables Anglais aux Gallois et Ecossais anglicisés.[15]

La composition sociale et ethnique de la mission, dont les origines sont élucidées dans la première partie, n'épuise pas les causes de discorde ; il en est une autre qui vient de ce que les missionnaires constituaient une petite société à part ; or l'évangélisateur n'agit pas, ne réagit pas de la même façon selon qu'il affronte seul le peuple à convertir ou qu'il le fait en groupe plus ou moins important. Commencée par un seul homme, la mission de l'Imerina en rassemblait une dizaine en 1827, sans compter leurs familles. Ce groupe constituait une entité propre qui ne se distinguait pas seulement par le partage difficile des rôles entre missionnaires et artisans, entre hommes et femmes, mais par un climat, une façon souvent conflictuelle de mener l'évangélisation. D'autre part, ce groupe crut se trouver en concurrence avec d'autres représentants du monde blanc (des traitants, des artisans et des aventuriers) pour la prise de contrôle technique et religieuse de la société païenne et se laissa entraîner à la surenchère et à la polémique, pour s'assurer une situation de monopole.

---

14 BRAUDEL (F.) : *Ecrits sur l'histoire*.
15 On remarquera que Françoise Raison parle "d'oppositions régionalistes entre Gallois et Anglais" parce qu'il s'agit d'Européens, dans une situation qu'elle comme d'autres Européens qualifieraient "d'oppositions ethniques" voire de "tribalisme", à propos de n'importe quel peuple non européen. *Bible et pouvoir*, p. 119, note 2.

Reste à savoir sur quoi porta cette volonté d'exclusif. La dernière partie cherche à dégager ce qui constitua l'essentiel de l'activité missionnaire. La proposition d'évangélisation de la L.M.S. se développait sur trois axes : l'enseignement livresque, l'éducation religieuse et l'apprentissage des techniques. Peut-on dire que les missionnaires présents en Imerina réalisèrent entièrement leur programme ?

Quelle était la réalité du christianisme malgache avant l'accession au trône de Ranavalona, voilà la principale question que posait le sujet. A suivre l'historiographie religieuse de la Grande Ile, on peut aisément se laisser convaincre que 1828, date du changement de règne, marque une étape, on dit même un arrêt, dans la progression du christianisme à Madagascar. A y regarder de plus près, on s'aperçoit qu'il n'en est rien, que la mort de Radama n'eut aucune signification particulière pour l'histoire du christianisme. C'est un an auparavant que la situation avait changé, que les circonstances étaient devenues moins favorables et que les missionnaires s'étaient sentis menacés. En 1827, Radama lui-même avait donné un coup d'arrêt à la pénétration du protestantisme en Imerina. Cette constatation a déterminé la limite chronologique du sujet, elle a aussi orienté toute la recherche.

Une chose est sûre : le bilan que les missionnaires tiraient en 1827 des efforts déployés durant sept ans ne les satisfaisait pas pleinement. A cette date, de leur propre aveu, il n'y avait pas d'autres chrétiens en Imerina qu'eux même et jamais les résistances à leur action voire à leur présence n'avaient été aussi fortes. Cette mission qui avait traversé de graves crises internes et accompli une œuvre considérable, se trouvait rejetée par un peuple qui avait paru un moment l'accepter, abandonnée par un souverain qui l'avait appuyée de tout son pouvoir durant sept ans.

En fait, c'étaient les ambiguïtés mêmes du mouvement missionnaire britannique qui étaient à l'origine de la crise de rejet de 1827. Les missions britanniques ne se contentaient pas de proposer ensemble la civilisation européenne et le christianisme aux peuples païens, elles les contraignaient à accepter la nouvelle foi comme une contrepartie de l'éducation qu'elle leur offrait sans comprendre qu'elles risquaient ainsi de mettre en péril le pouvoir sur lequel elles s'appuyaient.

Mais ce bilan pessimiste, déformé par une situation tendue et angoissante, correspondait-il vraiment à un échec total de ce qui représentait le but essentiel des envoyés de la L.M.S. : la conversion des païens ? Furent-ils de simples instituteurs ? Il serait injuste d'oublier que la première vague des conversions, longtemps retenue par prudence politique ou scrupule religieux, n'allait pas tarder à se répandre, vague assez puissante pour affronter le martyre.

L'historique de la pénétration du protestantisme jusqu'en 1827 met ainsi à jour une série de malentendus et de contradictions, sur le terrain missionnaire, parmi les missionnaires, au sein de leur société et jusque dans leur village natal. La diversité des causes et des incidences contraint à multiplier les points de vue, à faire appel à plusieurs disciplines et à tous les témoignages disponibles, pour rendre au passé sa véritable complexité. La méthode d'exposition pouvait-elle être trop simple, plus simple que ce "mythe fondateur" du christianisme malgache qu'elle prétend, non pas détruire, mais situer à sa juste place, expliquer en tout cas en retrouvant sa véritable signification ?[16]

---

[16] Cet ouvrage est la version mise à jour d'une thèse de doctorat de IIIe Cycle soutenue à Tananarive, par délégation de l'Université de Paris I-Sorbonne, en 1979, sous le titre *Historique de la pénétration protestante à Madagascar jusqu'en 1827*, 2 vol.

PREMIERE PARTIE

AUX ORIGINES DE L'AVENTURE MISSIONNAIRE

CHAPITRE I

A LA RECHERCHE DE LA MISSION

1 - Histoire de la mission et histoire missionnaire

L'impulsion de départ, puis le maintien et l'extension pendant plus d'un siècle, d'une mission protestante à Madagascar, reviennent à la London Missionary Society. Pourtant, l'admiration parfois sans borne que cette réussite a suscitée, n'a jamais, avant une époque toute récente, été contrebalancée par une étude objective et critique de ce qui s'était passé. J'ai eu la chance de prendre connaissance très vite des travaux de James Hardyman, missionnaire L.M.S. à Imerimandroso, à commencer par sa thèse soutenue en 1952, pour savoir qu'existait un premier bilan critique de l'oeuvre de cette société à Madagascar.[1]

On compte parmi les premiers missionnaires protestants quelques historiens de Madagascar mais jamais, durant la période d'activité de cette société, ces hommes n'ont été capables d'abandonner une conception providentialiste de l'essor du christianisme dans l'île. Il a toujours appartenu à des historiens étrangers à la société d'entreprendre l'étude critique de l'oeuvre d'évangélisation, de ses origines et de ses buts non seulement à Madagascar, mais en relation avec tous les terrains d'action de la société, afin de dégager une stratégie d'ensemble. Le plus curieux est qu'une des études les plus récentes de cette stratégie est l'oeuvre d'un jésuite italien : le père Raimondo Turtas.[2]

Cette impossibilité des missionnaires du XIXe siècle à prendre de la distance par rapport à leur histoire m'a semblé mériter quelque attention. Certes, depuis 1820, la société s'était montrée capable d'autocritique et dressait périodiquement des bilans qui faisaient apparaître les faiblesses et les défauts. Ces "Rapports" étaient publiés régulièrement sous le titre de *Ten Years Review* et d'*Annual Report of the L.M.S.* En outre, dans les colonnes de l'*Antananarivo Annual*, publié à Tananarive à partir de 1875 et jusqu'en l900, les missionnaires eux-mêmes rendaient publiques leurs opinions et leurs critiques.

---

[1] HARDYMAN (J. T.) : *The principles.*
[2] TURTAS (R.) : *L'Attività.*

Ombres et lumières de l'histoire des missions à Madagascar

Pour les protestants, l'approche de Madagascar était radicalement différente de ce qu'elle avait été pour les catholiques trois siècles durant et de ce qu'elle continuerait d'être lors de la reprise du XIXe siècle. Il y avait bien eu à Madagascar quelques visites d'Européens de religion protestante (Hollandais, Français et Britanniques) depuis le XVIe siècle et certains avaient organisé des cultes pour leur propre usage, mais jamais ne s'était produit quelque chose de comparable aux efforts soutenus et patronnés officiellement que les catholiques avaient déployés durant la même période. Les raisons de cette différence n'ont rien à voir avec l'île de Madagascar elle-même. Elles proviennent des projets et des préoccupations de l'Eglise. Tandis que, par exemple, la *Propagande* avait été fondée en 1622, la Société Catholique non Romaine pour la Propagation de l'Evangile n'avait apparu en Grande Bretagne qu'en 1701 ; et ce ne fut qu'au cours du XVIIIe siècle qu'un élan d'intérêt propre aux îles Britanniques provoqua la formation de ce qu'on peut appeler (au regard de la nature de leur organisation) des sociétés missionnaires "officielles", bien qu'en fait elles n'aient été que des groupements d'enthousiastes.

Ainsi posés comme le premier contact de la branche protestante de l'Eglise avec Madagascar, les plans de la L.M.S. sont le vrai départ des entreprises organisées par des non catholiques pour l'expansion du Christianisme dans cette île, en contraste avec un intérêt "missionnaire" qui aurait pu (et qui, au XVIIe siècle, put) trouver place à l'intérieur de projets dont les buts étaient au départ autres.

La solution de continuité entre cette période et les grands moments précédents de l'histoire de l'Eglise est fort peu documentée, et, jusqu'à présent bien peu de choses a été fait pour essayer de combler cette lacune. Les preuves de l'activité catholique romaine sont demeurées enfouies dans divers fonds d'archives et non pas été exploitées dans une synthèse prenant en compte l'enchaînement historique. Les projets de Halnat, par exemple, n'ont été sérieusement étudiés et publiés qu'en 1955 à l'occasion d'une recherche biographique générale pour laquelle Madagascar n'était pas le véritable centre d'intérêt. On n'est donc pas surpris de ne trouver en lisant les classiques de l'Histoire de la Mission écrits par des missionnaires catholiques romains que quelques phrases concernant Halnat et quelques lignes sur l'époque de Farquhar.[3]

Sous la plume de Pierre Lintingre on peut enfin lire une évaluation des projets et des actions catholiques, dans les quelques années qui précédèrent la prise de l'île Maurice par la Grande Bretagne en 1810. L'information est plus large mais un parti pris anti-protestant et anti-anglais tout à fait hors de saison nuit beaucoup à l'objectivité et souvent même à la vérité de l'exposé.[4]

---

[3] LA VAISSIERE (R. P. de) : *Histoire* ; PIOLET (J. B.) : *Les Missions*.
[4] LINTINGRE (Pierre) : "Notes sur la rivalité franco-britannique à Madagascar (1820)", *B. de M.*, n° 257, 1967, p. 767 à 792.

Il semble d'ailleurs que P. Lintingre se soit largement contenté de reprendre le livre de Sonia Howe et, pour ce qui concerne les relations avec l'île Maurice, les deux articles de S. P. Oliver dans l'*Antananarivo Annual* [5] et quelques publications de lettres par J. Valette.[6] Heureusement, un article postérieur de L. Munthe, C. Ravaojanahary et S. Ayache, apporte un éclairage tout à fait nouveau sur le contexte politique en Imerina lors de l'arrivée des missionnaires, redonnant à Radama et à Farquhar, principaux protagonistes, mais aussi à leurs différents représentants, leur véritable importance dans les négociations de 1817. Elaborée à partir des sources malgaches, cette étude met un terme définitif aux vieilles querelles sur la rivalité franco-britannique et donc sur la lutte entre protestantisme et catholicisme à Madagascar sous le règne de Radama.[7] On peut ajouter à cette historiographie de la période de transition le mémoire de Maîtrise d'Yvon Durand.[8] Soutenu en mai 1963, il a précisément pour seul intérêt d'apporter des éléments de bibliographie pour la connaissance des débuts de la christianisation de Madagascar. Pour le reste ce travail qui ne fait pas une seule fois référence aux archives, quelles qu'elles soient, n'est qu'une compilation d'ouvrages de seconde main.

Sans reprendre les affirmations excessives d'un Bonar Gow, universitaire canadien, qui affirme que l'étude de l'histoire malgache serait entre les mains d'une poignée de spécialistes français et de quelques amateurs malgaches, il faut reconnaître avec lui que l'histoire culturelle et plus proprement religieuse de la grande île n'avait suscité qu'un seul grand travail pour la période qui nous occupe, *Raombana l'historien* de Simon Ayache, imprimé au moment où je parachevais cette étude.[9] Notons au passage que la thèse de Bonar A. Gow n'échappe pas à la critique. Malgré un titre ambitieux dans son extension chronologique, elle n'apporte d'éléments d'analyse et de synthèse que pour la période postérieure à 1861.[10] L'auteur affirme que la période 1818-1835 n'est ni plus ni moins qu'un "échec de l'évangélisation" et qu'en raison de la faiblesse de l'action missionnaire, entre ces dates, elle n'est guère intéressante. Cette faiblesse se marque, selon lui, en nombre d'hommes et quantité de fonds en provenance de Grande Bretagne et dans le petit effectif des convertis. Il ajoute que les sources

---

5 OLIVER (S. P.) : "General Hall and the export slave trade from Madagascar a statement and a vindication", dans *Ant. An.*, t. IV (1890), p. 473 à 479 ; *Idem* : "Sir Robert Towsend Farquhar and the Malagasy slave trade", *Ant. An.*, t. IV (1890), p. 319 à 321.
6 VALETTE (J.) : "Madagascar et les théories de Sir R. T. Farquhar en 1812", dans *B. de M.*, n° 287, 1970, p. 348-359 ; *Idem* : "Une tentative catholique d'implantation en Imerina en 1820", *B.A.M.*, n. s. t. XLII, 1, 1965, p. 20 à 23 ; *Idem* : *Etudes sur le règne de Radama I*.
7 MUNTHE (L.), RAVOAJANAHARY (C.), AYACHE (S.) : "Radama 1er et les Anglais".
8 DURAND (Y.) : *Protestants et catholiques*.
9 AYACHE (S.) : *Raombana*.
10 GOW (B. A.) : *The British Protestant*,

pour la période 1835-1861 sont pauvres, dispersées et inaccessibles, mais on ne voit pas qu'il les ait plus utilisées pour la période 1818-1835. En bref, ce travail sur l'évangélisation protestante à Madagascar n'offre pour la période pionnière rien de mieux que le contenu d'un bon manuel remis à jour. A titre d'exemple, la mission de Tamatave en 1818-1819 est traitée en deux demi-pages, l'ensemble de la période 1818-1861 en un chapitre très rapide.

On notera pour mémoire l'étude, aujourd'hui totalement oubliée, que James F. Anderson avait publiée sur l'apparition du protestantisme à l'île Maurice.[11] Elle nous rappelle que les événements de Madagascar s'inscrivaient dans un vaste mouvement de pénétration dans l'océan Indien.

Une histoire mal affranchie du monopole missionnaire

La connaissance des projets et entreprises missionnaires dans l'océan Indien et plus particulièrement à Madagascar a été plus ou moins largement vulgarisée dès le début du XIXe siècle, c'est-à-dire au fur et à mesure que l'œuvre progressait, selon une technique que j'aurai l'occasion d'examiner plus loin. J. T. Hardyman recense dix publications majeures relatant l'histoire de la L.M.S. et des églises associées à Madagascar. Il y en eut en réalité beaucoup plus, mais elles ne sont effectivement pas toutes d'un grand intérêt.

Le premier de ces ouvrages fut imprimé juste après la première tentative protestante à Madagascar par un certain Samuel Copland[12] dont on ignore encore exactement la biographie, sans doute, comme le suggère J. Hardyman, un enthousiaste de la L.M.S., membre d'une société de soutien, mais qui n'était pas suffisamment proche de la Direction pour avoir accès aux Archives. Le jeune Henry Keating, fils de l'amiral qui commandait la flotte de l'océan Indien, eut cet ouvrage en main au retour d'une excursion à Tananarive en 1825. Dans ses notes de 1826, il en critique déjà les embellissements mais ne peut lui reprocher de véritable erreur.[13] En fait, l'étude que Copland a rédigée en annexe de son *Histoire de la Mission de Londres à Madagascar* ne fait que reprendre des informations dispersées dans les publications de la Société (chroniques, extraits de journaux, tracts d'information ajoutés à l'*Evangelical Magazine*), déjà éloignées des lettres et journaux reçus du

---

11 ANDERSON (J. F.) : *Esquisse,.*
12 COPLAND (S.) : *A History*, l'occasion de la parution du livre fut le *Missionary Meeting* de Stopney Green, le 10 janvier 1822.
13 Stephen Ellis et moi avons retrouvé à la Bodleian Library d'Oxford un manuscrit du journal du jeune Henry Keating dans lequel on peut lire : *I must here take notice of a gross mis-statement or extraordinary misunderstanding of the reports of the missionaries at Tananarivou by Mr. Copland in his "History of Madagascar". (...) it is evident the plain and simple statement of the Missionary has received an unwarrantable polish from the poetic genius of Mr. Copland*, p. 85-87 du manuscrit.

terrain.[14] La synthèse est bonne, soulignant la longueur des préliminaires, les hésitations sur le lieu d'attaque et la liaison étroite avec les aspirations des missionnaires d'Afrique du Sud.

Une fois les bases d'une église solidement implantées en Imerina, malgré les premières persécutions et à cause ou en dépit du départ des missionnaires (après 1836), deux grands ouvrages furent publiés. Leur lecture apprend que, des deux, celui d'Ellis est le plus important parce que celui de Freeman et Johns ne fait que reprendre les informations données par le premier.[15] L'*Histoire de Madagascar* d'Ellis consacre plus de 300 pages à l'œuvre de la L.M.S. durant la période 1796-1838, mais cinq pages seulement concernent les préliminaires. Ellis, en tant que membre appointé de la Société eut accès aux Archives mais semble s'être contenté, pour une large part, de synthétiser comme Copland (qu'il ne pouvait ignorer mais ne cite pas) les sources imprimées en Angleterre. Sur les préliminaires ainsi que sur la première expérience missionnaire (1818-1819), Ellis est assez décevant. Il est vrai qu'il n'a pas eu connaissance des journaux de Hastie. Il est pourtant resté le seul, jusqu'à une date récente, à avoir tracé un tableau original et détaillé des débuts de la mission, tel qu'il a été sans cesse repris par ses successeurs.

Durant la période qui va de 1861 à 1920, les Missionnaires produisent l'essentiel de ce qui constitue la documentation imprimée sur le protestantisme à Madagascar. C'est alors que paraissent les premiers *tantara* (récits) en malgache, imprimés à Madagascar, comme celui que Clark compose en 1887.[16] Ces *tantara* réduisent considérablement la part consacrée à la préhistoire de la mission de Madagascar et reportent l'essentiel sur la période des persécutions. Dans ce qui est son ouvrage majeur en malgache, Clark insère pour la première fois une réflexion critique sur l'oeuvre entreprise par ses confrères.

---

14 En 1825, déjà, le jeune Henry Keating constatait avec les missionnaires de Tananarive les transformations que les besoins de la propagande missionnaire faisaient subir à leur correspondance. A propos des conversions qui auraient été obtenues en 5 ans d'activité il leur fit lire un prospectus qui avait été distribué lors d'un *Missionary Meeting* organisé par l'*Auxiliary Society* de Rowland Hill's Chapel : *In speaking to those gentlemen I took the occasion to mention a paragraph I had read in an English paper concerning the progress of religion in Madagascar where it was stated (...) on the authority of Mr. Jones that the instances of conversion were numerous, and that a hundred were to be seen in the streets reading and explaining the bible,ec., ec. (...) I fortunately had the paper and shewed it to them. Happy as I should be to see a success of the kind attend theirs labours still it is necessary to say that there is nothing of the kind in existence*, p. 104 du manuscrit.
15 ELLIS (W.) : *History of Madagascar*, FREEMAN (J. J.) and JOHNS (D.) : *A Narrative*. J. T. Hardyman signale deux autres ouvrages dans cette période publiés en gallois par Johns (1840) et par Griffiths (1843). On peut penser que le livre sans nom d'auteur, imprimé en 1847 à Londres, est peut-être de l'un d'eux ou alors de Cameron : *Madagascar Past and Present ; With England and France and as to the Progress of Christian Civilization*. Aucun de ces ouvrages ne s'intéresse à la période avant 1820.
16 CLARK (H. E.) : *Tantaran'ny...*

Dans le même temps, un missionnaire anonyme faisait paraître, en anglais et à Londres, un ouvrage que reprend le texte malgache de Clark et dont on peut penser, vu le décalage chronologique, qu'il est directement inspiré de W. Ellis lequel fit divers séjours à Madagascar entre 1853 et 1865.[17] Un missionnaire anglican, William S. Townsend rédigea après la création de l'évêché anglican de Tananarive (1889) un livre consacré à la mission de la L.M.S. et à la persécution sous Ranavalona I. Sans accès aux sources de la L.M.S., l'auteur n'a pu que reprendre les ouvrages disponibles dans le public et son travail n'offre pas grand intérêt.[18]

L'*Histoire de la L.M.S.* publiée en 1899 par Lovett est consacrée, pour une partie du premier volume, à Madagascar (p. 673 à 793), mais elle ne concerne que l'activité effective sur le terrain, sauf une page sur les préliminaires. Néanmoins on apprend beaucoup à glaner, grâce à l'index, dans la première partie (*Origin and formation of the Society*) et dans le chapitre XVII consacré à l'Afrique du Sud, avec l'avantage de pouvoir replacer Madagascar dans le cadre de la stratégie d'ensemble de la Société de Londres. Il est difficile de savoir quelles furent exactement les sources qu'a pu utiliser Lovett puisqu'il ne fournit pas de bibliographie, mais il affirme dans sa Préface (p. VI) qu'il a utilisé toutes les catégories de documents disponibles à Londres. Il semble difficile de croire, malgré ce qu'écrit J. Hardyman, qu'il n'ait consulté ni Copland ni les archives.[19]

Cousins, arrivé dans l'île en 1862, devint vite un remarquable malgachisant. Il fit paraître à Londres, en 1895, un petit récit qui résume l'œuvre de la L.M.S. dans le même esprit et avec les mêmes informations que l'ouvrage, en malgache, de Sibree, imprimé la même année.[20] L'intérêt de ces livres réside dans la volonté d'objectivité et de critique de l'œuvre accomplie, dans un but d'évaluation des perspectives futures.

En 1895, à l'occasion du centenaire de la fondation de la L.M.S., James Sibree rédigea en malgache un petit ouvrage qui n'apporte rien de nouveau dans la mesure où, de l'aveu même de l'auteur, il consiste largement en extraits "résumés et abrégés" du livre de Clark auquel, d'ailleurs, Sibree avait fourni une partie de sa documentation. Peu après, en 1898, fut imprimé à Paris un livret de 60 pages sur l'*Histoire des Origines du Christianisme à Madagascar* qui inaugure la prise en main du protestantisme à Madagascar par la Mission Protestante Française, et une tradition historiographique française, sans rien apporter de nouveau sur

---

17 ELLIS (W.) : 1838, 1858, 1870. Le livre dont il s'agit s'intitule : *Madagascar, its mission and its martyrs*, London, L.M.S., 1863, 167 p., avec une introduction d'Ebenezerd Prout qui est peut être l'auteur.
18 TOWNSEND (W. J.) : *Madagascar, its missionaries and martyrs*.
19 LOVETT (R.) : *History*. Ces remarques de James T. Hardyman proviennent de son article : "The London Missionary Society and Madagascar : 1795-1818 - Part I : 1795-1811", *Omaly sy Anio*, n° 7-8, 1978, p. 43-82.
20 COUSINS (W. E.) : *Madagascar of today. A sketch on its past history and present prospects*, London, 1895, 160 p. ; SIBREE (J.) : *Sentenarin'ny London Missionary Society*, Tananarive, 1895.

la période anglaise. Il en est ainsi du livre de J. Bianquis.[21] L'ouvrage de Mondain est un peu mieux informé pour la période qui suit les persécutions mais très rapide sur les débuts, de même que celui qu'il écrivit plus tard avec Chapus sur l'*Action protestante à Madagascar* (sans date).[22]

Au moment où intervient la composante française, l'activité historiographique de langue anglaise et malgache ne ralentit pas, bien au contraire. C'est dans les premières années du siècle que le premier historien malgache, héritier d'une lignée de chroniqueurs impubliés mais que l'on commence à reconnaître, fit paraître à Tananarive un ouvrage dont l'importance est incalculable chez les protestants malgaches. *Ny Maritiora Malagasy*. Sa première édition datée de 1905, a, depuis, été constamment réimprimée et sans cesse reprise par les auteurs et prédicateurs malgaches. Pour la première fois, des sources originales malgaches sont utilisées, alors que les oeuvres directement précédentes sur le sujet se contentaient de publier en annexes des lettres de chrétiens malgaches pendant la persécution. Le livre couvre la période 1795-1861 et consacre 4 pages sur 130 aux origines de la mission protestante à Madagascar ; il constitue la vulgate malgache sur le sujet.

Le centenaire de l'introduction du protestantisme à Madagascar donna l'occasion d'une série de publications historiques. Robert Griffiths en 1919, A. J. Grieve en 1920 et Rabary en 1924. De ces trois publications, seule celle du pasteur Rabary est intéressante et originale. Le premier volume de ses *Daty Malaza* qui parut en 1924 et qui fut rédigé dès 1919 pour le centenaire de 1920, alors que les suivants (2 vol.) s'échelonnent jusqu'en 1930, couvre la période qui nous intéresse (1795-1876).[23]

Rabary marque le point d'aboutissement d'une historiographie commencée avec Ellis, puis solidement fixée dans sa périodisation et ses thèmes par Clark et Sibree. Rabary lui a donné une coloration malgache et providentialiste qui n'a pratiquement pas été revue depuis par quelque auteur que ce soit. D'ailleurs, l'histoire de la L.M.S. à Madagascar n'a plus fait ensuite l'objet d'ouvrages particuliers mais s'est trouvée insérée dans des chapitres d'histoire religieuse au coeur d'études consacrées à l'ensemble du passé de Madagascar. Ces chapitres sont d'abord copieux chez Chapus dans *80 Années d'influence européenne en Imerina*, paru en 1925, et déjà réduits dans l'*Histoire des Populations de Madagascar* du même, en collaboration avec Dandouau, puis dans le *Madagascar* d'O. Hatzfeld.[24] Ils sont totalement inexistants dans les *Histoires de*

---

21 KECK (D.) : *Histoire,* ; BIANQUIS (J.) : *L'oeuvre*.
22 MONDAIN (G.) : *Un siècle...*
23 J'ai placé la chronologie des oeuvres de Rabary plus haut que de coutume après avoir relevé les dates de ses ouvrages les plus anciens conservés à la Bibliothèque Nationale de Tananarive dans le fond "Rabary".
24 CHAPUS (G. S.) : *80 années d'influence européenne en Imerina*.

Madagascar les plus célèbres et les plus consultées, notamment celles de G. Grandidier et de H. Deschamps.[25]

Quant aux auteurs catholiques (La Vaissière, Lintingre), à aucun moment ils ne s'interrogent sur les origines et les avatars de la mission protestante à Madagascar autrement que de façon violemment polémique et sous l'aspect du nationalisme colonial. Boudou, le seul qui tente de faire œuvre objective, manque manifestement d'informations.[26] Cette attitude persiste dans des oeuvres plus récentes comme l'*Histoire Universelle des Missions Catholiques*, publiée en 1958 sous la direction de Mgr. Delacroix, à laquelle fait heureusement contrepoids, en apportant des éléments neufs quoique succincts, la brillante synthèse de A. G. Léonard sur l'*Histoire Générale du Protestantisme* (1964) ainsi que le *Madagascar* édité en 1970 par N. Heseltine dont, il est vrai, le chapitre religieux a été écrit par J. T. Hardyman.[27]

La lecture de cette série d'ouvrages consacrés entièrement ou en partie à l'histoire de la L.M.S. à Madagascar fait apparaître une mauvaise utilisation des sources originales, notamment des archives de la Mission, et l'élaboration progressive d'un mythe des origines qui finit par oblitérer la réalité et paralyser la recherche de la vérité historique.

La première constatation vaut aussi bien pour la période préparatoire que pour la première expérience à Tamatave des années 1795 à 1820. Dans sa thèse, J. T. Hardyman examine peu la première période (1818-1819) et assez rapidement les conditions de départ de part et d'autre : fondation de la société, situation religieuse et croyances des Malgaches. Pour la documentation, il renvoie aux Archives de la L.M.S. et à l'*Histoire de Madagascar* de W. Ellis.[28]

La comparaison des quelques pages qu'Ellis consacre aux premiers pas de la mission, lui qui avait libre accès aux dossiers de la L.M.S. lorsqu'il rédigeait son livre, avec le matériel documentaire conservé aujourd'hui convainc facilement du peu d'intérêt que suscitait cette étape. On n'en a retenu que la mort héroïque de Bevan, premier "martyr" de l'évangélisation protestante à Madagascar. Cela est d'autant plus regrettable que toutes les histoires du protestantisme à Madagascar, en anglais, en français comme en malgache, se sont toujours contentées de reprendre le passage d'Ellis tiré de son *History* ou encore de compiler Sibree, plus accessible, mais qui reprend mot pour mot le texte d'Ellis.

De façon générale, la plupart des auteurs ont donc démarqué les ouvrages d'Ellis et de Lovett, y compris Latourette, récemment réédité et qu'une longue tradition veut que l'on inscrive dans toute bibliographie de l'histoire des Missions, lorsqu'on est anglophone, et qu'on ignore

---

25 GRANDIDIER (G.) : *Histoire politique* ; DESCHAMPS (H.) : *Histoire..*
26 BOUDOU (A.) : *Les jésuites à Madagascar au XIXe siècle*, Paris, Beauchesne, 1940, 2 tomes et *Madagascar. La mission de Tananarive*, Tananarive, Imp. catholique, 1940.
27 DELACROIX : *Histoire universelle...*, LEONARD : *Histoire...* ; HESELTINE : *Madagascar*.
28 ELLIS (W.) : *History*, vol. II, p. 209-216.

complètement, lorsqu'on est francophone.[29] Or Ellis et Lovett avaient fort peu utilisé les archives qui leur étaient ouvertes, se contentant bien souvent de consulter des documents disponibles dans les publications missionnaires, ce qu'avaient fait, avant eux, Copland avec plus de bonheur. Sibree, qui vient après ces deux premiers historiographes, fournit leur documentation à Clark et à Rabary, sans rien apporter pourtant à la documentation de la période qui nous intéresse, malgré ses prétentions.

Au fond les seules œuvres originales qui ont apporté, soit des informations, soit une périodisation, soit encore une interprétation, sont celles de Copland, de Clark et de Rabary.

2 - Histoire ou épopée mythique ?

Copland inaugure un type historiographique, conçu comme une étude historique, géographique, voire ethnographique du pays, à la façon des Raynal, Rochon et autres auteurs français du XVIIIe siècle. Mais il y adjoint une "Enquête" sur les potentialités religieuses du pays et sur l'état du christianisme dans la nation considérée, directement inspirée de celle de William Carey. Copland est aussi le premier à avoir utilisé des coupures de revues pour constituer sa documentation et sans doute aussi des enquêtes orales auprès d'acteurs ou de témoins. Sibree lui-même reprend ce modèle dans son *Madagascar and its People*.

Clark introduit à Madagascar l'*Histoire de l'Eglise* telle qu'elle se pratiquait en milieu protestant depuis le XVIe siècle, un genre que presque tous les auteurs européens intéressés par Madagascar ont repris et que les pasteurs malgaches empruntent à l'occasion de toutes les commémorations de fondation d'églises ou d'événements considérables, sous la forme, par exemple, du *Tantara ny Fiangonana Ilafy* ou *Tantara (...) Ambatomanga*. L'autre apport de Clark, l'utilisation des chiffres et des tableaux statistiques à l'appui du récit, a été adopté aussi bien.

Rabary quant à lui propose à la fois une autre forme d'exposition et une autre conception de cette histoire qui devient, malgré de sérieuses références et d'abondantes précisions historiques, un récit véritablement "mythique". La conception en est analytique, les événements y sont pris au fil des jours sans lien apparent entre eux. Le christianisme apparaît chez cet érudit inspiré à l'image des pérégrinations de Bunyan, dont l'influence est manifeste, comme issu de rien. On dirait plutôt qu'il naît d'une volonté divine soudainement manifestée par l'apparition des missionnaires, réalisation, à travers les peines et les souffrances du monde, d'un *dixit Dominus*. En réalité, on ne fait plus dans cet ouvrage la différence entre histoire du christianisme et histoire malgache au point que Françoise Raison le définit comme "le classique d'histoire malgache". "C'est l'histoire de Madagascar vue du point de vue

---

29 LATOURETTE : *History*.

de Dieu, écrit-elle, dans un providentialisme qui fait sortir les missionnaires des coulisses en 1800, et c'est là que tout commence."[30] Ce que Madame Raison ne dit pas, c'est que cette vision de l'histoire a été, peu à peu, construite par les missionnaires eux-mêmes, presque par réflexe et selon un modèle séculaire.

Copland, seul, parce qu'il en est encore à plaider pour la mission de Madagascar, tient aux faits, et aux seuls faits, pour raconter et annoncer le Christianisme à Madagascar sans faire appel à un dessein de Dieu d'autant que cette extension de Son royaume est encore à venir et non inscrite de toute éternité. Rien ne lui prouvait au moment où il rédigeait, que les Malgaches allaient devenir chrétiens un jour, ni même que ce serait facile, bien au contraire. Il est par ailleurs le seul à insister sur la ténacité déterminante de Vanderkemp et sur les énormes difficultés, accrues par la malchance (volonté divine ?), qui firent avorter les projets de ce dernier.[31]

A propos de ce pionnier, j'ai rappelé ailleurs[32] un détail systématiquement occulté par l'historiographie et que Copland ignorait, à savoir l'importance sans doute déterminante de son mariage en Afrique du Sud avec une esclave à demi-malgache. Pour des raisons profondes et dont F. Raison donne des aperçus dans son article, un tel "détail" ne pouvait entrer dans les desseins de Dieu et satisfaire le providentialisme tout aristocratique des historiographes malgaches, mais il semble bien que les missionnaires eux-mêmes aient tenu à oublier l'affaire.[33]

Sans doute à cause des détails gênants de sa biographie, Vanderkemp passe, pour tout ce qui concerne la préparation de la mission, au deuxième voire au troisième plan dans les histoires du protestantisme à Madagascar, quand il n'est pas tout simplement oublié. Seul Lovett lui fait un sort avec une hauteur d'esprit qui mérite d'être soulignée. C'est bien plus tard que J. T. Hardyman s'est attaché à restituer la réalité dans tous ses détails.[34]

Tandis qu'après Copland Vanderkemp est repoussé dans l'ombre par les auteurs d'histoire, Le Brun, autre pionnier, est souvent oublié, sauf par Rabary. A l'opposé, trois personnages prennent un relief singulier et,

---

30 RAISON (F.) : "Spiritualité et ecclésiologie protestante en Imerina", et, encore mieux, tous ses développements sur la notion de *tantara* dans sa thèse, Françoise RAISON-JOURDE : *Bible et pouvoir à Madagascar au XIX° siècle. Invention d'une identité chrétienne et construction de l'Etat*, Paris, Karthala, 1991, 840 p.
31 Voici ce que dit Rabary, dans *Daty Malaza*, vol. I, p. 2 : *fa misy raharaha hitan'ny Tompo azy tany ambony*.
32 BELROSE-HUYGHUES (V.) : "Le Contact missionnaire au féminin, Madagascar et la L.M.S."
33 Révélatrice de l'attitude missionnaire protestante est la petite phrase de Léonard (dans *Histoire*, vol. 3, p. 476) qui met en parallèle Van Gogh et Vanderkemp, disant de ce dernier qu'il était un homme à la recherche du "plus bas des êtres qu'il eut à sa portée pour le relever" ; que savait M. Léonard des qualités respectives de Mmes Vanderkemp et Van Gogh ?
34 HARDYMAN (J. T.) : "The London Missionary Society...".

pour l'un d'entre eux , le Docteur Philips, sans doute exagéré. Les deux autres sont David Jones et Thomas Bevan. Chez Ellis, chez Copland, comme chez tous les historiens qui précèdent Clark et dont beaucoup ont connu Jones à Madagascar, on trouve un enchaînement de faits logique qui explique la venue de D. Jones et T. Bevan à Madagascar et qui ne fait aucune référence à un événement miraculeux ou à un appel nominal par Dieu. C'est avec Clark que, soudain, apparaît une version providentielle de la venue de ces missionnaires. Ils ont fait un rêve dans lequel Madagascar leur était indiqué comme l'endroit où ils devaient se rendre pour évangéliser les païens. Ce rêve fut suivi, pour le Docteur Philips, par un phénomène miraculeux : le bouillonnement et le débordement du vin dans le calice au moment de la Sainte Cène.

Cette explication miraculeuse de la venue des missionnaires à Madagascar a toujours gain de cause aujourd'hui puisque, en 1976 encore, pendant la rédaction de ce travail, une plaquette commémorant la venue de l'imprimerie à Madagascar la reprenait inchangée.[35] Pourtant si, dans son étude sur les origines de la transcription en caractère latins de la langue malgache, Otto Dahl est pratiquement muet sur la genèse de la venue des missionnaires, il offre, sur la formation des premiers évangélisateurs et sur leur séjour à Tamatave, des détails que l'on ne trouve imprimés nulle part dans les histoires de la mission à Madagascar. Quant à Ludwig Munthe, il met l'accent sur l'importance de l'activité de Farquhar, étudie sa campagne pour l'évangélisation de l'île qui décida finalement les Directeurs, longtemps hésitants. L. Munthe rappelle l'entreprise documentaire du gouverneur et de son secrétaire Telfair, avant l'arrivée des missionnaires, ainsi que l'appui que ces deux hommes, épaulés par Le Brun, fournirent aux premiers missionnaires. Il donne le premier un aperçu de l'héritage catholique reçu par la première mission protestante à Madagascar.

Mais c'est à J. T. Hardyman que revient le mérite d'avoir mis en doute la version miraculeuse des origines du christianisme à Madagascar dans deux articles, le premier de 1967, peu accessible à Madagascar,[36] le second de 1968, dans une revue de théologie protestante malgache : *Fanasina*. J. T. Hardyman, y démonte le mécanisme de formation de ce qui est véritablement un mythe et restitue la réalité.[37]

---

35 *L'Imprimerie à Madagascar (1826-1976)*, Catalogue d'exposition du Centre Culturel Albert Camus, Tananarive, nov.-déc. 1976, p. 1 : "Historique" (sans nom d'auteur). : "Par un songe providentiel deux missionnaires anglais David Jones et Thomas Bevan, furent envoyés à la même époque, à Madagascar, à partir d'un petit village gallois..." Cela est d'autant plus étonnant que deux ouvrages récents ont fait la lumière sur les débuts de l'imprimerie à Madagascar de façon magistrale : O. C. DAHL : *Les débuts de l'orthographe...*, et L. MUNTHE : *La Bible à Madagascar...* La suite de la plaquette du 150e anniversaire fait d'ailleurs largement référence au livre de L. Munthe.
36 HARDYMAN (J. T.) : "Dr. Philips' Dream of Madagascar".
37 HARDYMAN (J. T.) : "Ny nahatonga ny L.M.S. taty Madagasikara", *Fanasina*, Tananarive, 1968, n° 565 et 566.

C'est Sibree qui travaillait à sa biographie générale des missionnaires de la L.M.S. et procédait à des enquêtes dans le pays d'origine des missionnaires qui reçut en 1879 une lettre lui narrant l'histoire, telle qu'il la communiqua à Clark pour son histoire et telle qu'on la trouve depuis 1885 dans toutes les Histoires du protestantisme à Madagascar.[38] Le correspondant de Sibree ne faisait que lui traduire un livre écrit en gallois par T. Rees et J. Thomas[39], lequel reprenait sans les critiquer diverses traditions orales plus ou moins fantaisistes concernant les personnages célèbres du Pays de Galles et qui, dans le cas de Jones et Bevan, remontaient plus de 70 ans en arrière. J. T. Hardyman démonte à partir d'enquêtes personnelles, de recoupements d'archives et par la chronologie, le caractère tout imaginaire de cette version des faits.

Une chose est certaine, l'histoire des rêves et du miracle n'a aucun fondement réel, du moins en ce qui concerne les personnages en question. Jones, dans son "plan d'histoire missionnaire",[40] resté manuscrit, n'en fait pas mention. Ce qui est fort intéressant, c'est, d'une part, le mythe lui-même, d'autre part, la croyance persistante en ce mythe.

L'intervention de la Divinité en rêve pour orienter une vie ou déclencher un événement est un recours commun à toutes les pensées religieuses, à commencer par celle de la Bible.[41] Cette intervention est particulièrement importante pour l'initiation ou le déclenchement d'une vocation dans les religions de type ouranien, pour reprendre la classification de Dumezil et d'Eliade, en revanche, elle joue un rôle plus quotidien, plus rituel dans les religions chtoniennes auxquelles on peut apparenter la religion traditionnelle malgache. Le rêve comme "illumination décisive" (Eliade) joue un rôle capital dans les croyances galloises et cela jusqu'à nos jours. En effet, un rêve tel que celui du Docteur Philips, non seulement n'est pas isolé, mais sert d'élément explicatif de la conversion religieuse de nombreux personnages d'origine galloise.[42] On objectera que c'est une particularité plus largement protestante, depuis Luther lui même, et qui ne fait que rappeler la conversion de Saint Paul, il est vrai. Par ailleurs, le chemin de Damas n'est-il pas un épisode apostolique particulièrement prisé par le réveil protestant du XVIIIe siècle ? Mais peu importe ces considérations car, dans les annales de la L.M.S. il n'y a que chez les Gallois qu'une telle

---

38 Cette lettre, en date du 16 juin 1879, est toujours conservée dans les Archives de la L.M.S. *Madagascar Personal* 2, "Letters and Papers..... Sibree".
39 *Hanes eglwysi Annibynol Cymru*, Llanelly, 1875, IV, p. 105-106.
40 Reproduit dans AYACHE (S.) : *Raombana*, p. 470-473.
41 Pour une analyse de cet aspect de la mentalité religieuse, voir ELIADE (M.) : *Mythes, rêves et mystères*, not. le chap. V : "Expérience sensorielle et expérience mystique chez les primitifs" et, du même, : *Aspects du Mythe*, Paris, 1963, p. 33.
42 James Hardyman cite un article de presse relatant le miracle du vin à propos de Jones, daté de 1920. La première mise en doute n'est repérable qu'en mai 1941. Rabary de son côté se fait l'écho d'un autre miracle à propos du départ de Griffiths, *Daty Malaza*, vol. 1, p 13.

importance est donnée au rêve pour expliquer une vocation missionnaire.

Au pays de Galles, aussi bien qu'à Madagascar ne l'oublions pas, le mythe, une fois introduit, a oblitéré tous les autres éléments et donne désormais la clé de nombre de biographies d'évangélistes et de pasteurs narrées dans les publications périodiques protestantes. Comme s'il avait manqué à Madagascar, en même temps qu'une forme de religiosité plus céleste, cette utilisation spirituelle du rêve. Dès lors, pour les protestants malgaches, le songe n'annonce plus simplement la nécessité de restaurer le tombeau, de circoncire le fils ou de procéder à la translation des restes de l'ancêtre, il décide aussi du sens d'une vie. Les exemples quotidiens ne manquent pas à l'appui de ce que j'avance. En gros, la tradition du rêve gallois a couronné celle des Malgaches, lui donnant une verticalité, une dimension ouranienne qu'elle n'avait pas, et n'est-ce-pas ce qu'avaient fait les prophètes pour le peuple encore animiste d'Israël et Mahomet pour les Arabes ?

On comprend dès lors le succès de cette version de l'origine de la Mission protestante auprès des lettrés malgache, d'autant qu'elle permet d'éviter le problème historique de l'avant-christianisme, si gênant pour Rabary et ses successeurs dans leur conception du christianisme et de l'histoire de Madagascar.

Un troisième élément s'insère dans l'historiographie de la période pour expliquer les débuts du protestantisme à Madagascar : l'intervention de Farquhar, gouverneur de l'île Maurice. Prise en compte par les historiens depuis Ellis, elle subit au cours du XIXe siècle un traitement très particulier, un peu comme la vocation de Jones et de Bevan. Placée par Ellis dans le cadre de la lutte contre la traite esclavagiste, de la diffusion des Lumières et du christianisme protestant (face au catholicisme), l'action du gouverneur devient, chez Clark et ses successeurs, celle d'un humanitariste soucieux avant tout du bien-être du peuple malgache. Elle fonctionne en couple bien-mal, opposant, par exemple, le bon gouverneur Farquhar et le mauvais général Hall qui fit l'intérim à l'époque des débuts de la mission. Cette évolution peut s'expliquer, à partir de 1861, par l'intervention des Français qui firent très tôt usage de l'association protestant-anglais, catholique-français dans leur polémique et surtout, à la fin du siècle, par la pression colonisatrice de la France. L'occupation renforça encore ce diptyque, lui donnant une coloration nationaliste fort gênante pour les protestants malgaches et leurs missionnaires pourtant français. Ces derniers cherchèrent alors à vider l'oeuvre de Farquhar de tout contenu politique ou diplomatique afin de placer les débuts du protestantisme malgache dans un contexte purement évangélique et comme libre des contingences et des rivalités de l'époque.

On voit ainsi que l'historiographie du protestantisme s'est progressivement bloquée au cours du XIXe siècle pour des raisons multiples, les unes sont extérieures à la mission et ne nous retiendront pas ici, les autres lui sont intérieures et feront notre propos suivant.

Il est clair que les missionnaires ont participé eux mêmes à l'élaboration de certains mythes de fondation, qu'ils ont encouragé ou toléré certaines interprétations ou certains silences. J'avancerai deux raisons à cela. La première, c'est le souci d'efficacité de cette société conçue et organisée comme une entreprise. Efficacité sur le terrain d'abord, en se coulant dans des formes de croyances locales non contradictoires avec les principes du christianisme (le rêve, le miracle du vin) ou des réflexes sociaux (scandale du mariage d'un missionnaire avec une esclave, aussi énorme que celui d'un noble avec une esclave). Efficacité externe dans la gestion et la recherche de soutiens ensuite, qui explique notamment l'évolution du traitement des biographies de missionnaires. Dans le cas de Vanderkemp, la L.M.S. a préféré insister sur ses succès en Afrique du Sud plutôt que sur son échec ou son absence de succès à Madagascar et reporter tout le mérite, par le biais d'un providentialisme miraculeux, sur ceux qui avaient réussi (Jones) ou trouvé une mort glorieuse (Bevan) dont le bénéfice rejaillirait sur la Société.

L'organisation de l'historiographie missionnaire était essentiellement tournée vers la propagande et la publicité, dans le souci de soutenir et de renforcer les bases humaines et financières de la Société. Cet esprit de "management" s'accommodait malgré tout de bien des archaïsmes. Chez les Directeurs, un certain rationalisme et le sens de l'efficacité et de la clarté s'accompagnait d'un état d'esprit illuministe. Parmi les missionnaires et les soutiens populaires de la mission en Grande Bretagne, beaucoup partageaient avec les Malgaches traditionnels des croyances assez primitives et une religiosité peu sublimée. Cela est particulièrement vrai des Gallois, étonnamment proches des Malgaches du point de vue de l'anthropologie culturelle.

Demeure cette question : l'œuvre de la *London Missionary Society*, agent de l'introduction du christianisme congrégationaliste à Madagascar, est-elle exceptionnelle ? Il semble qu'*a priori* on puisse répondre oui, car le seul exemple comparable, dans le même temps, est celui de Tahiti. Or l'évangélisation de Tahiti et des "îles des mers du Sud" est à mettre au crédit de cette même société missionnaire tout comme celle du Lesotho, réalisée par une société française héritière de la L.M.S.[43] On peut même affirmer que Madagascar fut un plus grand succès pour elle que Tahiti. Mais ce succès, jugé aux résultats du XXe siècle, était-il déjà assuré au milieu du XIXe ? Comment expliquer les arrêts dans la progression, à Tahiti comme à Madagascar, rendre compte de ce que l'on a appelé le retour des "temps obscurs", *tany maizina* ou la "traversée du tunnel" ? La réponse proposée traditionnellement est d'ordre politique, c'est l'arrivée au pouvoir en 1828 d'une souveraine obscurantiste, barbare, voire

---

[43] PERROT (C.-H.) : "Premières années d'implantation du christianisme au Lesotho (1833-1847)", *Cahiers d'Etudes Africaines*, n° 13, vol. IV, 1964, 1er cahier. Pour replacer la mission malgache dans l'ensemble des succès du siècle missionnaire protestant on ne peut mieux trouver que la thèse de Jean-François ZORN : *Le Grand Siècle d'une mission protestante. La Mission de Paris de 1822 à 1914*, Paris, Karthala-Les Bergers et les Mages, 1993, 791 p.

sanguinaire, qui expliquerait, à Madagascar, la réaction violente contre les missionnaires, leur départ et le début, en 1836, de ces persécutions qu'on a si sommairement comparées en intensité à celle des chrétiens par les empereurs romains.[44] Une telle explication aurait dû être poussée jusqu'à ses conséquences finales et nous faire savoir que, dès le début, l'évangélisation était dans la dépendance du pouvoir politique malgache, qu'elle a réussi un moment parce que soutenue par un souverain favorable et qu'elle a marqué le pas parce que combattue par une reine hostile.[45] Il n'en est rien.

La lecture ou la prière ?

Depuis la rédaction de cet ouvrage et la parution des travaux de Françoise Raison, un historien s'est risqué sur le terrain peu fréquenté des missions françaises.[46] Pour ce qui concerne Madagascar, Jean-François Zorn utilise bien ma position de thèse sur les débuts de la mission de Madagascar et le précédent de Vanderkemp. Pour l'Afrique du Sud, en revanche il aurait gagné à lire ma thèse dans le texte. Bien qu'il tienne compte, ou du moins signale, celle de Françoise Raison, sa problématique du règne de Radama 1er s'appuie sur une historiographie assez ancienne sinon datée : Pierre Alexandre, Michel Prou, plus récent mais sans fondement documentaire original. En aucun cas il n'a replacé l'épisode dans l'alternative missionnaire du XIXe siècle : mission côtière ou mission centrale ? Ce que ne fait pas non plus Louis Molet dans sa biographie de David Jones rédigée en 1979 pour *Hommes et Destins*, t. 3.

La double affirmation de Jean-François Zorn, informé par cette documentation dépassée, est donc inexacte. La première est que "les Français n'ont pas encore de visées sur Madagascar" à l'avènement de Radama I. La seconde que les Britanniques, basés dans l'île Maurice, comprennent qu'il faut miser sur Radama I s'ils veulent exercer une influence durable à Madagascar." C'est faire peu de cas de l'évacuation des postes de traite français par Farquhar au profit des seuls commerçants de Maurice et des démarches de l'abbé Dalmond pour réaliser ses plans missionnaires. C'est oublier que toute la stratégie malgache de Farquhar repose sur des informations et des agents français ou créoles, notamment Froberville. J. F. Zorn note d'ailleurs plus loin (p.

---

44 Comparaison avancée par RABARY in *Ny Maritiora* et *Ny Daty*.
45 Cette façon de voir les choses est notamment celle de Gow pour lequel la période de 1818 à 1835 correspond à un échec de l'évangélisation. GOW (B.) : *The British protestant*, vol. 1.
46 ZORN (Jean-François) : *Le Grand Siècle*. Pierre Alexandre, qui n'est en rien spécialiste de Madagascar, lui fournit des pages de sa contribution au collectif *Les Africains* (1981), Michel Prou de son *Malagasy, le Royaume du Nord au XIX° siècle* (1987), plus récent mais sans fondement documentaire original. Sur la mission de Tamatave et l'expédition de Jones et Bevan par exemple, J.-F. Zorn s'appuie sur BURCKARDT (G. E.) et GRUNDEMAN (R.) : *Les missions évangéliques depuis leur origine jusqu'à nos jours* qui date de 1884.

147) la participation française à la transcription du malgache en caractères latins et déclare : "les Français sauront, le moment venu, affirmer l'ancienneté de leur présence dans l'île". Mais s'il est bien vrai qu'ils ont été jusqu'à revendiquer la prise de possession de Fort Dauphin au XVII° siècle et la première mission lazariste, cet aspect des choses, curieusement, n'est absolument pas pris en considération par Françoise Raison dans sa thèse pour la pénétration du catholicisme.[47]

De la même façon, reprendre les mots de Pierre Alexandre selon lequel "les missionnaires ne doivent être aux yeux de Radama que des instituteurs" est une amputation considérable des attentes du souverain et des réalisations des missionnaires, véritables "agents de coopération" avant la lettre. L'auteur apporte lui même un correctif à cette vue trop réductrice en reprenant à son compte le concept de "malentendu productif" employé par Jean-François Baré, à propos du cas contemporain et parallèle de Pomaré à Tahiti. Radama I aurait entretenu un double malentendu, vis à vis des missionnaires et vis à vis de son opposition interne, désignée sous le nom de parti "vieux malgache". C'est une idée chère à Françoise Raison mais dont je pense qu'elle ne rend pas compte pleinement de la situation, ignorant que les sociétés malgaches ont l'habitude d'intégrer l'étranger, de le phagocyter, comme ce fut le cas en particulier pour les représentants successifs de l'islam, et que, par ailleurs, elles établissent sans doute des relations plus déterminantes en dehors de la communication verbale et du texte des traités.

Frederic-Herman Kruger, qui a vécu les derniers jours de la monarchie malgache, résume sans doute le mieux la position de Radama et, malgré les apparences, celle de ses successeurs, lorsqu'il écrit en 1886 : "Il recherchait la civilisation plutôt que le christianisme, mais il laissa faire les missionnaires."

Pour les classiques de l'histoire des missions, Radama I, qui accueille les missionnaires est un prince "éclairé" (*The Enlightened African*). On souligne pourtant son scepticisme religieux, mais c'est bien que les missionnaires ont réussi sans lui. De l'autre côté, Ranavalona Ière est présentée non comme un personnage politique conséquent mais en ce qui concerne le christianisme, comme l'agent irresponsable des souffrances envoyées par Dieu à la jeune chrétienté qui, de toute façon, triomphe car "c'est dans le martyre que se forge la vraie foi". Les persécutions sont donc la preuve de la réussite de l'action des missionnaires et non de son échec, même partiel. La métaphore, souvent entendue, qui résume cette péripétie du succès du christianisme à Madagascar est presque une parabole : celle de la graine.

---

47 RAISON (F.) : *Bible et pouvoir*, p. 127 : "depuis 1814, la polémique a inspiré du côté français la théorie des "droits historiques" inscrits sur l'île lors de l'occupation de Fort-Dauphin au XVII° siècle, renouvelés par l'expédition de Benyowsky, «empereur de Madagascar», au XVIII° siècle". C'est là se limiter au seul aspect diplomatique, peu convaincant déjà à l'époque, alors que l'aspect missionnaire, avec les martyrs lazaristes, est au cœur de toutes les tentatives catholiques au XIXe et sous l'occupation française.

Dans un terrain préparé par la Providence, une graine est semée (règne de Radama I) ; elle germe dans un premier temps sous le sol, dans l'ombre et la douleur de l'éclatement de son enveloppe (les persécutions) puis elle émerge à la lumière, et c'est le retour des missionnaires, après la mort de la mauvaise reine, en 1861.

Malheureusement pour la beauté de la fable, les documents s'inscrivent en faux contre une telle interprétation de l'histoire des débuts du protestantisme à Madagascar. D'abord, parce que le terrain n'était pas aussi bien préparé qu'on le dit puisque des réticences, voire des résistances, apparurent très tôt, aussi bien dans la population qu'au niveau du roi Radama, jusqu'à atteindre un point de rupture dès 1827, Cette date se situe plus d'un an avant l'accession au trône de la reine "anti-chrétienne" laquelle pourra, sans mentir, affirmer à son peuple qu'elle ne fait que poursuivre la politique (et notamment en matière de religion) de son prédécesseur. Pour cette raison l'étude a pour terme l'année 1827 et non celle qui sert traditionnellement de charnière, l'année 1828, date de la mort de Radama I.

En continuant à suivre la fable, on ne peut manquer de s'interroger, dans un second temps, sur la nature de cette graine chrétienne semée en terre malgache. Etait-elle viable *a priori* ? A quels accommodements et transformations ce christianisme bien particulier des congrégationalistes britanniques qu'il nous reste à définir, a-t-il été soumis, soit volontairement par les semeurs, soit, malgré eux, par les Malgaches à qui on le proposait ?

CHAPITRE II

LA POUSSÉE EUROPÉENNE VERS LES INDES

A la fin du XVIIIe siècle, l'île de Madagascar ne présente aux yeux des étrangers qui s'y intéressent que les faces qui satisfont leurs intérêts et en conserve beaucoup de cachées, même pour ses propres habitants. Pour restituer la situation il convient donc de savoir non seulement ce qu'était Madagascar en soi, le contexte géopolitique de l'île prise comme un ensemble, mais surtout ce qu'elle représentait pour ses visiteurs et ceux qui rêvaient d'y pénétrer, en l'occurrence les Européens.

1 - La prépondérance britannique

L'historique de l'évangélisation à Madagascar nous introduit en préalable à celle des routes de l'histoire, puisque l'évangélisation est d'abord un déplacement d'hommes. Tous ceux qui, au cours des temps, se sont lancés à l'aventure sur les routes terrestres et liquides, quelles que soient leur race et leur époque, n'appartiennent qu'à quelques catégories fonctionnelles bien limitées. Ce sont des soldats ou marins, conquérants ou pillards, des marchands et des missionnaires. Les routes de conquêtes religieuses ne se sont jamais distinguées en rien des routes de conquêtes politiques ou marchandes.[1] Ainsi les voies qui conduisent de l'ouest à l'est, vers Madagascar, quoique fort fluctuantes, ont été dans la dépendance d'une dynamique commerciale, à l'échelle de l'océan Indien et de l'Atlantique, et d'un contexte géopolitique en cours de transformation à partir du XVIIIe siècle. D'abord lieu d'escale à la fois estimé et redouté, surtout sur sa façade occidentale, l'île de Madagascar était devenue, du XVIe au XVIIe siècle, un pôle de colonisation à Fort Dauphin, puis une réserve d'hommes et de vivres pour la "Franconésie", cet empire colonial que la France tentait de se tailler dans l'océan Oriental, et en même temps pour les possessions plus ou moins lointaines de la Hollande et de la Grande Bretagne. Au XVIIIe siècle, Madagascar et le reste de l'océan Indien étaient pris et enserrés sur les franges dans un réseau aux mailles diverses d'intérêts étrangers mais demeuraient à l'écart, pour la plus vaste part, la moins "rentable",

---

1 HIGOUNET (Charles) : "La Géohistoire", dans SAMARAN (C.) : *L'Histoire et ses méthodes*, p.75-78.

poursuivant leur vie traditionnelle. C'est alors que se sont déployées les forces et les rivalités qui parviennent à la fin du XIXe siècle à les intégrer plus étroitement à l'orbe européenne.

De 1713 à 1763, Français et Espagnols se sont laissés grignoter leur empire américain et ont perdu toute puissance maritime face aux Britanniques. Pourtant cette suprématie que l'on peut lire entre les lignes des traités de paix et sur les cartes politiques, n'est pas l'essentiel pour notre propos. Que la couronne anglaise gagne le Canada et perde plus tard les Etats-Unis est moins décisif, pour l'espace atlantique et le reste du monde dominé par les Européens, que la massive émigration anglo-saxonne qui s'amorce vers ces deux espaces grâce à la prépondérance navale du Royaume Uni. A peine troublées par les amiraux français, entre 1775 et 1783, les flottes britanniques assurent les transferts et les trafics d'hommes et de biens dans l'Atlantique et bientôt dans l'océan Indien. Le transport d'émigrants, de soldats et de missionnaires et le trafic d'engagés et d'esclaves à l'échelle mondiale sont sans doute plus importants que ceux des marchandises et s'y ajoutent pour provoquer la fortune de l'*East India Company*, désormais plus importante que toutes les institutions commerciales tournées vers l'Occident. Les succès comme les revers de ce siècle, sont autant de leçons pour les Britanniques qui apprennent qu'un empire durable ne peut reposer sur la seule coercition, qu'elle soit politique avec le statut colonial, civile avec l'esclavage ou économique avec l'exclusif. Ils savent désormais que la maîtrise des communications est la véritable garantie de leur domination et que deux forces fondent et pérennisent leur puissance : le commerce sans restriction et l'esprit religieux de leur peuple. La migration vers l'autre rive de l'Atlantique devient alors comme la marche vers la Terre Promise d'un nouveau peuple dont l'élection divine se confirme à chaque victoire navale, diplomatique ou économique. Conforté dans son élection, le peuple anglais en a très vite accepté le corollaire et s'est cru investi d'une mission à l'égard du reste du Royaume-Uni puis de l'humanité à laquelle les bouleversements politiques et militaires de la fin du siècle ont donné une urgence eschatologique. Ces divers paramètres, catalysés par la Révolution française, provoquent au cœur anglais de la Grande Bretagne un véritable climat messianique qui se prolonge jusque dans les années 1850. Il se concrétise par un activisme social et religieux que l'on appelle, dès cette époque, "évangélisme" ou "humanitarisme" et dont la lutte contre la traite des esclaves et la conversion des païens sont les manifestations les plus éclatantes.

Par les hommes, par les moyens, la Grande Bretagne a donc pris la relève de l'expansion européenne, par la volonté aussi. Cette volonté, loin de n'avoir été que commerciale a, dans son essence comme dans sa motivation, quelque chose de religieux. Hume l'exprimait clairement en proposant partout "la destruction de l'ignorance, de l'oisiveté et de la barbarie", qui permettrait l'émergence de partenaires économiques. L'expansionnisme britannique n'était donc pas pour les contemporains une conséquence de l'accroissement du commerce et des richesses de la nation anglaise mais l'effet d'un choc culturel, celui de l'ouverture du monde par les dernières découvertes et celui de la culture puis de la Révolution françaises.

Les aliments d'un messianisme anglais

L'énorme littérature de voyage qui fut produite en ce siècle, a convaincu ses contemporains de la diversité du genre humain, de la variété des caractères physiques de l'homme, de ses coutumes et de ses comportements et surtout, en un temps où se dessinaient les contours d'une nouvelle économie et s'accentuaient les épreuves de guerres creusant davantage le fossé entre les riches et les misérables, de l'existence, hors d'Europe, de sociétés perçues comme heureuses et pacifiques. Mais tandis que la France projetait l'insatisfaction de ses élites en des rêves exotiques, sans voir que celle de ses propres misérables allait exploser en révolution, la Grande-Bretagne, à l'exception des groupes déistes minoritaires, se persuadait que le progrès humain, lié aux efforts directs de l'individu, était un dessein de Dieu. La mobilisation d'hommes "éclairés" pouvait amener, par le progrès intellectuel, lui-même garanti par le libre exercice de la raison, des changements sociaux dans une direction voulue de Dieu. Tandis que les utopies françaises du XVIIIe siècle exprimaient l'opinion que les mauvaises lois font naître et encouragent les vices tels l'orgueil, l'avarice, l'oisiveté et qu'il suffisait donc d'une bonne législation pour réformer les hommes, les utopies anglaises de la fin du XVIIe siècle estimaient que tous les régimes sont légitimes pourvu qu'ils soient stables, à condition que chaque citoyen accomplisse les œuvres de sa "vocation", chacun étant appelé à un emploi particulier pour la gloire de Dieu et le bien commun. Les affaires, le commerce bien conduits étaient en quelque sorte des actions de grâce et pour qu'elles puissent être rendues, c'est l'homme qu'il fallait transformer et non le système politique ou social.

C'est surtout au sein des groupes d'artisans et de petits commerçants que se développe, en Angleterre, une idéologie qui n'est qu'en apparence éloignée de celle des sans-culottes français car elle s'exprime autrement. Les uns comme les autres ont pris conscience d'incarner les forces productives de la société. Ils ont tiré de ce sentiment une nouvelle conception du travail : non plus châtiment infligé à l'homme par un Dieu courroucé mais affranchissement de l'homme par la domination de la matière. Le blocage de la société, la défaite américaine et les difficultés intérieures déclenchent en eux une crise spirituelle qui se manifeste par une quête des origines, par un désir d'instaurer sur terre l'ordre des élus que Dieu tarde à établir, bref ce que l'on appellerait aujourd'hui fondamentalisme, voire intégrisme.

Au cours du siècle s'élabore l'idée d'une oblation collective, pour reprendre la merveilleuse expression d'Alphonse Dupront. Cette oblation dont témoigne, entre autre, le *Call for Prayer* des baptistes, est une mobilisation du peuple chrétien, du peuple anglais, rassemblé surtout en ses membres les plus humbles, pour prier ensemble, c'est-à-dire pour gagner ensemble le salut. Ce mouvement associe l'exotisme, puisque la recherche du Christ et du Paradis sont intimement liés, et une vision eschatologique de l'histoire (le retour du Christ parmi les siens), il exalte le recours à la Bible et la volonté de convertir les infidèles. La Bible est lue alors comme un livre de prophéties où se trouvent des allusions à toutes les crises, à tous les exils, à toutes les captivités sociales. Parallèlement, les récits de voyage, les utopies des îles des Mers du Sud sont véritablement dévorés par les masses populaires anglaises millénarisées, qui y trouvent la description du Paradis Terrestre ou de l'île des Saints. Bien souvent aussi, certains fervents réclament une terre vierge pour y édifier la "Jérusalem purifiée". Il est vrai que la Terre Promise, prise à la lettre depuis le XVIIe siècle, ne peut plus s'identifier à l'Amérique depuis que les colonies ont vaincu, par leurs vertus chrétiennes, une Angleterre livrée aux déistes et aux athées. Les masses anglaises s'emploient donc, à la fin du siècle, à se moraliser, à se rendre dignes de l'élection divine, afin d'assumer la croyance à la Pureté mystique du Peuple anglais, et la volonté de réunir l'humanité dans le christianisme.

2 - Le rêve de Madagascar

Solidement implantés dans les îles Mascareignes, parce qu'elles étaient désertées à leur arrivée, les Français ne peuvent faire mieux, au XVIIIe siècle, que d'inquiéter sérieusement les flottes britanniques qui croisent en nombre du cap de Bonne Espérance aux Indes. Ils n'ont pu prendre pied, ni à Madagascar, ni aux Comores, malgré des tentatives réitérées. Il est vrai que Madagascar, d'abord prise sur ses bordures maritimes dans le système mercantiliste des compagnies orientales européennes, n'a jamais attiré de façon systématique et prolongée les appétits des armateurs et des négociants européens. Portugais et Hollandais ont très vite renoncé à y trouver autre chose que des points de relâche pour leurs navires et l'occasion de quelques cargaisons d'esclaves.[2] Seuls les Français et les Anglais crurent y trouver l'El Dorado qu'ils n'avaient pu découvrir à l'Ouest. Il est d'ailleurs vrai que le commerce de Madagascar fut réellement une source de profits pour les traitants créoles des Mascareignes et leurs associés de la métropole. Les Français en firent une colonie de comptoirs, après l'échec de tentatives d'occupation bien modestes aux XVIIe et XVIIIe siècles dans le Sud-Est. L'appétit de conquête totale qu'ils nourrissaient à l'égard de la grande

---

[2] C'est ce qui explique la présence de Malgaches dans la colonie hollandaise du Cap et le mariage de Vanderkemp, si important pour la mission L.M.S. dans la Grande Ile, comme on verra plus loin. Sur les liens entre Le Cap et Madagascar on se reportera aux travaux de James C. ARMSTRONG, notamment dans ELPHICK & GILIOMEE : *The Shaping of South African Society 1652-1820*, Londres, Longman, 1979 et dans *Omaly sy Anio*, n° 17-20, 1983-84, p. 211-234 ; JORDAAN (B.) : *Splintered Crucifix. Early Pionneers for Christendom on Madagascar and the Cape of Good Hope*, Cape Town, C. Struick, 1969.

voisine se justifiait sans doute par des réalités palpables et quotidiennes, même si certains, plus avisés, craignaient de tuer la poule aux œufs d'or.

Pour la Grande Bretagne en revanche, Madagascar fut véritablement une illusion. Les Britanniques entretinrent à propos de cette île une "légende dorée", écrit Hubert Deschamps, qu'aucun échec ne put ternir jusqu'au XIXe siècle et qu'aucun intérêt mercantile d'importance ne semblait justifier *a priori*.[3] Les Mascareignes offraient, en temps de paix, l'occasion aux navires anglais d'une active et fructueuse contrebande, mais il ne semble pas qu'elles aient jamais excité les convoitises de leur gouvernement et s'ils en tentèrent la conquête, au début du XIXe siècle, leurs motifs ne furent que stratégiques, sans attente d'aucun bénéfice économique. Madagascar était certes une escale assez souvent fréquentée par les flottes anglaises qui prenaient la route des Indes "par le dedans", c'est-à-dire, malgré ses dangers multiples, par le canal de Mozambique. Cette route offrait l'avantage d'éviter les attaques françaises lancées depuis l'île de France.[4] De la côte ouest de Madagascar, on pouvait aussi retirer quelques esclaves, utile monnaie d'échange pour le commerce avec les Mascareignes. Mais les Britanniques avaient de multiples ressources de main-d'oeuvre en Orient et de nombreux fournisseurs d'esclaves en Afrique occidentale. C'est pourtant bien l'intérêt mercantile qui occupait l'esprit des premiers capitaines anglais qui y firent relâche à la fin du XVIe siècle.[5]

Au moment où les premiers navires anglais pénètrent en Méditerranée et se lancent sur les côtes d'Afrique, les milieux marchands s'informent sur l'Inde. A Anvers, la factorerie portugaise est vite devenue un centre de renseignements, où puise celui qui sera bientôt l'auteur de *l'Utopie*, Thomas More. Dès 1530, son propre fils traduit et fait imprimer les récits de voyages des Portugais en Afrique orientale et en Asie. Madagascar est déjà présente, dans l'imaginaire des Britanniques, grâce à la fascination qu'exercent sur eux les îles auréolées de légendes christianisées. On pourrait presque dire que les premiers explorateurs anglais de ces parages savent à l'avance ce qu'ils vont trouver et ce savoir, fruit de croyances et de rêves, est si fort qu'il résiste à la confrontation avec la réalité.

Les premiers contacts recensés ne furent pas tous aussi heureux que celui de James Lancaster à la baie d'Antongil en 1561. Il est vrai que celui-ci se préoccupait surtout de la chasse aux Hispano-Portugais à travers les océans du globe, telle que l'avait inaugurée Francis Drake en 1577-1580.[6] Mais lorsqu'en 1591, William Mace, capitaine du *Edward*

---

3 DESCHAMPS (H.) : *Histoire de Madagascar*, p. 65-66.
4 Sur les dangers de la navigation, voyez DECARY (R.) : "Les satellites de Madagascar et l'ancienne navigation dans le canal de Mozambique", *B.A.M.*, n. s. tome XX, 1937, p. 53-720.
5 Sans parler des marins écossais embarqués sur les navires français et des Anglais sur les navires portugais, au début du XVIe siècle.
6 BROWN (Mervyn) : "Quelques aspects...", 1976 et *Madagascar rediscovered, a History from Early Times to Independence*, Londres, Damien Tunnacliffe, 1978. Cet historien consacre 80 pages neuves et passionnantes au rêve britannique

Bonaventure, fut jeté à la côte mahafaly après avoir essuyé une tempête au large du cap de Bonne Espérance, il ne put débarquer et alla se faire massacrer aux Comores avec ses 32 marins.[7] Cela n'empêcha pas Lancaster de revenir à la baie de Saint-Augustin, en 1600, et d'y faire la traite pendant deux mois avec les Malgaches. Peu après, les navires de John Davis faisaient relâche dans la même baie avant de gagner l'Asie du Sud-Est. Le havre de Saint-Augustin devint rapidement familier aux marchands et soldats qui gagnaient l'Inde, ils en firent tout au long des XVIIe et XVIIIe siècles leur point d'ancrage et de ravitaillement privilégié, sans parler les pirates qui y établirent un temps leur quartier général. David Middleton qui s'y arrêta "pour y prendre de l'eau et du bois" en 1610, est le premier de ces marchands aventuriers dont nous possédons à ce jour la relation écrite sur un séjour malgache.[8] Il la fit circuler dans le milieu des intéressés à l'*East India Company* dans lequel se côtoyaient marins, marchands et membres influents du Parlement et du gouvernement. Cet opuscule inaugure une tradition de panégyriques qui se renforce et se poursuit jusque dans les années 1820 et à laquelle se rattache le *Mémoire* qu'Andrew Burn déposa, en 1795, entre les mains des directeurs de la L.M.S.

Il est incontestable que l'intérêt porté à Madagascar par la Grande Bretagne, dès le début du XVIIe siècle, est né, en Angleterre et en Ecosse, dans les milieux de marchands et de marins. Il suffit pour s'en convaincre de reprendre la bibliographie anglaise sur Madagascar avant le XIXe siècle. L'abondance des ouvrages imprimés traduit l'importance de la demande d'information sur le monde indien, et plus particulièrement sur l'île de Madagascar, dans le milieu des grands marchands de Londres, le mieux étudié à ce jour, parce que Londres fut, avec Edimbourg, le centre d'imprimerie le plus précoce et le plus dynamique de la Grande Bretagne. Pour tout ce qui touche Madagascar, les livres édités à Londres entre 1610 et 1820 ou les récits inclus dans des recueils de voyages, alors fort prisés, ont eu pour auteurs : 11 capitaines marchands (dont un Ecossais : Hamilton), 6 capitaines ou marins de la marine royale, 6 géographes ou compilateurs, parmi lesquels un ecclésiastique, le révérend Thomas Bank. Ces derniers ainsi qu'un des premiers "touristes" de ces régions, l'Anglo-Irlandais Prior,

---

de Madagascar et aux marins naufragés qui furent souvent anglais. C'est la meilleure synthèse actuellement disponible sur les tentatives de colonisation britanniques dans cette île. Voir mon compte-rendu dans *Omaly sy Anio*, n° 10, juil.-déc. 1979, p.175-182. J'ai également développé ce thème dans : "At the Origin of British Evangelization : The Dream of Madagascar" dans KENT (Raymond K.) éd. : *Madagascar in History. Essays from the 1970's*, Berkeley, The Foundation for Malagasy Studies, 1979, p. 254-268.

7 *Hakluyt's Collection of Voyages*, vol. VI, p. 383-391, la traduction donnée par Grandidier dans *C.O.A.M.*, vol. I, paraît douteuse ; elle a été réutilisée par STREET : "Comment les Anglais ont commencé à connaître Madagascar", *Revue de Madagascar*, n° 21, p. 55-56.

8 MIDDLETON : "Relâche dans la baie de Saint-Augustin", publié dans *C.O.A.M.*, vol. I, p. 472.

appartiennent à la fin du XVIIIe siècle et aux toutes premières années du XIXe siècle.[9] Cette liste, dressée à partir de la collection de documents anciens constituée par Grandidier et des fichiers de la *British Library* ne se prétend pas exhaustive, beaucoup reste à faire pour que nous puissions prétendre avoir un inventaire complet de tout ce qui fut imprimé sur Madagascar. Néanmoins, les chiffres de cet échantillonnage modeste sont corroborés par les études faites d'autre part.

Mervyn Brown relève ainsi la permanence en Grande Bretagne, depuis la fin du XVIe siècle, d'un intérêt, à l'intensité variable selon les époques, pour le sud-ouest de l'Océan Indien et pour ses îles. Madagascar, avec la région qui s'étend de Saint-Augustin à Morondava, semble polariser cette attirance, mais elle bénéficie aussi bien aux Comores, avec Anjouan. L'étude de Handover démontre qu'il ne s'agit là que d'un aspect de ce qu'il appelle "l'exotisme à la britannique".[10] Inaugurée par Thomas More, cette littérature pénètre jusque dans les couches populaires, elle est plus riche de réflexions sur la pluralité des mondes et sur les aventures qui conditionnent leur exploration, que de descriptions langoureuses des éden tropicaux. On la désigne sous le terme générique de "conte géographique", qu'il faut distinguer du conte philosophique des Français, lequel n'appartient pas au patrimoine anglais Ce genre littéraire se caractérise, jusqu'au XVIIIe siècle, par son absence d'exotisme au sens où on l'entend pour la littérature française.[11] C'est qu'il s'adresse en priorité à une clientèle de marchands aventuriers, à la religion et aux mœurs rigides, pour laquelle ce sont la richesse des terres, le fonctionnement des sociétés et la manière dont elles produisent qui comptent.[12] On y note la disposition des reliefs et des fonds mais l'on n'y décrit pas les paysages, on y observe et admire les mœurs, l'hospitalité, la prodigalité des naturels mais on ne vante pas la beauté de leurs femmes. Même Drury garde l'œil sec et comptable du marchand : "il n'y a point dans cette littérature d'appel à la libido, point de 'pousse au rêve' sensuel. Si rêve il y a, c'est celui du négociant" écrit Sach.

Au XVIIe siècle, les commerçants de Londres, largement touchés par le puritanisme, rêvaient d'être libres. "Ils avaient vu que la Couronne ne faisait rien d'autre que de pressurer leurs compagnies pour en tirer de

---

9 Les ouvrages les plus importants pour la formation du rêve de Madagascar, œuvre de Hamond et de Boothby, résultent du séjour de trois mois que firent ces deux marchands à la baie de Saint-Augustin en 1630.
10 HANDOVER (P.M.) : *Printing in London from 1476 to Modern Times*, London, G. Allen and Urwin, 1960.
11 Là-dessus, voir SACH (Ignacy) : "Du Moyen Age à nos jours Européocentrisme et découverte du Tiers-Monde", *Annales E.S.C.,* Mai-Juin 1966, n° 3.
12 Hamond et Boothby, par exemple, étaient convaincus que les Anglais pourraient installer une colonie dans la baie de Saint-Augustin, non seulement pour l'exploitation des richesses qui s'y trouvaient mais aussi pour le commerce avec l'Orient ; Boothby pensait que "le beurre et le fromage pourraient être produits à Saint-Augustin et vendus avec profit en Inde, Perse, Arabie et à travers toutes les mers du Sud dans une centaine d'endroits". Edité dans *C.O.A.M.,* I.

l'argent et trahissait les monopoles en encourageant des interlopes bien en cour à enfreindre les chartes."[13] C'est ainsi que Charles 1er avait tenté d'établir une *plantation* pour le prince Rupert en 1636. Y ayant renoncé il laissait la voie libre aux marchands. Une compagnie à charte fut donc créée et, en 1644, une expédition de 140 personnes sous la direction de John Smart gagnait la baie de Saint-Augustin. Ce fut un échec comme le fut la colonie de l'île d'Assada (Nosy-Be) en 1650 et, plus tard encore, en 1816, celle de Port-Louquez (Lokia).

Madagascar déçut tous les espoirs et se refusa à devenir une nouvelle "île des Saints" pour ces puritains à la recherche du Paradis perdu et de la liberté du commerce. Il en fut pour le dire et l'écrire, tel Waldegrave, rescapé de la colonie de Saint-Augustin, en 1650 ; rien n'y fit.[14] S'il n'y eut pas alors d'autre *plantation*, c'est que, durant presque cent ans, les rives américaines de l'Atlantique offrirent l'occasion d'entreprises plus réussies. Les pirates prenaient le relais, avec les trafiquants d'esclaves, tandis que Drury passait dans l'île quinze ans d'un esclavage que les captifs malgaches chez les Blancs lui eussent envié.

---

13 TAWNEY (R. H.) : *Religion and the Rise...*, p. 236.
14 WALDEGRAVE (P.) : *An answer to Mr Boothby's book of the description of Madagascar*, London, 1650.

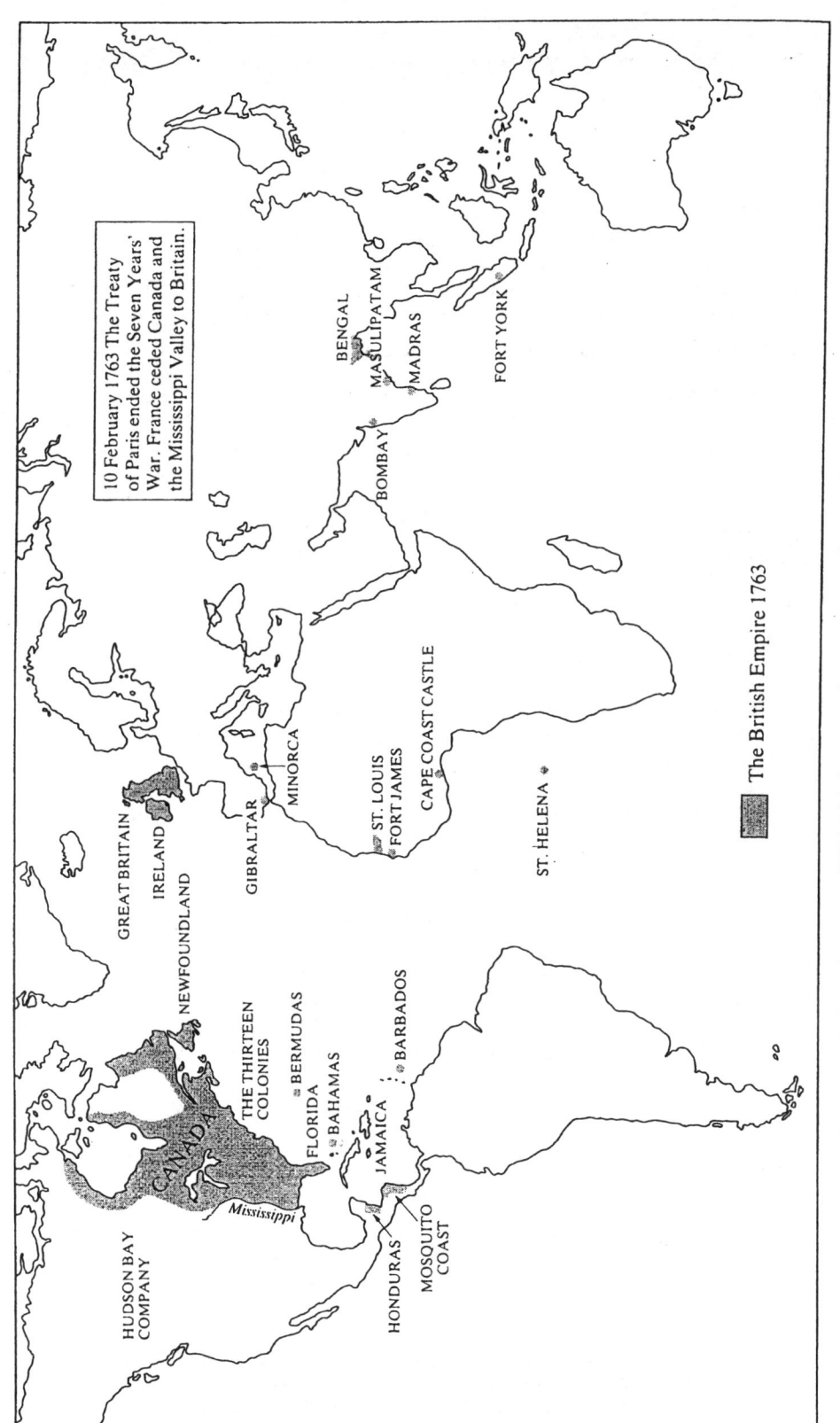

1 - L'empire britannique en 1763. (Holmes et Szechi, *The Age of Oligarchy*, p. 408).

Une nouvelle « île des Saints »

Cet épisode, long de quelques soixante-cinq ans, de l'histoire des Anglais à Madagascar est capital car c'est lui qui fournit l'argument de tous les écrits et de toutes les entreprises de la seconde moitié du XVIIIe siècle. Madagascar n'était plus l'île riche en or, mais devenait celle aux habitants les plus heureux du monde. C'était une terre martyre soumise à l'oppression et à l'exploitation barbare des Européens, c'est-à-dire des pirates et des traitants d'esclaves.

Au moment où l'Angleterre ressent un besoin de moralité dans tous les domaines, Madagascar lui offre une occasion magnifique de faire acte de contrition. Tous les écrits de la fin du siècle, qu'ils soient d'auteurs anglais ou de français traduits en anglais (tels Raynal, Bernardin de Saint-Pierre et Rochon) développent ce thème. L'un des derniers en date, à l'origine de l'intérêt de la L.M.S. puis de la Société Missionnaire Méthodiste pour Madagascar, l'expose avec lyrisme : "Pour cet épouvantable commerce pratiqué à cette île par les Européens, l'Angleterre porte une grande part de responsabilité. Nous allons envoyer des messagers de paix, portant d'une main une branche d'olivier et de l'autre les bénéfices de l'enseignement chrétien."[15] A l'échelle de la Grande Bretagne, Madagascar devient aussi la revanche des exclus de l'Inde et de l'Amérique. Ainsi les Ecossais, qui, sitôt associés aux privilèges maritimes et commerciaux du royaume d'Angleterre, manifestent une activité dans le domaine de l'édition qui porte Edimbourg presqu'au même rang que Londres pour le nombre de publications sur les voyages. D'une autre façon, les "académies" des dissidents, dans la région de Glasgow, orientent les études vers l'outremer. Après avoir été une "île des Saints" dans les rêves des puritains du XVIe siècle, Madagascar ressemble à l'auberge du bon Samaritain, dans les projets des non-conformistes.

Max Weber estimait que "les classes non privilégiées sont celles qui nourrissent le mieux les vocations missionnaires."[16] Ce sont aussi celles qui cherchent à améliorer leur statut économique et social par un "impérialisme serviteur" comme on verra plus loin. C'est ainsi qu'on peut expliquer la coloration ooloniale de cette littérature de voyage du XVIIIe siècle. L'*Histoire des Deux Indes* de l'abbé Raynal est traduite et éditée à Edimbourg dès 1776 et connaît cinq rééditions successives au XVIIIe siècle.[17] L'intérêt des Ecossais, supérieur à celui des Anglais, pour un ouvrage de philosophie coloniale est révélateur, surtout lorsqu'on constate que *Paul et Virginie* connut à Londres six éditions entre 1789 et

---

15 BUCHAN (G) : *A Narrative of the Loss of the Winterton*, Edinburgh, 1820 (1922), l'auteur avait fait paraître, dès 1793, un récit du naufrage dans le *Gentleman's Magazine* et s'était proposé, plus tard, comme missionnaire à la L.M.S.
16 WEBER (M.) : *The Sociology*..
17 RAYNAL : *A Philosophical and political History of the settlements and trade of the Europeans in the East and West Indies*, Edinburgh, 1776, 1777, 1782, 1783.

1802. Dans la capitale anglaise, le goût de la *gentry*, qui a fait de cette œuvre un succès, est plus sensible à l'exotisme romancé des écrits de J. H. Bernardin de Saint-Pierre qu'à l'exposé sévère et véhément de l'abbé Raynal.[18] Mais c'est d'une façon générale, qu'à partir de 1720, la demande de livres de voyages est considérable. Aux récits isolés, parfois réduits à un opuscule, s'ajoutent les gros volumes des *Collections* et *Histoires de Voyages*.[19] Cette littérature, qui semble avoir acquis une audience populaire, n'est dépassée pour le nombre des titres et des tirages que par celle qui traite de théologie. Le *Crusöe* de Deföe ou le *Gulliver* de Swift, quoique revendiqués par la grande littérature, sont bâtis sur un schéma très commun à l'époque et il faut considérer que beaucoup de ces récits avaient un objectif plus sérieux que le divertissement, savoir, l'éducation commerciale, voire coloniale, de leurs lecteurs. Ils décrivaient de nouvelles contrées, exposaient leurs possibilités mercantiles et les difficultés de l'approche de leurs côtes. Nombre d'entre eux étaient vendus sur les docks et s'en allaient garnir les coffres des marins.

On aurait donc tort de considérer cette production littéraire en Grande-Bretagne comme un simple mouvement de curiosité, les témoins de l'époque le prouvent. "Les dernières découvertes semblent être l'unique sujet de conversation dans les milieux les plus policés comme dans toutes les classes du royaume" écrivait le révérend Thomas Banks dans la Préface de sa *Géographie Universelle*.[20] L'habitude de lire avait en effet gagné les artisans et les petits commerçants et même les paysans libres du Pays de Galles. La preuve en est d'ailleurs dans la biographie de nos missionnaires gallois. La lecture les invitait aux voyages et aux aventures, en l'occurrence missionnaires, dans les Indes.

Madagascar, « cette île intéressante »

Que pouvait-on apprendre au XVIIIe siècle sur Madagascar à travers ces lectures ? L'analyse faite par Anne Molet-Sauvaget du *Journal* de Robert Drury et des œuvres de Daniel Deföe qui évoquent la grande île, nous montre, qu'au tournant du XVIIIe siècle, la vulgarisation des connaissances avait atteint une sorte de limite de satisfaction.[21] Aux sources plus anciennes connues et utilisées par Deföe, s'ajoutent divers

---

18 C'est cependant à Londres que fut édité *A voyage to the Island of Mauritius*, en 1775 ; il n'y eut qu'un seul tirage.
19 Les plus célèbres, constamment réédités, sont ceux de Hakluyt, Purchas, Churchill, Banks et Osborne.
20 BANKS (Thomas) : *A New and Authentic Universal Geography*, London, 1787.
21 MOLET-SAUVAGET (Anne) : "Le Journal de Robert Drury par Daniel Deföe", *Bulletin de Madagascar*, n° 286, 1970, p. 259-265. Le livre intitulé *Madagascar, or Robert Drury's Journal during Fifteen years captivity on that Island*, London, 1729, fut constamment disponible en librairie au XVIIIe siècle, par les multiples rééditions faites à Londres (1743, 1750) et à Hull (1807). L'édition de 1807 ne pouvait être inconnue des Directeurs de la L.M.S. Anne Molet-Sauvaget en a fait la traduction française et l'édition critique en 1992.

récits de naufrages et d'aventures de pirates et un fond de connaissances ethnographiques qui remontent au XVIIe siècle.

Dans le second groupe, Anne Molet-Sauvaget propose d'inclure l'*Histoire de Madagascar* de Flacourt (Paris, 1658 et 1661), la *Relation* de François Cauche (Paris, 1651) et la *Brief discovery or description of the most famous island of Madagascar* de Boothby (Londres, 1646). On peut y ajouter, sans hésiter, les deux livres de Hamond, compagnon de Boothby (Londres, 1640 et 1643). La nouveauté de la thèse, c'est que les Anglais du début du XVIIIe siècle, par le truchement des académies non-conformistes, auraient récupéré l'héritage français des connaissances sur Madagascar, tout au moins pour les régions du sud et de l'est, bien avant la traduction des œuvres de Raynal, Rochon et Lescallier. Les informations des auteurs français dataient certes un peu, notamment pour la situation politique, mais, ce n'était pas le centre d'intérêt pour Deföe et d'autres auteurs moins connus du XVIIIe siècle. Les renseignements sur les mœurs, la religion, les techniques restaient largement utilisables et ce sont les sujets dont on se piquait alors. Madame Sauvaget démontre ainsi que la plupart des observations ethnographiques que l'on trouve dans le *Journal* de Robert Drury se trouvent avoir été déjà faites par d'autres : circoncision, funérailles, serments d'alliance, culte de possession, etc. On peut en dire autant des livres postérieurs au *Journal*. Tous les écrits sur Madagascar du XVIIIe siècle semblent emprunter au même fond documentaire constitué au XVIIe siècle, gonflé de renseignements plus récents, car puisés dans l'expérience personnelle de l'auteur ou de ses informateurs, marins et capitaines, ayant séjourné sur la côte Ouest. Quant au ton de ces ouvrages, il est fixé dès 1640 par les précurseurs que sont Boothby et Hamond.

Le premier groupe de "sources" est en partie constitué de témoignages recueillis et édités par Deföe lui-même, en 1738, sous le pseudonyme de Johnson et avec pour titre : *A general history of the Pyrates*.

Jusqu'à récemment, on ne prêtait guère attention à cet énorme recueil de récits de vie d'hommes qui fréquentèrent assidûment les côtes malgaches dans les années 1665 à 1730. Une magnifique édition critique permet aujourd'hui d'apprécier les connaissances précises et sérieuses que Deföe avait acquises à force d'enquêtes et de compilations auprès des pirates retraités.[22] Elle révèle comment les vulgarisateurs du XVIIIe siècle opéraient un choix parmi les documents qu'ils se procuraient pour s'adresser au grand public, écartant tout ce qui eut terni l'image d'une île de rêve.

C'est ainsi que les récits des pirates sont fort précis sur les ressources de l'île, mais que la mise en forme par Deföe fait disparaître les dangers et les inconvénients que l'on y rencontre : moustiques, fièvres, crocodiles. En revanche, les dangers maritimes, les courants et les hauts-fonds sont décrits avec précision. On ne peut que trouver bien étranges ces pirates

---

22 DEFOE (D.) : *A General History of the Pyrates,* édition SCHONHORN.

dont Deföe n'évoque ni les attaques et pillages ni le trafic d'esclaves, qui faisaient l'essentiel de leur activité, mais dont il souligne les bonnes relations avec les autochtones et les qualités de cette nouvelle race qu'ils ont engendrée dans l'île (*a dark Mulatto Race*).[23] On les voit aussi se comporter en bons chrétiens et faire baptiser les enfants qu'ils ont dans le pays.[24] Subtilement, cette histoire des pirates fait pénétrer l'idée que Madagascar est accueillante aux Blancs, "que c'est l'intérêt des Naturels que d'avoir de bonnes relations avec eux, car l'île étant divisée en minuscules gouvernements ou commandements, les Pirates installés là qui sont maintenant un nombre considérable et ont peu de places de sécurité à eux peuvent être prépondérants de n'importe quel côté qu'ils jugent bon".[25] Le Blanc, admis et respecté par les Naturels qui demandent son arbitrage dans leurs querelles ! Quelle facilité cela ne laissait-il pas espérer à des candidats missionnaires ? Si des pirates, gens sans aveux, étaient acceptés, comment des hommes de bien, porteurs de l'Evangile, ne seraient-ils pas vénérés ?

Dans la réalité, les pirates ont pris le relais des marchands privés (*privateers*) qui de 1632 à 1690 avaient cherché, par l'interlope, à se faire une place à travers les filets tendus par la *Royal African Company* et la *East India Company* qui, seules, avaient le monopole du commerce et de la traite dans les colonies britanniques. Dans l'intervalle de passages des vaisseaux de l'*East India*, ils accueillent les *Interlopers*, avec lesquels ils sont en relation d'affaires. Les pirates ont donc été, pendant soixante ans, les alliés, dangereux mais indispensables, des *privateers* exclus des privilèges et des chartes des compagnies royales. Cette alliance était fort risquée, car les pirates pouvaient aussi bien capturer et piller les navires des marchands privés que ceux des compagnies et cela ne manqua pas d'arriver, mais elle permettait, dans le trafic du "bois d'ébène" particulièrement, des profits fantastiques pour les armateurs puritains de Boston, New York, Hull, Glasgow et Liverpool.

L'*East India Company*, lorsqu'elle commence à prendre des mesures sévères contre cette atteinte à son monopole, mêle pirates et commerçants privés dans ses attaques. "Ceux qui sont partis de nos colonies d'Amérique étaient soit de vieux boucaniers, soit des corsaires qui avaient commission des différents gouverneurs de ces colonies et ne faisaient aucune distinction entre piraterie et commerce privé, soit des capitaines et des marins envoyés pour commercer avec les Pirates de Madagascar, et qui, débauchés par cette compagnie, se joignaient à eux".[26] Cette alliance entre bourgeois respectables des villes portuaires

---

23 Il s'agit des *Malata*, malgachisation du français "mulâtre". DEFOE : *A General...* p. 1303, "Of Captain England". Sur ce groupe très original on se reportera à l'article d'Yvette SYLLA : "Les Malata : cohésion et disparité d'un 'groupe'", *Omaly sy Anio*, n° 21-22, 1985, p. 19-32.
24 DEFOE : *Idem*, p. 492, "Of Captain Howard".
25 *Idem*, p. 133.
26 *Piracy Destroyed*, 1701, cité par GREY : *Pirates of the Eastern Seas*, London, 1933.

et pirates de Madagascar explique, d'une part, l'image bénigne qui fut donnée de ces hommes en Angleterre et, d'autre part, la modération dont fit preuve l'*East India Company* à leur égard. Elle avait reçu, en 1698, tous pouvoirs pour réduire le nid de pirates de Madagascar mais se contenta de prohiber la traite des esclaves à partir de l'île, en 1700, soit plus d'un siècle avant Farquhar. Il est vrai que cette mesure, en réduisant d'un coup l'essentiel des ressources des pirates, les démobilisa, alors que l'expédition qu'on avait envoyé contre eux, avec un édit de grâce, en 1699, n'avait permis la capture que de quelques forbans. Ils disparurent d'eux mêmes, entre 1720 et 1730, en même temps que leur raison d'être, la traite et le commerce interlopes entre l'Amérique et l'Inde.

S'il est évident qu'une partie des milieux marchands anglais et américains ont été associés aux pirates de Madagascar, il est plus difficile de comprendre comment ces mêmes milieux, au protestantisme rigide, ont pu assumer une telle compromission, surtout dans les activités de traite d'esclaves. Pour cela il faut se replacer dans ce contexte du XVIIe siècle anglais qu'a si bien analysé Tawney. Ecartés du pouvoir politique et économique par Laud, des activités marchandes par les compagnies à charte, "confiants dans leur propre énergie et pénétration, fiers de leurs succès et regardant avec une profonde méfiance l'ingérence et de l'Eglise et de l'Etat dans les affaires et droits de propriété, les classes commerçantes (...) demandaient *que les affaires fussent laissées au soin des hommes d'affaires, non embarrassés par les intrusions d'une morale surannée ou par des arguments mal compris d'intérêt public.*"[27] En fait, la religion des gens du XVIIe siècle ne leur apportait pas d'autre solution que de séparer le domaine des affaires de celui de la religion, d'appliquer la formule selon laquelle il n'existait pas de principes religieux dans les transactions de la vie économique.

Voilà pourquoi, malgré les transformations de la mentalité économique et religieuse qui s'opéraient alors dans les milieux qui rêvaient de Madagascar, l'héritage documentaire des pirates pouvait rejoindre, à la fin du XVIIIe siècle, celui des premiers marchands Boothby et Hamond.

3 - Les premières enquêtes missionnaires

La façon dont Deföe se procura les informations qu'il a utilisées dans le *Journal* de Drury ou dans l'*Histoire des Pirates*, peut servir à imaginer comment les directeurs de la L.M.S. ont procédé, entre 1795 et 1814, pour se renseigner sur Madagascar. Trois types de sources leur étaient accessibles, les livres imprimés dont nous avons parlé, les illustrations et les cartes, enfin les récits de voyageurs obtenus sous forme de mémoires ou de lettres, ou encore par la conversation directe.

Les livres et imprimés les plus récents dont les directeurs purent avoir connaissance pendant la période préparatoire n'étaient ni nombreux ni

---

27 NEWTON (A. P.) : *The Colonizing Activities of the English Puritans*, New Haven, 1914 et TAWNEY : *Religion*...

originaux, soit compilation d'ouvrages plus anciens soit leur continuation. Nous relevons ainsi les passages de l'*Inquiry* de Carey relatifs à Madagascar (1792) ; la *Geography rectified* de R. Morden (1793) ainsi que l'*Universal Geography* de Thomas Banks (1787) qui lui consacrent quelques pages tirées d'ouvrages antérieurs. Ces livres ont malgré tout quelque chose de nouveau en ce qu'ils proposent ouvertement l'évangélisation de la Grande Ile : "c'est pitié qu'une si noble île et si peuplée, doive continuer à rester non civilisée, et corrompue par le Mahométanisme et le Paganisme, et étrangère à Dieu et à la vertu".[28] Cette préoccupation pour le sort moral des habitants est encore plus explicite dans les deux récits du naufrage du *Winterton* qui parurent dans les livraisons du *Gentleman's Magazine* de 1793 et de 1794.[29] "Les passagers jetés à la côte avaient reçu de la part des Naturels, primitifs et incultes, tous les secours possibles et toute l'aide que la vie sauvage est capable d'offrir, et certainement une sollicitude si désintéressée eût fait honneur au plus civilisé des chrétiens." Le récit anonyme ajoutait qu'un "exemple aussi éclatant d'humanité, parmi des hommes que nous sommes habitués à considérer comme sauvages, aura, nous l'espérons, quelque influence pour retenir la bonne volonté et la considération de ceux du monde civilisé qui peuvent avoir l'occasion de leur rendre visite."

L'ouvrage de Rochon (1792), le plus important pour cette période, se contente quant à lui de reprendre tous les écrits français sur Madagascar depuis le XVIIe siècle : Flacourt, Mahé de la Bourdonnais, Maudave, Bougainville, Commerson et Benyowsky. Il les a puisés dans les *Histoires des Voyages* (tome V) éditées par l'abbé Prévost. Enfin le *Journal* de R. Drury, s'il avait pu être ignoré jusque-là des milieux évangéliques, est porté à leur connaissance par un compte rendu donné au *Gentleman's Magazine* de 1793, juste avant le récit du naufrage du *Winterton*.[30]

D'autre part, une sorte de coopération scientifique s'établit, à certains moments du second XVIIIe siècle, entre la France et la Grande Bretagne pour la découverte géographique ; elle permet à d'éminents Britanniques d'effectuer des séjours prolongés à l'île de France. Tels sont l'hydrographe Alexander Darlymple, auteur d'une *Relation de voyage à l'île de France*, en 1755, l'amiral Kempenfert, qui rédige des *Observations sur l'île de France* en 1758, et tant d'autres dont on trouve les textes en traduction rassemblés par Grandidier. A ces hôtes de passage il convient d'ajouter les prisonniers anglais, dont le plus célèbre est le capitaine Mathew Flinders.[31] Comme d'autres, capturés en mer ou

---

28 MORDEN (R.) : *Geography rectified*, London, 1793, p. 538.
29 "Report of the Loss of the Winterton by capt. F.J. Hartwell..". (d'après le récit d'un survivant : T. de Souza), *Gentleman's Magazine*, 1793, p. 758 ; aussi : "Report of ..." ; (anonyme), *Gentleman's Magazine*, 1794, p. 377-378, vraisemblablement écrit par un survivant à Fort-William, en Inde.
30 "Revue of Robert Drury's journal with illustrations", *Gentleman's Magazine*, 1793.
31 FLINDERS (Mathew) : *A voyage to Terra Australis*, London, 1814.

dans les comptoirs de l'océan Indien, il avait été débarqué dans l'île en attendant la fin des hostilités.

Ainsi, bien avant la conquête, les relations de l'Ile de France avec le monde anglais étaient fréquentes et importantes. Ces relations qui laissaient dans l'ombre toute perspective religieuse, favorisaient pourtant l'exportation vers les îles Britanniques d'une grande quantité d'informations.

Les ouvrages écrits en Grande-Bretagne fournissaient donc une connaissance de Madagascar assez proche de la réalité.[32] On savait peu de choses de l'intérieur mais le repérage cartographique des côtes était bon. Les témoignages les plus nombreux concernaient le Sud-Ouest, particulièrement autour de la baie de Saint-Augustin, mais la connaissance des côtes du Nord et de l'Est, à travers les récits des pirates et ceux compilés par Rochon, n'était pas négligeable et, dans l'ensemble, exacte. L'île était présentée comme fertile et importante pour le commerce européen et comme une étape de choix sur la route des Indes. Elle était peuplée de deux millions d'hommes, estimait-on. Ses habitants, dont les mœurs et les techniques étaient présentées avec des détails abondants et précis, étaient du point de vue religieux divisés en trois groupes. Les païens étaient majoritaires, ils croyaient en deux principes fondamentaux, Dieu et les esprits du mal. Ils se livraient à des pratiques variées, "entachées de Mahométanisme". Dans l'île de Sainte-Marie on dénombrait plusieurs centaines de Papistes. Enfin, aux Comores et dans l'Ouest de Madagascar, il y avait des "Mahométans". Les indications sur les systèmes politiques n'étaient pas fausses, quoique assez disparates en temps et en lieu.

Ce qui manquait aux évangéliques anglais c'était une information précise et fraîche sur la situation politique de la côte orientale, celle qui entretenait à la fin du XVIIIe siècle les rapports les plus actifs avec l'Europe par l'intermédiaire des Mascareignes. Mais la présence française excluait *a priori* toute tentative dans ces parages. Lacune plus grave, les Britanniques ignoraient totalement la situation de l'intérieur, aussi bien du point de vue de la civilisation qui l'occupait que de son évolution politique, toutes choses dont les gens des Mascareignes se trouvaient informés depuis les années 1770, grâce aux voyages des traitants Mayeur et Hugon.

Mais cette ignorance n'était pas rédhibitoire, puisque l'expansion merina était en train de se faire essentiellement vers l'est, vers les côtes contrôlées par les Français des Mascareignes, laissant l'Ouest, plus accessible aux Britanniques, dans une situation conforme à leurs informations. En 1800, la L.M.S. était bien armée pour une mission à la baie de Saint-Augustin vers laquelle convergeaient toutes les

---

[32] Je m'inscrit en faux contre la trop rapide critique de la littérature du XVIIIe siècle faite par Jean-Louis JOUBERT : "Une île imaginaire (Madagascar vu par les Européens)", *Francophonie 75, Actes du Colloque de Villetaneuse : cultures de l'Asie du Sud-Est et de l'Océan Indien*, Paris, A.I.S.F., 1975, p. 151-160.

informations et toutes les propositions qui lui avaient été soumises par Burn, Aspasio et Vanderkemp.[33]

Madagascar n'était donc pas, pour les enthousiastes de la conversion, une île imaginaire. Mais vue par le romancier, le "philosophe social", l'académicien ou le réformateur spirituel, elle se prêtait à différentes interprétations et servait de cadre ou de prétexte à diverses variations sociales ou religieuses.

"Les auteurs anglais ou français recherchaient inconsciemment une matière qui convînt à leur public ou à leurs théories. Et dans la plupart des cas, ils ont choisi d'ignorer, avant 1790 tout au moins, tout ce qui était déplaisant ou inexplicable".[34] Ces remarques de l'historien Colin W. Newbury à propos des îles du Pacifique conviennent parfaitement à Madagascar, elles rendent compte d'un certain ton qui règne dans tous les ouvrages qui s'y intéressent. De ce type de récits ne se dégage aucune odeur, aucune forme, "tout est noir et blanc, rien n'a de relief particulier, la note pittoresque est absente".[35] Bien souvent, les faits dont rendent comptent les voyageurs et les aventuriers ne sont que prétexte à philosophie comme chez Deföe.[36] Quant aux navigateurs, cartographes et naturalistes, embarrassés du même bagage culturel que les romanciers ils rendent hommage à une "géographie science des faits et non Muse de la littérature", comme écrivait Bougainville,[37] mais, faut-il ajouter, ils ne peuvent pas émanciper cette science de la morale et de la religion. Ces œuvres, les unes comme les autres, avec un dosage variable, ont toujours une tendance à la moralisation quand elles ne sont pas tout simplement prétexte à un pur exposé de considérations morales. Chez les auteurs anglais, cette débauche de vertu vise aussi bien la société civilisée, à laquelle on oppose le "bon sauvage", que les "peuples sauvages", auxquels s'applique déjà le mythe de l'indigène immoral et paresseux. Ces deux cibles se trouvent souvent confondues car si l'on critique les sauvages en leurs mœurs aveuglées, obscurcies par l'ignorance, on stigmatise également les vices des Européens qui les dévoient et les exploitent. Dans tous les cas, les naturels sont des âmes en danger de contact avec de mauvais Blancs.

L'abbé Rochon, traduit en anglais en 1792, résume bien l'esprit de cette époque lorsqu'il écrit "Vous, Européens, qui voyagez dans ces lointaines contrées, transmettez à ces peuples, que vous appelez sauvages, vos connaissances et votre savoir ; faites-vous une indispensable loi et un devoir de vous comporter envers eux avec cette

---

33 Mémoire de Burn, 1795, et Lettre anonyme d'un certain Aspasio, adressée à la L.M.S. le 4 mai 1799, qui se réfère à la narration de S.(Samuel) James, 1797, pour proposer une mission à la baie de Saint-Augustin à partir d'"Anjuan" aux Comores.
34 NEWBURY (C. W) : "La conception européenne...".
35 MAVROCORDATO (Alexandre) : "L'étrange journal de Robert Drury", *Bulletin de Madagascar*, n° 238, Mars 1966, p. 209.
36 DEFOE (D.) : *Les aventures du capitaine Singleton, pseudo roi de Madagascar*, Londres, 1708.
37 BOUGAINVILLE : Préface au *Voyage autour du Monde*.

justice, cette équité et cet attachement qui devraient prévaloir entre membres de la même espèce." Cela pour les Européens, mais l'image des naturels qu'il propose est tout en contraste : "Le Malgache, comme le sauvage, ignore à la fois la vertu et le vice. Pour lui, le présent est tout ; il n'est capable d'aucune sorte de prévoyance ; et il ne conçoit même pas qu'il y ait des hommes sur la terre qui s'inquiètent à propos du futur. Ces insulaires sont des êtres libres qui jouissent de la paix de l'esprit et de la santé du corps (...) Un manque naturel de conscience, et une apathie générale leur rend insupportable tout ce qui requiert de l'attention. (...) ils passent la plus grande partie de leur vie à dormir et à s'amuser."[38] Si l'état naturel des Malgaches pouvait amener l'abbé Rochon à douter de la nécessité d'une amélioration de leur condition,[39] le danger couru par ces âmes en attente de Dieu fournissait une ample justification pour l'envoi immédiat de missionnaires anglais retrempés dans le "Réveil".

On peut affirmer que le livre de Rochon, le journal de Drury et les différents récits du naufrage du *Winterton* constituaient l'essentiel de la documentation des directeurs de la L.M.S. sur Madagascar lorsqu'ils étudièrent le *Mémoire* de Burn. Autant dire qu'ils ne savaient pas grand-chose des réalités de l'île entière. Mais n'était-ce pas leur force et celle de leurs envoyés de 1817 ? Madagascar était pour eux un projet divin fondé sur des certitudes qui n'étaient ni géographiques, ni politiques, ni économiques, mais religieuses. Même s'ils se donnèrent l'illusion d'une information rationnelle et méthodique, ce qui comptait vraiment pour eux, ce n'était pas ce que Madagascar et les Malgaches étaient, mais ce qu'ils allaient en faire.

---

38 ROCHON (Abbé Alexis) : *A Voyage to Madagascar and ...* , p. 19.
39 ROCHON : *Idem*, p. 22.

CHAPITRE III

L'ANCIENNETÉ OUBLIÉE DES MISSIONS PROTESTANTES

1 - La Préhistoire des missions

Latourette a lancé jadis une phrase dont le succès a malheureusement fait oublier l'inexactitude : "Le XIXe est le siècle des missions protestantes."[1] Cette formule implique une longue abstention missionnaire des églises issues de la Réforme, jusqu'à leur brusque réveil de la fin du XVIIIe siècle, qui n'est pas réelle. Stephen Neill, dans les pas de Latourette, avance que "dans le monde protestant, pendant la période de la Réforme, il y avait peu de temps pour penser à la Mission et cela jusqu'à la paix de Westphalie en 1648, qui garantit l'existence et la survie en Europe de cette forme de christianisme".[2] Selon lui, "les protestants usèrent leur énergie à se défendre et à s'entre-déchirer. En Grande-Bretagne, "au lieu de faire front ensemble et d'attendre des temps meilleurs pour régler leurs différends théologiques, ils dispersèrent leurs forces, avec un zèle honorable mais aveugle et inconscient en d'interminables querelles et controverses : Luthériens contre Puritains et Indépendants. Pourtant, au milieu des invectives et parfois des massacres, le Christianisme protestant a su manifester une activité missionnaire lointaine presque immédiate, malgré un lourd handicap théologique."

Comme ses collègues anglophones, Emile Léonard estime que les grands réformateurs se sont trouvés bien embarrassés de l'expansion de leur foi chez les non chrétiens et les luthériens plus que les calvinistes.[3] Pour les premiers, la conversion devait être individuelle et s'opérer par l'action de l'Esprit Saint sur des auditeurs déjà touchés par la prédication de l'Evangile ; il suffisait de prêcher et de débattre en tout lieu. Il n'était pas question d'envisager une organisation missionnaire spécifique, puisque ceux que Dieu avait décidé d'appeler se lèveraient et se

---

1 LATOURETTE (K. S) : *A History*, vol. 4 et 5.
2 NEILL (S.) : *A History*, p. 220, reprend en grande partie Latourette.
3 LEONARD (E. G) : *Histoire*, vol. 3, p. 486 ss. Pour les calvinistes, voir ZWEMER (D. M.) : "Calvinism and the Missionary Enterprise", *Theology Today*, VII, 1950.

grouperaient selon les choix de la Providence. Les déceptions rencontrées à la suite de prédications et de débats organisés chez des musulmans et des juifs devaient laisser une animosité durable au coeur de Luther et de ses disciples dont des traces subsistent aujourd'hui encore chez certains missionnaires. Les calvinistes, et d'abord Calvin lui-même, furent longtemps paralysés par la contradiction entre leurs prises de position sur la prédestination et les réalités religieuses du monde. Selon eux, Dieu seul décidait du salut de l'homme car son message avait d'ores et déjà été apporté à tous par l'Evangile, prêché en leur temps par les apôtres. Cette prédication, selon eux, aurait été universelle, dès l'époque apostolique. En conséquence, les païens étaient des brebis perdues, des âmes déchues qui n'avaient pas su, ou pas voulu, se convertir lorsque la Parole avait été annoncée. C'était affirmer que les païens étaient responsables de leur ignorance de la vraie foi, et cette affirmation a eu la vie dure, quoique réfutée au XVIIe siècle par les luthériens d'abord, les calvinistes ensuite. Notons que la réfutation n'est intervenue que sur le seul plan théologique et que les protestants ont toujours conservé méfiance et réticence à l'égard de "l'état naturel", de la "religion naturelle". De ce fait, les sociétés exotiques, comme les classes populaires européennes, leur ont toujours paru *a priori* moralement déchues et coupables de n'avoir pas su reconnaître seules et à temps les voies du salut.[4]

Cette certitude que l'Evangile aurait été révélé à tous a servi aux calvinistes de plus sûr écran protecteur contre la philosophie des Lumières et contre les séductions du "mythe du Bon Sauvage". Elle les a gardés plus que d'autres de toute sympathie pour le déisme et la déviation latitudinaire car, pour eux, le christianisme issu de l'Evangile était et demeurait, non seulement la seule vraie religion, mais de façon absolue, la seule Religion. Tout ce qui prétendait porter ce nom n'était que superstition. Il est sûr que ces convictions sont à l'origine des réticences protestantes vis-à-vis des missions, réticences dont il convient de rappeler qu'elles se sont prolongées jusqu'au milieu du XIXe siècle chez les quakers ou dans la *Kirk* écossaise. Elles donnent sa coloration ambiguë à l'humanitarisme protestant d'où sont sorties les missions modernes : un mélange d'amour et de rancoeur, ce qu'on pourrait appeler condescendance pour ce prochain qu'il faut relever sans l'estimer, attitude violemment dénoncé, dès la fin du XVIe siècle, par le polémiste catholique Robert Bellarmin. Pourtant, certains historiens estiment que ce ne sont là que des excuses fournies par les protestants eux-mêmes pour expliquer leur apparente abstention de l'œuvre des missions. Ils font entrer d'autres causes en ligne de compte pour expliquer les hésitations protestantes. Tout d'abord, la position

---

4 Le mythe selon lequel les différents peuples exotiques seraient les descendants de tribus égarées d'Israël a duré jusqu'au XIXe siècle. Le Mémoire de Burn présenté à la L.M.S. en 1795 déclare : *The Malagasy are probably the immediate descendants of Ham*. Copland reprend la croyance avant qu'elle disparaisse sans avoir été jamais contestée.

essentiellement continentale du protestantisme qui ne côtoyait à ses débuts que des régions où régnaient des religions révélées : catholicisme, judaïsme, islam, mais où n'existaient d'autres païens que les paysans indigènes. L'évangélisation des païens lapons par les luthériens, à l'instigation du souverain suédois Gustave Vasa, semble confirmer cette hypothèse puisque les Suédois colonisateurs se comportent comme les Espagnols catholiques avaient fait en Amérique ! Une autre raison est que le luthéranisme, à ses débuts, manque d'aptitudes pour l'apostolat, ses tendances mystiques et le contexte rural dans lequel il est né l'attirent vers un idéal de société patriarcale dont témoignent l'aisance et la promptitude avec lesquelles Luther fit coïncider les cadres de son église avec ceux de la société en place dans l'Allemagne d'alors. La *Landerkirche* s'explique par les racines paysannes du luthéranisme, l'évangélisation des Lapons, des Turcs ou des Slaves s'explique par la volonté d'expansion des souverains dont ils étaient devenus les sujets. La mission dans le contexte luthérien a donc relevé, jusqu'au XVIIIe siècle, du domaine de l'initiative politique ; le Prince auquel on avait confié la direction de l'église étant seul responsable de son extension. En retour, le Prince n'avait aucune responsabilité religieuse en dehors de ses états, il revenait aux autres dirigeants de prendre en charge la vie religieuse de leurs propres domaines. "Il était pratiquement impossible à une église ainsi étroitement limitée à des frontières imposées par la géographie politique de jamais devenir missionnaire au sens réel du terme."[5]

Une telle situation n'est pas sans rappeler le système du patronat catholique mis au point dès le XVe siècle dans les colonies espagnoles et portugaises. Sous le rapport de l'esprit missionnaire, catholicisme et protestantisme ont inconsciemment pratiqué ce que Jean Delumeau appelle un "œcuménisme d'autrefois".[6] Tandis que la Papauté luttait pied à pied pour reprendre son indépendance à l'égard des puissances laïques et pour émanciper la mission de la tutelle des princes colonisateurs, Luther et ses successeurs capitulaient devant l'Etat et s'en remettaient à ses appétits territoriaux et à sa piété pour répandre la foi chrétienne. Dans sa conception missionnaire comme dans bien des aspects de sa théologie, dans sa vision du monde en somme, le luthéranisme naissant est peu touché par l'esprit mercantiliste et demeure alors très largement médiéval. Le calvinisme en revanche pose un problème d'interprétation historique qui ne me paraît pas avoir été sérieusement examiné par les chercheurs. Les travaux du sociologue allemand Max Weber, repris par l'historien anglais Tawney, ont donné lieu à nombre d'articles et de livres plus ou moins polémiques qui scrutent les

---

5 NEILL (S.) : *A History*.
6 DELUMEAU (J.) : *Naissance et Affirmation de la Réforme*.

liens réels ou supposés entre calvinisme et capitalisme.[7] Mais on cherche en vain une analyse claire des liens entre l'expansion coloniale réussie des puissances protestantes et leur option religieuse qui ne soit pas implicitement reliée au problème général de l'expansion du capitalisme commercial. En particulier, le phénomène des missions protestantes, de l'émergence d'un esprit missionnaire calviniste, n'a jamais été étudié en relation avec la constitution d'un empire outre-mer, alors qu'on a toujours souligné, voire dénoncé, les liens complexes et étroits de l'esprit missionnaire et de l'expansion coloniale des pays catholiques.

La thèse de Max Weber, reprise et nuancée par Tawney, est la suivante. "A la différence de Luther qui voyait la vie économique avec les yeux d'un paysan et d'un mystique, les calvinistes s'y engagèrent en tant qu'hommes d'affaires, sans idéaliser les vertus patriarcales de la communauté paysanne et sans regarder avec suspicion l'entreprise capitaliste dans le commerce et la finance".[8] Selon eux, il y aurait un rapport de causalité entre le protestantisme calviniste et l'expansion économique de type capitaliste dont témoignerait la prééminence mondiale des pays protestants dans le domaine économique et, partout où ils existent, l'antériorité et la primauté des groupes calvinistes - et plus particulièrement puritains - sur les groupes luthéro-évangélistes. Si l'on tente d'appliquer cette thèse à la colonisation et à l'évangélisation, on constate que c'est lorsque les Hollandais et les Anglais commencent à se lancer dans l'aventure commerciale et coloniale outre-mer que le protestantisme déborde le cadre européen. Auparavant, en 1555, la tentative française au Brésil, accompagnée d'une première tentative d'évangélisation protestante sous la conduite de Villegagnon, confirme que l'expansion du protestantisme est, dès l'origine, liée à l'essor commercial et colonial des nations protestantes. Il est clair aussi que seuls les représentants du calvinisme y participent. Mais tandis que les catholiques semblent avoir toujours voulu préserver l'autonomie de l'apostolat, instituant la mission comme une activité spécifique de conversion des païens, avec son personnel, ses objectifs et ses ressources propres, le protestantisme a mis énormément de temps à créer des organismes missionnaires dégagés de toute emprise extérieure. Le premier en date est le Séminaire missionnaire, fondé à Leyde en 1622 par le professeur Antoine Walaeus. Créé à l'usage et avec le soutien de la Compagnie Néerlandaise des Indes il disparut avec elle. Notons que ce premier institut missionnaire protestant est le contemporain de la Congrégation *de Propaganda Fide* (1622) et de la Congrégation de la Mission de Saint Lazare (1625), deux organisations catholiques auxquelles il ressemble à beaucoup d'égards ainsi que le souligne Stephen Neill. "L'œuvre missionnaire néerlandaise, en

---

7 WEBER (M.) : *L'éthique*, et *Sociology*, ; TAWNEY (R. H.) : *Religion*, ; SAMUELSON (Kurt) : *Economie et religion, une critique de Max Weber*, Paris, Mouton, 1971.
8 SAMUELSON : *op. cit.*, p. 80.

Indonésie et à Ceylan, suivit de très près le modèle catholique romain. Les pasteurs étaient des fonctionnaires dont la principale activité était l'encadrement spirituel des Néerlandais dans l'Orient, mais qui devaient en même temps œuvrer à la conversion des indigènes. Le pasteur recevait une prime en argent pour chaque nouveau baptisé".[9] A l'exception, fort importante, du système de prime, le statut et les charges de ces missionnaires protestants étaient tout à fait identiques à ceux des lazaristes envoyés à Fort Dauphin de Madagascar à la demande de la Compagnie Française de l'Orient en 1648.

Il convient de remarquer que la mission hollandaise précède de quelques années les missions des lazaristes sur la côte est de Madagascar. Une chapelle avait été construite par les colons et traitants hollandais de la baie d'Antongil et ce n'est pas parce qu'aucune trace d'évangélisation n'a subsisté que l'activité missionnaire des aumôniers de la Compagnie des Indes y fut nulle. C'est là une étude qui reste à faire.

Quoiqu'il en soit, en Amérique, en Asie comme à Madagascar, il y a eu des tentatives d'évangélisation protestantes dont l'ampleur a parfois égalé sinon dépassé celle des missions catholiques contemporaines (notamment à Java au XVIIe siècle), et cela bien avant le "siècle des missions protestantes". Ce qui est certain c'est qu'il y a eu très peu d'organismes missionnaires autonomes avant la fin du XVIIIe siècle. Même la *Society for the Propagation of the Gospel in Foreign Parts*, fondée en 1701 par les anglicans comme une institution spécifiquement missionnaire, était étroitement rattachée à des intérêts politiques et économiques par sa charte de fondation. Relevons, pour nourrir le débat amorcé plus haut dans le prolongement de Max Weber, que la première société missionnaire anglaise était une compagnie à charte ! Ce n'est qu'à la fin du XVIIIe siècle que se créèrent des Sociétés indépendantes et capables de faire appel, comme les congrégations catholiques, à des hommes d'origines nationales variées et de revendiquer leur autonomie face aux intérêts économiques et politiques des gouvernements chrétiens.

2 - Les missions néerlandaises

A première vue les missions protestantes d'avant la fin du XVIIIe siècle semblent avoir reçu leur impulsion et leur modèle du calvinisme néerlandais. Cela s'explique par l'intense circulation d'hommes et d'idées qui se poursuivit durant l'époque moderne entre le nord de l'Europe et les Iles Britanniques et dont Grotius (1583-1645), propagandiste des missions, fournit un exemple éminent.[10]

Il est tentant de chercher quelle relation il peut y avoir entre cette poussée missionnaire et l'essor du capitalisme mercantiliste. Une chose est sûre : l'éveil missionnaire protestant précède le traité de Westphalie

---

9 NEILL (S.) : *A History*, p. 224.
10 MEYER (J.) : *Les Européens*, p. 266 ss.

et n'est donc pas lié, comme le prétend Stephen Neill, à une stabilisation des protestants en Europe. Au moment même où l'on créait le premier séminaire à Leyde, le philosophe Hugo de Groot, dit Grotius, faisait éditer à l'usage des marins hollandais qui se rendaient en Orient un abrégé des principes de la foi chrétienne sous le titre *De veritate Religionis Christianae,* et cela en 1627. Ce manuel de propagande chrétienne fut traduit en malais à la façon des petits catéchismes.[11] On savait bien que les marins n'ont jamais été de bons agents de conversion, mais les esprits préoccupés par la mission manquaient alors de personnel adapté.

L'encadrement religieux était, au début du XVIIe siècle, en grande majorité hostile à la mission pour les raisons théologiques que j'ai exposées plus haut. Il fallait donc d'abord détruire cet obstacle. Le pasteur hollandais Adrien Saravia s'en chargea, à partir de 1610, en éditant un traité de théologie qui réfutait la thèse luthérienne et calviniste selon laquelle le ministère pastoral de l'Eglise avait pris fin avec la prédication des Apôtres, lesquels avaient atteint toute l'humanité. Saravia refusait de considérer les païens comme des hommes fautifs qui auraient rejeté volontairement le message de Dieu. Il affirmait le devoir de l'Eglise dans l'extension du royaume de Dieu à toute la terre en se référant aux paroles du Christ. Ce n'était ni plus ni moins qu'un retour aux positions catholiques, fondées sur une interprétation correcte des Evangiles. La thèse de Saravia fut reprise et développée en 1618 par un autre Hollandais, Heurnius, dont le traité *De Legatione ad Indos capessenda admonitio.* est étonnamment proche des "Appels" des grands éveilleurs protestants du XVIIIe siècle, Brainerd, Edwards et Carey. C'est sans doute à cette invitation pressante à l'action directe dans les Indes qu'ont répondu Grotius, Walaeus et les directeurs de la Compagnie néerlandaise des Indes, lorsqu'ils ont repris à leur compte les méthodes missionnaires catholiques.

Ce renversement des attitudes pourrait étayer la thèse de Weber et de Tawney étendue aux missions puisque l'essor de l'évangélisation hollandaise coïncide exactement dans le temps avec l'expansion commerciale et coloniale des Provinces Unies, avec le mercantilisme hollandais. C'est en 1603 en effet qu'est fondée la Compagnie néerlandaise des Indes Orientales, c'est à partir de 1609, après la conclusion du traité de paix avec l'Espagne, que les Provinces Unies ont

---

11 Dès 1603, avec le *Dictionnaire* de Frederik van Houtman, les Hollandais avaient adopté la technique des dialogues bilingues à l'usage des navigateurs de l'océan Indien, mais la religion n'y tenait aucune place. CAPERAN (Louis) : *Le problème du salut des infidèles. Essai historique*, Paris, 1912 et l'article de François ROUSSEAU : "Les protestants aux XVIe et XVIIe siècles et la théorie de l'idée de mission", *Revue de l'Histoire de l'Eglise de France*, oct.-déc. 1926, p. 443-459, qui ont nourri les textes de Léonard et de Neill. A propos de Saravia et des promoteurs protestants des missions on se reportera aux études de JEAN-MARIE du SACRÉ CŒUR, o.c.d. : "Le 'Séminaire Indicum' d'Antoine Walaeus", *Ephemerides Carmeliticae* (Florence), IV, 1950, p. 71-93, et BENZ (E.) : "Pietist and Puritan Sources of Early Protestant World Missions, Cotton Matter and A. H. Francke", *Church History*, XX, 1951.

commencé à bâtir un empire auquel Hugo de Groot lui-même fournit une justification philosophique dans son *Traité sur la liberté des mers* de 1608. Ces différentes mutations semblent avoir été accompagnées sinon préparées par une transformation de l'élite intellectuelle des Provinces Unies. A la fin du XVIe siècle, lorsque l'Université de Leyde est fondée (1574), elle attire aussitôt tous les "intellectuels protestants" d'Europe et devient le centre du calvinisme, en attendant de devenir, au XVIIIe, la terre d'asile des "Philosophes". C'est dans cette université que se réfugie en 1585 Adrien Savaria chassé par les Espagnols d'Anvers où il était pasteur de l'élite commerciale de l'Europe. Cette élite prend le pouvoir politique à Amsterdam dans les mêmes années et impose le calvinisme comme religion nationale.[12] L'intrication du religieux et de l'économique est telle ici que l'on serait tenté d'établir une relation de cause à effet et de dire que la mission apparaît lorsque le religieux et l'économique se rejoignent dans la prépondérance et la dynamique sociale.

Pourtant bien des objections peuvent être opposées à cette thèse. D'abord parce que le calvinisme gagna l'ensemble des Provinces Unies dans un climat d'indifférence et non d'ardeur missionnaire et parce que les classes dirigeantes, au tournant du XVIe siècle et du XVIIe siècle, ont été plus soucieuses d'instaurer la tolérance religieuse que d'adopter le fanatisme des sectes les plus "puritaines". Ensuite, parce que l'âge d'or économique des Provinces a eu pour origine un essor qui avait commencé dès la fin du XIIIe siècle, bien avant la fondation de l'Eglise réformée. La prospérité économique ne semble pas y avoir été la création du calvinisme, car c'est seulement vers le milieu du XVIIe siècle qu'il s'imposa à Amsterdam et que la plus grande mutation fut d'origine absolument politique puisque provoquée par la conversion de Maurice d'Orange. Les négociants et les grands manufacturiers hollandais ne demandaient qu'une chose, que la liberté totale à laquelle ils étaient accoutumés dans le domaine économique, fût doublée dans la vie religieuse par la liberté de choisir leur doctrine et leur croyance.[13]

Les études de Van Ravesteyn sur la situation économique et sociale d'Amsterdam aux XVIe et XVIIe siècles révèlent que beaucoup de grands marchands d'Amsterdam étaient catholiques et en particulier les actionnaires de la Compagnie des Indes Orientales ; or c'est précisément à ce moment-là qu'apparurent en Hollande des préoccupations missionnaires.[14] Lorsqu'en 1621 fut créée la Compagnie des Indes Occidentales, à l'initiative de marchands profondément calvinistes originaires de la Hollande du Sud et dont l'objectif avoué était de battre en brèche l'hégémonie religieuse et commerciale de l'Espagne et du

---

12 WILSON (Carus) : *La République hollandaise des Provinces Unies,* Paris, Hachette, 1968

13 *Idem.*

14 RAVESTEYN (W. van) : *Onderzoekingen over de economische en sociale ontwikkeling van Amsterdam gedurende de 16 de en het ceste kwartaal der 17 de ceuw,* cité par SAMUELSON : *Idem,* p. 85.

Portugal dans le monde, aucune mesure ne fut prise afin d'assurer l'encadrement religieux des colonies créées en Amérique. C'est à l'initiative d'un luthérien allemand, Justinien von Weltz, soutenu par certains actionnaires crypto-catholiques, que la Compagnie des Indes Occidentales dut sa seule activité missionnaire. Cet apôtre mourut dans la colonie de Surinam en 1668 sans susciter l'admiration qu'il eût méritée. Il faut donc reconnaître que les calvinistes n'ont pas manifesté d'aptitudes missionnaires particulières et qu'ils ont même été de mauvais hommes d'affaires, puisque leur compagnie s'enlisa rapidement dans la confusion frôlant la banqueroute. Il est vrai que le calvinisme n'était pas aux Provinces Unies la religion de la bourgeoisie. Van Ravesteyn à ce propos fait remarquer que, dans les secteurs les plus aisés de la communauté d'Amsterdam, le catholicisme a longtemps maintenu son emprise tandis que c'est dans les classes les plus pauvres que le calvinisme se répandait. Les calvinistes les plus fanatiques appartenaient tous, sans exception, aux couches inférieures de la société ; les gros marchands et les entrepreneurs étaient en général indifférents en matière religieuse.

Le développement économique des Pays-Bas ne peut donc s'expliquer en termes de changement religieux. Attribuer ce développement à des croyances religieuses ne se justifie pas plus que d'imputer le déclin de la fin du XVIIIe siècle à une cause identique. De la même façon le volontariat missionnaire ne semble pas pouvoir être relié à l'essor économique des calvinistes puisqu'ils n'y participèrent ni comme entrepreneurs (ce furent des crypto-catholiques), ni comme acteurs (ce furent des luthériens). Les tentatives missionnaires dans les colonies néerlandaises paraissent être le fait d'intellectuels protestants, en rupture avec l'orthodoxie rigide aussi bien des calvinistes que des luthériens, qui trouvèrent asile et soutien auprès d'une élite économique soucieuse de tolérance dans l'intérêt de ses affaires et de sa position politique.

On peut affirmer en revanche que les dirigeants de la Compagnie des Indes Orientales ont senti tout l'intérêt d'une évangélisation des peuples qu'ils dominaient, la stabilité coloniale que procurait les conversions en masse dans le style ibéro-américain, et que, de ce fait, ils ont appuyé la mutation théologique qui s'amorçait au sein du protestantisme, laquelle correspondait à un rapprochement avec le catholicisme. C'est dans ce contexte qu'il faut comprendre que Grotius ait pu être à la fois un théologien de la mission et un théoricien de l'expansion mercantile des Pays-Bas et qu'il ait pu être accusé de socinianisme et même traité de "papiste tridentin". Les calvinistes radicaux ne s'y étaient pas trompés qui condamnèrent Grotius à l'exil en Angleterre où il connut plus de succès auprès des épiscopaliens et des presbytériens d'Ecosse qui adoptèrent ses manuels comme livres de lecture commune.[15] L'oeuvre religieuse de Grotius, il convient de le rappeler, fut la nourriture spirituelle de

---

15 Il s'agit du *De veritate religionis christianae*, du *De satisfactione Christi* et de divers commentaires des Ecritures.

Samuel Johnson et des premiers humanitaristes anglais du XVIIIe siècle, lesquels appartenaient à l'Eglise établie dont les liens avec le calvinisme, surtout après l'épisode révolutionnaire, étaient devenus très lâches. Dans ce contexte de l'Europe du Nord-Ouest, l'idée missionnaire apparaît curieusement comme une survivance ou une déviation catholique. Dans les faits, les Provinces unies manquèrent d'hommes et ne pratiquèrent que de façon limitée la colonisation de peuplement qui eût permis, peut-être, l'apparition d'un "exclusif religieux" protestant en Amérique du Nord ou à Java, ou encore des réussites de type jésuite dans les Guyanes.

Que restait-il de l'expansion missionnaire hollandaise en 1750 lorsque la République des Provinces Unies déclinante se retira de la scène politique mondiale ? Très peu de chose, mais si les responsabilités de l'échec sont partagées, on sait que l'influence calviniste fut presque totalement négative. Peu nombreux étaient les pasteurs décidés à une tâche missionnaire, et ceux qui furent volontaires consacrèrent trop de temps à combattre les manifestations du papisme (dans les anciennes possessions portugaises) ou toute forme de dissidence (comme dans les Nouveaux Pays-Bas d'Amérique et la colonie du Cap). La religion ne fit donc rien pour que la civilisation hollandaise ne se cantonne pas à la lisière des sociétés asiatiques, africaines ou américaines. "Toutefois il ne serait pas juste de rejeter sur la Compagnie ou sur l'Eglise calviniste la responsabilité de tout ce qui n'arriva pas. La Compagnie fit de son mieux pour fournir des pasteurs (22 à Java en 1776), beaucoup plus que la Compagnie anglaise. Mais les conditions de travail étaient médiocres et les pasteurs soumis aux ordres de la compagnie".[16] En fait par la logique mercantiliste et par le manque d'hommes et de soutien c'est un protestantisme d'Ancien Régime qui meurt en Hollande en 1750.

3 - Les missions anglaises

L'Angleterre protestante s'éveilla à l'esprit missionnaire un peu à la manière des Provinces Unies et peut-être à leur exemple, à moins qu'encore une fois ce ne fut à l'exemple des catholiques. L'église anglicane se préoccupa d'abord de fournir des aumôniers aux colons d'Amérique et aux marins des flottes coloniales, ensuite les actionnaires des Compagnies orientales et occidentales jugèrent de bonne politique de s'assurer des alliés indigènes par la conversion. C'est en 1583 que sir Humphrey Gilbert conduisit le premier convoi de colons vers Terre Neuve dont une charte royale lui avait attribué la possession. La reine Elisabeth avait repris l'esprit et la lettre des documents destinés au même usage que les rois d'Espagne et de Portugal accordaient aux explorateurs et aux colonisateurs dès la fin du XVe siècle.[17] Cela n'a rien d'étonnant si

---

16 WILSON (Carus) : *Idem*, p. 228, voir aussi BOXER (Charles R.) : *The Dutch Seaborne Empire 1600-1800*, London, Hutchinson, 1965.
17 VERLINDEN (C.) : *Les origines*, p. 251 ss., Chap. XIV : l'expansion protestante dans la zone atlantique.

l'on songe que les promoteurs de l'expansion anglaise étaient des marchands résidant à Séville, tel Sébastien Cabot, ou en contact étroit avec le monde catholique à Séville, à Lisbonne ou à Anvers ; d'autre part, bien des marins anglais avaient fait leurs premières armes sur des navires portugais.[18] Lorsque l'Angleterre s'engagea dans une violente politique anti-papiste qui était surtout une politique anti-espagnole, elle s'appropria tout naturellement les méthodes et les justifications de l'ennemi pour les retourner contre lui. Le prétexte missionnaire venait à l'appui d'une expansion coloniale placée ainsi sous le signe de la Providence divine. *For poor infidels,* dit la Charte de 1583, *it seeming probable that God hath reserved these Gentiles* (Les indigènes de Terre Neuve) *to be introduced into christian civility by the English Nation.* Moins clairement exprimé, c'était aussi l'esprit de la charte de constitution de la Compagnie Néerlandaise des Indes Occidentales, elle aussi fondée contre l'Espagne. Mais tandis que la charte néerlandaise témoignait des préoccupations d'un petit groupe de calvinistes, la charte anglaise donnait une dimension nationale à l'expansion politique, coloniale et missionnaire. Le mercantilisme n'était encore aux Pays-Bas que la politique des marchands, en Angleterre il devenait l'affaire de l'Etat.

C'est pourquoi, dès 1584, sir Raleigh, demi-frère de Gilbert, se fit octroyer une charte pour la fondation de la colonie de Virginie, reprenant les termes de celle accordée pour Terre Neuve. Au XVIIe siècle, les anglicans établis en Virginie (1625), et au Maryland (1622) et les dissidents fondateurs du Massachusetts inscrivirent dans leur charte le devoir de propager le christianisme chez les indigènes, alors que les catholiques du Maryland se montraient peu soucieux de prosélytisme. La compagnie du Massachusetts prit pour sceau, vers 1628, un Indien tendant les mains avec, en exergue, le cri du Macédonien à St Paul : *Viens à notre secours !* [19] L'activité missionnaire anglaise dans le Nouveau Monde fut à cette époque extrêmement inégale et épisodique, mais il paraît difficile d'affirmer comme certains, que "l'essentiel de l'activité des pasteurs protestants dans les colonies anglaises avait été de paître leur troupeau".[20] A y regarder de près, on remarque que partout où dominaient les églises anglicanes et catholiques l'expansion missionnaire resta au niveau des déclarations d'intention, les différentes sociétés fondées dans ce but ayant eu pour action réelle l'aumônerie des émigrants déjà chrétiens.[21] Mais dans les colonies rattachées à des compagnies, la Nouvelle Angleterre fondée par la C° de Plymouth, en 1606, la Virginie par la C° de Massachusetts et la C° de Londres, de 1606 à 1625, les Anglais firent preuve de beaucoup plus de conviction

---

18 Voir à ce sujet l'ouvrage de Mervyn BROWN : *Madagascar rediscovered*
19 LEONARD (H. G.) : *Histoire,* vol. 3.
20 LEONARD (H. G.) : *Idem.*
21 Il s'agit de la *Society for Promoting Christian Knowledge,* fondée en 1628, ou encore de la *Society for the Propagation of the Gospel in Foreign parts,* créée en 1701.

missionnaire. Est-ce en liaison avec le puritanisme, soit des actionnaires et des directeurs, soit des colons envoyés ? La réalité semble assez complexe. D'un coté il est certain qu'en Angleterre les directions des diverses compagnies se soucièrent avant tout de dépêcher aux colonies des aumôniers-missionnaires pour leurs agents et les colons blancs, mais toutes les compagnies européennes y compris les catholiques firent de même. On peut ajouter que les marchands anglais se montrèrent particulièrement hostiles à toute entreprise d'évangélisation qui tentait d'échapper un tant soit peu à leur contrôle. C'est ainsi qu'ils s'opposèrent à John Eliot en 1649 lorsqu'il fonda la *New England Company for the Promotion and Propagation of the Gospel* et le contraignirent à s'adresser à Cromwell qui ne l'aida guère. D'un autre coté, les colons calvinistes puritains semblent s'être comportés à l'égard des Indiens avec une férocité et un mépris dont ne témoignèrent que rarement anglicans et catholiques. Bien souvent les puritains s'appliquèrent à éliminer plus qu'à convertir l'indigène à tel point que les quakers durent véritablement imposer la tolérance et la modération aux puritains écossais et irlandais de Pennsylvanie du Nord. Les *Friends* furent, au XVIIe siècle, le seul groupe à pratiquer de façon systématique l'évangélisation, mais, dès le début du XVIIIe siècle, leur ardeur s'éteignit. En dehors d'eux, l'activité missionnaire anglaise reste le fait d'individus isolés appartenant à l'Eglise établie d'Angleterre ou au Presbytère écossais et gagnés par l'influence de Grotius et de ses disciples, mais ils subissent l'incompréhension de leur coreligionnaires et doivent souvent s'exiler ou s'isoler.

L'exemple le plus connu de cette situation est la mission menée par John Eliot, jusqu'en 1690, et continuée par Samuel Sewall et David Brainerd, tous ministres presbytériens, de 1718 à 1747. Ils furent contraints d'organiser de véritables isolats à l'image des "réductions" jésuites pour regrouper les Indiens convertis, sans doute afin de les isoler du paganisme de leurs frères, mais surtout pour les protéger de l'alcool et des massacres perpétrés par les chrétiens blancs.

C'est sans doute à l'époque d'Eliot que se produit le véritable déblocage théologique du protestantisme vis-à-vis des missions. "Les premiers explorateurs protestants de l'Amérique, y compris les Français, furent convaincus que les Indiens n'avaient pu avoir été évangélisés par les Apôtres et que leur état d'ignorance du christianisme ne pouvait leur être imputé", affirme S. Neill. qui démarque François Rousseau.[22] C'est ignorer que, jusqu'au début du XVIIIe siècle, l'Amérique se dégage mal de l'Asie, dans la conception des Européens. Elle apparaît comme un appendice de l'Orient et rien n'en témoigne mieux que l'épuisante et vaine recherche du passage du Nord-Ouest par les géographes et les navigateurs, pendant plus de deux siècles. C'est d'autre part négliger

---

22 NEILL (S.) : *A History*, p. 225. Publié pour la première fois en 1964, cet ouvrage n'a pas tenu compte dans sa réédition de 1976 des travaux de ROOY (S. H.) : *The Theology of Missions in the Puritan tradition. A study of representative Puritans : Richard Silbes, Richard Baxter, John Eliot, Cotton Mather and Jonathan Edwards*, Deft, 1965.

que John Eliot et beaucoup de ses successeurs furent persuadés et enseignèrent que les tribus indiennes étaient la descendance perdue des douze tribus d'Israël parties jadis à l'Ouest. Le mythe d'une ancienne migration à l'Ouest, d'origine celtique, a d'ailleurs survécu sous l'habillage chrétien de l'Ile des Bienheureux ou de la Terre des Saints, avant de réapparaître à nu, vers 1795, sous la forme de la croyance aux *Welsh Indians*, ces Amérindiens descendants de Gallois christianisés, auxquels Burder, l'un des directeurs de la L.M.S., croyait dur comme fer. En 1669, Increase Mather, un presbytérien, rédigeait un livre intitulé *Mystery of Israël's Salvation*, qui reprenait les thèses d'Eliot dans un but identique d'évangélisation et de protection des Indiens : les indigènes n'avaient pas refusé le vrai Dieu, ils l'avaient oublié ; il revenait à ceux qui avaient conservé l'héritage de la Bible, grâce à l'écriture, de les ramener vers leurs origines.

Samuel Sewall alla plus loin encore en se tournant vers les esclaves, c'est certainement le premier "apôtre protestant des nègres". Si Eliot voulait préserver les Indiens, Sewal prétendait affranchir les Africains importés, affirmant que la "condition d'esclave est incompatible avec une vie chrétienne." Or pour les colons protestants, à l'exception des quakers, "un bon Indien était un Indien mort" et "un bon nègre était un nègre esclave". L'opposition des intérêts des colons et des évangélisateurs, voire des colons et des directeurs de compagnie, éclate tout au long de l'histoire du Massachusetts. La compagnie fondatrice fournit le cadre d'un vaste peuplement calviniste en Amérique, elle fut la seule à inclure dans ses statuts que "les colons devraient gagner et amener les naturels du pays à la connaissance du seul Dieu et Sauveur de l'humanité et à la foi chrétienne". Or ce sont ces mêmes colons qui refusèrent de convertir les Indiens de crainte d'accroître leur capacité de résistance et qui exclurent John Eliot. Il apparaît donc qu'en Angleterre comme en Hollande, les puritains n'ont eu pratiquement aucune influence dans la direction et même dans la mise en oeuvre des entreprises maritimes et coloniales du XVIe siècle et même encore du XVIIe siècle. C'est à la *High Church* et parfois au catholicisme qu'appartenaient les grands flibustiers et les bâtisseurs de l'empire anglais. Quant aux marchands de Londres, ils semblent avoir partagé durant tout le XVIe et la première partie du XVIIe siècle, l'indifférence tolérante de leurs collègues hollandais. Il paraît donc très difficile de relier le dynamisme économique de certains milieux, voire de toute une nation, à des convictions religieuses particulières ; l'expansion commerciale semble avoir laissé en marge les secteurs les plus calvinistes, les plus puritains de la population. Le devoir missionnaire de la nation anglaise, exprimé dans les chartes, n'aurait donc servi qu'à confirmer l'élection divine des classes dirigeantes dans la mesure où la réussite économique était le signe terrestre du salut pour de nombreux protestants et qu'elle impliquait une contrepartie.[23] Plus que leurs émules hollandais, les Anglais ont placé la prédestination au niveau national mais cela, semble-t-il, avant la Réforme et sans doute en conséquence de la Guerre de Cent ans. On rappellera ici la présence du lion de Juda dans les armoiries de l'Angleterre, symbole de la descendance anglaise des douze tribus d'Israël et de son élection divine. Reste que cette prédestination était inégalement répartie entre les différentes classes sociales.

4 - Le modèle weberien et les missions protestantes

A l'époque moderne, il semble bien que les états protestants du nord de l'Europe ont lié l'expansion commerciale et territoriale à l'expansion du christianisme, il semble assuré aussi que des expériences, parfois couronnées d'un succès comparable à celui des catholiques, furent tentées en Amérique, en Europe et en Orient. Pourtant, jusqu'à la période des Réveils du XVIIIe siècle, la nécessité de la mission ne semble pas avoir été une conviction généralement partagée par la masse des protestants d'Europe ou des colonies. En fait, c'est l'apathie protestante qui fut la norme, eu égard à l'obstacle théologique dressé par le luthéranisme, et le calvinisme missionnaire de certains milieux fut presque extraordinaire.

Par le bref rappel qui précède on a vu que, partout où s'est manifestée une activité missionnaire, elle a emprunté ses traits et ses méthodes à la mission catholique, avec toujours moins de moyens et moins de succès (sans doute à cause du décalage chronologique) mais toujours avec moins de conviction. Madagascar offre à cet égard une démonstration magnifique. Trois ans après l'installation des Français à Fort Dauphin en 1642 (sous la direction du protestant Pronis), les Anglais tentent de créer une *plantation* dans la baie de Saint-Augustin.[24] Confrontés à des échecs comparables les deux groupes réagissent différemment : les Français catholiques s'entêtent et évangélisent, les Anglais abandonnent. On pourrait s'avancer jusqu'à dire que les protestants se sont surtout préoccupés de l'appropriation des terres et des produits dans un but de profit commercial, tandis que les catholiques étaient plus soucieux de l'appropriation des hommes, pour des raisons politiques et théologiques, sans pour autant négliger des profits matériels souvent illusoires. Cet exemple comme tant d'autres prouve en tout cas que l'expansion missionnaire ne fut pas nécessairement liée à l'expansion mercantile, que l'esprit puritain dont on a voulu faire le géniteur du capitalisme a manifesté plutôt moins d'aptitudes à utiliser l'évangélisation comme un moyen d'appropriation du monde que l'esprit

---

23 Sur cette réfutation des thèses de Weber dans le domaine des compagnies coloniales voyez TREVOR ROPER (H. R.) : "Religion, the Reformation and Social Change", *Historical Studies*, IV, 1963, p. 18-44.
24 GRANDIDIER : *Histoire politique*, vol. V, p. 358.

catholique. Les réalisations missionnaires protestantes apparaissent toujours comme déplacées, voire en rupture, par rapport à la conjoncture de l'époque moderne. C'est la disparition des structures et des rapports mercantilistes au XVIIIe siècle, en Europe et dans le monde, qui a provoqué la transformation des protestantismes luthérien et calviniste par les Réveils évangéliques, et permis aux protestants de prendre une extension mondiale.

Mais quels étaient ces rapports et ces structures du point de vue missionnaire ? On ne peut éviter d'en voir la nature sociale, derrière l'écran de la théologie de la prédestination.

En refusant d'accorder un quelconque rôle aux œuvres dans la rédemption individuelle et en insistant sur la prédestination, dont la réussite sociale pouvait être un signe, Luther puis Calvin n'imaginaient pas les conséquences psychologiques qu'une telle position pouvait avoir sur l'esprit des membres d'une société en évolution rapide ; ils croyaient de façon médiévale en la stabilité des structures sociales et firent eux-mêmes, à l'occasion, œuvre de stabilisateurs sociaux. La brusque explosion du monde Atlantique, l'ascension rapide des classes urbaines, l'importance croissante de la circulation de l'argent dans le reclassement des situations et des prestiges sociaux, ont donné un sens nouveau à leur œuvre religieuse, en ont fait une morale sociale. Samuelson, à la suite de Tawney, pense qu'un puritanisme "ultérieur" s'instaura par suite de l'influence exercée par le capitalisme naissant sur le puritanisme "antérieur" auquel les modes de pensée capitalistes étaient étrangers. Mais ce puritanisme ne toucha que les classes sociales qui étaient parties prenantes dans l'essor capitaliste, leur donnant une justification transcendante et une éthique sociale, leur permettant d'assurer pleinement leurs besoins religieux, de libérer leur angoisse du salut par l'activité et la réussite économique. En Hollande comme en Angleterre, au XVIIe puis au XVIIIe siècle, lorsqu'apparaissent les méthodistes, on a bien l'impression que l'agressivité religieuse, la rigueur sectaire et morale sont en raison inverse des possibilités de réussite sociale du groupe concerné. Ainsi les classes supérieures sont tolérantes et ouvertes, souvent rapidement indifférentes aux problèmes religieux. Inversement les classes frappées et dépassées par l'évolution sociale se trouvent, par la logique même du protestantisme, placées dans une angoisse insupportable. Il en va surtout ainsi dans les milieux des clercs et dans les franges alphabétisées du petit peuple. Leur décadence ou leur stagnation leur apparaissent comme la manifestation d'une malédiction divine, l'annonce terrestre de leur échec aux portes du Paradis : ils n'ont pas été élus. Le protestantisme refuse à l'angoisse du salut la consolation du pardon et du décompte des œuvres ; la pratique de la charité, la piété même ne servent à rien puisque seule la Providence décide. Mais la foi sauve et il faut croire malgré tout au salut accordé aux Justes lors du Jugement Dernier. Et c'est bien ce qu'avaient fait les divers groupes révolutionnaires engendrés par la Réforme, tâcher de réinstaller les classes déchues dans une situation prévalante d'élues de Dieu. Lorsque le mouvement révolutionnaire tourne à l'échec sanglant, tel l'anabaptisme, il se produit un durcissement moral, un retour larvé à la justification par les œuvres dont témoignent l'humanitarisme et le mouvement missionnaire. A terme, ce n'est plus la réussite, laquelle conduit au relâchement et à l'impiété, qui indique le choix de Dieu, mais la vie quotidienne menée selon les commandements de Dieu, inspirée directement par Lui grâce à la lecture de l'Evangile. Pour en arriver là d'âpres luttes doctrinales entre sectes qui sont en fait "le combat des élus", ont été nécessaires. On peut interpréter ainsi la campagne gomarienne contre l'arminianisme des classes dirigeantes en Hollande vers 1609 ou encore les divers épisodes de la Révolution anglaise.[25] Louis Massignon, étudiant l'islam, a découvert des phénomènes semblables et en propose une analyse fort intéressante pour notre sujet : ces luttes sectaires manifestent l'opposition contre l'élite sociale et politique de groupes sociaux défavorisés qui se déclarent être la véritable élite (*real elite*) selon la volonté divine et réclament leur place au sommet de la société.[26] Après l'échec, la revendication migre du domaine politique vers le domaine moral. Ne pouvant imposer un idéal politique les classes défavorisées cherchent à réaliser leur idéal de vie, mais cette fois-ci en se tournant vers le bas de l'échelle sociale. Il est vrai que la mission démarre en Hollande en même temps que le mouvement humanitariste, après l'écrasement des anabaptistes et des calvinistes "politiques". On constate également qu'en Amérique, avec Eliot et ses successeurs, la mission manifeste son impuissance devant la théocratie puritaine au pouvoir ; qu'en Angleterre elle éclôt après le blocage infligé aux non-conformistes par la Glorieuse Révolution. En Allemagne, elle naît avec l'émergence d'une bourgeoisie politiquement bloquée, mais qui sublime dans le culturel et le religieux.[27] La logique du système protestant, ainsi que l'évolution sociale et politique, donnent à certaines classes le sentiment d'être défavorisées, injustement rémunérées sous forme d'avantages sociaux pour leurs mérites religieux et surtout moraux. Une fois épuisé le recours révolutionnaire, ne restent que le mysticisme et l'activisme humanitaire, bien souvent inséparables, et c'est dans ce contexte qu'il faut replacer le grand mouvement missionnaire protestant.

    Les classes non favorisées des pays protestants de la zone atlantique s'intéressèrent toutes aux couches sociales véritablement défavorisées, en dessous d'elles, avec les derniers soubresauts politico-religieux du XVIIe siècle. Leur intérêt pour les pauvres, les vagabonds, les abandonnés, les marins et les esclaves est le même qui les conduit à se tourner vers l'Indien d'Amérique. Leur objectif n'est pas d'intégrer les misérables, de faire disparaître les inégalités sociales, bien au contraire, mais de développer ce que j'appellerai un véritable "samaritanisme". La

---

25 A ce sujet, MANDROU (Robert) : *Des humanistes aux hommes de science, XVI-XVIIe siècle*, Paris, Seuil, 1973.
26 MASSIGNON (Louis) : "The Notion of "Real Elite" in Sociology and in History", *The History of Religions, Essays in Methodology*, The University of Chicago Press, London, 1974, p. 108-114.
27 Sur ces blocages et dérivations voir ELIAS (Norbert) : *La Civilisation*.

parabole du bon Samaritain, fort prisée des prédicateurs du XVIIIe siècle finissant, explique pour beaucoup l'activisme protestant jusqu'au début de l'ère industrielle.[28] Placées en marge d'une société que le Protestantisme domine, incomprises, méprisées, les "classes défavorisées", comme les appelle Max Weber, ressentent vivement l'insatisfaction de leur position sociale et l'angoisse de n'être pas élues de Dieu. Elles s'identifient aux Samaritains de la Bible, méprisés et persécutés par les prêtres et les lévites.[29] A ce propos il convient de remarquer combien l'élection divine, affirmée tour à tour par les différentes nations protestantes, recouvre en fait l'élection de leur classe dominante, notamment dans le domaine colonial. La nation, à travers ses membres dominants élus, considère avec indifférence les maux de ceux qui vivent en elle. Haut clergé, seigneurs, grands marchands, sûrs de la prédestination dont témoigne leur position sociale, passent indifférents aux souffrance de l'homme du peuple. Les humanitaristes sont, au contraire, ces bons Samaritains qui versent du baume sur les plaies du blessé et le conduisent dans une hôtellerie pour y être soignés à leurs frais. Les bons Samaritains, parce qu'il ont eu de la compassion, parce qu'ils ont aimé et aidé leur prochain en prenant sur leur bourse, seront admis au royaume de Dieu et rejoindront les véritables élus. Oubliés sur terre, ils seront les premiers au ciel. En y regardant bien on découvre que cette doctrine du coeur et de l'action, mais aussi de l'acte charitable matérialisé par le débours d'argent, réintroduit à l'intérieur de la logique du protestantisme, mais de façon détournée, une forme de justification par les œuvres sans mettre en cause la prédestination. Il y avait une autre échappatoire, le mysticisme, mais le protestantisme n'offre pas à l'imagination de supports suffisants pour l'évasion intérieure. J'en profite pour rappeler la similitude qui existe entre le mysticisme et l'exotisme. Le premier projette hors du monde visible, par l'extase, le second offre cette même projection hors des réalités présentes de l'espace, par l'imagination.

L'avantage du mode exotique c'est qu'il donne l'illusion, et pour certains la certitude, de trouver ailleurs le climat idéal pour la satisfaction des désirs insatisfaits. Car l'exotisme ne nie pas le monde, il l'exalte et le remplit de ce que l'on désire y mettre.[30] L'énorme succès de la littérature de voyage évoqué plus haut, mais aussi l'importance de l'émigrations volontaire, prouvent l'existence de ce trait psychologique dans le monde protestant. Nulle part hors du protestantisme le rêve de la Terre Promise n'a été aussi terrestre, aussi vivant et ressenti comme immédiatement

---

28 *Évangiles : Luc*, **X**, 25-37.

29 WEBER (Max) : *The Sociology* : "les classes non favorisées ne sont pas les classes prolétaires et ne constituent jamais le bas de l'échelle sociale, elles sont éduquées."

30 JEANNIN (P.) : *L'Europe*, signale, p. 11, l'importance du *Pèlerin* de Bunyan "simple artisan et grand orateur baptiste qui fixe les traits du croyant persécuté ; ravi par les consolations de l'au-delà", mais après une errance terrestre quasi "exotique".

réalisable. Grâce aux colonies, le protestant anglais pouvait espérer construire ce Paradis sur Terre (*Heaven on Earth*) que sa terre natale lui refusait. Les acteurs de l'évangélisation à Madagascar ont offert tous les aspects de cette attitude complexe des classes défavorisées anglaises ; ils furent heureux de découvrir des humains, plus misérables et plus éloignés de Dieu qu'eux-mêmes, sur lesquels ils pouvaient se pencher, mais ils étaient encore plus heureux de les croire suffisamment malléables et perfectibles pour espérer réaliser avec eux une "Terre des Saints".

NAISSANCE ET AFFIRMATION DE LA LONDON MISSIONARY SOCIETY

CHAPITRE IV

L'ÉVEIL MISSIONNAIRE DES ILES BRITANNIQUES

1 - Le climat religieux en Grande-Bretagne

La question religieuse en Angleterre, bien avant le XVIe siècle, est née d'un malaise social, identique à celui dont sont issues les réformes continentales, mais aussi de la xénophobie populaire, renforcée sans cesse par les luttes contre les puissances catholiques dont, au XVIIIe siècle, la France est le symbole, et de l'activité spirituelle et scientifique des universités, aux XVIe-XVIIe siècles, puis des académies qui, à la fin du XVIIe siècle, ont engagé la vie religieuse loin du dédale des querelles théologiques mais dans la participation de la masse des fidèles, et dans une véritable "vulgarisation", fondée sur l'emploi de la langue anglaise, des vérités purifiées et simplifiées de la foi. La réforme anglaise témoigne de préoccupations pour une religion "appliquée" plus que mystique qui fait coexister l'esprit humaniste, les inspirations étrangères (luthériennes et calvinistes) et les vieilles traditions "socialistes" comme celles des Lollards. Le puritanisme, ancêtre du congrégationalisme, fut dans ce cadre une contestation des carences institutionnelles, disciplinaires et morales de l'Eglise établie mais jamais une attitude hostile à son caractère national. Au contraire, les différentes sectes tentèrent toujours d'étendre à la nation anglaise toute entière la notion de "peuple élu" qui finira par s'imposer à la mentalité de l'ensemble des Iles Britanniques.

Après un essor fulgurant au début du XVIIe siècle, le puritanisme fut politiquement écrasé et socialement écarté, mais il laissa des marques indélébiles. Par le refus de toute forme ecclésiastique institutionnalisée, l'aspiration à l'oraison individuelle sans contrainte, par l'effusion des âmes et des cœurs, l'inspiration immédiate de l'Esprit, par l'attente de manifestations apocalyptiques, les groupes indépendants marqués par le puritanisme créèrent une base d'attente populaire pour les réveils évangéliques du XVIIIe siècle. Imprégnés d'images bibliques mais suivant de près les affaires du monde, ils eurent conscience qu'un drame aux dimensions cosmiques se déroulait autour d'eux, marqué par la guerre avec la France et surtout par la perte des colonies américaines, jusqu'à ce que la Révolution française vienne les persuader de l'imminence de l'Apocalypse. De la fin du XVIIe au début du XVIIIe siècle, ils eurent le sentiment d'assister à une véritable ruine de la religion et de la vie religieuse, au-dessus d'eux, dans les classes dirigeantes, et au-dessous d'eux, dans les classes "dangereuses".

C'est contre le poison venu des classes supérieures et de l'étranger que la réaction se fit d'abord. L'étonnante vogue de la littérature de voyage fut responsable de l'attiédissement de la foi qui devint hésitante, comme sur le continent. On affirmait que les Egyptiens, les Chinois, les Perses et les Siamois et même les "Sauvages", tout païens qu'ils fussent, étaient des êtres vertueux et même des philosophes ! Dans le même temps Leibnitz tentait de raccommoder les christianismes en montrant que l'existence de Dieu était la clé de toute connaissance et le postulat de toute morale. Si morale, et même vertu, il y avait chez les païens et chez les hérétiques, au nom de quel dieu s'affirmait-elle ? Les voyages et les systèmes de pensée qu'ils suscitaient érodaient les vieilles convictions. "D'aucuns complètent leur abandon de la morale par d'interminables voyages et achèvent de perdre le peu de religion qu'il leur reste. Chaque jour ils découvrent une nouvelle religion de nouvelles mœurs, de nouveaux rites". Cette phrase de La Bruyère est en elle-même une explication du brutal sursaut qui secoua les chrétientés du Nord. Il n'était pas concevable qu'on pût atteindre Dieu, le seul vrai dieu, en dehors de son propre christianisme ; les récits plus détaillés de voyages effectués au XVIIIe siècle servirent alors d'aliment à un contre-courant qui recherchait les coutumes barbares et l'immoralité dans la différence des mœurs exotiques. L'histoire des idées en Angleterre souligne bien l'existence, dès le XVIIe siècle, du mythe de "l'indigène paresseux" (the Lazy Native) en réaction contre celui, français, du "Bon sauvage".[1] Mais c'est surtout durant un bref intermède, entre 1688 et le début du règne d'Anne que se déclencha une énergique réaction contre les influences françaises qui avaient dominé la vie sociale. L'arrivée d'un prince hollandais, les alliances nordiques y furent pour beaucoup, ainsi que l'activité des membres de l'Eglise établie. Mais ce sont les non-conformistes, sujets à une expansion aussi magnifique qu'éphémère, qui mirent en place les modèles d'organisation de ce qui allait être le mouvement humanitariste du XVIIIe siècle.[2]

Les objectifs de ce mouvement d'idée étaient simples, il fallait cantonner à certaines couches sociales délimitées l'influence délétère des Philosophes et des mœurs venues du continent et prendre en main les classes moyennes dans deux domaines étroitement associés : la restauration des mœurs et celle de la morale chrétienne. Le combat fut confié à des associations de volontaires où dominaient les laïcs. La Société pour la Réforme des Mœurs fut créée en 1601, la Société pour la

---

[1] ALATAS (Seyd Hussein) : *The myth of the Lazy Native*, London, Cass & Co, 1977.
[2] Ce que Françoise Raison et d'autres appellent "mouvement philanthropique", mais qu'une traduction objective devrait rendre par "mouvement humanitaire". Etant donné la perversion médiatique et les détournements politiques voire crapuleux que le qualificatif "humanitaire" a pris en France, depuis les années 1980, je lui ai préféré le néologisme "humanitariste" chaque fois qu'il s'applique au réveil du XVIIIe siècle britannique.

Propagation de la Connaissance du Christianisme (S.P.C.K.) en 1698, il y en eut des dizaines d'autres au niveau de chaque comté.

A l'origine de la création de toutes les sociétés d'ampleur nationale, on retrouve le nom de Thomas Bray, comme on rencontre, plus tard, ceux de Wesley, Nelson, Simeon ou Rowland Hill. Mais ces hommes, aussi zélés et extraordinairement actifs qu'ils fussent, n'ont fait que capter, canaliser et orienter un courant né spontanément au milieu des couches sociales moyennes, en réaction contre le dépérissement du christianisme.[3] Ce courant visait à constituer un écran contre les classes dangereuses ; à de rares exceptions près, il ne chercha pas à réformer les mœurs des dirigeants, "le cynisme et la sophistication" de la *gentry*, alors que la Société pour la Réforme des Mœurs, par exemple, n'hésitait pas, dans ses débuts, à faire appel au "bras séculier" pour citer en justice des malheureux coupables d'immoralité et demander une plus stricte application de lois déjà passablement dures. Le puritanisme, débarrassé de ses ambitions politiques, était à la base de tous ces mouvements. En tant que tel il n'avait pu subsister que chez les non-conformistes, mais il avait imprégné la mentalité des couches inférieures de l'*intelligentsia*, des représentants du bas clergé, des ministres en rupture de paroisse. Etaient aussi touchés "des laïcs qui, contrairement au reste de la population, avaient pu accéder à une certaine culture, des artisans, surtout des petits fonctionnaires et même des nobles de rang modeste."[4] Des personnages d'humble origine comme Thomas Goodwin ou John Owen offrent les meilleurs exemples, par leur vie et leur œuvre surtout orale, de la technique de propagande et d'enseignement qui fut alors développée dans le sermon puritain (*Puritan lecture*). Exhortations interminables, distributions de pamphlets et de tracts, confessions publiques, chants : c'était la panoplie qu'avait inaugurée Luther découvrant l'imprimerie.[5] Ces techniques se maintinrent pratiquement inchangées jusqu'au début du XIXe siècle et permirent la formation et le développement des grandes sociétés missionnaires. Ces hommes combinaient une grande expérience pratique avec une habileté à rapprocher la Bible des problèmes quotidiens de l'homme ordinaire. L'un d'entre eux fut John Bunyan, dont le *Holy War* avec ses allégories persuasives est moins connu mais aussi important que son *Pilgrim's Progress* pour son influence durant le XVIIe et le XVIIIe siècle. Les quakers mettaient alors au point une méthode qui serait abondamment reprise jusqu'à nos jours, la diffusion imprimée de courtes biographies narrant une expérience religieuse ; ces récits de vie

---

3 MENSCHING (G.) : *Sociologie...*, p. 297 : "on remédie à la dégénérescence des communautés religieuses par un *retour* créateur aux sources ; restauration de l'esprit des premiers témoins (...), simplicité, naïveté et caractère spontané de la vie religieuse."
4 COHN (Norman) : *Les fanatiques de l'Apocalypse*, Paris, Julliard, 1962, p. 77.
5 Sur cette technique voyez les communications de Robert MANDROU : "La transmission de l'hérésie à l'époque moderne" et d'Alphonse DUPRONT : "Réflexion sur l'hérésie moderne", au Colloque de Royaumont dans *Hérésies et Sociétés*, Paris, Mouton, 1968, p. 281-302.

donnaient un grand retentissement aux confessions publiques que faisaient souvent des individus touchés par la conversion. A cela s'ajoutait, en Angleterre, une consommation et une circulation de journaux tout à fait exceptionnelles.

Lorsque George I accéda au trône, il n'y avait que huit journaux de province, qui tous avaient commencé en 1700, mais lorsqu'il mourut en 1727, dix-sept de plus avaient été lancés avec succès. Le besoin de livres, de tracts et de journaux était dû à une considérable extension de la culture écrite. Pourtant, depuis la Révolution le nombre d'étudiants dans les universités avaient rapidement décru. Les raisons en sont obscures et débattues. Mais tandis que l'éducation supérieure déclinait, l'éducation primaire prenait un essor immense à travers le mouvement des *Charity Schools*.[6] Les journaux londoniens quant à eux connurent un essor considérable et une diffusion croissante, dans la seconde moitié du XVIIIe siècle, entre les mains des "évangéliques" de l'Eglise établie et des dissidents non-conformistes. Le plus caractéristique de cette période est le *Gentleman's Magazine* qui débuta en 1731 sous le nom de *The Gentleman's Magazine or monthly intelligencer by Sylvanus Urban*. Il poursuivit une brillante carrière au XIXe siècle, et atteignit l'âge de 176 ans avant de disparaître. Ce fut par excellence le soutien de l'esprit humanitariste, évangélique et missionnaire qui gagna les classes moyennes.[7]

Si le courant religieux paraît assez homogène, dès la fin du XVIIe siècle, les organismes dans lesquels il débouche ou s'inscrit sont loin de l'être. Certes, les différences entre les groupes non-conformistes n'étaient guère prononcées dans le dogme et la pratique, mais elles subsistaient envers et contre tout. Les trois dénominations étaient : les presbytériens, les indépendants (ou congrégationalistes) et les baptistes. Les quakers étaient tombés dans un véritable état de léthargie, abandonnant le vigoureux apostolat qui les avait rendus si difficiles à vivre aux autres groupes. Les presbytériens, à la différence des indépendants, croyaient en un système national de représentation fondé sur des *Church courts* mais ils ne parvinrent jamais à le mettre en place. L'assemblée de l'église (*Church meeting*) qui jouait un rôle si important dans les congrégations d'indépendants était d'ordinaire moins fréquente (ou totalement absente) chez les presbytériens puisque ses fonctions auraient dû être théoriquement assurées par une assemblée d'un niveau supérieur, laquelle n'existait pas. Les presbytériens accordaient moins d'importance aux listes de membres de leur église et à la profession de foi que les nouveaux candidats devaient accepter de faire Souvent leurs congrégations étaient dominées par de petites oligarchies de possédants qui les soutenaient de leur piété et de leurs

---

6 PLUMB (H.) : *England,* p. 30.
7 HANDOVER (P. M.) : *Printing in London from 1476 to Modern Times,* London, G. Allen & Unwin 1968, et NICHOLS (J.) : *An account of the rise and progress of the Gentleman's Magazine,* London, 1821.

deniers et l'autorité suprême passait entre les mains du conseil d'administration de la paroisse.[8]

Les congrégationalistes avaient pour seule référence les mots du Christ : "lorsque vous serez deux ou trois réunis en mon nom, alors je serai au milieu de vous". Ils avaient cherché dans leur début à reconstituer les petites communautés de l'Eglise primitive sans évêques, sans ministres, ni prêtres ; cette simplicité primitiviste avait disparu avec le temps, les luttes théologiques et la persécution. Un Credo avait été défini, un corps pastoral appointé avait été institué pour assurer des fonctions théoriquement exercées par chaque membre d'une congrégation. Les prédicateurs, en particulier, constituaient un véritable corps souvent itinérant, lien entre les différentes paroisses farouchement indépendantes et affligées d'un véritable esprit de clocher. Les baptistes, au milieu de ces confessions qui se sclérosaient progressivement apparaissaient comme des groupes en mouvement dans l'espace, dans leurs positions sociales et dans leurs métiers. Meuniers, tisserands, forgerons, cordonniers, ils constituaient un milieu plus mobile que les autres, plus apte à capter les idées nouvelles et à les transmettre dans le tissu populaire.[9]

Des tentatives furent faites pour trouver des compromis théologiques et parvenir à l'unification de l'ensemble des dénominations. Les quakers ne s'en trouvèrent pas réveillés et le résultat le plus net de l'affaire fut une accentuation des différences et des querelles. L'unification en soi n'était pas un mobile suffisant, il fallait un grand thème dépassant l'ensemble des dénominations, tel celui de l'éducation des pauvres, de la christianisation des masses ou de l'évangélisation outre-mer, et surtout une grande commotion, comme la perte des colonies d'Amérique, pour débloquer la situation et amener les différentes églises vers les "funérailles du sectarisme" et "l'essor de l'œcuménisme" comme aimaient à répéter certains prédicateurs. En attendant, presbytériens et congrégationalistes, proches à bien des égards jusque dans les années 1718-1719, se trouvèrent attirés les uns vers l'unitarisme, les autres vers un calvinisme renforcé d'influences anabaptistes qui devait survivre au réveil évangélique. Les presbytériens, dans leur dérive unitarienne, se rapprochèrent de l'Eglise établie et fournirent quelque appoint au méthodisme dans la seconde moitié du siècle. Les congrégationalistes et les baptistes, en déclin numérique dans la première moitié du XVIIIe siècle, surent mieux préserver intacts les cadres acceptés de leur croyance et surtout préparer l'accueil de l'évangélisme de la fin du siècle. L'importance de la communauté paroissiale, moins hiérarchique plus chaleureuse qu'ailleurs, la responsabilité de l'ensemble de la congrégation dans le choix d'un ministre, le contact intime entre pasteurs et fidèles, la signification accordée à la profession de foi pour l'acceptation des nouveaux membres, les cantiques largement utilisés

---

8 CRAGG (G.) : *The Church*,
9 BORST (A.) : "La transmission de l'hérésie au Moyen Age" dans *Hérésies et Sociétés*, p. 273 à 280 et Eric HOBSBAWNN : "Les classes ouvrières".

dans le culte, tout cela créait un climat plus attirant pour les âmes en quête de Dieu.

Il faut insister sur les premiers thèmes philanthropiques développés chez les congrégationalistes par John Howard, apôtre des prisons, et surtout sur le développement des chants dans la prière que l'on attribue trop souvent aux méthodistes. Les psaumes rythmés ainsi que le commentaire vivant des Ecritures ont toujours été des moyens privilégiés d'encadrement et de prosélytisme chez les protestants.[10] La contribution musicale des congrégationalistes Isaac Watts et Philip Doddridge fut à cet égard énorme ; leurs cantiques confirmaient insensiblement mais puissamment la foi de ceux qui les chantaient ainsi que de ceux qui les entendaient et ces cantiques furent l'une des armes les plus efficaces de la propagande missionnaire. Les congrégationalistes étaient donc les mieux armés pour répondre aux chocs de l'explosion démographique, aux débuts de la révolution industrielle et au vide laissé par la déstructuration de l'ancienne société britannique.

Le méthodisme

Le réveil évangélique ne peut être confondu avec le méthodisme, encore moins avec la vie des sociétés wesleyennes, pourtant l'un comme l'autre furent partie d'une réponse aux besoins et aux aspirations spirituels et sociaux de larges secteurs de la population britannique. Les évangéliques, à la différence des méthodistes, demeurèrent à l'intérieur des cadres préexistants de l'Eglise établie ou des diverses dénominations non-conformistes, mais les méthodes d'action et même les modèles d'organisation furent souvent proches chez les uns et les autres. Wesley apporta cependant deux nouveautés d'importance qui furent adoptées ensuite par tous les mouvements de conversion ; ce sont la prédication itinérante et les sermons en plein air adressés à des auditoires souvent hostiles ou simplement indifférents et que rien ne rattachait *a priori* au prédicateur. C'est ensuite l'organisation immédiate en sociétés, liées entre elles, de tous ceux qui avaient été touchés par la prédication. Le principe venait de Genève par de longs cheminements au sein du non-conformisme et plus particulièrement de l'église presbytérienne. Mais à l'heure de Wesley, le non-conformisme en général avait depuis longtemps cessé de mettre l'accent sur l'organisation parce que, depuis la fin du XVIIe siècle, il avait pratiquement cessé de recruter. Jean Seguy inscrit le méthodisme dans la lignée des non-conformisme religieux en opposition à l'Eglise anglicane pour son action et ses cadres et lui prête une ascendance morave par l'influence de Zinderdorf sur Wesley.[11] Cette présentation classique qui valorise

---

10 Là-dessus voyez P. IIMBART de LA TOUR : *Les Origines de la Réforme*, Paris, 1914, tome III.
11 SEGUY (Jean) : "Non conformismes religieux" dans PUECH : *Histoire*, tome 2, p. 1287 à 1289.

l'œuvre et l'apport personnel de John Wesley oublie trop l'attachement indéfectible de celui-ci à l'Eglise établie et sa haine profonde des dissidents. D'autre part elle néglige le bouillonnement "méthodiste" pré-wesleyen, à l'intérieur même de l'Eglise établie, dont témoignent les "sociétés volontaires" que j'ai évoquées plus haut. "Les méthodistes sont là pour prendre le relais", affirme-t-on, mais ils ne sont pas les seuls.[12] La société où Wesley "s'éveille" est-elle morave ou anglicane ? On n'a pas pu l'établir".[13] Comme William Carey dans le domaine missionnaire, Wesley fut sans doute un catalyseur, encore que ses contemporains aient donné beaucoup plus d'importance à George Whitefield. En ce qui concerne la mission en tout cas, il est difficile de trouver une filiation entre l'église des moraves et l'église wesleyenne. Marqué par son échec en Géorgie, John Wesley ne s'intéressait pas plus aux missions chez les "sauvages" que la majorité des anglicans du XVIIIe siècle. Les missions wesleyennes débutèrent après sa mort, sous l'influence de Coke, tout à la fin du siècle. Elles touchèrent les Antilles, la Guyane britannique et la Sierra Leone. En fait toute l'historiographie du mouvement évangélique a du mal à abandonner la thèse de Halevy sur la naissance du méthodisme en Angleterre.[14] Latourette, Stephen Neill et même des historiens plus récents comme Turtas, continuent de croire que la situation de l'Eglise établie était bien plus grave que celle des non-conformistes et que c'est le non-conformisme inconscient de Wesley, additionné d'influences moraves, qui serait à l'origine du renouveau de la vie religieuse en Grande-Bretagne. Des études plus récentes et mieux fondées montrent l'inexactitude d'une telle interprétation.[15]

Bien des auteurs reconnaissent que le "Réveil" est dû à des pasteurs anglicans qui exerçaient leur ministère parmi la clientèle du *Dissent* au XVIIe siècle et qui ont étendu croyance et pratique aux classes plus humbles que les premiers effets de la révolution industrielle commençaient à prolétariser. Mais qu'est-ce au fond que cet "évangélisme" ? Pour Carpenter c'est un *ultrapersonal concept of christianity*.[16] Le salut est pour l'évangélique une affaire individuelle ; c'est l'action immédiate du Saint-Esprit qui, par la conversion, pousse chacun à mener une vie "sainte". Convaincus de la nature fondamentalement mauvaise de l'homme marqué par le péché originel, les évangéliques l'étaient aussi de son incapacité à se tourner de lui-même vers Dieu. Ils étaient en opposition radicale avec bien des aspects des mœurs de leur temps. Leur acharnement contre la frivolité renouvela le courant puritain ; ils condamnaient les jeux, le théâtre, la danse et tous

---

12 BERTRAND (C. J.) : *Le Méthodisme*.
13 *Idem*, p. 36.
14 HALEVY (E.) : *History*, vol. I et "La naissance du Méthodisme en Angleterre", *La Revue de Paris*, 1906.
15 Voir surtout J. D. WALSH : "Origins of the Evangelical Revival", dans BENNETT et WALSH éd. : *Essays in Modern English Church History*, London, 1966, p. 132-162.
16 CARPENTER (S. C.) : *Church and People*, vol. I, p. 41.

les divertissements, ils survalorisaient le travail qui, bien souvent dans ces milieux d'artisans et de boutiquiers, n'assurait qu'une modeste rémunération de la peine qu'on y prenait. Pour faire admettre une conception aussi sinistre de l'existence, ils faisaient appel à la puissance divine, seule dispensatrice d'éternité et de félicités durables ici-bas comme dans l'au-delà, seule capable de faire oublier les maux et les servitudes de ce monde. Ils jouaient également sur l'obsession de la mort, reprenant la tradition des prédicateurs apocalyptiques médiévaux par leurs méthodes de manipulation des foules comme par leur message, à la seule différence que les évangéliques n'annonçaient pas la destruction universelle, mais individualisaient la menace de la damnation. Pour se protéger de l'Enfer ils proposaient des voies individuelles et collectives de salut : faire la preuve de son utilité sociale, de son aptitude à se transformer et à transformer les autres. Le nombre des misérables et des abandonnés croissait de telle sorte que ces réveils "évangéliques" ou "humanitaristes" du XVIIIe siècle ne pouvaient que connaître le succès.

"Le développement d'un climat moralisateur n'était pas un phénomène simplement religieux. Ce changement prenait ses traits dans le caractère des Anglais du centre de la Grande-Bretagne (par opposition à la périphérie britannique et coloniale), c'était le produit de l'avancement de l'industrialisation, de l'ascension de nouvelles classes moyennes et de l'émergence d'une nouvelle éthique pour une nouvelle société".[17] Les ambiguïtés entre méthodisme et évangélisme sont à mon avis sociologiques. Dès 1750, le clergé anglican amorçait le mouvement "méthodiste", c'est-à-dire une prise en charge des déshérités. *If compassion cannot move you*, prêchait en 1755 le révérend William Sharps, *let considerations of interest prevail with you, for the poors, if neglected, would prove a menace, but if encouraged might well become honest, laborious, ingenious artisans* . On pourrait citer aussi le cas de l'archevêque Gibson qui prônait la charité chrétienne et bien d'autres prédécesseurs de Wesley dans l'humanitarisme. Cette nouvelle conception de la vie religieuse au sein de l'anglicanisme prit de l'importance lorsqu'elle commença à recruter des adhérents au sommet des classes moyennes sous le nom de "Réveil Evangélique", à la fin du XVIIIe siècle. En revanche la véritable prise en charge morale et religieuse du prolétariat, son encadrement par la couche supérieure alphabétisée du monde ouvrier revient largement au méthodisme et, pour une part aussi, au baptisme comme on le verra plus loin.

En Grande-Bretagne, les grands moments d'activité religieuse, le puritanisme aux XVIe-XVIIe siècles et l'évangélisme/humanitarisme aux XVIIIe-XIXe siècles ont manifestement coïncidé, non seulement avec des mutations sociales et économiques, mais encore avec un élargissement de l'espace dominé par les Anglais. Au XVIe siècle l'Angleterre devint une puissance maritime et coloniale à l'ancienne mode ; au XVIIIe siècle, après 1763, la Grande-Bretagne s'engage dans la voie de l'impérialisme

---

17 STOKES (E.) : *The English Unitarians*, p. 27.

moderne et son pôle d'attraction bascule de l'ouest à l'est. Peut-être, dans les deux phases, l'occasion offerte d'une évangélisation outre-mer aida à stimuler l'activité religieuse en métropole. Peut-être aussi, comme a pu dire l'historien indien Panikkar, l'effort missionnaire à ces deux occasions ne fut pour l'essentiel qu'un aspect secondaire, sans racines profondes, de l'impérialisme, condamné à dépérir sitôt après le retrait du pouvoir colonial[18]. Tout cela n'explique pas pourquoi l'exportation du christianisme outre-mer a toujours été le fait de minorités vouées exclusivement à cette tâche, mues non par des mobiles économiques ou politiques, mais par un désir de créer une société meilleure dans un nouvel environnement. Et comment expliquer que les colonies britanniques de peuplement qui reçurent leur christianisme avec leurs immigrants ont montré souvent moins de vitalité missionnaire que celles, africaines ou asiatiques, où des missionnaires isolés ont lutté pour greffer leur foi sur la culture locale.[19]

L'humanitarisme

Comment un zèle brûlant et une conviction religieuse nés de l'expérience transfigurante de la conversion ont-ils conduit les minorités évangéliques à se soucier de la mission ? Un ardent évangélique, Charles Grant, membre de la "Secte de Clapham", s'est chargé, dès 1797, de nous l'expliquer.[20] L'illumination de la conversion intervient au terme d'une crise du péché, d'une angoisse insupportable à ce poids des maux de l'homme que seule la grâce de Dieu peut effacer, sans médiation, par un dialogue intérieur direct, qui, par conséquent, conduit au refus violent des médiateurs : prêtres et rites, et par le repentir. Dieu, en échange d'une dévotion totale, offre l'apaisement et surtout la liberté, c'est à dire l'affranchissement du vice et des contingences extérieures. Mais, une fois acquise la certitude de la rédemption, il faut préserver cette illumination première parce que l'état de grâce doit être entretenu (et l'on retrouve là des influences arminiennes) par la prière et le travail d'abord, par la mission d'évangélisation ensuite. L'expérience évangélique, quoique personnelle et intérieure, débouche sur l'action collective et la mission dans le monde extérieur.[21]

L'action humanitaire des évangéliques se serait cantonnée aux "esclaves blancs" de Grande-Bretagne si l'enthousiasme rousseauiste pour l'innocence primitive n'était venu lui donner conscience des millions

---

18 PANIKKAR (Sardar K. M.) : *Asia and Western Dominance*, 1949.
19 BOLTON (G.) : *Britain's Legacy*, p. 81-90 et surtout WALSH (J. D.) : "Origins of the Evangelical Revival", *op.. cit.*.
20 Réunion à la paroisse de Clapham, à Londres, de personnalités *whigs* appartenant à la haute bourgeoisie et à la Chambre des Communes qui sont touchées par les idées philanthropiques et humanitaristes mais ne se laissent pas entraîner au réveil populaire. Leur directeur spirituel est Charles Simeon, doyen anglican de l'Université de Cambridge. On compte parmi eux Thomas Clarkson et Wilberforce, les champions de la lutte contre la traite des esclaves.
21 GRANT (C.), *Observations*, manuscrit, 1794.

d'êtres "plongés dans les ténèbres de l'ignorance de Dieu". Mais qu'on ne s'y trompe pas, l'œuvre d'évangélisation suppose qu'on doit changer les "sauvages" et que leur état n'est pas un idéal, bien au contraire ; Grant s'évertue donc à démontrer l'état de dégradation morale et matérielle des païens. S'il y a héritage des Lumières, c'est par renversement complet des perspectives, par réaction. Un tel retournement était d'autant plus facile à opérer que les Anglais n'ont guère eu de contacts directs ni fréquents avec des représentants des peuples exotiques. Une étude récente montre que, durant la période de la traite des esclaves, ils ont formé leur attitude beaucoup plus par la lecture que par l'expérience directe des contacts entre races.[22] Le sauvage, le païen, étaient des abstractions, au mieux des figures illustrant les récits de voyage et que la gravure à la manière noire avait permis de répandre dans une proportion égale aux offsets de nos jours. Une telle fantasmagorie permet de comprendre la résistance des presbytériens et les énormes variations d'intensité de l'activité humanitariste.

L'attitude de l'Eglise d'Ecosse, la *Kirk*, ne doit pas être considérée comme exceptionnelle, elle participe à la fois de la vieille théologie calviniste sur la mission et d'une réaction aux Lumières diffusant l'image indécente du sauvage nu, paresseux et heureux dans cet état. En 1796, l'Assemblée générale de la *Kirk* émettait une résolution déclarant que "répandre au dehors la connaissance de l'Evangile parmi les nations barbares et païennes paraissait hautement absurde en ce que cela anticipait et même bouleversait l'ordre de la nature". Il faut se souvenir que les groupes écossais d'Angleterre et d'Amérique étaient, au même moment, d'ardents missionnaires, mais ils n'avaient pas lu les Philosophes ni les voyages de Cook ! N'oublions pas, qu'en 1760 encore, la sanglante répression de la révolte servile à la Jamaïque ne produisit pas plus de réaction que celle du soulèvement irlandais de 1798. Blancs ou noirs, proches ou lointains, l'humanitarisme eut le plus grand mal à intéresser la grande masse de la population britannique aux esclaves et à leur sort. Le long combat de Thomas Clarkson et le scepticisme économique d'Adam Smith ne jouèrent que dans l'espace réduit des milieux parlementaires londoniens.[23] C'est lentement que les "autres", les peuples lointains s'imposèrent aux yeux des classes moyennes comme une réalité souffrante et, plutôt que de dénoncer cet intérêt tardif pour *l'Autre*, comme il est de bon ton de le faire aujourd'hui, on doit s'étonner de cette attitude, exceptionnelle dans une histoire de l'Humanité qui ne serait pas réduite aux seuls Blancs.

Plus importants que la peu mobilisatrice lutte contre l'esclavage, furent l'agrandissement des possessions indiennes de la Grande-Bretagne et les voyages dans les Mers du Sud. Une alliance pouvait

---

[22] BAKER (A. J) : *The African Link, British Attitudes to the Negro in the Era of the Atlantic Slave Trade, 1550-1807*, London, Frank Cass, 1977. Voir aussi CURTIN (P. D). : *The image*, vol. 1.
[23] SHYLLON (F. O.) : *Black Slaves in Britain*, ; H. BRUNSCHWIG : *L'avènement de l'Afrique noire du XIXe siècle à nos jours*, Paris, A. Colin, 1963.

aisément se faire entre le millénarisme des classes populaires entraînées vers une nouvelle croisade, le "romantisme chrétien" des classes moyennes et l'intérêt pécuniaire des classes dirigeantes qui, par la plume de Claudius Buchanan, affirmaient que *le Christianisme renforcerait le loyalisme des Indiens et les prédisposerait au commerce*, le tout sur la base providentialiste d'une mission divine usurpée jadis par les catholiques obscurantistes. Le lien de l'évangélisme avec l'Inde fut encore rendu plus intime par l'origine et la fonction de ses membres dirigeants, personnellement impliqués dans la gestion de l'empire, qu'il ne pouvait l'être avec l'abolition de la traite. Wilberforce écrivait : *the Indian missions are the greatest of all causes for I really place it before Abolition..*[24] Il nous faut ainsi reconnaître que la logique qui poussait les états de l'Europe du nord-ouest vers l'océan Indien prenait ses racines dans les modifications du monde nord-atlantique, dans le bouleversement des intérêts et des circuits commerciaux, le reclassement des puissances maritimes qui intervinrent au tournant de 1763. Les missions permettaient de moraliser des échanges jugés scandaleux entre l'Orient et l'Occident et dont les *Nabobs* étaient les symboles en Angleterre, mais il était bien entendu que ces échanges devaient s'accroître sauf pour l'esclavage et la traite des nègres, qui constituaient une relation avec l'Afrique que rien ne pouvait moraliser et qui devaient disparaître. Mais les idées des abolitionnistes étaient en avance sur les possibilités du monde atlantique, pire, elles divisaient ce monde tout juste formé et ne pouvaient donc servir de base à l'unité "œcuménique" en Grande-Bretagne même.

---

24 Cité dans R. S. WILBERFORCE : *Life of Wilberforce*, vol. II, la faute de grammaire (*it* pour *them*) est dans le texte.

2 - William Carey et les missions britanniques

On a dit de William Carey qu'il était le fondateur des missions modernes, cette affirmation ne cesse d'être contestée, mais il n'en reste pas moins qu'avec lui les missions chrétiennes accèdent à l'autonomie politique, se libèrent des gouvernements et des compagnies coloniales, s'organisent et finissent par représenter une force sociale et un groupe de pression, ce que Geoffroy Bolton a appelé le "Lobby missionnaire". De Carey aussi date l'entrée massive du monde anglophone dans les entreprises missionnaires : la forme historique et géographique de son *Enquête* témoigne, entre autres buts, d'une volonté de montrer ce que les Anglais ont fait et ce que, grâce à leur situation maritime prépondérante de la fin du XVIIIe siècle, ils peuvent et doivent faire pour évangéliser les païens.

L'Enquête de William Carey

La force de Carey est d'avoir posé le débat des missions ailleurs que sur ce terrain théologique où s'étaient embourbés le luthéranisme allemand et le calvinisme britannique. Alors que Wesley est peut-être l'héritier de Spenner et de Zindendorf, Carey l'est de Francke et des Frères Moraves, en plein essor missionnaire après la mort, en 1760, de Zindendorf. Carey refuse le débat théologique mais aussi ce sentimentalisme mystique et cet enthousiasme, si suspect en Angleterre au XVIIIe siècle, qui seront l'apanage des méthodistes. Carey exige une action sur le monde, dans le monde et non dans la tiédeur mouillée des cœurs en mal de grâce. Son interrogation est résolument pragmatique et, pourrait-on dire, économique. Comment gérer le salut du monde ? L'économie missionnaire est un vieille tradition baptiste qu'avait réanimée en Amérique Roger Williams (1604-1683) en formant des "Compagnies de fidèles appelés par la parole de Dieu, séparés du monde et de ses voies de perdition mais regroupés en une société privée ou compagnie commerciale".[25]

L'Enquête de Carey est une "étude de marché" au même titre que *l'Histoire des deux Indes* de l'abbé Guillaume Thomas François Raynal ; elle fait appel à l'histoire, à la géographie, à l'ethnographie dans un but utilitaire et opérationnel.[26] Celui-ci voulait "connaître pour exploiter", celui-là désire "connaître pour évangéliser". Raynal s'efforçait de montrer l'échec et le scandale de la colonisation d'Ancien Régime, Carey s'en prenait à la mission d'Ancien Régime aussi bien catholique que protestante : *blind zeal, gross superstitions and infamous cruelties so marked the appearances of religion all this time that the professors of Christianity needed convertion as much as the heathen world*.[27] Aussi

---

25 DESROCHE (H.) : *L'homme et ses religions*, p. 259.
26 CAREY (W.) : *An Inquiry*, le manuscrit est de 1788.
27 CAREY (W.) : *An Inquiry*, p. 65, (édition fac-similé, London, Baptist Missionary Society, 1942).

surprenant que cela puisse paraître, Carey est d'une certaine façon l'héritier des Lumières françaises, comme il l'est des Frères Morave, par sa volonté d'organiser et de planifier : son *Enquête* étudie en effet "les possibilités de futures Entreprises et le succès de celles déjà commencées" dans un but méthodique. Carey essaie rapidement de mettre son programme en œuvre, au moins chez les protestants. Un an après la publication de son ouvrage, il profite de la présence à Nottingham d'un groupe de ministres baptistes pour prêcher sur le thème de l'évangélisation (*Isaïe*, Liv. 2, 3) "Attendez de grandes choses de Dieu, faites de grandes choses pour Dieu". En argumentant à partir de son *Enquête* il évite d'aborder directement le problème épineux de la prédestination.[28] En cette journée du 31 mai 1792, Carey sait faire une utilisation immédiate de l'impression produite sur l'auditoire en lui demandant d'agir de suite, de s'organiser et en saisissant les ministres présents pour qu'ils mettent sur pied un avant-projet qui devait aboutir à la formation en 1793, à Kettering, de la *Baptist Society for propagating the Gospel among the Heathen*.

L'année suivante, Carey s'embarquait pour l'Inde avec John Thomas, mais il continua son travail d'éveilleur en Angleterre en reprenant une méthode inaugurée par Ziegenbald quarante ans plus tôt : l'expédition régulière de son Journal en métropole et sa large diffusion dans l'*Evanqelical Magazine,* fondé la même année que la Société Missionnaire Baptiste. A la façon de Ziegenbald et de ses successeurs, Carey entreprit de correspondre avec tous les hommes influents, proches des milieux baptistes et susceptibles de s'intéresser à l'œuvre missionnaire, quelle que fût leur dénomination religieuse. De ces lettres, je ne connais que celle qui fut adressée en 1794 au docteur Ryland, professeur à la *Baptist Academy* de Bristol et qui, communiquée à différentes personnalités, parmi lesquelles Edward Williams de Birmingham et David Bogue de Gosport, devait donner naissance à la *Missionary Society* de Londres, future L.M.S. et aux Sociétés missionnaires d'Edimbourg (1796), de Glasgow (1796) et de New York (1796). L'*Inquiry* puis la lettre de 1794, développent une argumentation très simple : il y a interdépendance entre le commandement du Christ aux Apôtres d'annoncer l'Evangile à tous les hommes et sa promesse de revenir parmi les hommes à la fin du monde. Reprenant à la lettre Jonathan Edward, Carey lie inséparablement le commandement et la promesse et affirme le retour du Christ parmi les fidèles dans la mesure où il aura été obéi à son commandement, lequel ne cessera d'être impératif que lorsqu'il n'y aura plus un seul homme auquel l'Evangile n'aura pas été prêché. Carey espérait constituer une large base de soutien commune à tous les protestants, comme en témoignent ses lettres et son projet de mission œcuménique qui apparaît déjà dans l'*Enquête*. Il y déclare que, dans la pratique, la prédication missionnaire n'est réservée à aucune dénomination religieuse ajoutant que "seule la prière est capable de rassembler les chrétiens de toutes dénominations".

---

28 MARSHMAN (J.-C.) : *The life and times of William Carey.*

Par cette phrase Carey propose une véritable "oblation collective", selon l'expression d'A. Dupront. Pourtant, les historiens des missions, depuis Latourette, n'ont cru y voir qu'une constatation négative, et même une condition *sine qua non* selon laquelle "la mission devait être dénominationnelle ou ne pas être". Le plus récent chercheur, R. Turtas, déclare dans sa thèse que "Carey n'était pas partisan d'une mission interdénominationnelle et que c'est la conscience des limites des seuls *Particular Baptists* qui l'a amené à son fameux rêve intermissionnaire".[29] Cela me paraît douteux, en fonction de la dynamique propre aux baptistes de l'époque qui cherchaient à s'ouvrir à toutes les dénominations et, surtout, à cause de l'énorme retentissement, depuis 1740, de la mission "œcuménique" de Tranquebar. L'interprétation citée veut ignorer que le projet de son *Enquête* avait été rédigé par Carey bien avant 1792 et que c'est l'urgence de l'action qui l'a conduit à s'adresser d'abord à ses coreligionnaires. Cela apparaît bien dans son attitude lors du service de Nottingham évoqué plus haut, au cours duquel, après avoir achevé l'office, il se tourne vers l'assemblée et lui dit : "eh quoi, vous allez vous séparer sans entreprendre quelque chose ? " Le tort des historiens ici est de vouloir introduire une césure entre le XVIIIe et le XIXe siècle et de ranger Carey et la *Baptist Missionary Society* parmi les entreprises à l'ancienne mode (*old style*), pour bien mettre en valeur la date de fondation de la L.M.S. et en faire le début d'une ère nouvelle.

A mon sens, il y a continuité et prolongement du XVIIIe siècle jusque dans les années 1850, moment où le contexte général des pays protestants et surtout le type de rapports qu'ils entretiennent avec le reste du monde se modifient complètement. Cette volonté de césure se manifeste aussi dans l'interprétation donnée par Lovett et à sa suite Latourette du *post-scriptum* de la lettre circulaire du révérend Edward Williams, catalyseur de la fondation de la L.M.S. "Le post-scriptum de Williams marquait un progrès en regard de l'*Inquiry* de Carey auquel il empruntait les statistiques religieuses du monde, mais présentait des limites : en particulier on n'avait pas prévu une organisation centrale pour coordonner les forces de chacune des associations de comté conçues comme indépendantes l'une de l'autre".[30] Selon eux, Williams en restait à la position de Carey, c'est à dire qu'il estimait souhaitable l'union de toutes les dénominations mais seule praticable l'action séparée de chacune sur le terrain. Or, jamais, ni la L.M.S. ni aucune autre société n'ont pu envoyer sur le terrain des missionnaires de dénominations différentes. La L.M.S. a même fini par devenir l'organe missionnaire des seuls congrégationalistes malgré la fameuse césure de 1795. A mon sens, il n'y a jamais eu d'œcuménisme protestant *de facto* avant la fin du XIXe siècle et *de jure* avant la Conférence intermissionnaire d'Edimbourg en 1910, celle dont précisément avait rêvé Carey. Dans ses lettres en effet, celui-ci exprimait l'espoir de réunir au cap de Bonne Espérance les

---

29 TURTAS (R.) : *L'Attivitá*, p. 5-6.
30 LATOURETTE (K. S.) : article "Missions", *The Encyclopedia of the Social Sciences*.

délégations de toutes les missions protestantes du monde. C'était son *Pleasing dream* son rêve le plus cher, et il le plaçait sur le pivot du monde à évangéliser, entre l'ouest et l'est, entre le monde Atlantique et le monde Indien.[31] Quoique irréaliste ce rêve était partagé, puisque le texte de la première lettre se retrouve à peu près inchangé dans l'article que donna David Bogue à l'*Evangelical Magazine* de Septembre 1794[32] et qu'on en trouve les échos dans toute la presse évangélique, jusqu'en 1795, ainsi que dans les sermons prêchés à l'occasion de la fondation de la L.M.S.

L'Evangelical Magazine

On a vu plus haut le rôle important qu'avait pu jouer le *Gentleman's Magazine* .pour la propagande religieuse au XVIIIe siècle Les non-conformistes et les anglicans évangéliques, qui avaient l'habitude de le lire et d'y faire paraître des articles, comprirent tout de suite l'intérêt qu'il y aurait pour eux à fonder une revue spécialisée, entièrement entre leurs mains, capable de promouvoir le dépassement hors des frontières des églises dans des entreprises œcuméniques. L'*Evangelical Magazine* fut fondé à Londres à la fin de l'année 1792 par John Eyre, un converti du réveil gallois, récupéré par la comtesse de Huntingdon, mais qui n'avait pas rompu ses liens avec l'Eglise anglicane. Il avait été formé à Trevecca et exerçait un ministère à Homerton, au sein de l'église épiscopale. Dans l'article de présentation qu'il insère dans le premier numéro, John Eyre expose les buts de la revue : donner le plus d'information possible sur les missions et la vie des églises missionnaires. Mais, à la différence de l'ancienne revue de la mission anglicane intitulée *The Christian amusement*, créée en 1740 et disparue trois ans plus tard, l'*Evangelical* fera une place à toutes les confessions protestantes britanniques pourvu qu'elles soient missionnaires.[33] En réalité, l'inspiration demeurait nettement calviniste, mais comme l'écrivait John Eyre, les fondateurs avaient la volonté d'éviter la *bigotry,* le sectarisme, et les polémiques religieuses et politiques. La réalité de cet esprit large et tolérant fut démontrée par la composition interdénominationnelle du groupe des 24 responsables et fondateurs réunis à Londres. On y trouvait des non-conformistes intimes de Carey : Burder, Williams, Fuller et Ryland, un ancien presbytérien : Bogue, des anglicans comme Eyre, des méthodistes calvinistes Wilks et Shrubsole et des indépendants :

---

31 ROUSE (R.) : "William Carey's "Pleasing Dream", *International Review of Missions*, April 1949, p. 181-192.
32 BOGUE (D.) : "To the Evangelical Dissenters who practice Infant Baptism", le texte de cet article est cité presqu'intégralement par R. LOVETT : *The History* , vol. 1, p. 6-10.
33 *The Christian's amusement, containing letters concerning the progress of the Gospel both at home and abroad*, n° 1, sept. 1740, n° 27, puis nouvelle série, Avril 1741, n° 84 (1743) ; cet hebdomadaire se chargea, entre autre, de la publication des *Annual letters* de la mission de Tranquebar. Voir *The New Cambridge Bibliography of English Literature*.

Creatheed et Townsend. Tous ces noms se retrouvent dans les comptes-rendus des premières réunions de fondation de la L.M.S. D'ailleurs, les réalisations de la L.M.S. en vinrent à occuper une telle place (1/3) dans les pages de l'*Evangelical Magazine* que les informations la concernant furent imprimées à part, sur des feuillets détachables et, à partir de 1813, vendues séparément sous le titre de *Missionary Chronicle*. En novembre 1794, la revue publia le compte-rendu par le docteur Haweis, chapelain de Lady Huntingdon, du livre de Melville Horne, missionnaire en Sierra Leone, intitulé *Letter on Missions adressed to the Protestant Ministers of the British Churches* qui prouve une volonté de récupération des évangéliques de tout bord, Horne étant lui-même ministre anglican. De la même façon, un article de Bogue de 1794 reprenait les termes d'une lettre circulaire rédigée par le révérend Edward Williams à l'intention des ministres congrégationalistes du comté de Birmingham et tentait de lui donner une audience nationale.[34] On peut donc dire que c'est à la presse que les évangéliques de tout bord confièrent l'union de tous les protestants britanniques autour du thème des missions.

Quelles nations choisir ?

La lecture des écrits de propagande missionnaire des années 1792-1795 en Grande Bretagne convainc de l'importance que l'appel de l'Orient et des Mers du Sud a eu sur l'opinion britannique à la fin du XVIIIè siècle. Le mythe des îles dont a si bien parlé Jean Servier trouve un pendant dans le romantisme religieux de l'époque, nourri par la lecture de l'abbé Raynal, fort prisé des presbytériens d'Ecosse, et par celle de J.-H. Bernardin de St Pierre.[35] Haweis, commentateur de Horne, est le plus représentatif de cet état esprit à la direction de la L.M.S. Pour lui, le mythe du Bon Sauvage comme celui des Merveilles de l'Inde et du Sage Chinois jouent en négatif. "Point de mythe africain ni musulman, l'Islam et l'Afrique, les premiers pays 'connus' sont deux pôles répulsifs",[36] certes, mais faut-il s'en étonner pour la Grande-Bretagne à la lumière de ce que nous avons constaté plus haut ? De cette absence de mythe découle bien sûr une absence de mission. Alors que le révérend Melville Horne

---

34 WILLIAMS (E.) : *A circular letter trom the Independent Ministers assembled at Nuneaton (...) with a postscript addressed to the Independent Associations of Ministers in the other countries of England and Wales*, Birmingham, Jones, 1793.
35 RAYNAL (Guillaume Thomas François) : *A Philosophical and political history of the settlements and trade of the Europeans in the East an West Indies*, 5 vol., 2 éditions en 1776 à Edimbourg ; réédition 5 vol. 1779, Edimbourg ; édition 6 vol., 1782, Edimbourg ; réédition 5 vol, 1783, Londres. Jacques-Henri BERNARDIN chevalier de SAINT-PIERRE : *Paul and Virginia*, Ière édition 1789, Edimbourg ; 2ème édition 1795, Londres, 6 éditions entre 1796 et 1802.
36 MEYER (J.) : *Les Européens*, p. 281. On notera que l'information de Meyer sur la conception européenne de l'islam est plus que sommaire. Pour compenser on lira avec profit HOURANI (Albert) : *Islam in European thought*, Cambridge University Press, rééd. 1993.

écrit ses *Letters on Missions* à partir de son expérience en Afrique, son commentateur ne songe à aucun moment à proposer une mission pour ce continent mais uniquement pour l'Inde et les Mers du Sud. A la fin de son article, Haweis fait appel à des candidatures et annonce un don de 500 livres de sa part s'ajoutant à un don anonyme de 100 livres "pour l'équipement des premières six personnes qui sentiront la volonté de s'engager et seront agréées par une société organisée pour une mission dans les Iles des Mers du Sud". A la suite de la publication du livre de Horne l'église anglicane patronne la fondation de la *Church Missionary Society for Africa and the East* (1799) laquelle, pendant plusieurs années, ne se préoccupe que de l'Est négligeant l'Afrique, à l'exception de la colonie du Cap déjà "indienne". Parmi les mémoires et plans pour des missions déposés à la Direction de la L.M.S. de 1795 à 1810, il ne s'en trouve aucun pour proposer une mission chez les musulmans et, de 1796 à 1860, sur 83 missionnaires envoyés, la L.M.S. n'en affecte qu'un seul en Sierra Leone et 11 en Afrique du Sud !

Il n'y a là rien d'étonnant, l'*African Association,* créée à Londres en 1787 sur les bases de ce "libéralisme humanitariste" qu'a si bien décrit G. Leclerc,[37] se rendit vite compte que l'Afrique restait encore à explorer, qu'on en savait peu de chose en dehors des postes de commerce. Or il faut rappeler que la suppression de la traite des esclaves a eu pour conséquence directe la réduction des contacts avec l'Afrique et la stagnation des connaissances relatives à elle jusqu'à l'époque de l'interventionnisme humanitariste de Livingstone, tandis que l'océan Indien et les îles des Mers du Sud semblaient à portée de la main missionnaire. Carey, héritier des mythes mais aussi des connaissances du XVIIIe siècle, était fort conscient du caractère inaccessible de l'Afrique, protégée par son climat et par l'islam.

Et puis, il ne faut pas non plus écarter une pensée secrète, héritage des siècles passés, qui confiaient à la traite le soin de l'évangélisation des Africains : plus de traite, plus d'évangélisation.! N'oublions pas que la théologie de l'esclavage, beaucoup plus complexe qu'on l'affirme, était particulièrement élaborée dans les milieux nord-américains dont Carey et le réveil missionnaire sont les héritiers. L'examen des aspects religieux de la colonie de Sierra Leone, fondée pour accueillir des esclaves libérés et christianisés en Grande-Bretagne, est assez troublant par ce qu'il révèle d'ambiguïtés. Toujours est-il que Carey privilégie les terres immédiatement accessibles ou déjà touchées par le catholicisme, dans un souci de rentabilité immédiate qui est digne aussi bien de l'abbé Raynal que d'Adam Smith. D'autre part, la presse, les tracts, les débats au cours ou à la sortie des offices religieux n'ont pu ou n'ont voulu développer un intérêt populaire que pour les îles et l'Orient, reconvertissant à l'est l'ancien rêve de la Terre Promise américaine. L'Afrique, peu connue et paradoxalement trop familière à la mentalité européenne, n'éveillait, par ses hommes comme par sa massivité que l'image d'un labyrinthe où se perdre, le fil qui relie à Dieu s'y trouvant trop

---

37 LECLERC (G.) : *Anthropologie*, p. 16-23.

mince. Pour ne rien oublier, cédons aux interprétations psychanalytique. On pourra peut-être expliquer que le rêve africain mobilise par trop les pulsions du "ça" que la mentalité puritaine écrase ou refoule ! Mais, plus sérieusement, notons qu'au XVIIIe siècle l'Afrique n'est pas disputée, n'est pas un lieu de concurrence entre catholiques et protestants. Or la mentalité de croisade et l'esprit de combat qui animent tout mouvement populaire d'évangélisation, se nourrissent de surenchères. Les analyses de Roger Bastide, nous ont fait comprendre que l'esprit missionnaire populaire a besoin d'attaquer le proche pour gagner le lointain.[38] Au Moyen Age, le musulman était l'hérétique, représentant direct de l'Antéchrist, mais, à partir du XVIe siècle, la mentalité anglaise protestante a reporté sur le Pape cette identification. C'est donc vers le catholicisme, représenté au XVIIIe siècle par la France, que les éveilleurs anglo-saxons ont tourné d'abord leurs armes, délaissant l'islam rabaissé au rang des superstitions. A la veille de la guerre qui allait s'allumer en 1792 et sur le capital de rancune accumulée depuis la Guerre d'Indépendance américaine, l'autodidacte Carey, issu d'un milieu d'artisans semi-ruraux, nourrissait de solides préventions contre tout ce qui était français et contre la religion malfaisante dont ils avaient laissé des traces en Inde et en Amérique : le catholicisme.

Dans les Mers du Sud, le péril paraît imminent, puisqu'au moment même où Carey achève son manuscrit (1788), La Pérouse revient de sa grande circumnavigation dans les mers Australes (1785-1788). Il faut y devancer une France suspecte, quoique en pleine banqueroute, de visées hégémoniques et capable d'y déverser le poison du papisme. Pourtant la riposte politique de la Grande Bretagne, les débuts de la colonisation de Botany Bay en Australie (1788), inquiète tout autant William Carey et les dissidents évangéliques par la qualité douteuse du matériel humain qui y est employé. Comment en effet concilier la campagne contre la traite esclavagiste qui s'organise en 1787-1788, sur les mots d'ordre de John Newton (*Thoughts upon the African trade*, 1788) et l'envoi de déchets humains, réduits à la condition servile, sans foi ni morale, vers des îles demeurées jusque-là à l'écart de l'Evangile mais aussi des vices les plus dégradants de l'Europe. Autre circonstance, le papisme menace aux portes mêmes de l'Angleterre car l'Irlande colonisée, soumise à une pression économique et politique accrue depuis 1785, commence à bouger avec l'aide sournoise et malhabile de la France. On ne peut manquer de constater l'importance, parmi les "éveilleurs transatlantiques" de cette époque, des émigrés presbytériens de l'Ulster. L'*Inquiry* reflète ce contexte et cet héritage en s'opposant à tout ce qui a été fait jusque-là dans le domaine des missions. La nouveauté de Carey par rapport à ses prédécesseurs piétistes et anglicans réside ainsi dans l'expression ouverte d'une agressivité anti-française, anti-papiste, mais aussi anti-mercantiliste. Français, catholiques et marchands sont désignés par lui comme les vecteurs des maux de l'Europe chez les païens.

---

38 BASTIDE (Roger) : *Le prochain et le lointain*, Paris, Cujas, 1970.

3 - L'esprit de croisade

L'*Enquête* prêche véritablement la croisade en Angleterre comme le piétisme, le presbytérianisme l'ont fait outre-Atlantique ; elle est la dernière étape d'une campagne commencée entre Ecosse et Amérique par Jonathan Edwards, le point d'orgue de la *Transatlantic Divinity* que nous traduirons par "théologie transatlantique" de la mission..[39] Les grandes sociétés missionnaires n'en sont que la mise en œuvre. Pourtant, des aspects particuliers, plus anciens, s'y manifestent et doivent être analysés. La volonté de retrouver le Christ dans la Bible (vision mystique), dans le temps (vision eschatologique) et dans l'espace (recherche de la Terre Promise ou de la Jérusalem terrestre) qui s'y trouvent nous plongent directement dans l'esprit de croisade médiéval. Mais on y trouve aussi un aspect des croisades modernes, l'héroïsme et le nationalisme, ce que certains ont appelé le "romantisme chrétien".

Toutes les variantes sociologiques de l'esprit de croisade se retrouvent bien marquées aux XVIIIe et XIXe siècles ; on les jugera, comme jadis A. Dupront, au degré de tolérance vis à vis de l'Infidèle, car "la volonté missionnaire est liée intrinsèquement à la tolérance".[40] Il est évident que, chez les fondateurs de mission de la fin du XVIIIe siècle, le dosage de tolérance varie en fonction de l'origine sociale et confessionnelle mais, il faut le souligner, elle est aussi modulée par le facteur ethnique. Carey et tous les éveilleurs anglais d'origine modeste sont "soldats de Dieu", rêvant une mission héroïque dont le sacrifice de leur propre vie peut être l'achèvement. Seule l'utilité immédiate leur semble donner la mesure de la vertu humaine et de la glorification de Dieu, c'est pourquoi certains historiens des mentalités les qualifient d'*utilitaristes*. Chez les hommes d'extraction plus aisée et plus cultivée, cette impatience fébrile fait place à un souci minutieux de l'organisation. L'esprit de croisade perd de son héroïcité dans les couches moyennes et l'idée que l'on peut participer à la mission par de simples "sacrifices matériels" s'y est vite installée. Au sein de la L.M.S., Haweis et Burder, l'un épiscopalien l'autre indépendant, furent les représentants du courant populaire pour lesquels les espaces occidentaux n'offraient pas assez de prise à l'imagination. Bogue fut un organisateur tandis que Hardcastle et d'autres qui, comme lui, soutinrent la Société de leurs finances, représentèrent le sommet des classes moyennes gagnées peu à peu à la mission par l'humanitarisme.

Tous étaient persuadés de la proximité de la fin du monde, les plus simples, avec Carey en tête mais aussi Burder comme les plus cultivés,

---

39 KRUGER (E.) : "L'Océanie chrétienne", dans *La Route du Soleil*, Paris, S.M.E., 1961, p. 5-28. L'auteur rapproche plus volontiers les milieux anglo-saxons et W. CAREY de l'héritage de David Brainerd (1718-1747) ; S. NEILL fait de même dans A *History*, p. 226. C'est sans doute vrai de l'esprit, mais l'apport méthodique et œcuménique de J. Edwards me paraît plus important.
40 En revanche, on ne suivra pas le même historien dans sa classification "selon les groupes *objets* de mission", mais selon les niveaux sociaux des groupes *sujets* à l'esprit missionnaire.

tel Bogue. En 1795, Burder écrivait : "ne pouvons-nous nous permettre l'espoir que l'âge heureux est en train d'approcher où le Rédempteur prendra à Lui le pouvoir et la grandeur de Son royaume ! Il doit grandir, Son Nom sera grand. Et ne ressent-on pas la crainte générale que le Seigneur est près de provoquer un grand événement ?" De son côté Bogue conservait de sa jeunesse écossaise et de sa fréquentation, à Edimbourg et à Londres, des milieux pré-irvingianistes des convictions aussi échevelées. Il avait écrit en 1794 un traité sur la *Paix universelle durant le Millenium* dans le droit fil des textes millénaristes de Jonathan Edwards et son enseignement à Gosport en fut d'ailleurs marqué. Tous ces hommes voyaient des "signes" dans les événements contemporains, les plus souvent cités étant la défaite en Amérique, assimilée à la révolte de la Terre des Saints contre sa métropole infestée par le pêché, et la guerre contre la France révolutionnaire. A la suite de Burke et de Johnson qui répandaient ces idées dans le *Gentleman's Magazine,* on voyait dans la Révolution française un prodrome du règne de l'Antéchrist qui doit précéder celui des Saints. La pensée est sur ce point fort proche de celle de Savonarole avant l'invasion française en Italie, trois siècles plus tôt : "il faut se hâter de gagner la cohorte des élus car le Seigneur a manifesté par des 'signes' catastrophiques que le Temps est proche, prêchait le moine florentin. Dans les deux cas, le vocabulaire emprunté à l'Apocalypse est le même, la désignation des élus aussi. Burder, dans un sermon de 1795, plaçait le missionnaire sur le même plan que le soldat et le marin qui combattaient avec héroïsme pour le salut de leur patrie et la gloire de Dieu sur les champs de bataille ou sur mer. Il y ajoutait l'explorateur Cook et même les marchands qui s'épuisaient pour des buts incertains.[41] A la différence de Carey et des représentants moins "éclairés" de l'évangélisme, Bogue suivait les événements de France et d'Europe avec une extrême attention ; il vivait l'actualité pour l'interpréter non seulement en termes millénaristes mais aussi en termes pratiques, il attendait "l'occasion". Il avait la certitude de vivre "dans une de ces rares époques durant lesquelles l'histoire perd provisoirement son uniformité naturelle pour répondre directement et dramatiquement à l'ordre de Dieu". Deux faits provoquèrent une augmentation de la température des esprits informés et, par redistribution, de l'ardeur populaire. Le premier est la proclamation de la constitution de 1791 en France, ainsi que l'abolition de la monarchie, "Antéchrist temporel" : la liberté religieuse octroyée à tous les cultes et la formule "liberté, égalité et fraternité" sont autant de victoires de l'idéal évangélique en terre papiste. En second lieu, les avatars du malheureux Pie VI (1775-1799) fournissent quantité de signes et d'arguments aux prédicateurs : la destruction définitive de "la grande Babylone" est annoncée. La Bête romaine (*Roman Beast*) avait reçu un tel coup qu'on pouvait espérer qu'elle ne se relèverait jamais plus. Tout cela explique que sur 106 sermons donnés lors des Assemblées générales de la L.M.S. à Londres, entre 1795 et 1820, 100 s'appuient sur un texte

---

41 *Sermons kept at the Fondation...*

prophétique, choisi de préférence dans l'Ancien Testament, et interprété dans un sens millénariste.[42] Pour reprendre Raymond Turtas, il est impossible de comprendre l'histoire des missions protestantes, et surtout celle des premières années, sans tenir compte de cette dimension eschatologique,[43] et, j'ajouterai, de cet esprit de croisade contre le catholicisme.

L'oblation collective

Pierre Alphandery et Alphonse Dupront ont montré naguère quelles étaient les réactions des "foules religieuses" en face des signes eschatologiques : "une fièvre religieuse, une frénésie de renoncement s'emparent des masses : une immense expiation en commun s'organise".[44] Le XVIIIe siècle transatlantique manifeste le retour de la vieille idée médiévale d'une pénitence de tout le peuple chrétien, d'un retour à la Bible par la prière et d'une conversion des infidèles, cette oblation collective qui avait précédé la Croisade au XIe siècle. Le *Concert for Prayer,* plus connu en Angleterre sous le nom de *Call for Prayer,* était une sorte de croisade de prière pour l'extension du règne du Christ dans le monde entier. Lancée simultanément en Angleterre par Philip Doddridge et en Amérique par Jonathan Edwards, vers 1740, elle connut peu de succès en Grande-Bretagne mais donna naissance dans les colonies anglaises au *Great Awakening,* premier mouvement du réveil atlantique. En Grande-Bretagne l'idée survécut en Ecosse et dans quelques comtés du Northamptonshire, chez les baptistes qui relancèrent le mouvement en 1784, quelques années avant que Carey ne rédige son *Inquiry*. Le *Call for Prayer* s'évada ensuite du Northamptonshire et du milieu baptiste, pour gagner d'autres comtés et d'autres dénominations. Les congrégationalistes des régions comprises entre Birmingham et Bristol furent particulièrement touchés dans le Warwickshire d'où devait venir l'un des soutiens de la L.M.S. : Edward Williams.[45] Ranimés par les baptistes comme ils avaient été secoués par les méthodistes, les indépendants abandonnent alors leur calvinisme orthodoxe. Les origines anabaptistes du congrégationalisme resurgissent donc et font oublier ses origines genevoises. On trouve alors aussi l'écho des vieilles confréries de *beghards*, ces travailleurs qui s'efforçaient d'assurer en groupe leur salut, en dehors de toute hiérachie. L'accent mis sur la simplicité, l'évidence de la prière et sur la joie du salut plutôt que sur le pouvoir du ministère, la dignité sinon la raideur du culte, ont permis un renouvellement de la composition du vieux troupeau indépendant, sans que son corps pastoral, très

---

42 *Sermons kept at the General Meetings.*
43 TURTAS (R.) : *L'Attività*, p. 11-12.
44 ALPHANDERY (Paul.) et DUPRONT (Alphonse) : *La Chrétienté*, Chap. XI, p. 210-217
45 MOODY (J.) : *Independency in Warwickshire*, London, 1855.

intellectualisé, renonce pour autant à la formation académique des pasteurs, à la différence des wesleyens.[46]

4 - Les évangéliques : du non-conformisme à l'anglicanisme

Les liens des congrégationalistes avec les baptistes remontent à l'origine de leur secte. C'est en 1611 que John Smith avait créé à Londres la première église où l'on rebaptisait les adultes à l'image de ce qui se passait à Amsterdam depuis 1609. La secte éclata en plusieurs fractions : anabaptistes, baptistes généraux et baptistes particuliers. Ce sont ces derniers, à cause de leur option théologique prédestinarienne, qui eurent le plus d'influence et de durée en Grande-Bretagne ; ils touchèrent aussi bien les presbytériens d'Ecosse que les indépendants ou congrégationalistes qui se constituèrent peu après autour de John Browne à Norwich. Il était plus facile à l'esprit baptiste de survivre chez les indépendants grâce à leur organisation en cellules autonomes tandis que les presbytériens, socialement conservateurs, et erastiens en matière de politique religieuse opposaient toute l'inertie de leur machine ecclésiastique organisée au niveau de l'Etat. Le rapprochement des congrégationalistes et des baptistes dans le *Call for Prayer*, à partir de 1790, insuffla aux premiers une ardeur évangélique qu'ils n'avaient pratiquement jamais eue depuis le XVIIe siècle, en particulier auprès des pauvres. Ils en tirèrent tous d'énormes bénéfices numériques : 27 chapelles baptistes en 1730, 800 en 1811.

La renaissance des sectes dissidentes à partir de 1790 est donc spectaculaire et intervient après les tentations radicales et déistes de leur aile avancée qui, en la personne d'Adam Smith, auteur d'une *Theory of Moral Sentiments* (1759) et plus dangereusement de Joseph Priestley, avec son *History of the Corruptions of Christianity* (1782), les avaient vidés de toute ferveur populaire. La réaction fut d'ailleurs violente contre ce qui fut appelé désormais le *Old Dissent*, rationaliste et libéral. Priestley fut ainsi agressé, en 1791, lors des *Birmingham Riots* et dut se réfugier aux Etats-Unis. Bogue et tous les non-conformistes qui se mirent à l'œuvre pour construire une société missionnaire sont les représentants du *New Dissent*, millénariste, populaire, centré sur la Bible et peut-être bien un peu méthodiste, mais qui n'avait pas tout rejeté des Lumières. La nécessité d'une formation solide, aussi bien technique qu'académique, pour les pasteurs comme pour les futurs missionnaires est une préoccupation venue de Hollande propre aux baptistes et aux congrégationalistes. Les baptistes créèrent à Bristol une *Academy* spécialisée dans la formation des missionnaires comme plus tard, à la demande de Bogue, les congrégationalistes fondèrent l'Académie missionnaire de Gosport. Il convient de noter que ces préoccupations n'étaient que celles d'une minorité de pasteurs et de docteurs issus des

---

46 PECK (A.) : article "Congregationalism" in *Chambers Encyclopedia*.

académies du XVIIIe siècle. Elles furent souvent combattues à la base par le *New Dissent* populaire. On retrouve là encore des oppositions sociologiques très nettes.

Mais comment expliquer, du moins chez les congrégationalistes, cet abandon des querelles théologiques entre académies et, chez tous les dissidents, ce retour soudain d'enthousiasme populaire et de dynamisme évangélique ? Durant le XVIIIe siècle les sectes non-conformistes étaient dans un état de stagnation au moins égal à celui de l'Eglise établie, sèches, fermées, hostiles à l'enthousiasme, gagnées au rationalisme. Wesley nourrissait à leur égard une aversion égale à celle qu'il éprouvait pour les évêques anglicans. Cette prévention de sa part, autant que leur petit nombre et leurs déchirements théologiques internes, leur épargna d'être gagnées à la base par le méthodisme et leur permit d'en prendre le relais au moment où il se crispait sur des problèmes théologiques. Par ailleurs les cadres méthodistes wesleyens avaient peu de choses en commun avec les non-conformistes et se sentaient plus proche de l'Eglise établie dont ils n'auraient pas voulu se séparer. Jusqu'à sa mort, en 1791, John Wesley parvint à maintenir un contrôle autocratique sur la *Connexion* et à éviter, *de jure*, un éclatement pourtant effectif bien avant sa mort. Charles Wesley en particulier prit de plus en plus de distances avec son frère et noua des relations avec les membres des académies baptistes et non-conformistes dont l'importance allait être considérable pour le réveil missionnaire de cette région tournée vers la mer. D'autre part, Whitefield, mort en 1770, avait laissé sa faction sous la protection de Lady Huntingdon dont nous avons vu le rôle pour la presse. Elle fondait l'Académie de Trevecca, destinée à rayonner vers le Pays de Galles et les Midlands, en collaborant aussi bien avec les indépendants qu'avec les anglicans. La mort de Wesley mit à jour les divisions du méthodisme qui se scinda aussitôt en deux sinon en trois *connexions*. Plus gravement, elle provoqua une perte de substance par émigration vers l'Eglise anglicane et le non-conformisme. L'enthousiasme wesleyen gagna les chapelles dissidentes et anglicanes mais aussi de nombreux cadres. En ce sens l'évangélisme peut être considéré comme un produit du méthodisme.

Cette filiation est très nette dans l'action qu'eurent les disciples de Whitefield sous la protection de Lady Huntingdon : John Eyre, comme on l'a vu, fonda l'*Evangelical Magazine* et devint l'un des premiers directeurs de la L.M.S.. C'est lui qui, profitant de ses relations avec le Tabernacle (église whitefieldienne) à Londres, put organiser les premières réunions préparatoires à la formation d'une société sans limitation sectaire. Haweis, ancien chapelain de Lady Huntingdon, fut le premier à lancer l'idée d'une mission pluri-confessionnelle alors que William et Bogue n'y songeaient pas encore. Sur le plan géographique, les régions de plus ample soutien de la L.M.S., jusqu'en 1815, correspondent à l'aire du méthodisme wesleyen, 67 *tabernacles* compris entre Bristol, Londres et Birmingham, diffusant à l'est et au sud des Pénines et dans le nord du Pays de Galles. Or ces régions étaient, au début du XIXe siècle, en majorité congrégationalistes. L'aire méthodiste, libérée par la disparition des fondateurs du mouvement, travaillée par l'industrialisation et l'ouverture outre-mer de Bristol, a donc nourri le mouvement évangélique des anglicans et a fourni, dans le cadre plus souple du non-conformisme, les chefs et les troupes pour l'élan missionnaire.[47]

L'apport est encore plus net au niveau des idées qu'expriment les textes de Williams et de Bogue, puis les sermons prêchés et imprimés en 1794-1795. On y découvre une véritable théologie de la mission qui tente de faire l'unité entre les confessions en faisant appel à la raison plus qu'au millénarisme. Les thèmes qui apparaissent sont ceux de Whitefield, plus missionnaire que Wesley, digérés par les baptistes et éclairés par la tradition des académies dissidentes. Le salut y est *proposé* par la connaissance de l'Evangile et du sacrifice du Christ, mais non *assuré* ; néanmoins, à aucun moment, personne ne va jusqu'à affirmer que l'œuvre de mission, pas plus qu'aucune œuvre, soit nécessaire pour atteindre le salut. Il y a là une résurgence de l'arminianisme semé en ces régions du temps de Grotius, qui affirmait la *nécessité* mais non pas la *suffisance* de l'apostolat. C'est là toute la différence avec le monde catholique et ce qui permet d'expliquer, qu'en Angleterre, les classes populaires ont pu manifester un tel intérêt pour la mission sans pouvoir offrir plus qu'un faible nombre de candidatures missionnaires. Le calvinisme, même tempéré d'arminianisme, a ainsi limité les conséquences du courant millénariste populaire, persuadant les convertis du réveil de la nécessité de participer sans leur garantir que cela assurait nécessairement le salut. C'est pourquoi la plupart ont choisi un mode de participation sédentaire : la prière et les dons. De ce fait, même aux heures de plus grand enthousiasme, les missions ont toujours connu des difficultés de recrutement de missionnaires parmi les Anglais et ont du faire appel à des candidatures venues de la périphérie atlantique : Ecosse, Galles, Pays-Bas, Allemagne, Etats-Unis et même France, ou alors se contenter d'artisans peu instruits des subtilités de la théologie mais "soldats de Dieu".

Un front commun : la lutte contre la superstition

Le clergé non-conformiste, grâce aux académies, était certainement le plus cultivé de l'époque, il a donc été largement touché par l'esprit des Lumières aussi, malgré la réaction du *New Dissent*, il en reste quelque chose dans sa théologie. C'est en s'appuyant sur les progrès de la géographie et d'une première ethnographie que les baptistes et les congrégationalistes, tout autant que les anglicans évangéliques, ont anéanti le vieil argument de la prédication universelle au temps des Apôtres et de la responsabilité des païens dans leur ignorance ou refus de l'Evangile, qui avait si longtemps bloqué l'intérêt pour la mission. "Un examen de l'état du monde, écrivait Bogue, nous montre une moitié de la race humaine dépourvue de la connaissance de l'Evangile (...) la

---

47 VIDLER (Alec R.) : *The Church.*

responsabilité de cet état revient à l'égoïsme et à l'ingratitude de ceux qui ont reçu le message divin". Les "centaines de millions de musulmans" sont désormais présentés comme les victimes de "la duperie de Mahomet" et dégagés de toute responsabilité pour leur état d'aveuglement. Et d'ajouter : "la proposition de salut a été faite à tous les hommes et le devoir d'amour du prochain s'étend à toute l'humanité", ce qui n'est rien moins qu'une autre résurgence d'un thème arminien. Bogue reprend même une argumentation catholique, à partir du commandement du Christ : "Allez par le monde, et évangélisez toutes les Nations". On se rappellera à ce propos l'influence qu'ont pu avoir les catholiques émigrés sur certains milieux londoniens qui les avaient accueillis après 1791, puis celle des prisonniers français qui retinrent sans cesse l'attention de Bogue. Mais on aurait tort de croire qu'il y eut alors retournement d'attitude. La résistance de ceux que Burder appelle *Laodicean professor* était trop forte.[48] En fait, on assiste plutôt à un glissement qui allait affecter durablement la mentalité anglaise et dont nous avons abordé certains aspects à propos de Charles Grant. Les païens ne sont désormais plus tenus pour responsables de leur ignorance du christianisme mais c'est elle qui les a maintenus dans l'état de dégradation morale et matérielle dans lequel ils se trouvent. Car le christianisme, aux yeux de tous les évangéliques, est la cause fondamentale de l'état de civilisation des Européens. Wilberforce ne déclarait-il pas à la Chambre des Communes en 1794 : *Christianity independently of its effects on a future state of existence, has been aknowledged, even by avowed sceptics to be, beyond all other institutions that ever existed, favourable to the temporal interests and happiness of man.*[49] Bogue, dans son *Address* de la même année, proposait le christianisme comme une idéologie de progrès aussi bien matériel que moral.

En conséquence, ce n'est pas seulement la religion ou les superstitions des païens qui doivent être détruites mais tout ce qui constitue la civilisation de ces gens : leur lois, arts et agriculture, leur artisanat, leurs manières et leurs habitudes, car la religion qu'ils professent est le produit de leur environnement caractérisé par le mensonge et le despotisme. Charles Grant écrit à propos de la Chine "un peuple qui a très tôt fait de considérables progrès dans la culture, mais qui par des plans délibérés et réussis de fraude et d'oppression a été rendu d'abord stationnaire, maintenant rétrograde".[50] Les responsables ne sont pas les païens eux-mêmes mais leurs prêtres ou leurs faux prophètes, tel Mahomet, ou encore les sorciers, véritables agents du

---

48 BURDER (G.) : *An Address to the serious and Zealous Professors of The Gospel of every denomination respecting an attempt to evangelize the Heathen*, Coventry, 1795 ; l'expression *Laodicean Professors* renvoie à la lettre à l'Ange de Laodicée, *Apocalypse*, III, 3, 14-22.
49 WILBERFORCE : *A Practical View of the prevailing religious systems of professed Christians*, London, Griffiths and others, 1794, p. 113-114.
50 GRANT (C.) : *Observation*, p. 192.

démon, qui par leur tyrannie sont la "matrice de l'erreur" qui afflige les païens. Ce glissement rejoint parfaitement la logique de la Réforme au XVIe siècle qui prétendait libérer la conscience de l'individu de la tyrannie des prêtres catholiques. Le clergé était alors dénoncé comme une "vaste fabrique de superstitions" qui opprimait et exploitait les peuples maintenus dans l'ignorance. Alors déjà, l'éducation paraissait la meilleure façon de libérer les esprits et les préparer à la connaissance de la vérité chrétienne, elle devait miner silencieusement "la matrice de l'erreur" et amener une grande révolution morale. Voila qui explique qu'en Grande-Bretagne comme dans le monde, l'éducation ait été et soit demeurée pour les missions protestantes *a prerequisite for conversion* (une condition préalable à la conversion).

Cette lutte contre l'erreur et la superstition servit véritablement de garde-fou aux promoteurs de la mission qui, comme Bogue, nourrissaient quelque admiration pour l'œuvre d'évangélisation catholique. "Les œuvres de l'Eglise de Rome ont été de loin les plus nombreuses de toutes celles des autres sectes où que ce soit. Bien loin qu'elles aient porté le christianisme *dans sa pureté* aux Paiens aveuglés."'[51] Horne de son côté ne reprenait les critiques de Carey contre les missions catholiques et anglicanes que par convenance dans ses *Letters on Mission*. Mais il ne cachait pas son admiration pour l'œuvre entreprise par François Xavier en Asie, ni pour celle des missionnaires catholiques en Amerique du Sud. Mais cette admiration était tempérée par une opposition définitive à certains aspects de la conversion pratiquée par les catholiques ; il en déduisait les cadres de ce que devait être la conversion protestante. Le point essentiel qui revient sous la plume de Haweis en 1800 est "l'excessive indulgence des Jésuites à l'égard des superstitions chinoises et des mœurs des païens d'Amérique".[52] Rejoignant les jansénistes dans cette condamnation, les protestants évangéliques s'en éloignent quant au fond. Il s'agissait moins pour eux de préserver la pureté du dogme et des rites que de faire table rase de tout ce qui n'était pas chrétien, voire européen, chez les païens.

---

51 BOGUE (D.) : "An Appel", *Evangelical Magazine*, sept., 1794.
52 HAWEIS (T.) : *An Impartial and succint History of the Rise, Declension and Revival of the Church of Christ from the time of our Saviour to the present time*, London, Mawan, 1800, vol. 2.

CHAPITRE V

LA FONDATION DE LA L.M.S.

En Juillet 1794, lorsqu'il reçut la lettre de Carey narrant les six premières semaines de son séjour en Inde, le docteur Ryland qui dirigeait l'académie baptiste de Bristol réunit des collègues appartenant à d'autres dénominations non-conformistes, Bogue, indépendant, Steven, presbytérien écossais, et Hey, indépendant. L'initiative de "l'œcuménisme non-conformiste" revenait encore une fois à un baptiste répondant à l'appel de Carey. Après cette réunion, Bogue jugea bon de rédiger et de publier dans l'*Evangelical Magazine* un "Appel" aux non-conformistes (sauf les baptistes) destiné à éveiller chez eux une préoccupation missionnaire.[1] Lovett, dans le bref récit qu'il fait des débuts de la L.M.S., ainsi que plus récemment J. T. Hardyman, ne semblent pas s'étonner du fait, mais au contraire le portent au crédit des fondateurs de la L.M.S., première société interdénominationnelle. Or l'appel de Bogue s'adressait à un groupe très particulier de chrétiens : "tous les autres corps de chrétiens pratiquants ont fait quelque chose pour la conversion des Païens. (...) Une association vient d'être formée par les Baptistes pour ce but bénéfique ; et leurs premiers missionnaires ont déjà entrepris leur travail. Nous seuls sommes *stériles*. Il n'y a aucun groupe de chrétiens dans le pays qui n'ait mis la main à la tâche sauf nous. Nous seuls (et cela doit être dit pour notre honte) n'avons pas envoyé de messagers chez les Païens pour proclamer les richesses de l'amour rédempteur, etc."[2] La suite de l'exposé ne montre d'originalité, ni dans l'argumentation ni dans les méthodes proposées, pas plus qu'elle ne projette la création d'une société multiconfessionnelle. Il faut donc se garder de prendre à la lettre les affirmations de l'historiographie congrégationaliste concernant la L.M.S. Les indépendants n'étaient pas plus ouverts, pas plus œcuméniques que les autres dénominations, ils n'avaient pas de proposition originale à faire, surtout après Carey. Mais sans doute étaient-ils plus isolés ou ressentaient-ils plus vivement leur isolement au sein de la société britannique et la nécessité pour eux d'une projection dans le plus grand que soi, dans une vaste entreprise

---

1 BOGUE (D.) : "An Address to the Evangelical Dissenters who practice Infant Baptism" , *Evangelical Magazine*, sept. 1794.
2 Cité dans LOVETT : *History*, vol. 1, p. 8-9.

mobilisatrice qui leur redonnerait leur place tout en préservant leur particularité. C'est ce qui apparaîtra aux chapitres suivants.

1 - L'acte de naissance

Les réunions pour la fondation de la société missionnaire proposée par Bogue, à la suite de Burder et de Willams, débutèrent en novembre 1794. Elles regroupaient chaque mardi matin, dans un café londonien, des ministres indépendants (Bogue, Brooksbank, Reynolds, Townsend), méthodistes (Eyre, Wilks), presbytériens (Love, Steven),[3] auxquels se joignirent, à partir de 1795, des "docteurs", enseignants ou directeurs d'académies dissidentes. Peu à peu la société prit corps, se donnant un secrétariat et une trésorerie. En janvier 1795, un "Appel" fut publié dans l'*Evangelical Magazine* sous la signature du ministre écossais John Love, pour tenter de rallier les anglicans. "On souhaiterait, disait l'appel, que non seulement les Dissidents et les Méthodistes évangéliques soient naturellement disposés à s'unir dans l'institution d'une société (...) mais que beaucoup de Membres de l'Eglise établie, de sentiments évangéliques (...) nous fassent aussi la faveur de leur amicale coopération". Cet appel du pied à l'Eglise établie était coutumier aux non-conformistes qui avaient toujours, depuis l'accession au trône de George I, recherché l'appui ou la "coopération" des membres *whigs* de la Haute Eglise. Le haut clergé anglican, mis à part les irréductibles comme Gibson, n'était pas hostile aux concessions et de nombreuses négociations furent entreprises pour élargir les conséquences de l'*Act of Toleration*, mais c'est sans doute entre les "docteurs" que les liens étaient les plus étroits, les deux membres anglicans de la L.M.S., Eyre et Haweis, en étaient. Cependant les évangéliques anglicans, regroupés autour du Révérend Simeon de Cambridge restèrent à l'écart, plus généralement, le clergé anglican, à l'exception de Haweis et de Eyre, ne suivit pas. Mais les soutiens laïcs, derrière la Secte de Clapham, furent nombreux. Wilberforce, ami de Thorton, de Zachary Macaulay et d'autres membres de la secte l'était aussi de Hardcastle, trésorier de la Société missionnaire, il s'inscrivit comme membre à vie sur les registres de la L.M.S. avec une cotisation de 10 livres. Thorton en revanche se déroba. En fait les réticences des anglicans venaient de l'opposition de Simeon, héritier de Gibson et conseiller spirituel de la secte, qui, sitôt qu'il connut la fondation de la *Missionary Society*, fit des pieds et des mains pour constituer un séminaire puis une société missionnaires ayant l'approbation de l'Eglise établie. Il était clair que Simeon excluait toute collaboration avec une société composée d'une majorité de dissidents. Son influence fut déterminante dans l'abstention des membres de la

---

3 Love et Steven étaient des Ecossais de Londres ; on notera que la *Kirk* écossaise, hostile à la mission, développait un courant évangélique parmi les émigrants vers l'Angleterre et l'Amérique et non pas sur son territoire d'origine.

Secte de Clapham et dans la fondation, le 12 Avril 1799, de la *Society for Mission to Africa and the East* qui devint ensuite la *Church Missionary Society*. Après des tentatives pour absorber cette nouvelle société, les directeurs de la L.M.S. tentèrent d'établir avec elle de bonnes relations jusqu'en 1804, date à laquelle Simeon les rompit jusqu'en 1811-1812.

En même temps qu'elle louchait vers l'Eglise anglicane, la société en gestation récupérait le courant d'enthousiasme né dans le *Call for Prayer*. George Burder, ministre à Coventry, lui donna la caution du Warwickshire en diffusant à 15.000 exemplaires un "Appel" assez virulent de sa plume.[4] L'analyse de ce document révèle de notables différences par rapport à l'appel de Bogue en 1794 et une indiscutable ressemblance avec le style des articles de Samuel Johnson qui faisait alors des ravages dans les académies non-conformistes. On y trouve la force des formules à l'emporte-pièce, la férocité des attaques, mais en même temps la même curiosité profonde et rationnelle pour l'humanité et son passé, en particulier l'histoire religieuse, qui caractérisent le journalisme de l'époque.

Mais Burder est également le porte-parole d'un courant populaire, aussi l'esprit de croisade perce-t-il chez lui beaucoup plus que chez Bogue, Horne ou d'autres plus éclairés et plus tolérants que lui ; il dresse un bilan catastrophique de l'histoire religieuse du monde depuis trois siècles, c'est-à-dire depuis que les Chrétiens (Européens) se répandent dans le monde. Les Européens n'ont pas été les soldats du Christ, "un nuage épais recouvre la terre. D'abord l'Arianisme, puis le Mahométanisme ont ruiné l'Est ; le Papisme avec l'introduction de doctrines dangereuses et de rites superstitieux a terni la gloire du Christianisme à l'Ouest, une longue et horrible nuit en a découlé, etc." C'est pourtant Burder qui rassemble des esprits tiraillés jusqu'alors par des querelles de chapelle autour d'un thème solidement ancré dans la mentalité anglaise : la précellence du protestantisme anglais, religion des élus, sur toutes les autres formes de religion et particulièrement sur la plus dangereuse, son ennemie mortelle, la religion catholique. Ce thème est bâti sur un enchaînement historique dont la logique galvanise les foules : la Réforme au XVIe siècle a ouvert un nouvel âge apostolique qui a sauvé une partie de la Chrétienté mais a failli dans sa tâche vers les Païens. Luther et Calvin sont les équivalents des apôtres des Juifs, les nouveaux missionnaires de 1795 sont les apôtres des Gentils, ils reprennent à zéro l'œuvre de Saint Paul. De fait les Evangiles, et surtout les Actes des Apôtres, sont compris par ce courant indépendant non comme un récit historique mais comme un programme à réaliser dont les données auraient été codées. Ils peuvent en tirer la certitude que l'évangélisation, sinon le christianisme, commencent avec eux.

---

4 BURDER (G.) : *An Address to the serious and zealous Professors of the Gospel. of every denomination, respecting an attempt to evangelize the Heathen*, cité dans LOVETT : *History*, vol. 1, p. 18-24 ; le tract fut distribué en mai-juin 1795.

En même temps qu'il popularisait la mission naissante, Burder l'encourageait en lui rappelant des acquis solides et déjà anciens de l'action commune avec d'autres dénominations. Il évoquait la collaboration des anglicans, des méthodistes et des non-conformistes, laïcs mais animés de sentiments évangéliques, au sein des *Charity Schools* et des innombrables sociétés volontaires coiffées par la hiérarchie anglicane mais souvent animées par des dissidents et au nombre desquelles on pourrait bientôt compter une société pour l'évangélisation des païens.

Les idées de Burder furent approuvées par les ministres présents à Londres qui s'étaient réunis pour en discuter à l'"Auberge du Château et du Faucon", lieu habituel de leurs entretiens. Dès lors tout alla très vite ; une grande assemblée préliminaire à la fondation d'une société baptisée *Missionary Society* fut programmée pour les 22, 23 et 24 septembre 1795, ainsi que l'intervention de trois prédicateurs pour chaque journée. Le déroulement en a été décrit par Lovett dans son *History of the L.M.S.* (vol. 1), je ne m'y attarderai pas. Elles réunirent environ 200 ministres dont les origines géographiques confirment la prédominance des éléments congrégationalistes ou liés à eux, à travers le méthodisme ou le baptisme. Les laïcs, venus en grand nombre, n'ont pas laissé de traces sur leurs origines géographiques. Mais les lettres envoyées par diverses congrégations et dont on fit lecture publique lors de la première journée ainsi que la liste des souscripteurs, permettent de se faire une assez bonne idée des assises géographiques de la société. Les journées se déroulèrent selon un rite familier aussi bien aux évangéliques anglicans, aux méthodistes qu'aux fidèles du *Call for Prayer*. Le 22 septembre prêchèrent Haweis et Burder[5] et l'on donna à connaître au public les statuts de la future société.[6] Le 23, après la clôture de l'assemblée on établit une liste de 25 directeurs. C'est dans la matinée du 24 septembre que fut prise, sur proposition de M. Wilks, la décision de commencer l'œuvre d'évangélisation par le Pacifique, ce qui permit à Thomas Haweis, spécialiste de la question, d'exposer en détail le projet et de tracer le "profil" et la formation des futurs missionnaires. Le 25 septembre on déposa 25 mémoires relatifs à des projets de mission parmi lesquels celui du capitaine Burn (ou Byrn) proposait une mission à Madagascar. Il ne devait être présenté publiquement que l'année suivante par Bogue qui avait eu des liens avec ce capitaine Byrn à Portsmouth, pendant son service militaire effectué dans la marine.[7] D'autres projets furent mis immédiatement à l'étude. L'exhortation de clôture fut donnée par J. A. Knight le 25 septembre, résumant les idées et tendances qui étaient venues se fondre dans la nouvelle société à leur expression la plus populaire, celle de Burder. La fondation de la société était "une nouvelle

---

5 Les sermons de Haweis et Burder sont étudiés par Colin NEWBURY : "La conception européenne".
6 Reproduits *in extenso* dans LOVETT : *History*, vol. 1, p. 30 ss.
7 MORISON (John) : *The Fathers*, vol. 1, p. 170. De la même façon, Haweis proposa une mission dans le Pacifique sous l'influence du capitaine Wilson qui l'avait subjugué.

Pentecôte" et l'union de toutes les dénominations marquait la fin du sectarisme (*funeral of bigotry*) et les premiers moments du nouvel âge des Apôtres. Knight donna aussi les statuts de la société, relevant ses caractéristiques essentielles, notamment l'union de toutes les dénominations protestantes de Grande-Bretagne. Nous avons vu que l'initiative n'en revient pas aux fondateurs de 1795 et, qu'en Grande-Bretagne, c'est l'église anglicane qui, la première, avait donné l'exemple par les sociétés humanitaristes et par la mission de l'Inde, dès 1740. Bogue, dans son sermon du 24 septembre, avait senti la nécessité de se démarquer déclarant : "certaines sociétés existantes ont accepté des dons venant d'hommes de dénominations différentes ; mais leur direction est restée limitée à une seule dénomination". Cette importance donnée dès le départ à la direction et aux dons demeurera une marque distinctive de la L.M.S. Pour pouvoir tenir le pari de l'œcuménisme protestant, et par tendance naturelle, n'étant pas "soldats de Dieu", les fondateurs donnèrent une importance disproportionnée à la direction et aux règles d'administration par rapport aux questions directement missionnaires et spirituelles. Elle apparaît nettement à la lecture des statuts. La direction est pléthorique pour accueillir toutes les dénominations : 25 directeurs comptant des épiscopaliens méthodistes, des anglicans, des méthodistes calvinistes, des presbytériens d'Ecosse, des congrégationalistes. Il n'y avait cependant ni baptistes ni quakers. L'administration était aussi trop nombreuse et menacerait l'existence de la société lorsqu'il faudrait la rémunérer. Les statuts faisaient grande place à des détails bureaucratiques minutieux et Turtas écrit fort justement, "l'indétermination doctrinale était directement proportionnelle à la précision de la structure organisatrice".

Cet état de chose ne dura pas puisque certaines dénominations se retirèrent pour former leur propre société missionnaire : les anglicans en 1799 avec la *Church Missionary Society,* les méthodistes wesleyens en 1813, les méthodistes épiscopaliens en 1816, avec la *Missionary Society for the Methodist Episcopal Church* et, en 1824, les Ecossais épiscopaliens (*The committee for Foreign Missions of the General Assembly for the Church of Scotland*). En 1817, lorsque la Société adopta le nom de *London Missionary Society,* elle était composée majoritairement, mais pas encore exclusivement, de congrégationalistes et cela à tous les niveaux. Elle garda pourtant un souci interdénominationnel (*catholic spirit*) dans le cadre de sociétés nouvelles issues d'elle-même telles la *Religious Tract Society* lancée par Bogue en 1799[8] et la *British and Foreign Bible Society* lancée par un indépendant gallois en 1804. C'est à l'appel de la L.M.S. que les quakers se décidèrent à entreprendre une mission à Madagascar à partir de 1861.[9] Quoique les candidatures fussent acceptées sans aucune considération de l'appartenance à une dénomination, à condition d'adhérer au Principe

---

8 BOGUE (D.) : *Considerations on religious tracts delivery*, London, 1799.
9 PEETZ (O.) : *Friends Mission Work in Madagascar*, Thèse B. Letter. Oxford, 1960. Voir mon compte-rendu dans *Omaly sy Anio*, n° 7-8, 1978, p. 357-362.

fondamental, les expériences du Pacifique et de la Sierra Leone, sans parler des conflits d'Afrique du Sud, montrèrent, dès avant 1810, que la mission œcuménique était irréalisable sur le terrain comme l'avait pensé Carey. D'autre part, ce sont les bataillons du non-conformisme provincial, largement congrégationaliste surtout au Pays de Galles, qui fournirent le gros du contingent de missionnaires employés par la L.M.S. A Madagascar, tout particulièrement, la mission de Londres fut une mission congrégationaliste.[10]

2 - Le Principe fondamental

Dans la mesure où les fondateurs de la Société désiraient renouveler l'évangélisation du monde par une participation conjuguée de tous les protestants, l'action missionnaire devait être planifiée minutieusement dans le cadre d'une stratégie à l'échelle mondiale ; c'était le rôle des Directeurs à Londres ainsi que des règlements inclus dans les statuts de la société. Néanmoins, il ne fallait pas que les différences sectaires abolies en Angleterre réapparaissent sur le terrain de mission, chaque missionnaire prêchant et organisant selon les habitudes de sa dénomination. Une véritable conversion œcuménique ou, comme on disait alors, un véritable *catholic spirit* leur était nécessaire s'ils voulaient être les ministres du Christ et non de Calvin ou d'Arminius. Il fallait empêcher aussi bien la diffusion du calvinisme ou de l'arminianisme que du rituel de la *Church* ou des principes du *Dissent*. Il fallait se préoccuper avant tout de former des chrétiens plutôt que des membres de la *Church of England*, du *Dissent* ou du méthodisme.[11] Pour cela il fallait trouver un *modus vivendi* entre les diverses composantes dénominationnelles de la Société. Il appartint à Bogue et à Burder de faire les premières propositions qui allaient aboutir à la rédaction par Alexander Waugh, en février 1796, du fameux Principe fondamental.

"Etant donné que l'union des enfants de Dieu appartenant à diverses dénominations est très désirable pour l'accomplissement de cette œuvre importante et afin d'écarter si possible, toute cause de futurs dissentiments, il est déclaré que le principe fondamental de la Société des Missions est que notre dessein ultime n'est pas d'annoncer aux païens le Presbytérianisme, l'Episcopalisme ou quelqu'autre forme ou ordre de gouvernement de l'Eglise (au sujet desquels peuvent exister des divergences d'opinion chez des personnes sérieuses) mais le glorieux Evangile du Dieu béni, et qu'il doit être laissé (comme cela doit toujours être le cas) aux esprits des personnes d'entre les païens que Dieu pourrait appeler à la communion de son Fils, le soin d'adopter telle forme de gouvernement de l'Eglise qui leur paraîtrait la plus conforme à la Parole de Dieu."

---

10 Sur ces problèmes, ROUX (A.) : "Missions et œcuménisme", p. 113-136.
11 HORNE (M.) : *Letters on Mission...*, p. 60-61.

Les origines de ce principe remontent aux premières lettres de Carey relatant ses difficultés en Inde avec les missionnaires appointés par l'*East India Company* ou par la *Royal Danish Mission* et avec les Moraves. Auparavant les missions de l'Inde ou du Cap avait échoué à cause de la concurrence des diverses confessions. Ce n'était pourtant pas la solution miracle puisque les Directeurs furent obligés d'éviter des terrains où d'autres dénominations les avaient précédés ou pourraient les rejoindre et créer une concurrence. C'est ce qui explique, entre autre, l'acharnement de la L.M.S. en Polynésie face aux protestants américains ou aux catholiques, et, aussi bien, le traité de partage sur Madagascar et les Mascareignes avec les sociétés baptistes et méthodistes qui parurent s'y intéresser dans les années 1810-1815.

D'autre part, l'application scrupuleuse du principe eut souvent des effets paralysants sur la maturation des nouvelles églises, selon certains observateurs. Il en aurait été ainsi à Madagascar. C'est en vertu du principe fondamental que D. Jones et D. Griffiths, lorsqu'ils eurent entrepris une œuvre proprement religieuse, s'abstinrent de prêcher le congrégationalisme. "Sachant bien qu'un jour les problèmes d'ecclésiologie se poseraient, ils les laissèrent résolument aux soins du Saint-Esprit et des futurs convertis. Pour ne préjuger en rien de la future organisation de l'Eglise, ils s'abstinrent de construire des lieux de culte, de former des pasteurs, des évangélistes ou des catéchistes".[12] Cette interprétation d'Etienne Kruger me paraît excessive, même pour la période qui s'achève en 1827, aussi bien au niveau des faits qu'au niveau des intentions des missionnaires. Dans les faits, les missionnaires de la L.M.S. construisirent à Tananarive un bâtiment mixte, à la fois école, logement des missionnaires et chapelle comme cela se faisait souvent dans les campagnes britanniques.[13] En outre, le 16 décembre 1822, David Jones annonçait au secrétaire David Langton : *We have formed ourselves into a church*". Le 25 décembre de la même année, au terme d'un service public, la fille de Jones, Lucy Anna, était baptisée. Les missionnaires avaient donc introduit, certes à leur seul usage, un modèle d'église, mais dans la mesure où aucun autre modèle que le congrégationaliste n'était offert aux Malgaches du moment, cela revenait à implanter cette dénomination à Madagascar. Dans leur esprit, les membres de la L.M.S. désiraient en tous points suivre l'exemple des églises primitives constituées par les Apôtres, mais l'idéal congrégationaliste s'y retrouvait tout à fait et Bogue enseignait que "les personnes converties du paganisme qui se trouvaient dans une même cité (devaient) être réunies en une Société ou Eglise."[14] Dans un autre domaine, on constate que si le principe fondamental faisait l'entente entre missionnaires quant aux buts de la mission sur la base de l'Evangile et de l'exemple des Apôtres, il laissait planer l'ambiguïté sur les

---

12 KRUGER (E.) : "L'Isan'Enim-Bolana", p. 95-114.
13 Sur les constructions voir mon article : "Le Rova de Tananarive d'Andrianjaka à Radama 1er", *Omaly sy Anio*, n°1-2, 1975, p. 173-207.
14 BOGUE (D.) : *Missionary Lectures 25*, manuscrit de Moffat, *Personal Africa*.

sacrements (*ordinances*). Le principe fondamental ne précise ni leur nombre ni la périodicité de leur administration. Une pratique tacitement congrégationaliste s'est donc établie, limitant à deux le nombre des sacrements (le baptême et la cène) et laissant à l'appréciation de chaque missionnaire le moment, pour le baptême, et la fréquence, pour la cène, de leur administration. Ces incertitudes eurent des conséquences très graves. Les missionnaires, fidèles au principe fondamental, refusèrent de donner le baptême, estimant que ce n'est qu'au sein de l'Eglise que l'on pouvait baptiser, or cette église n'était pas encore née. Quant à cette église même, on leur en avait donné une définition si vague qu'ils hésitaient à la constituer parmi les convertis. Milne, élève de Bogue en 1812, nous en a laissé la définition telle que l'entendaient les Directeurs : *A company of faithful, whether small or great, associating together according to the rules of the New Testament for the observance of the ordinances of Christ. I consider it as the Church, having within itself full power to choose its own officers and manage its own affairs.*[15]

Cette église ainsi conçue ne pouvait être réunie que par un missionnaire qui devait conserver sur elle une "paternité spirituelle".[16] Lui seul était juge pour décider ou non de fonder une église avec les nouveaux convertis. La présence du missionnaire instaurait une hiérarchie et une dépendance de fait, semblable à celle des groupes congrégationalistes les plus conservateurs du XVIIIe siècle, entre le cercle extérieur des simples croyants, les convertis, et le cercle intérieur des "saints", les missionnaires, plus ceux, parmi les convertis, qui auraient donné à ces missionnaires la preuve de leur conversion. Le cercle intérieur s'arrogeait le droit despotique d'employer la coercition pour régler sur la Bible la vie quotidienne des simples croyants. Le Brun, envoyé de la L.M.S. à l'île Maurice, nous a laissé un témoignage qui explique la situation des missionnaires de Tananarive.

Après trois ans de séjour, il écrit aux Directeurs : *I have formed a society of 18 persons of whom I have many reasons to hope that they have felt the power of the grace of God in their hearts.*[17] Mais il attend encore un an avant d'administrer pour la première fois la communion à des gens qui étaient déjà baptisés dans la religion catholique. "Le Dimanche de Pâques (1818), les membres de l'Eglise au nombre de 12, ont prit (sic) le saint sacrement pour la première fois (...) Il y a longtemps que j'aurais dû leur donner, mais comme je craignais d'être trompé, j'ai même aimé attendre un peu plus tard. J'ai cru nécessaire de les former d'abord en société jouissant de tous les privilèges spirituels comme les Membres de l'Eglise c'est-à-dire assistant à toutes les assemblées de prières et à toutes les conférences, mais il faut qu'ils soient un membre (sic) de la Société avant d'être admis à l'Eglise et de recevoir la communion. Pendant ce temps nous apprenons à les connaître et nous

---

15 MORRISON (R.) : *Memoirs of*, July 16th 1812 : Milne's Examination.
16 BOGUE (D.) : *Missionary Lectures 25, Personal Africa.*
17 Le Brun to Bogue, Port-Louis, Jan. 7 1817, *Incom. L.etters Mauritius.*, B/A/F/1/J/B.

surveillons leur conduite."[18] Le Brun exprime ici avec une lumineuse franchise le similitude de l'attitude des missionnaires protestants de Madagascar jusqu'en 1836 et celle de leurs prédécesseurs catholiques du XVIIe siècle : méfiance devant les mœurs des Malgaches, suspicion pour l'intérêt qu'ils portaient au christianisme, surveillance de tous les moments de la vie de leurs catéchumènes et peur paralysante d'administrer un sacrement à un faux converti. C'est la menace d'un départ imminent et les demandes pressantes de leurs anciens élèves qui les firent fléchir et baptiser en 1835, juste avant leur départ, un petit groupe de convertis ce qui provoqua de graves divisions au sein de l'équipe missionnaire. C'est bien un miracle que de ces quelques baptisés *in extremis* soit sorti une église - sur le modèle congrégationaliste - héroïque et solide.[19]

3 - Répandre la connaissance

Un autre objectif est inscrit dans le principe fondamental de la *Missionary Society* : "répandre à l'extérieur la connaissance du Christ parmi les païens et les autres nations non éclairées". Cette connaissance ne pouvait venir que de l'Evangile et de lui seul, mis à la portée des peuples par la traduction et la circulation de Bibles imprimées. Par la logique même de ce projet, la Société s'engageait à apporter non pas la parole, le *Verbe*, mais l'*Ecriture*, c'est-à-dire un savoir. A ce niveau, elle ne faisait que se replacer dans la vieille tradition de la Réforme qui avait associé Evangile, Ecole et Imprimerie. Mais l'héritage direct est atlantique. Déjà en 1588, au verso de la page de titre de la *Bible de Genève* en français, il y avait une note indiquant que "les frais d'impression avaient été pris en charge par certaines personnes de bonne volonté, non point par recherche des profits pour elles-mêmes, mais seulement pour servir Dieu et son Eglise." Déjà cette Bible était offerte sous trois présentations afin de répondre aux différentes possibilités financières des lecteurs. Plus tard la *Corporation for Promoting and Propagating the Gospel of Jesus-Christ in New England*, fondée par John Eliot dans le Massachusetts en 1649, soutint financièrement l'impression du Nouveau testament puis de la Bible entière (la première Bible imprimée en Amérique en 1663). Cette Bible traduite dans la langue des Indiens de la région leur fut distribuée gratuitement. La *S.P.C.K.*, de son côté, fit beaucoup pour la diffusion de la Bible en Angleterre et surtout au Pays de Galles dans la traduction galloise. C'est elle qui se chargea, rappelons-le, de l'impression de la

---

18 Le Brun to Burder, Port-Louis, Ap. 2d 1818, *Incom. Letters. Maur.*, B/I/F/I/J/B, en français.
19 A ce propos, la conclusion de Bonar A. GOW : *The British*, vol. 1, p. 33-37, sur l'échec des missionnaires à convertir en grand nombre, avant 1835, est un contresens.

Bible en Tamoul réalisée par Ziengenbald et Schutze à Tranquebar dans l'Inde Mais jusque-là aucune organisation ne s'était formée dans le but spécifique d'imprimer, d'éditer et de répandre la Bible. Les idées de Francke conduisirent un aristocrate allemand qui suivait le séminaire de Halle et soutenait les missions à mettre au point toute une organisation qu'il finança. C'est ainsi que naquit l'*Institut Biblique Canstein* en 1710 du nom de son fondateur Karl Hildebrand, baron von Canstein (1668-1719). Cet institut découvrit des procédés qui permettaient de réduire considérablement le coût d'impression de la Bible de Luther et donc de la vendre à très bon marché ou de la donner. Les procédés techniques furent adoptés en Angleterre par la S.P.C.K. mais ce n'est qu'en 1780 qu'apparut en milieu baptiste et congrégationaliste l'idée de constituer une société spécifique. La *Bible Society* naquit à Bristol, Southampton et Portsmouth, puisque, dans les ports, depuis Grotius, les marins constituaient une clientèle particulièrement appréciée par les non-conformistes, car susceptible de démultiplier outre-mer l'influence du christianisme. Bogue lui-même participa en 1792 à la fondation de la *French Bible Society* qui devait distribuer des Bibles et des tracts religieux aux prisonniers français qui s'entassaient sur les pontons des ports anglais. Cette société, dissoute en 1803, fut remplacée l'année suivante par la *British and Foreign Bible Society*, véritable annexe de la *London Missionary Society*. "La plus importante association de son espèce. Elle naquit d'une proposition faite au comité de la *Religious Tract Society* (fondée par Bogue), par le Révérend Charles Thomas, ministre de Bala (Pays de Galles), qui trouva que son travail d'évangélisation et de philanthropie était gravement entravé par le manque de Bibles galloises ; ses collègues dans la société s'unirent à d'autres personnalités évangéliques zélées pour établir une nouvelle organisation dont le seul objet aurait été d'encourager la plus grande circulation des Saintes Ecritures sans note ni commentaire."[20] Parmi ces personnalités, on retrouve les noms de Wilberforce, de Thorton et de Lord Teingnmouth qui en fut le premier président. Cette société se répandit à travers toute la Grande-Bretagne et ses colonies par un système de sociétés auxiliaires locales, affiliées mais indépendantes pour leur administration, leur gestion et leur extension.[21] Le coude à coude de tous les évangéliques, anglicans comme non-conformistes, que l'on voit à l'œuvre dans ces sociétés remonte aux origines du réveil évangélique qui avait conçu la rechristianisation des masses prolétarisées des villes et des bourgs comme une œuvre d'éducation, un apprentissage de la lecture de la Bible, puisque la connaissance de Dieu n'était possible, selon eux, qu'à travers la connaissance de son verbe révélé. En conséquence, l'objectif de la société missionnaire ne pouvait être ni plus ni moins que la transposition outre-mer de ce qui se faisait depuis un demi-siècle en Grande-Bretagne auprès des indigènes déchristianisés.

---

20 *Religious Tract Society Committee Minutes*, 1804.
21 CANTON (W.) : *History of the B.F.B.S.*, vol. I.

Le mobile civilisateur

Cette transposition se retrouve dans une autre particularité du programme de la société missionnaire : la diffusion d'un savoir technique. A propos de l'évangélisation à Madagascar, on a longtemps prétendu que l'introduction des artisans missionnaires répondait à une demande de Radama I et à une proposition de Farquhar sans toujours comprendre que l'offre du gouverneur de Maurice, évangélique de la première heure, allait de soi et que, de toutes façons, la L.M.S. aurait envoyé des artisans. Jamais la volonté de "répandre à l'extérieur la connaissance du Christ" n'a été conçue par les évangéliques en termes purement spirituels. Grant, dont j'ai souligné plus haut l'importance, ne croyait pas que le christianisme pût être implanté par une attaque menée sur le seul plan de la spiritualité. Il ne pouvait vaincre, selon lui, que si l'offensive était conduite sur un front plus large, pour soumettre le caractère du païen au jeu des influences réformatrices sous tous les angles. Grant parlait d'une véritable "prise d'assaut" par la totalité de l'esprit européen. Melville Horne, lui, faisait appel au "mobile civilisateur" (*civilizing motive*) des missions tandis que Haweis et Hardcastle avaient, chacun à sa façon, adopté cette conception "matérialiste" de la mission qui pesa d'un poids très lourd dans le recrutement et les relations des missionnaires. Jusqu'en 1810-15, le modèle idéal du missionnaire fut celui qu'avait défini Haweis : *godly mechanic*, un ancien artisan autodidacte à la manière de Carey et l'on ne fit d'exception que pour ceux qui possédaient des capacités linguistiques exceptionnelles. Cet idéal, partagé par Burder, permettait de faire participer les masses, au fond les plus sincèrement préparées au départ missionnaire par l'esprit de croisade ; il répondait à cet "enthousiasme facile", critiqué par Bogue mais qui faisait, malgré tout, la force de tout le réveil évangélique. Grâce à Haweis et à Burder la Société missionnaire de Londres fut l'un des rares organismes nés du mouvement de réveil dans lequel les classes populaires purent s'exprimer. Partout ailleurs les classes moyennes seules eurent l'avantage d'être représentées clairement et publiquement à travers des sermons de pasteurs distingués (issus des classes moyennes) et des publications évangéliques (financées et lues par les classes moyennes). Cette cohabitation du monde ouvrier et rural et des classes moyennes au sein de la Société n'alla pas sans difficulté, mais c'est sur les terrains de mission qu'elle fut la plus difficile, après 1815.

Jusqu'à cette date, l'idéal populaire put se fondre dans une conception missionnaire issue du sommet des classes moyennes et dont Horne et surtout Hardcastle, le trésorier, fixèrent les contours. En 1791, avec Granville Sharp, Wilberforce, Zachary Macaulay, Clarkson et d'autres évangéliques de diverses dénominations, tous membres de la grande bourgeoisie marchande ou bancaire, ils avaient fondé la *Sierra Leone Company* afin de réinstaller en terre africaine aussi bien les esclaves libérés en Angleterre par la déclaration Mansfield, que ceux qui, en Amérique, s'étaient montrés fidèles à la couronne britannique. Les objectifs n'étaient pas directement religieux mais on avait envoyé rapidement deux chapelains dans la colonie. Hardcastle écrivait à un employé de la Compagnie : "je me félicite comme vous que l'Evangile éternel résonne finalement sur les collines d'Afrique et que les naturels dépravés, dégradés et ignorants aient la possibilité de connaître Celui qui... etc."[22] Après cette première expérience suivie bientôt par celle de la colonie du Bengale, lancée par Cornwallis, Hardcastle s'était persuadé que l'Angleterre, à travers ses missionnaires, devait imprimer sa civilisation outre-mer. Pour lui, se contenter de la seule prédication de l'Evangile était une pure perte de temps car "la foi chrétienne ne peut vivre que dans une société civilisée"; il était indispensable d'introduire d'abord un modèle de société chrétienne et civile, une *christian colony*.[23]

De l'ouvrier au sauvage : un glissement logique

Il est évident que les idées destinées à l'outremer ont toujours été préalablement déterminées en Europe, et que toutes les images du missionnaire pré-victorien que l'imagination peut rassembler sont directement issues de l'histoire sociale anglaise qu'il faut donc d'abord interroger. Les bouleversements du XVIIIe siècle ont amené la déchristianisation rapide de vastes secteurs de la population britannique. L'usine bousculant les limites de la paroisse, la mine ignorant le pasteur, plusieurs dizaines de villes et de faubourgs vont se trouver, au milieu du siècle, sans église ou sans desservant, mais aussi sans école. L'ignorance des notions les plus élémentaires de la religion chrétienne devient chose courante. Les classes moyennes inférieures et le sommet des classes ouvrières au moins partiellement éduquées, plus ou moins confortées dans leur situation économique par la petite industrie, la boutique, la marine, l'armée, le clergé ou l'artisanat, se sentent entourées par une marée montante d'humains qui ressemblent étrangement aux Indiens et aux Africains. Loin de se masquer le danger, et quelles que soient leurs appartenances religieuses, les classes moyennes se soudent à la grande bourgeoisie montante, dont la secte de Clapham est le porte-drapeau, pour faire barrage au danger social. Les Philosophes bourgeois français étaient persuadés que le peuple "non éclairé" constituait une tribu sauvage, une autre humanité à leur porte, mais ils préféraient rêver à l'état de nature du Bon Sauvage pour oublier la misère du Bon Peuple et frapper à la porte de l'aristocratie plutôt que de prendre en charge "l'éclairement" de ces hommes dangereux. En Angleterre, les classes moyennes et la bourgeoisie dissidente, écartées du sommet de la hiérarchie sociale et politique par le *Test Act* jusqu'en 1828, ont été contraintes de développer une culture autonome dans leurs académies. Elles ont donc nourri très tôt une conscience commune des intérêts qui les liaient et des dangers qui les menaçaient et su se prémunir contre les prolétaires par les *Combination Acts* de 1799 équivalents de la loi Le

---

22 *Memoirs of Joseph Hardcastle*, lettre du 6 janvier 1793.
23 TURTAS (R.) : *L'Attivitá*, p. 167-168.

Chapelier en France (juin 1791). Mais, à la différence de leurs homologues bourgeois français, elles ont compris très vite que la religion et l'éducation étaient de meilleures armes que la répression. L'idée que les classes moyennes anglaises se faisaient des ouvriers était identique sinon pire que celle que pouvait avoir la bourgeoisie française du XVIIIe siècle ; on en trouve des échos dans les accents méprisants de certains missionnaires à Madagascar pour les *mechanics*, les manuels.

Cette bourgeoisie avait la conviction bien établie que l'ouvrier est un sauvage, une brute sans principe, animé du violent désir de renverser une société si manifestement sans avantage pour lui. Cependant, la sollicitude qu'elle a manifesté pour les classes inférieures ne venait pas seulement de la crainte ou de la mauvaise conscience, mais souvent, il faut bien le reconnaître, de l'esprit religieux, de l'amour du prochain. A ce propos il est utile de comparer ce que disait Voltaire à la même époque : "On n'a jamais prétendu éclairer les cordonniers et les servantes, c'est le partage des Apôtres."[24] Incapable d'enrayer la déchristianisation, vivant sur l'acquis de l'alphabétisation du XVIIe siècle, la France n'a su que mettre la culture et la religion au service d'un état centralisateur et autoritaire, mais on s'efforce encore de faire croire que la pensée des Philosophes français était humanitaire ! En revanche, les classes moyennes anglaises se sont mises à l'œuvre pour modeler une classe ouvrière sobre, travailleuse, éclairée et par dessus tout chrétienne, qui devait comprendre que souffrance et pauvreté sont dans la nature des choses mais non rédhibitoires au salut de l'homme.

Le glissement s'est ainsi fait au cours du siècle vers les plus déshérités, des ouvriers aux enfants, des prisonniers aux marins, et sur le plan géographique des esclaves de Grande-Bretagne à ceux des colonies, puis aux païens et aux sauvages du monde entier. La logique de cette prise en charge a été magnifiquement théorisée par Max Weber qui montre comment les non-conformistes, (ce qu'il appelle le "type congrégationnel" de religion) ont été capables de fournir un substitut aux liens familiaux et claniques des migrants ouvriers, détruits par l'exode rural, le travail industriel ou le chômage et l'urbanisation sauvage, comment la religion des classes moyennes a fourni une alternative de salut dans l'au-delà et une éthique rationnelle pour améliorer l'ici-bas.[25] A titre d'exemple, Horne, missionnaire anglican évangélique en Sierra Leone, se situe à la charnière de la lutte pour l'abolition de la traite, la libération des esclaves en Grande-Bretagne et l'évangélisation des "sauvages". Les difficultés de la "colonie d'émancipation" créée à Freetown l'avaient convaincu que des chrétiens, en l'occurrence les esclaves libérés, ne pouvaient vivre en terre païenne que s'ils disposaient d'armes culturelles et techniques qui les auraient différenciés et, pensait-il, protégés de leurs congénères païens.

---

24 VOLTAIRE : *Lettre à d'Alembert*, 2 Sept. 1768.
25 WEBER (M.) : *The Sociology*, voir chapitre V : Religion of Non-privileged classes, p. 95-117.

L'Evangile seul ne garantissait pas contre un retour à la barbarie ou tout simplement contre un massacre.

Une autre dimension doit être prise en compte. Les classes moyennes qui soutenaient le mouvement humanitariste renâclaient à aider les entreprises à fonds perdus, il fallait qu'il y eût un résultat et d'abord un résultat financier.[26] Les *Charity Schools* comme plus tard les *Sunday Schools*, les ateliers et les hôpitaux s'étaient montrés capables, par une gestion rigoureuse et par la valorisation du travail effectué par les assistés, non seulement de se passer rapidement de dons et de souscriptions réguliers, mais même de parvenir à l'autonomie financière. La réussite de cette gestion des œuvres philanthropiques fut telle que le métier de maître d'Ecole du dimanche devint relativement recherché comme source de revenus d'appoint. Les fondateurs de l'*African Association* avaient, quant à eux, l'idée que les Africains libérés puissent rapidement se suffire à eux-mêmes et devenir des partenaires pour d'autres entreprises. David Hume et Adam Smith ont à cette époque brillamment théorisé cette attitude qui, refusant le mercantilisme et l'échange inégal, prétendaient "éclairer" les nations du monde pour en faire des partenaires commerciaux.

Dans le domaine de la mission, la position des Directeurs évolua, au fur et à mesure que l'argent devint plus difficile à trouver, vers une autosubsistance rapide de tous les postes missionnaires : *it is an expectation of the Directors that the expenses of our Missionary settlements and especially of those formed in countries where a considerable population is found would be merely temporary, and that a few years would, at last, render the several stations self-supported if not contributory to the expenses of spreading the Gospel embraced by themselves among their kindred heathen*".[27]

Soutenant tout cet arrière-plan, il y avait aussi chez les fondateurs de la Société la vieille sacralisation calviniste du travail. A lire les récits des voyageurs, l'oisiveté apparaissait bien comme le plus grand défaut des peuples sauvages, l'ardeur au travail comme l'un des signes distinctifs des peuples chrétiens. Peu à peu un déplacement d'objet s'est opéré dans la mentalité missionnaire calviniste. Les païens n'ont plus été tenus pour responsables de leur état d'ignorance du vrai dieu, de leur paganisme puisque, comme on l'a vu plus haut, les "lumières" de l'Histoire et les explorations ont fait la preuve que les Apôtres n'avaient pu évangéliser toute la terre et que les peuples rencontrés n'étaient pas les descendants des tribus perdues d'Israël. Mais on a commencé à les tenir pour responsables de leur état d'"obscurité", de leur barbarie et surtout de leur paresse et de leur impudeur, toutes choses que l'on reprochait déjà aux classes populaires anglaises.

---

26 L'accroissement du budget de l'assistance aux pauvres après la récession de 1815 poussa de la même manière les membres du Parlement à voter de petits crédits pour l'aide à l'émigration volontaire. En émigrant les pauvres cessaient d'être des assistés et devenaient des colons indépendants.
27 *Financial report of the L.M.S. for 1818.*

Une telle attitude repose sur la conviction religieuse que l'homme est, d'une façon ou d'une autre, toujours responsable de son sort ici-bas, or cette conviction était particulièrement forte chez les dissidents. Deföe, dans le récit de sa pérégrination en Grande-Bretagne ne disait-il pas que le chômage était dû à la paresse, que les pauvres refusaient de travailler car il leur était plus profitable de mendier.[28] Il faut bien reconnaître que l'Evangélisme du XVIIIe siècle, celui qu'on va voir à l'œuvre à Madagascar, a toujours refusé d'admettre que la pauvreté, matérielle ou morale, pouvait refléter l'injustice et la mauvaise organisation de la société. De ce fait, le racisme colonial anglo-saxon puis français des XIXe et XXe siècles qui se fonde sur la paresse des peuples attardés et pauvres a d'abord été élaboré au XVIIIe, à l'égard des indigènes pauvres de Grande-Bretagne et tout particulièrement des Irlandais.

4 - Une société humanitariste parmi d'autres

Lorsque après 1780, le mouvement évangélique et humanitaire multiplie ses formes d'action dans tous les domaines, c'est toujours le même esprit, le même personnel, les mêmes soutiens et le même modèle d'organisation qu'on retrouve dans tous les organismes. Ainsi les sociétés missionnaires sont à la fois les partenaires et les successeurs des *Sunday Schools* entre 1780 et 1850. *Sunday Schools* et *Prayer Call* sont d'abord la création des modestes tisserands, forgerons ou cordonniers, mais ont été institutionnalisées par les couches aisées de la société. Car *Sunday Schools*, lutte anti-esclavagiste et entreprises missionnaires sont la résultante du gonflement du non-conformisme, appuyé par la fraction évangélique de l'Eglise établie.

C'est ce qu'exprime Lovett dans son histoire de la L.M.S. lorsqu'il écrit : "il faut se mettre à l'esprit que la *Missionary Society* fut, durant de nombreuses années, nécessairement et presque inévitablement, une Société biblique, une Société de distribution de tracts et de livres, une Société scolaire (*School Society*) et une Société civilisatrice, aussi bien qu'une Société pour prêcher l'Evangile."[29]

Cependant l'Ecole du Dimanche (*Sunday School*) correspondait au travail d'une communauté sur elle-même, elle n'impliquait pas nécessairement, en deçà d'une certaine taille, d'appel à l'extérieur. Il ne pouvait en être de même pour la mission. S'il est vrai, et cela doit être rappelé, que bien des propositions, bien des tentatives isolées, furent le fruit d'individus issus du gratin de la classe laborieuse, la nature même d'une entreprise lointaine et relativement compliquée à organiser impliquait la participation de patrons appartenant ou reliés à la classe dirigeante des milieux politiques et économiques. De l'organisation du

---

28 DEFOE (D.) : *En parcourant toute l'île de Grande Bretagne*, Paris, Payot, 1976.
29 LOVETT (R.) : *History*, vol. 2, p. 651.

voyage d'un missionnaire, même seul, jusqu'à son entretien financier, il fallait bénéficier au moins de la neutralité des organismes coloniaux et cela n'était pas chose facile.

Cela explique que, parmi les cadres du mouvement des *Sundays Schools*, seuls ceux qui étaient issus des classes moyennes et supérieures ont pu participer aussi bien à la fondation des sociétés missionnaires qu'à quelqu'autre aspect local ou exotique du mouvement évangélique et humanitariste. C'est ainsi que Robert Raikes, à qui on attribue trop exclusivement une part majeure dans la fondation des premières *Sunday Schools* fut également l'un des premiers à soutenir le mouvement contre la traite des esclaves. Les Ecoles du Dimanche n'étaient qu'un des aspects de sa volonté de faire le bien, celui en tout cas qui lui donna une notoriété nationale.

De la même façon, le *Gentleman's Magazine*, organe par excellence des classes moyennes philanthropiques, se chargea-t-il, à partir de 1783, aussi bien de porter témoignage pour les *Sunday Schools*, pour l'amélioration du sort des prisonniers, des marins, des esclaves, en Angleterre, que de faire campagne pour l'abolition de la traite, outre-mer. Il rapportait d'autre part les aventures plus ou moins évangéliques des Anglais à travers le monde. C'est ainsi qu'en 1784 ce périodique publia une lettre de Robert Raikes au colonel Tawnley de Bolton, en date du 25 novembre 1783, dans laquelle il narrait comment lui était venue l'idée de lancer une nouvelle méthode d'éducation de masse.[30] Raikes n'était ni le premier ni le seul, puisque, après 1750, de nombreux clercs et ministres gagnés par l'esprit évangélique se lancèrent dans l'œuvre d'alphabétisation et de christianisation des enfants de pauvres. On retrouve presque tous ces hommes dans la liste des fondateurs de la L.M.S., en 1795, à nouveau lorsque le mouvement se donne une dimension et une organisation nationales, en 1803, et encore lors de la formation de la *B.F.B.S.*, en 1804, ou de la *Religious Tract Society,* en 1799 D'autre part, l'implantation et les nuances régionales qu'ils représentent dès l'année 1780 ne varient pratiquement pas, ce qui permet de suivre, jusqu'en 1820 à peu près, la permanence du personnel directeur, du soutien financier et moral, et surtout du recrutement et des instituts de formation. Cette cohésion et cette permanence de la classe dirigeante évangélique ont été mises en lumière et analysées avec justesse par Brown. On y trouve John Fletcher, professeur du futur missionnaire J. Jeffreys, John Moffatt, Robert Simpson, futur directeur de la L.M.S., les uns anglicans, comme Fletcher et Simpson, les autres indépendants, tel Moffat.

---

30 *Gentleman's Magazine*, vol. 54, t. I (1784) p. 410-11; cité par LAQUEUR (T.) : *Religion*, p. 23.

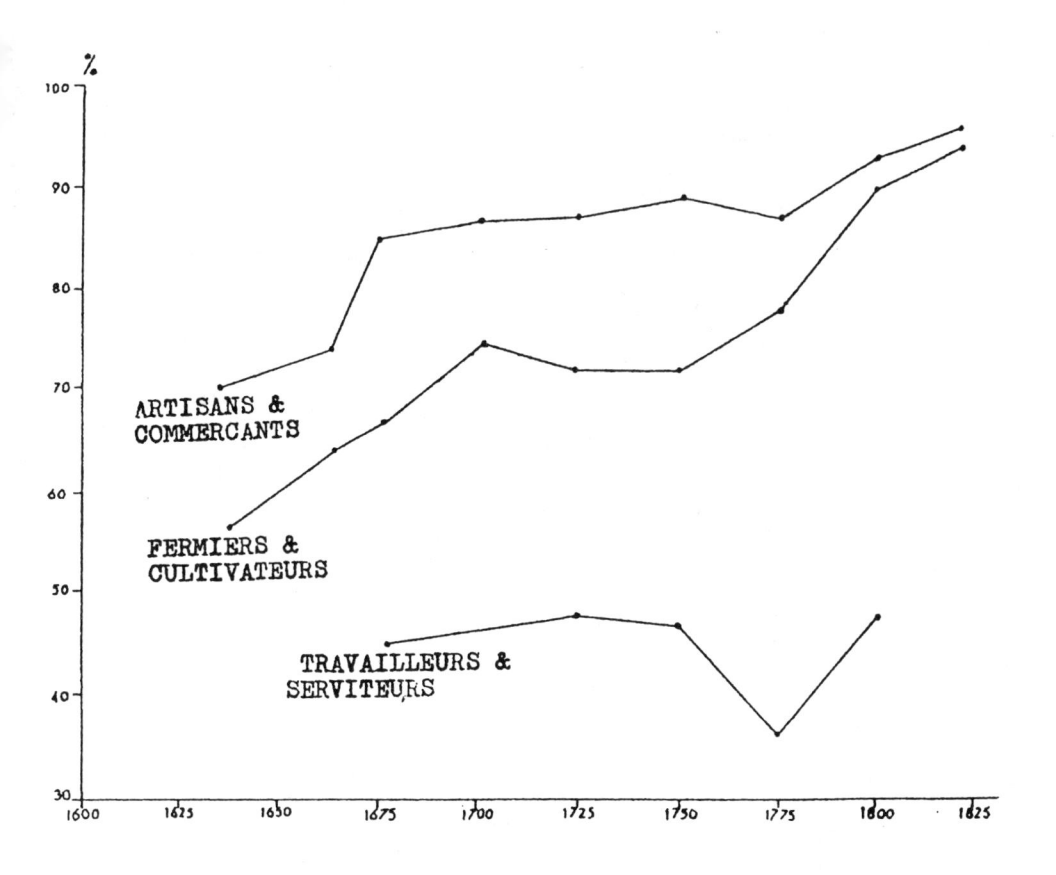

2 - L'Angleterre éduquée en % d'adultes sachant lire et écrire.
(D'après L. Stone : "Literacy and Education in England, 1640-1900", *Past and Present*, 42, 1969, p. 111.

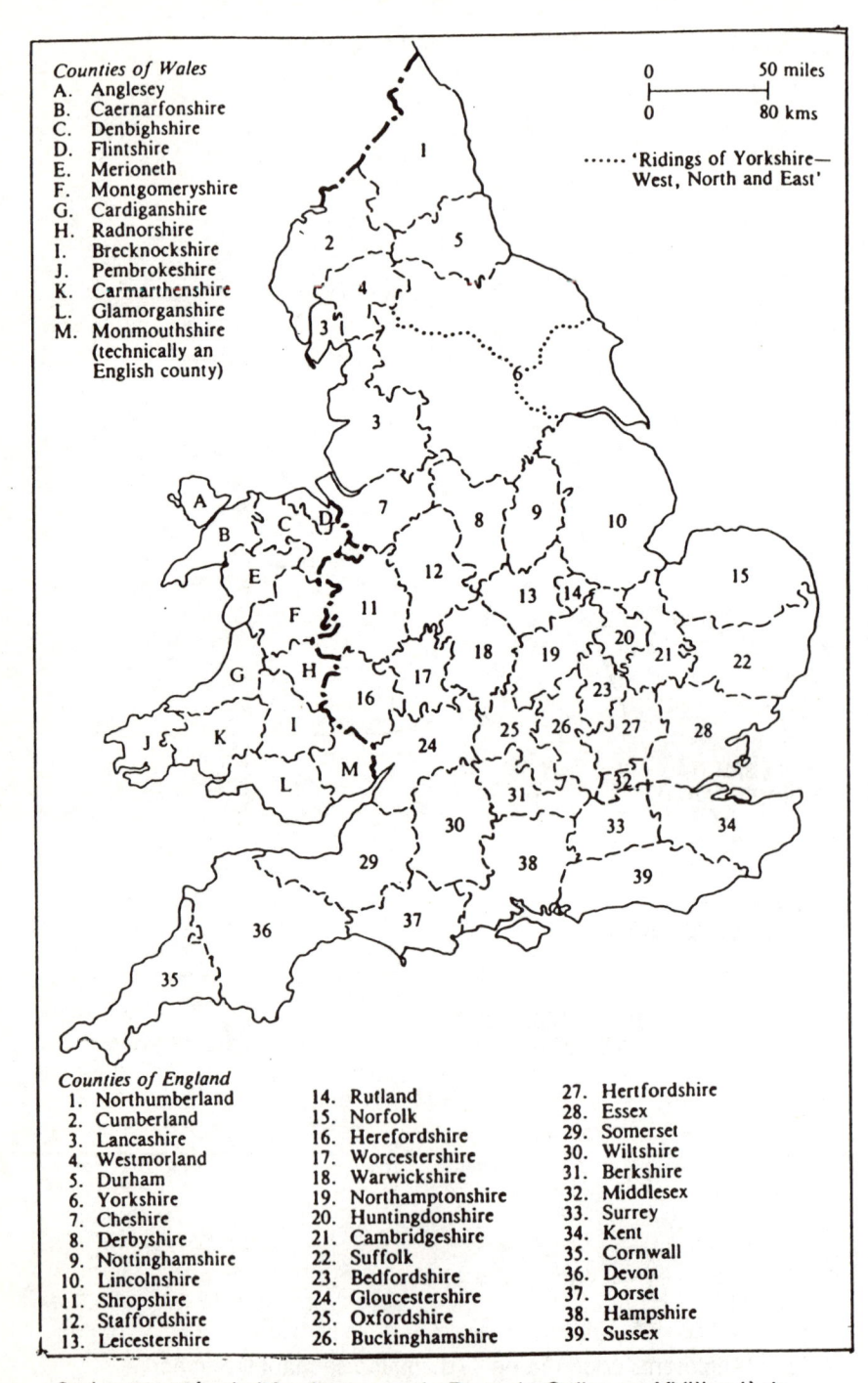

Counties of Wales
A. Anglesey
B. Caernarfonshire
C. Denbighshire
D. Flintshire
E. Merioneth
F. Montgomeryshire
G. Cardiganshire
H. Radnorshire
I. Brecknockshire
J. Pembrokeshire
K. Carmarthenshire
L. Glamorganshire
M. Monmouthshire
(technically an English county)

...... 'Ridings of Yorkshire—
West, North and East'

Counties of England
1. Northumberland
2. Cumberland
3. Lancashire
4. Westmorland
5. Durham
6. Yorkshire
7. Cheshire
8. Derbyshire
9. Nottinghamshire
10. Lincolnshire
11. Shropshire
12. Staffordshire
13. Leicestershire
14. Rutland
15. Norfolk
16. Herefordshire
17. Worcestershire
18. Warwickshire
19. Northamptonshire
20. Huntingdonshire
21. Cambridgeshire
22. Suffolk
23. Bedfordshire
24. Gloucestershire
25. Oxfordshire
26. Buckinghamshire
27. Hertfordshire
28. Essex
29. Somerset
30. Wiltshire
31. Berkshire
32. Middlesex
33. Surrey
34. Kent
35. Cornwall
36. Devon
37. Dorset
38. Hampshire
39. Sussex

3 - Les comtés de l'Angleterre et du Pays de Galles au XVIIIe siècle.
D'après G. Holmes et D. Szechi, *The Age of Oligarchy*, p. 404.

Un même modèle d'organisation

Comment s'organisaient les *Sunday Schools* ? Dans un certain nombre de villes de province, en général des villes préindustrielles ou portuaires telles Manchester, Liverpool, Birmingham, Nottingham, Leeds, etc., elles naissaient à partir d'une réunion de notables locaux rassemblés par une annonce ou un appel diffusés par journaux, affiches et tracts. Lors de la première rencontre on choisissait des noms pour un comité interdénominationnel. La *Sunday School*, était créée par ce comité sur le modèle des infirmeries, fondations hospitalières, ou quelque autre modèle d'œuvre charitable. Si des *Sunday Schools* existaient déjà elles étaient incorporées et un monopole sur l'éducation du dimanche était imposé. C'est exactement le même scénario, en plus imposant, qui préluda à la fondation de la Société Scolaire nationale, en 1785, puis à la fondation de la L.M.S. Le principe de la non dénomination ainsi que les méthodes et les modèles d'organisations avaient été rodés dès la fin de la première moitié du XVIIIe siècle.

La L.M.S. comme les *Sunday Schools* surent s'attirer par leur absence de sectarisme religieux et leurs buts philanthropiques l'appui de larges fractions de la population et de l'élite des clercs. De ce fait les membres des classes dirigeantes manufacturières, commerciales et bancaires étaient nombreux parmi les laïcs associés. On y trouve deux banquiers, Georges Welsh de Londres et William Shrubsole de la *Bank of England* qui fut secrétaire de la Société. Joseph Hardcastle était un grand marchand de la *City*, Il fut trésorier de la L.M.S., de la fondation jusqu'à la veille de sa mort en 1817, comme son collègue et ami William Hankey qui lui succéda. Thomas Haweis était un homme fortuné, qui fit d'importants dons à la Société pour soutenir son projet de mission à Tahiti et qui jouissait, du moins jusqu'en 1791, de l'appui de la comtesse Huntingdon dont il était le chapelain. Celui qui possédait, par son séminaire de Gosport et son activité épistolaire, le plus de relations fut sans doute David Bogue. De la France à l'Ecosse, à la façon d'un nouvel Erasme, il avait tissé, depuis 1789 et sans doute avant, une toile d'araignée qui lui donnait accès aussi bien à la Secte de Clapham et chez les riches manufacturiers du Yorkshire qui soutenaient la secte, qu'aux adventistes première manière qui gravitaient autour du second Pitt, soutenus par les richissimes frères écossais Haldane, puis par Edouard Irving et le banquier Drummond. David Bogue avait aussi des soutiens au Pays de Galles à travers le séminaire pastoral de Trevecca, fondée par la comtesse de Huntingdon.

Si l'on entre comme Turtas dans le détail des listes des délégations qui furent envoyées de toute l'Angleterre lors des journées de fondation en 1795 et qu'on dépouille les souscriptions on s'aperçoit, qu'en gros, les soutiens des missions étaient les mêmes que ceux des *Sunday Schools* et des comités de provinces pour l'Abolition de la Traite. Un encadrement et un support financier, assuré majoritairement par les classes moyennes non-conformistes et anglicanes évangéliques, une participation quasi nulle de l'aristocratie, certainement plus faible pour la mission et l'abolitionnisme que pour les *Sunday Schools* et une part, nominalement inconnue mais numériquement majoritaire et en fin de compte financièrement importante, de gens des classes laborieuses alphabétisées et rechristianisées.

Centralisées à Londres, l'*Anti-Slavery Society*, la *Society for the Suppression of Vice*, la *Philanthropic Society*, la *London Missionary Society*, la *Religious Tract Society* et la *British and Foreign Bible Society* prenaient leurs directeurs et leurs membres importants dans la haute bourgeoisie évangélique de la capitale ou des grandes villes des Midlands. On relève les noms de Benjamin Boddington et de son fils, marchands aux Antilles, du frère de Thomas Raikes, Robert, directeur de la Banque d'Angleterre, du banquier Robert Barclay et de quatre membres de la riche famille des Thorton dont le nom apparaît dans presque toutes les listes de souscriptions philanthropiques. William Wilberforce et son état-major de la Secte de Clapham se retrouvent presque au complet à la *British and Foreign Bible Society* avec W. Morton Pitt, Grenville Sharp et Thomas Clarkson. Certains aristocrates acceptèrent même l'honneur d'être élus, ainsi le marquis de Salisbury, premier président de la *Sunday School Society,* puis Lord Barham, ou encore Lord Taingnmouth, premier président de la *B.F.B.S.*

Une prééminence financière fragile

Durant plus de quinze ans, la Société des Ecoles du Dimanche bénéficia d'un appui considérable et d'une assiette sociale étonnamment large. Elle était financée par des souscriptions, des sermons de charité (à l'issue desquels une quête était organisée ou pour lesquels on établissait un droit d'entrée), et des intérêts sur un capital constitué à son nom dans des banques londoniennes. Ainsi, en 1785, la Société reçut la somme de 3.272 livres par des souscriptions dont 89 égales ou supérieures à 10 livres. Une partie de la somme fut placée en bons à 4 % A titre de comparaison, la L.M.S. avait reçu, fin 1796, 10.759 livres de souscriptions et de dons en argent, auxquels s'ajoutaient les 500 livres de Haweis, les 100 livres d'un souscripteur anonyme, plus quelques dons déposés depuis 1795, soit près de 18.000 livres. Elle possédait depuis 1795 3 000 livres placées à 5 %, dont les dividendes s'élevaient, en 1796, à 100 livres, la vente des sermons et des diverses revues avait rapporté 230 livres, soit un total de rentrées pour 1796 de 11.089 livres La *Baptist Missionary Society* était loin derrière avec moins de 2.000 livres de revenus annuels. Toutes ces sociétés bénéficiaient en outre de dons épisodiques en terres ou immeubles. La gestion de ce patrimoine immobilier leur permettaient d'accroître les revenus et de parer aux crises de ressources. La L.M.S. n'en reçut aucun avant 1805 et, de façon régulière, à partir de 1810 seulement. Il convient d'apprécier les différences de revenus de toutes les sociétés philanthropiques de l'époque, car les plus importantes, telle la *Sunday School Society,* ne possédaient pas le tiers des ressources de la L.M.S. qui demeura, jusqu'en 1820, la plus grande société philanthropique de Grande-

Bretagne. En 1821, elle fut dépassée par la *Church Missionary Society*, mais cela ne fait que confirmer la tendance qui voulait que le thème des missions devint, à la fin du XVIIIe siècle, le plus mobilisateur de tous ceux que le réveil évangélique avait lancés. En fait, la L.M.S. brillait surtout par comparaison avec les autres qui, toutes, avaient épuisé leur potentiel d'enthousiasme. Comme ses sœurs les sociétés humanitaires elle avait vécu la même histoire qu'on peut lire dans les chiffres. Un départ foudroyant sur une base multi-confessionnelle fait taire un temps les réserves de l'Eglise établie à l'égard des non-conformistes, parce que ce sont essentiellement des laïcs qui animent le mouvement. Dans un second temps, la hiérarchie anglicane manifeste son hostilité et fait pression sur les laïcs en leur offrant la possibilité de poursuivre la même action au sein de l'Eglise établie, sous le contrôle de la hiérarchie. Cela provoque l'intervention du clergé non-conformiste qui essaie de sauver l'union mais réveille des querelles doctrinales et disciplinaires. En fin de compte la société initiale se retrouve, malgré ses prétentions, représentée presqu'uniquement par des non-conformistes et se laisse rapidement distancer par la nouvelle société d'obédience anglicane créée contre elle.

CHAPITRE VI

LA REVANCHE DES DISSIDENTS : L'ÉDUCATION

L'école populaire fut le plus ancien des objectifs du mouvement évangélique et humanitaire de la fin du siècle. Défini à Halle, au coeur de l'Allemagne, par Auguste Francke, développé à Gottingen par Emmanuel Kant, c'est par excellence un thème anti-français, une protestation contre l'intellectualisme élitiste des Philosophes français, quoique reprenant certaines idées lancées par Rousseau dans *l'Emile* mais constituées en système par Kant. Les *Realschulen* fondées par les élèves de Francke et de Kant en Allemagne furent imitées en Angleterre par la *Society for the Promotion of Christian Knowledge* avec un succès très modeste, juste rétribution d'une ardeur réservée. Selon les analyses de Thomas W. Laqueur, un certain nombre de facteurs ont conduit les laïcs à s'organiser en centaines de communautés non dénominationnelles à travers l'Angleterre, le Pays de Galles et l'Ecosse.[1]

L'hostilité de l'*Establishment* religieux

Dans les années 1795, la pression de l'Eglise établie sur les anglicans laïcs et clercs qui participaient à ces sociétés aboutit à une scission ; dans les écoles paroissiales (*day schools*), l'Eglise établie impose son contrôle partout où elle le peut et jette l'interdit sur les écoles à majorité non-conformiste. Dans les Ecoles du Dimanche (*Sunday Schools*), l'Eglise établie boycotte la *Sunday School Union* dont les ressources s'effondrent entre 1795 et 1807, provoquant le départ des non-conformistes qui, sous la conduite de Rowland Hill, vont créer une autre *Sunday School Union* qui se prétendait encore non-dénominationnelle mais n'était plus, en réalité, que non-conformiste. En même temps les non-conformistes, les quakers et les baptistes en tête, mobilisaient leurs représentants whigs au Parlement pour présenter, en 1807, le "projet de loi Whitbread". Les propositions de Samuel Whitbread visaient à organiser un système national d'éducation indépendant de toute confession ; il fut rejeté par les lords spirituels, qui ne pouvaient admettre que l'éducation ne fut pas placée sous le contrôle de la paroisse où devait s'ouvrir l'école, et parce que le projet visait à supprimer la base religieuse de l'éducation. La hiérarchie anglicane réagit immédiatement

---

1 LAQUEUR (T.) : *Religion.*

en présentant le "projet de loi Bell" qui devait placer toutes les écoles existantes sous le contrôle du clergé paroissial. Sans abandonner l'espoir d'édifier un système d'éducation national et non-confessionnel les non-conformistes et certains anglicans *whigs* fondèrent, en 1804, la *Royal Lancasterian Society* qui devait prendre plus tard le nom de *British and Foreign School Society*.[2] En 1809, pour contraindre cette association à prendre une coloration dissidente, la hiérarchie anglicane constitua derrière Andrew Bell la *National Society for promoting the Education of the Poor in the Principles of the established Church throughout England and Wales*. Cette société distança rapidement sa rivale dissidente dans le contrôle et la multiplication des *Sunday Schools* qu'elle avait intégrées aussi bien que des *Day schools* (13.000 en 1831).

Au moment où les dissidents et les *Whigs* échouaient sur le thème des écoles et sur celui de l'esclavage (voir plus loin) la *Missionary Society*, future L.M.S., prenait le relais et tentait de faire l'union de toutes les dénominations en récupérant aussi bien le climat de croisade entretenu dans les masses que le mythe des îles caressé par les intellectuels.

Ce qui étonne chez les dissidents, c'est leur aptitude à s'organiser et à créer sans cesse de nouvelles associations. Il est vrai que la situation de "non privilégiés" que le XVIIIe siècle leur avait faite les poussa à ne compter que sur eux-mêmes ; par la force des choses, ils se firent innovateurs et organisateurs, aussi bien dans l'industrie et la politique que dans le domaine social, cherchant à tout moment des appuis dans l'*establishment*. D'autre part, leur aptitude à prendre en charge les courants populaires et à les modeler par l'éducation prit très tôt des dimensions nationales. Ils rayonnèrent les premiers dans les villes de province par leurs académies et surtout par les bibliothèques en souscription dont les plus importantes se trouvaient à Leeds (1768) et à Birmingham (1779). Très tôt les dissidents se préoccupèrent non seulement de recherche scientifique et technique mais aussi du transfert dans la pratique et dans l'enseignement des dernières découvertes. En 1766 ils avait fondée de façon officieuse la *Lunar Society* de Birmingham, reproduite en 1781 à Bristol puis à Hull. Toutes les tendances religieuses s'y retrouvaient, réunies par les idées pédagogiques de Rousseau revues par Priestley et, avec moins de succès, par leurs idées politiques. A Londres comme dans les grandes villes de province, les dissidents formaient un tissu social apte à soutenir des renouvellements sociaux, culturels et politiques.

---

2 La B.F.S.C. organisait des stages de formation à la méthode Lancaster pour les futurs missionnaires et leurs épouses. C'est elle qui se chargea de l'éducation des jeunes Malgaches envoyés en Angleterre de 1820 à 1828. Là-dessus voir AYACHE (S.) : *Raombana*, p. 80-81.

1 - L'activisme social des non-conformistes

A l'heure où les troubles puis la guerre ouverte en Amérique déclenchent une crise de conscience morale en Angleterre, les Indépendants se lancent dans l'agitation politique et se rapprochent de l'opposition légale. Certains intellectuels non-conformistes, groupés autour de Priestley, sont gagnés par l'idéologie françaises et poussent le radicalisme politique et surtout religieux à un point extrême, intolérable aux classes moyennes et laborieuses qui réagissent d'autant plus que la France, victorieuse par Américains interposés, est plus que jamais perçue comme l'ennemi par excellence. Les idées des groupes des Midlands sont rejetées par la majorité des dissidents comme une insidieuse propagande française, les amis de Priestley et de Thomas Paine comme une redoutable cinquième colonne. Johnson et Burke mènent la contre-attaque.

Dans ces circonstances, l'humanitarisme offre aux dissidents, non seulement un moyen neutre de manifester leur opposition au système social et de gagner l'appui de certains anglicans, mais aussi de prouver leur utilité sociale tout en leur donnant l'occasion de satisfaire leur besoin d'action et d'organisation. Tous les maux de la société font l'objet de leur sollicitude réformiste. Dans les années 1770, ils choisissent l'esclavage, représenté en Grande-Bretagne même par plusieurs centaines de domestiques, en majorité d'origine africaine, ramenés par des commerçants et des planteurs retraités. La première victoire fut acquise le 22 juin 1772, lorsque Lord Mansfield rendit un arrêt affranchissant tout esclave touchant le sol de Grande-Bretagne qui devait faire jurisprudence.

L'arrêt de Lord Mansfield n'est pas tant une victoire de la lutte contre l'esclavage, qui persista en Grande Bretagne même comme l'a montré F. O. Shyllon,[3] que l'acte de naissance d'une alliance entre bourgeoisie anglicane d'opposition et classes moyennes dissidentes. Les dissidents, exclus de la vie civile et politique par le *Test Act*, avaient trouvé le moyen de se faire accepter par de larges couches de l'anglicanisme, aussi bien dans la hiérarchie de l'Eglise d'Angleterre qu'au Parlement, en poursuivant une lutte au coude à coude contre le pouvoir de la vieille aristocratie terrienne et mercantiliste. Il n'est pas excessif de dire que l'évangélisme fut ce combat qui permit aux dissidents, alors qu'ils paraissaient lutter pour d'autres, de se faire reconnaître comme citoyens à part entière. En manœuvrant aux Communes les parlementaires qui leur étaient favorables, les *Dissenting Party Deputies*, les indépendants exclus du corps politique cherchaient à créer une majorité qui voterait la révocation du *Test Act*. Pour cela il fallait que les non-conformistes n'effraient plus et donc qu'ils aient éliminé leur aile radicale pro-

---

3 SHYLLON (F. O.) : *Black Slaves*.

américaine et pro-française et qu'ils avancent cachés, sous le couvert de revendications apparemment non politiques.[4]

Au moment même où les dissidents prenaient une part prééminente dans le mouvement abolitionniste, ils faisaient pression pour la révocation des *Test and Corporation Acts* qui les excluaient de la vie publique depuis la fin du XVIIe siècle. Leur aile radicale s'était organisée sous la direction de Paine en une *London Corresponding Society* qui avait des antennes à Bristol, Leeds, Coventry, Newcastle, Stockport etc., toutes villes qui possédaient aussi un comité pour l'abolition de la traite. En 1710, on fit imprimer anonymement un opuscule intitulé : *Reasons for seeking a Repeal of the Corporation and Test Act submitted to Consideration of the Candid and Impartial* (London, Straham, 1710), largement diffusé dans les chapelles congrégationalistes.[5] Cette initiative est assez exceptionnelle car la mobilisation de l'opinion dissidente se fit le plus souvent sous couvert d'humanitarisme, derrière des chefs anglicans. De larges secteurs des classes dirigeantes anglicanes se laissaient aller à oublier leur vieille hostilité au *Dissent*. L'année 1790 les réveilla de leur torpeur. C'est au cours de la session parlementaire de cette année-là que le vote pour la révocation du *Test Act* faillit être acquis à seulement vingt voix de la majorité ; la réaction de la *Church* fut violente et immédiate. Lorsqu'en 1791 Wilberforce obtint le vote de son *bill* aux Communes les lords spirituels se chargèrent de bloquer son projet à la Chambre Haute, alors qu'à part les irréductibles du *lobby* esclavagiste, certains lords temporels gagnés par l'évangélisme avaient voté pour. Le coup de semonce de 1790 fut amplifié peu après par les excès, notamment religieux, de la Révolution Française et c'est à travers tout le pays que la *Church* prit des distances à l'égard des dissidents les plus politiques. Les anglicans se firent plus réticents dans les comités où ils côtoyaient les Indépendants notamment dans les *Sunday Schools*, provoquant dans les couches moyennes dissidentes une contre réaction d'apolitisme et d'humanitarisme recentré sur l'outremer, notamment en Ecosse presbytérienne et chez les baptistes.

En 1792, Wilberforce essaya de relancer la campagne en province et Clarkson reprit son bâton de pèlerin. Ils n'obtinrent aucun écho. "Les gens associent l'Abolition de la Traite avec les principes démocratiques et refusent qu'on en parle". Toute agitation devenait impossible, les comités de province entrèrent en sommeil et celui de Londres cessa de se réunir jusqu'en 1804. Comme l'écrit D. Read, seule la mort de Pitt (1806) porta Fox et Grenville au pouvoir et permit à ces deux anciens membres du Comité de Londres d'abolir la traite en 1807. Shyllon a par ailleurs tout à fait raison de déclarer que cette victoire philanthropique, si souvent vantée, n'est en rien le fait d'un courant de sympathie populaire

---

4 MOODY (J.) : *Independency in Warwickshire* ; READ : *The English Province*, passim. Voir aussi Peter D. G. THOMAS : *La vie politique en Grande Bretagne*.
5 Le père Turtas a pu s'assurer qu'il était l'œuvre de David Bogue par la découverte d'un exemplaire, annoté et signé de sa main, dans la *Dissenters' Library* de Londres : *L'Attivitá*, p. 314, note 6.

pour les esclaves et les Africains mais celui d'une heureuse conjoncture économique et politique.

Il faut cependant relever qu'à partir de 1791, l'humanitarisme ne pouvant plus s'exprimer sur la question servile, Wilberforce et Macaulay, ses leaders politiques, se tournèrent plus résolument vers des expériences outre-mer. La Sierra Leone d'abord, la campagne pour la modification du statut de la Compagnie des Indes et l'ouverture de ses territoires aux missionnaires ensuite. Entre-temps ils s'appliquèrent à soutenir les sociétés missionnaires qui se créaient. Non recevable en 1788, le message de Carey devenait politiquement intéressant en 1792.

Les fluctuations économiques des dernières années du siècle eurent des répercussions au moins égales aux circonstances politiques sur les diverses formes de l'humanitarisme et sur les premiers temps de la Société Missionnaire.[6] Les années qui suivent le Traité de Paris ouvrent une ère d'irrégularité des récoltes, d'instabilité des prix avec une tendance à la baisse particulièrement marquée entre 1790 et 1792, date à laquelle une reprise s'amorce puis culmine, (et ce n'est peut-être pas sans intérêt), en 1795. Sans vouloir introduire des corrélations grossières, on est obligé de mettre en parallèle la détérioration de l'activité économique avec la stagnation des *Sundays Schools* et l'absence de toute entreprise missionnaire pendant les quinze années qui vont en gros de 1780 à 1795, surtout si l'on se rappelle du mode de financement de toutes ces entreprises : souscriptions, dons et rentes. Cette stagnation peut expliquer la préférence donnée à la campagne abolitionniste peu coûteuse plutôt qu'à d'autres formes de philanthropie. De fait, le départ ou le renouveau de toutes les entreprises humanitaires à partir de 1795 prouve au moins qu'il existe une relation entre courbe des prix et possibilité de financement d'œuvres évangéliques et charitables par les classes moyennes et supérieures.

Ce dernier point permet de conclure sur les conditions d'apparition du "missionnarisme" anglais. Nous avons tenté un tableau général du contexte social et économique dans lequel est née et s'est développée la *Missionary Society* devenue, en 1818, la *London Missionary Society*. Sa direction comme ses cadres, aussi bien dans l'administration que dans la formation académique et spécifiquement missionnaire, sont composés de personnalités issues des classes moyennes, éduquées dans les académies indépendantes lorsqu'elles sont non-conformistes, à Oxford ou à Cambridge lorsqu'elles sont anglicanes et qui, pour une bonne part, n'ont pas de fonctions sacerdotales mais sont ce que nous appellerons des "docteurs". En fait ce groupe dirigeant est constitué par les intellectuels des classes moyennes qui se sont formés historiquement dans le retrait politique du *Dissent*, en relation avec tous les groupes sociaux inférieurs et immédiatement supérieurs mais, pour ce qui concerne leur dynamique, spécialement avec la frange croissante du groupe social

---

[6] Voir mon article : "Le contact missionnaire au féminin, Madagascar et la L.M.S. (1795-1835)", *Omaly sy Anio*, n° 7-8, 1978, p. 83-131.

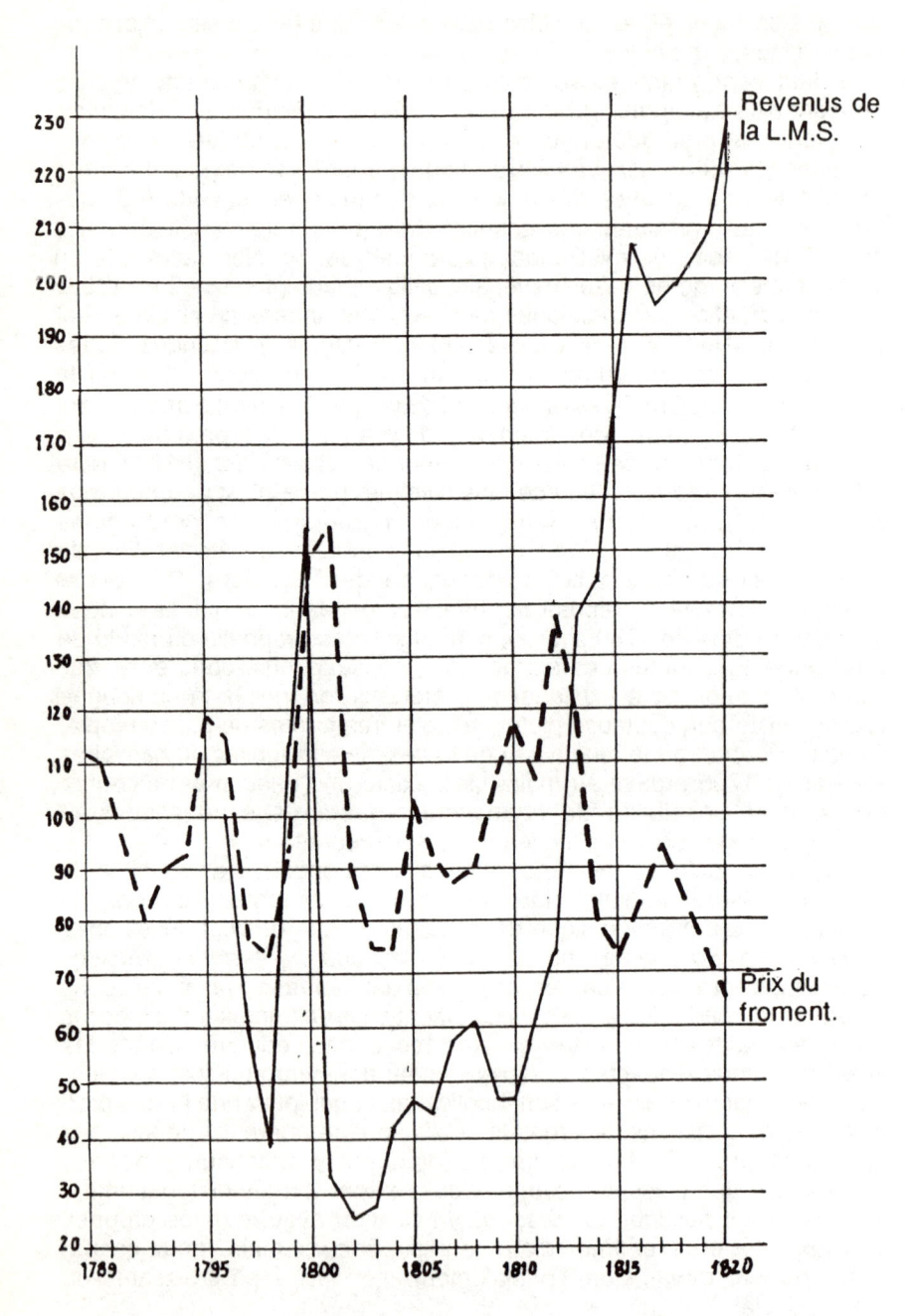

4 - Conjoncture et soutien à la mission.
D'après Lovett : *History*, tome 2, Appendice III et W. A. Armstrong :
La population, p. 170.
Indice 100 = total 1796.

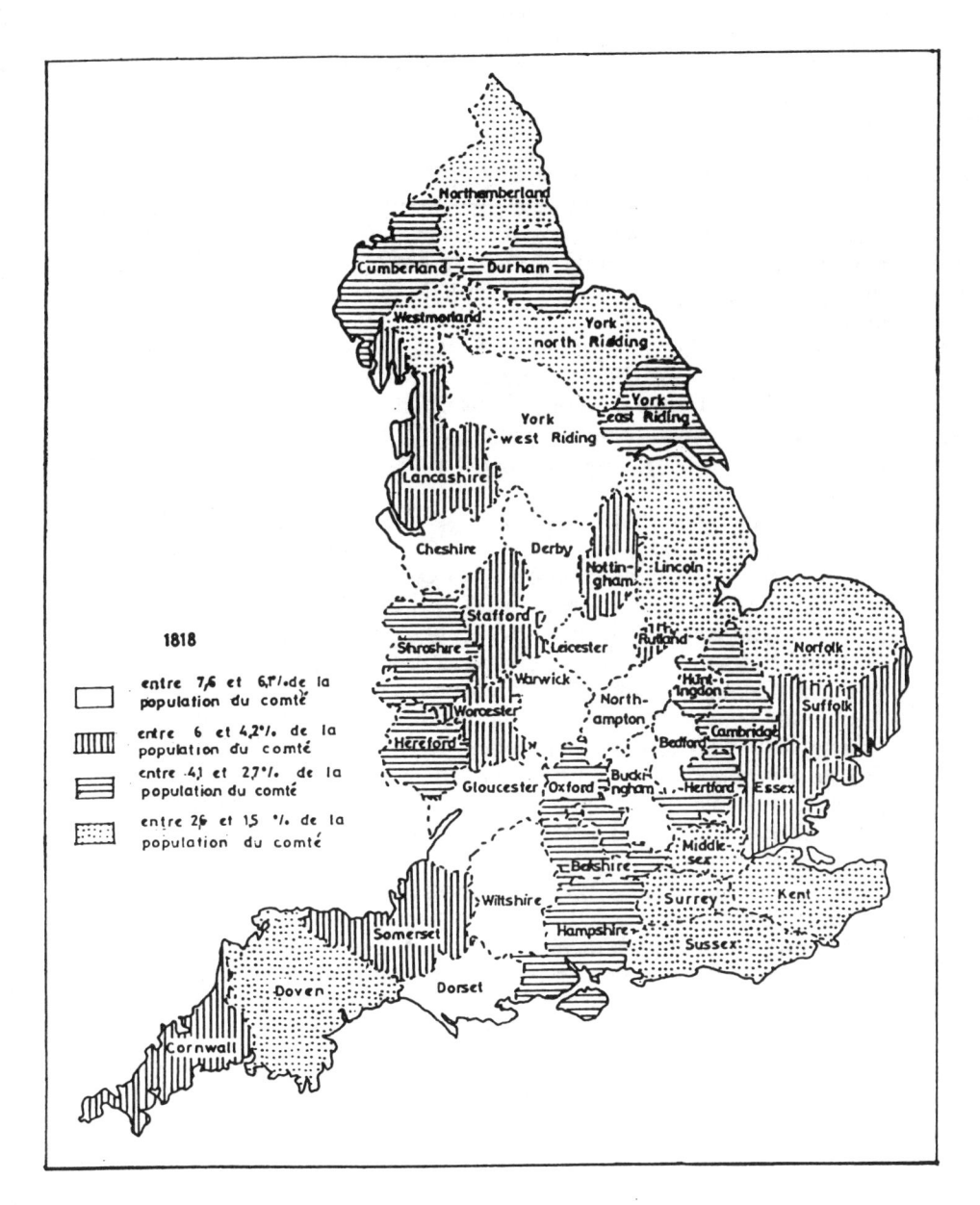

5 - **Densité par comté de l'enrôlement dans les *Sunday Schools*** : calculée d'après le rapport parlementaire de 1820. On remarque que c'est le centre industriel et portuaire qui soutient le plus cet aspect du mouvement évangélique, alors que les régions rurales et périphériques sont moins concernées. Cette carte est à mettre en relation avec le graphique du pourcentage d'alphabétisés par profession.

dominant qui a accepté l'association : la grande bourgeoisie anglicane et ses intellectuels. Alors que le méthodisme, foncièrement anti-intellectualiste pour ne pas dire délibérément inculte, représentait au départ une compensation à l'état de décadence religieuse, économique et sociale d'une frange de l'anglicanisme donc des classes anciennement privilégiées, il s'est tourné vers des formes primitivistes de religiosité (le réveil, l'enthousiasme) et a adopté une idéologie réactionnaire. Ce méthodisme est absent, quoi qu'on dise, du mouvement humanitariste dans ce qu'il a de plus nouveau, y compris l'évangélisation du monde. De son côté, le non-conformisme a développé une idéologie rationaliste, largement influencée par les Lumières françaises : l'humanitarisme évangélique. Il a mis au service du groupe social qu'il représentait, auquel il s'assimilait, un encadrement intellectuel supérieur alimenté par les académies et les séminaires, et une masse laborieuse éduquée de façon élémentaire dans les *Sunday Schools*. Ces deux groupes serviteurs étaient à la fois aptes à valoriser rapidement les innovations techniques et imbus d'une morale religieuse et sociale rigide.

Certes, pour reprendre Gramsci,[7] ces intellectuels éprouvaient une sorte d'esprit de corps, auquel le vocabulaire et les références bibliques aidaient. Ils avaient le sentiment de leur continuité historique, comme en témoigne l'*History of Dissent* du Dr Bogue[8] que nous retrouvons ici aussi. Ils affirmaient aussi leur autonomie et leur indépendance à l'égard du groupe social dominant. Et pourtant, à travers les *Sunday Schools*, les sociétés philanthropiques et peut-être aussi les sociétés missionnaires, ils ont été les "commis du groupe dominant pour l'exercice des fonctions subalternes de l'hégémonie sociale et du gouvernement politique", surtout après la mort de Pitt. En échange de l'accord "spontané" donné par la grande masse de la population aux orientations de politique sociale du groupe dominant, ces "docteurs" obtenaient une part du prestige détenu par ce groupe dominant. [9]

La grande bourgeoisie *whig* qui parvint au pouvoir en 1806 imposa en retour l'intégration formelle de ses commis non-conformistes anglais, dès 1833. Mais ce qui paraît plus difficile à expliquer c'est comment le front commun des *Whigs* et du *Dissent* a pu se donner une base nationale en entraînant dans son orbite la périphérie celtique des Iles Britanniques, dont les représentants se révèlent si nombreux parmi les cadres de l'évangélisme.

---

7 *Gramsci dans le texte*, p. 604.
8 BOGUE and BENNET : *A History*.
9 Pour d'autres temps et d'autres lieux, ce phénomène social et culturel a été brillamment étudié par Norbert ELIAS : *La civilisation des Moeurs,* ; voir aussi Dorothy MARSHALL : *English People*.

2 - Le rôle de la périphérie celtique

Peu d'études ont été consacrées au rôle de l'expansion impériale et missionnaire de la Grande-Bretagne en tant que mode de légitimation et d'intégration accrues pour les minorités religieuses ou ethniques du royaume. Sigmund Freud avait pourtant soulevé le problème de "la satisfaction narcissique apportée par un idéal culturel étranger" à des individus issus de groupes désavantagés qui, de la sorte, échappaient à une autofixation sur leur propre situation de victimes d'une oppression étrangère. Cette intuition du maître de la psychanalyse a conduit déjà de nombreux chercheurs à sonder la conscience des intellectuels issus des minorités juives d'Europe centrale, celles des "assimilés" et créoles des anciennes colonies européennes ou encore des "évolués" du Tiers Monde, mais il y a beaucoup moins longtemps qu'historiens et sociologues prêtent attention aux minorités moins "évidentes" pour eux de l'Europe occidentale.

Pour la Grande Bretagne, Michael Hechter a étudié, par comtés et affiliation religieuse, les registres de mariage publiés depuis 1851 pour tout le Royaume Uni.[10] Il a constaté qu'au XIXe siècle l'Angleterre avait un plus haut niveau de religiosité que sa périphérie celtique (Ecosse, Irlande, Pays de Galles) et que cette religiosité n'avait ni les mêmes assises, ni les mêmes manifestations dans le centre anglais et à la périphérie. Pourtant, une importante proportion des représentants outre-mer de l'évangélisme, particulièrement du personnel missionnaire, est issue des régions périphériques ; dans le domaine scientifique, technique, littéraire où brille le non-conformisme, ce sont toujours des personnages d'origine celtique, surtout écossaise, que l'on voit en tête. Tout se passe comme si, à l'intérieur du non-conformisme, lui-même en lutte pour l'intégration, jouaient des rivalités d'ordre ethnique dont une surenchère dans la participation au rayonnement culturel anglais serait la manifestation au niveau des élites. Les classes supérieures indigènes en contact ou au service du pouvoir central anglais ont cru qu'elles devaient non seulement adopter une "idéologie" différente (le non-conformisme), mais encore assimiler la civilisation de leurs maîtres. Cette trahison des élites celtiques peut s'expliquer par deux types de causes : la revalorisation ethnique et la promotion sociale.

---

10 HECHTER (M.) : *Internal Colonialism*.

134 LES PREMIERS MISSIONNAIRES PROTESTANTS DE MADAGASCAR

6 - Comtés où le non-conformisme est majoritaire en 1850.
D'après M. Hechter : *Internal Colonialism*, p. 322. On constate que le non-conformisme affecte d'abord la périphérie celtique, moins développée, où se recrutent les bataillons de missionnaires et de coloniaux.

La recherche de l'intégration

La recherche d'avantages économiques, dans la province même, par une alliance avec les groupes dominant le centre anglais s'est opérée généralement par des investissements industriels dans la périphérie concernée. Mais cette alliance donnait aussi accès aux avantages économiques de l'ensemble de l'Empire britannique et surtout aux profits coloniaux. Ces profits ne doivent pas être envisagés d'abord sous l'aspect financier ou mercantile mais social. La participation active à la construction de l'empire, au XVIIIe et XIXe siècle, a offert aux élites de la périphérie l'occasion de carrières parfois brillantes dans le service colonial, civil ou militaire et tout aussi bien missionnaire. Cela présupposait l'adhésion à la civilisation anglaise, "au degré d'évolution technique, aux règles de savoir-vivre, au développement de la connaissance scientifique, aux idées et usages religieux".[11]

Une autre cause était la volonté d'évacuer une partie des préjugés d'infériorité qui pesaient sur les Celtes. Les élites de la périphérie voulaient donner la preuve de la capacité sinon de la valeur de leur groupe d'origine en participant activement à son éducation. Situation éminemment contradictoire qui écartelait ces élites entre deux groupes et deux cultures. C'est ainsi que les organisateurs indigènes des *Charity* et des *Sunday Schools* en Ecosse, en Galles et en Cornouailles intériorisaient implicitement les préjugés défavorables du centre anglais à l'égard du sous-développement culturel de la périphérie. Leur volonté d'éduquer et de réformer allait de pair avec la reconnaissance de l'état de non éducation voire d'immoralité de leurs compatriotes. Mais en même temps, leur volonté d'éduquer dans les écoles de la périphérie n'allait pas jusqu'à assimiler totalement les masses de la périphérie aux masses anglaises, car cela aurait entraîné la perte de leur statut d'élite. "La valeur de la culture anglaise, particulièrement de la pratique de la langue anglaise, écrit Hechter, était en fonction directe de son exclusivité. Elle permettait mieux que toute forme de pression la meilleure conservation du *statu quo* social". Les élites indigènes ont donc été en partie responsables de la naissance des divers "nationalismes" celtiques de la périphérie anglaise, de la promotion d'une culture indigène dont, eux seuls, assuraient les relations avec la culture nationale, grâce à leur bilinguisme.

Cette situation ne manquait pas d'inconfort et, bien souvent, les élites de la périphérie ont préféré transposer leur contradiction sur des terrains lointains. "Dans la mesure où l'expansion impériale tend à redéfinir le statut des individus dans la périphérie de la métropole en les faisant membres d'une plus grande nation, cela aboutit nécessairement pour eux à un gain relatif de prestige", écrit encore Hechter qui précise : "L'Impérialisme outre-mer encourage le groupe périphérique (dans ses élites acculturées) à prendre part à la tâche de civilisation des peuples du monde dominé par la métropole impériale".

---

11 ELIAS (N.) : *La civilisation...*, p. 11.

Ainsi, que ce soit pour maintenir ou accroître des avantages économiques, pour maintenir un *statu quo* social indigène, ou pour revaloriser un statut individuel défavorable dans le cadre britannique, la périphérie non anglaise des Iles Britanniques avait une tendance naturelle à emboîter le pas du centre dans les entreprises coloniales et à adopter l'idéologie qui sous-tendait ses différents mobiles : la diffusion des lumières de l'éducation et de la morale, avec la Bible comme manuel de base, vers les peuples dominés par le centre anglais, en Grande-Bretagne même et plus souvent outre-mer. Dès lors on comprend l'importance du personnel non anglais dans les entreprises missionnaires et sa place dans le mouvement : jamais ou presque à des postes de direction à Londres et presque toujours sur le terrain. On comprend également la similitude des techniques missionnaires qui furent employées au Pays de Galles, à l'île Maurice et à Madagascar.

Il convient néanmoins d'observer cas par cas la participation des provinces celtiques de la Grande-Bretagne puisque leur situation, et par conséquent leur participation, n'étaient pas identiques, à l'exception cependant de l'indifférence ou de l'approbation tacite qu'elles montrèrent toutes à l'égard du vieil Empire (celui d'avant 1815). Hechter souligne, qu'avant 1851, il n'y a aucune mention d'une quelconque protestation galloise ou écossaise contre le "vieil impérialisme". Quant à l'Irlande, colonie plus que périphérie, elle ne cessa de protester et de se révolter, parce qu'elle en était victime et non bénéficiaire.

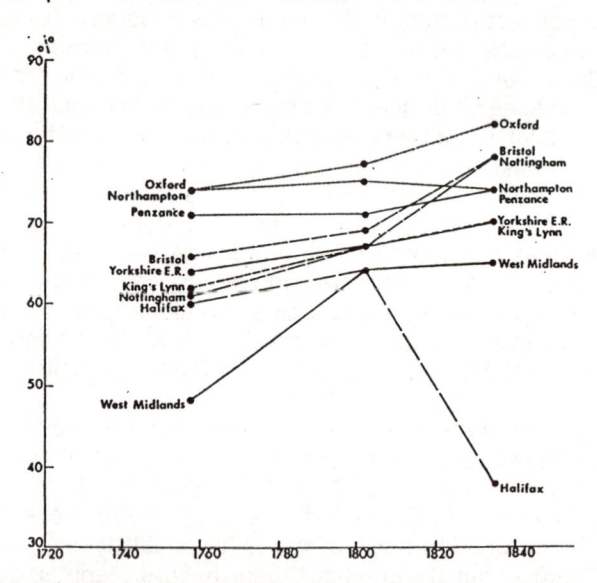

8 - L'Angleterre éduquée à la nuance régionale.
D'après L. Stone : "Literacy", p. 105. L. Stone a construit son graphique à partir des signatures portées au bas des actes de mariage des registres paroissiaux, pour les hommes seulement. Au delà de 1800, conséquence de la révolution industrielle et du travail des enfants, une partie de l'Angleterre stagne ou régresse, là où fleuriront les *Sunday Schools*.

L'Irlande

Malgré sa situation coloniale, l'île voisine offre la particularité de ressembler énormément à l'Angleterre du centre dans sa participation aux entreprises outre-mer. Dès la création de la colonie (*plantation*) de Londonderry en 1608, Bacon écrivait qu'il fallait, dans l'intérêt de l'ordre social, imposer une véritable ségrégation entre le colon anglais et l'indigène, élément subversif avec "ses coutumes de revanche et de sang et "sa vie de crime et de rapine"[12] qui prouve que l'apartheid sud-africain n'avait rien d'une innovation propre à la "race nègre". Par la suite, l'Angleterre exerça une pression de plus en plus brutale pour déraciner la langue gaélique et la religion catholique. Entre 1727 et 1829, les indigènes irlandais furent réduits légalement au rang d'ilotes et servirent à l'élaboration du racisme anglo-saxon.

Cette légalisation de l'infériorité irlandaise se doubla en effet d'un mépris culturel et bientôt racial de la part des petits colons protestants. Cette attitude de "petit blanc" ne pouvait satisfaire ceux d'entre eux qui avaient reçu une instruction académique ou subi l'influence de l'évangélisme mais ils ne pouvaient que quitter le pays. Les débouchés naturels des classes moyennes éduquées en Angleterre étaient l'administration, l'enseignement ou le ministère pastoral. En Irlande, au XVIIIe siècle, la production d'intellectuels chez les indigènes était quasi nulle, mais celle des Anglo-Irlandais devenait trop importante pour les possibilités de la colonie. Il était réputé impossible d'entreprendre une quelconque action d'éducation ou d'évangélisation chez les indigènes "barbares et catholiques fanatiques", quant aux besoins de la minorité allogène, ils étaient largement satisfaits. Pour un homme instruit, quelle que fut son origine, les carrières du clergé et de l'éducation étaient donc fermées en Irlande. D'autre part, la volonté du gouvernement anglais d'y imposer un ordre social stable et de faciliter les investissements et la mise en exploitation du sol conquis lui faisait préférer une administration et une armée composées de gens venus directement d'Angleterre et dociles aux ordres de Londres à un recrutement local qui aurait fait passer la colonie sous le contrôle des grands propriétaires anglais, particulièrement intransigeants. La carrière des armes et du service civil était donc aussi fermée sur place aux jeunes Anglo-Irlandais éduqués. A Madagascar, James Hastie, agent britannique auprès de Radama, nous

---

12 L'étude de l'asservissement des Irlandais et de la colonisation de l'Irlande est le meilleur moyen de libérer l'histoire du monde atlantique du couple infernal nègre/blanc. Que ce soient les théories raciales, la déportation servile ou la ségrégation (*apartheid*) tout y a été expérimenté entre Blancs. Curieusement les études déjà anciennes sur ces thèmes n'ont jamais été traduites en français, cf. MOHLER (Armin) : *Der Nasen Ring*, Langen Müller, Munich, 1991, dont un extrait est donné en français par *Eléments*, déc. 1996, n° 87, p.13-21. Dans la documentation de ces travaux on trouve des images de la propagande raciste des années 1800 qui montrent la proximité du faciès du Celte de celui du Nègre, lui même proche du singe et qui confirment la pertinence du parallèle entre un Hastie, un Cameron et un Brady.

offre un bon exemple de ces difficultés. Deschamps (*Histoire*, p. 152) en fait un Ecossais et sa biographie est curieusement interprétée par Sonia Howe. "Né en 1786, à Cork, de parents protestants il avait fait des études complètes mais rêvait d'aventure (...) Il s'enrôla donc dans l'armée au grand désespoir des siens qui estimaient qu'il abandonnait ainsi tout espoir de faire carrière honorable, servit aux Indes et vint enfin tenir garnison à l'île Maurice avec son régiment."[13] L'histoire d'Hastie telle que la présente S. Howe fait une large part à l'interprétation personnelle et ne tient aucun compte du contexte irlandais de la fin du XVIIIe siècle. Le conseiller de Radama n'aurait pu prétendre à grand-chose dans son pays natal car, issu d'une famille de meuniers quakers, il n'était en tant que dissident qu'un Anglo-Irlandais de second rang à la différence de son compatriote Charles Telfair, secrétaire colonial à l'île Maurice. Peu attiré par la religion, comme le remarqueront ses compagnons missionnaires à Tananarive, il semble avoir caressé le rêve de devenir médecin et fait quelques études en ce domaine dans une académie à Belfast. Cette éducation que son biographe juge "complète" ne devait pas lui permettre de jamais dépasser le grade de sergent dans l'armée des Indes. Il y acquis l'expérience des techniques de combat non européennes durant la guerre des Marathe avant d'être affecté à Maurice en 1815. En revanche, le climat de l'évangélisme que les dissidents écossais avaient introduit dans les académies d'Irlande avait marqué sa jeunesse et lui avait donné le goût de l'apostolat des valeurs culturelles et religieuses anglaises.[14] C'est du moins ce que disait de lui Griffiths en 1821 : *Though he belongs to no sect of religionists, he takes great interest in the Malagash Mission.*.[15] Beaucoup plus que sa bravoure à éteindre un incendie en septembre 1816, ce sont ses dispositions évangéliques qui lui valurent d'être remarqué par Farquhar et nommé tuteur des deux jeunes princes malgaches en 1817.

Le cas de Hastie n'est pas isolé puisque un autre Anglo-Irlandais, Charles Telfair, fut à l'île Maurice un cadre de l'administration coloniale en même temps qu'un ardent soutien de la mission à Madagascar. Comme Hastie il naquit en Irlande, mais à Belfast, en 1778, fils d'un maître d'école anglican, ce qui lui donnait un net avantage sur son compatriote issu d'un milieu moins éduqué et non-conformiste. Il acheva des études de chimie à Edimbourg sous la direction du célèbre Joseph Black mais ne trouva pas d'autre débouché que la carrière militaire qui le conduisit en 1808 au Cap, puis, en 1810, à Bourbon et enfin à Maurice où il mourut en "grand blanc" en 1833. A partir de ces deux cas on voit bien que c'est l'absence de toute perspective de promotion sociale qui est à l'origine de

---

13 HOWE (S.) : "Le rôle de Sir R. Farquhar", repris dans *Europe et Madagascar*, 1936, II° Partie.
14 Biographie de Hastie par J. BARNWELL dans *Dictionnaire de Biographie mauricienne* ; conçue essentiellement à partir du livre de W. ELLIS : *History*, vol. 2. Dernière et meilleure mise au point par BROWN (M.) : *Madagascar rediscovered*, p. 140-151, avec un portrait.
15 Griffiths to the L.M.S., Port-Louis, Feb. 19,1821, B/1/F/1/ /D/.

l'émigration de ces Anglo-Irlandais dans les cadres civils et militaires de l'Empire ; mais l'important pour nous est que cette émigration avait pour but de réévaluer le statut social du migrant, de lui accorder un prestige qu'il n'aurait pu obtenir en restant chez lui, grâce à sa participation active à l'œuvre civilisatrice et en tout cas philanthropique des groupes de pression évangéliques du centre anglais. Les Anglo-Irlandais étaient soutenus dans ces aventures lointaines par un vieux fond de ressentiment, pour ne pas dire de haine, contre les catholiques que l'on retrouve fort bien dans les Journaux de Hastie.[16] Il leur fallait prendre de vitesse les missionnaires catholiques qui eussent été capables de transformer les païens, peuples innocents et ouverts, en barbares superstitieux et fanatiques, véritables Irlandais à peau sombre. D'autre part, une partie de l'Irlande s'était soulevée après 1795 avec l'appui maladroit mais réel de la France révolutionnaire ; les colons anglais avaient ressenti une terreur à la mesure de la férocité sanglante qu'ils montrèrent dans la répression de 1798. Les catholiques étaient d'autant plus dangereux qu'ils avaient derrière eux la France. L'épisode irlandais fut sans doute pour beaucoup dans la politique d'émigration mise en place par le gouvernement de Londres vers les colonies de peuplement et en direction du Pacifique notamment. La couronne offrit les colonies à de nombreuses catégories sociales, petits propriétaires terriens en difficulté, petits bourgeois et même ouvriers éduqués à la seule condition qu'elles fussent protestantes. "Sous la pression d'une crise agricole de 20 ans après 1815 l'émigration commença ensuite à gagner la nombreuse petite *gentry*, la *yeomanry* respectable, (ce qu'on pourrait appeler les notables ruraux), les officiers en demi-soldes incapables de maintenir leur train de vie habituel dans le contexte des Iles Britanniques."[17] Geoffrey Bolton, l'auteur de ces lignes, ajoute que de nombreux *Tories*, écoutant la voix du célèbre Wakefield, trouvaient excellent ce moyen de reproduire outre-mer la hiérarchie des classes sociales qui prévalait en Angleterre.

La mission d'évangélisation et d'éducation entrait parfaitement dans ce programme à une époque où, victorieux contre Napoléon, les Britanniques croyaient à la supériorité de leurs institutions et de leur culture sur toutes les autres et poussaient à une progressive anglicisation de tous les peuples ; ainsi purent-ils envoyer en Inde "des générations de fonctionnaires marqués par l'empreinte de l'assurance évangélique et du zèle pour les buts sinon toujours pour les croyances de la vieille religion'."[18]

Le parallèle entre Hastie et Brady est remarquable et n'a jamais été fait. La seule chose que l'on trouve systématiquement au sujet de ce sergent instructeur, père de l'armée malgache, c'est qu'il était "un mulâtre jamaïcain", alors que l'on ne trouve jamais mention de la race, de la

---

16 Journal de J. HASTIE édité par CHAPUS et AUJAS : *B.A.M.*, t. IV, 1918-1919, p. 143-196.
17 BOLTON (G.) : *Britain's Legacy*.
18 STOKES (E) : *The English Unitarians*, Introduction, p. XIII.

couleur, ni même de l'ethnie des autres intervenants britanniques en Imerina et que cela n'avait aucune importance pour les Malgaches. Son cas prouve qu'on peut facilement étendre ce qui a été dit de l'impérialisme serviteur de la périphérie celtique à l'ultra-périphérie atlantique, le mulâtre, pour l'Anglais, n'était qu'une "race" un peu plus inférieure que le Celte. Par les règles particulières des sociétés coloniales européennes qui définissent le statut social en fonction de la couleur de peau, Brady, libre et instruit, on ne sait pourquoi Deschamp (*Histoire*, p. 153) affirme qu'il était "illettré mais bon instructeur", se trouvait en situation de classe défavorisée et d'appartenance à une ethnie périphérique. En s'intégrant à l'impérialisme serviteur il s'est, comme Hastie, assuré une promotion qu'il n'aurait pu espérer à la Jamaïque. Il a eu la sagesse de comprendre que son métissage était un avantage supplémentaire à Madagascar, alors qu'il constituait un handicap rédhibitoire, en Grande-Bretagne et même dans son empire colonial, pour parvenir au sommet de la hiérarchie militaire et sociale. Premier en Gaules plutôt que dernier à Rome...

L'Ecosse

Au début du XIXe siècle, la situation de cette province était particulière en ce que l'anglicisation y était beaucoup plus largement poussée qu'ailleurs, grâce au soutien que les gens des Lowlands apportaient à la politique de Londres. Inversement, trop préoccupés par l'évangélisation de leurs "sauvages" des Highlands et de l'Irlande voisine, les Ecossais ne se sentirent pas autant poussés que d'autres à partir outre-mer et se contentèrent, jusqu'en 1824, d'un soutien sporadique et moral à la L.M.S. "Au moment de l'Union avec l'Angleterre, les habitants des Lowlands avaient bien des choses en commun avec leurs voisins anglais du Sud. Ils partageaient la même langue ; ils étaient protestants quoique, en majorité, non épiscopaliens, ils ne vivaient pas en clans, possédaient une agriculture développée, étaient largement alphabétisées, etc."[19] Ces *Lowlanders* possédaient eux-mêmes un arrière-pays avec des tribus turbulentes et non anglicisées qui auraient pu donner naissance à une situation de type irlandais mais qui, dans la réalité, rapprocha l'Ecosse "utile" de sa voisine anglaise. Les Highlands inquiétaient la Basse Ecosse comme l'Irlande obsédait l'Angleterre et des révoltes, en 1715 et 1745, stimulèrent la coopération entre les *Lowlanders* écossais et l'administration de Londres. L'élite écossaise craignait pour sa vie et ses biens, Londres redoutait un foyer de jacobitisme qui aurait été facilement soutenu de l'extérieur. Cette coopération fut militaire et administrative, offrant donc de larges perspectives de carrière sur place aux indigènes. Elle fut aussi culturelle.

Le Bas-Pays écossais et Londres s'employèrent à modifier le caractère du Haut-Pays, à transformer les hommes des clans en

---

[19] PHILIPSON (N. T.) and MITCHISON (R.) éd. : *Scotland*, p. 28.

LA REVANCHE DES DISSIDENTS : L'ÉDUCATION

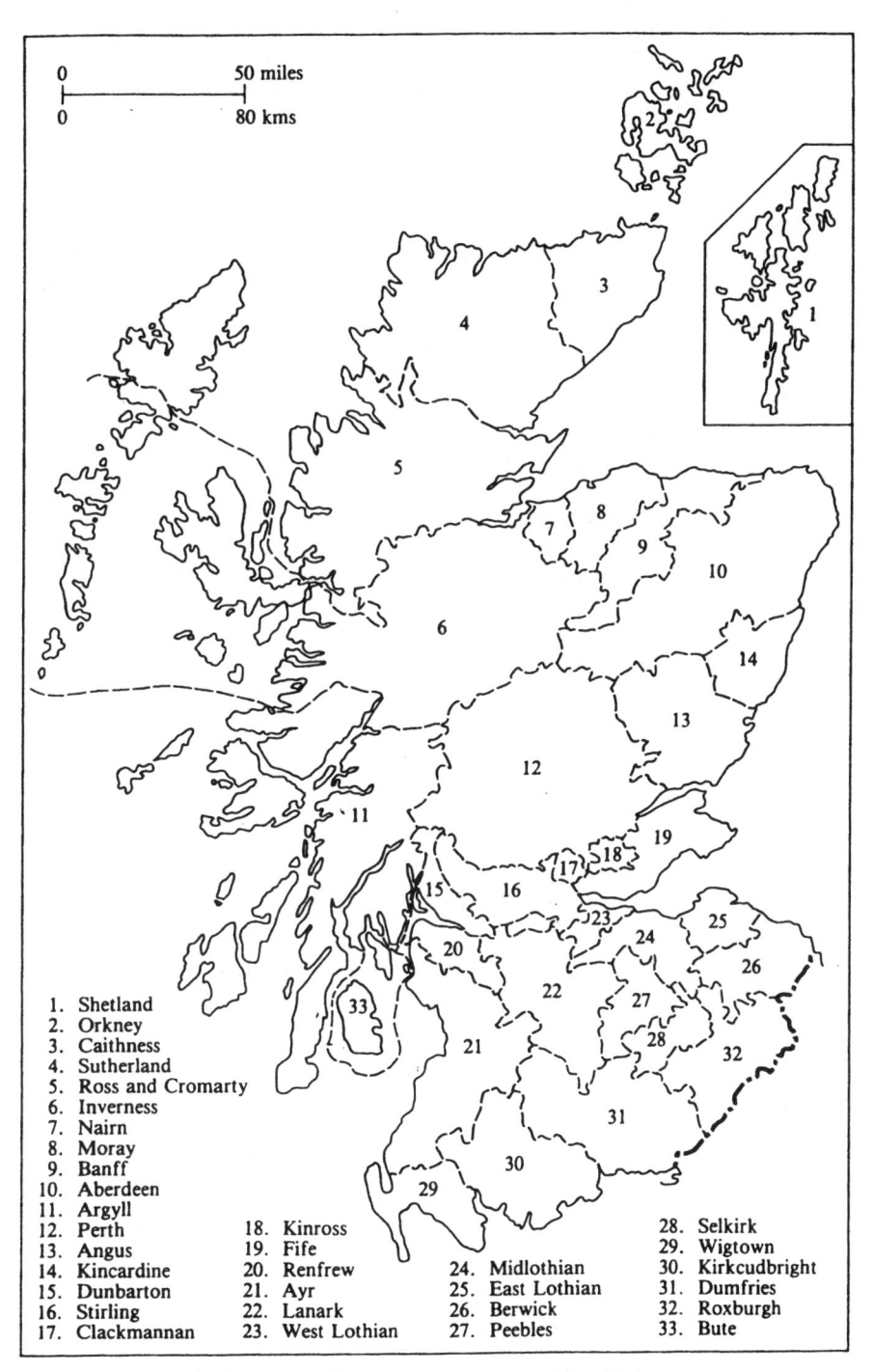

1. Shetland
2. Orkney
3. Caithness
4. Sutherland
5. Ross and Cromarty
6. Inverness
7. Nairn
8. Moray
9. Banff
10. Aberdeen
11. Argyll
12. Perth
13. Angus
14. Kincardine
15. Dunbarton
16. Stirling
17. Clackmannan
18. Kinross
19. Fife
20. Renfrew
21. Ayr
22. Lanark
23. West Lothian
24. Midlothian
25. East Lothian
26. Berwick
27. Peebles
28. Selkirk
29. Wigtown
30. Kirkcudbright
31. Dumfries
32. Roxburgh
33. Bute

8 - Les comtés de l'Ecosse au XVIIIe siècle.
D'après G. Holmes et D. Szechi : *The Age of Oligarchy*, p. 405.

travailleurs sobres et pieux. Dès 1698, une alliance s'était faite entre presbytériens d'Ecosse et d'Angleterre et épiscopaliens,[20] pour collecter des fonds destinés à créer des bibliothèques, des écoles et des missions presbytériennes dans les Highlands, selon une méthode qui serait reprise et élargie par les non-conformistes anglais comme on l'a vu. "Mais ce n'est qu'après les années 1745, lorsque le tribalisme eut été effectivement abattu par l'invasion militaire et politique venue du Sud que le missionnaire presbytérien eut sa chance et que la véritable évangélisation des Highlands prit place".[21] C'est sans doute le peu de succès qu'ils avaient chez eux qui poussa les apôtres écossais vers l'Amérique, jusqu'en 1740, et les retint ensuite de tout enthousiasme missionnaire jusqu'en 1824, moment où l'Assemblée générale de l'Eglise d'Ecosse (*Kirk*) décida de fonder une importante société pour l'évangélisation outre-mer.[22]

Longtemps, l'Angleterre colonisatrice a pensé que la meilleure façon de soumettre les "sauvages" et de prendre leurs terres était de les christianiser et de les angliciser. L'expérience pour cette vocation missionnaire du monde anglo-saxon se fit d'abord en Irlande puis en Ecosse, avant les applications systématiques de l'Amérique, de l'Inde et de l'Afrique. C'est entre Ecosse et Amérique du Nord que s'est élaborée la mystique missionnaire admirablement façonnée par l'écossais David Brainerd (1718-1747), envoyé de cette *Scottish Society* que soutenait en même temps les anglicans et les presbytériens, dans le but de réaliser la "pacification culturelle" du Nouveau Monde. On peut lire dans les statuts de cette société, fondée d'abord pour l'Irlande, que "rien ne peut être plus efficace pour réduire ces contrées à l'ordre et les rendre utiles au Commonwealth que de leur enseigner leur devoir envers Dieu, leur Roi et leur Pays et que d'arracher leur langage irlandais", la formule était tout aussi bien valable pour les deux Indes.

Cette situation particulière de l'Ecosse et ses liens étroits, par le biais de l'émigration, avec l'Angleterre des grandes villes, avec l'Ulster et avec l'Amérique du Nord expliquent, qu'en 1795, au moment de la fondation de la *Missionary Society* à Londres, il y ait eu déjà deux sociétés missionnaires écossaises à Glasgow et à Edimbourg, prêtes à répondre à l'appel de David Bogue, lui même écossais, et que des dizaines de sociétés auxiliaires s'y soient organisées pour soutenir la jeune *Missionary Society*.[23] C'est la société missionnaire d'Edimbourg qui eut

---

20 Concrétisée par la formation de la *Society for Promoting Christian Knowledge*, puis la *Scottish Society for the Propagation of Christian Knowledge*.(1709).
21 TREVELYAN (G. M.) : *Illustrated English Social History*, p. 258-259.
22 *The Committee for Foreign Missions of the General Assembly of the Church of Scotland*. Voir à ce propos CHAMBERS (D.) : "The Church of Scotland's Nineteenth Century Foreign Missions Scheme : Evangelical or Moderate revival", *Journal of Religious History*, (Sydney), 9, 1976, p. 115-138.
23 En vérité l'enthousiasme ne dura pas, les sociétés auxiliaires se contentant d'envoyer leur collecte à la L.M.S. Les candidatures furent rares et les Ecossais membres de la L.M.S. étaient tous des ministres résidant à Londres ou aux environs.

la première l'idée de lancer une revue missionnaire en langue anglaise : The Missionary Magazine dont l'Evangelical Magazine ne fut au fond que le successeur.[24] En 1812, un missionnaire écossais était disposé à partir pour Madagascar et fut affecté par les Directeurs en Afrique du Sud où il prit la relève de Vanderkemp dans la préparation de la mission dans la grande île.

Le cas de J. Campbell, missionnaire d'Afrique du Sud, n'est qu'un exemple de cette surprenante participation écossaise à l'œuvre d'évangélisation. Pour la comprendre, il faut la replacer dans un cadre plus large, à la fois britannique et colonial. Il n'y avait qu'en Ecosse que les Anglais trouvaient des alliés locaux dans leur entreprise de pacification culturelle et ils surent s'en montrer reconnaissants. L'Ecosse fut privilégiée dans les investissements industriels et commerciaux et reçut l'autonomie complète de son propre système législatif et ecclésiastique. En même temps, les élites écossaises furent autorisées à accéder aux plus hauts degrés de l'échelle sociale anglaise, non sans réticences jusqu'en 1834.[25]

Sur ce plan l'histoire de la famille de Farquhar, le premier gouverneur de l'île Maurice, est exemplaire. Le grand-père, John, était pasteur presbytérien de la Kirk au moment de l'Union, c'est-à-dire membre de cette élite des Lowlands qui appuyait le rattachement. Son fils Walter, né en 1738, acheva ses études à Edimbourg et devint médecin du Prince de Galles, futur George IV, qui le fit baronnet en 1806. Dès lors, les Farquhar étaient intégrés à l'aristocratie anglaise et le second fils de Walter, Robert, put faire une carrière coloniale puis politique brillante. Il entra dans l'East India Company à l'âge de 20 ans et gravit tous les échelons de la hiérarchie. Après avoir été gouverneur des Moluques, il servit en Inde avant d'être nommé administrateur des Mascareignes (1814) puis gouverneur de l'île Maurice (1815). A son retour en Grande-Bretagne il entra au Parlement où il siégea jusqu'à sa mort survenue en 1830.[26] Il est certain que Sir Robert Farquhar ne parlait ni ne comprenait un mot d'écossais. Son père, déjà, avait été envoyé hors d'Ecosse pour être éduqué et passer pour un véritable Anglais. Seule une éducation anglaise rendait possible une carrière au niveau national, ce qui ne manquait pas d'intérêt vu les possibilités d'emploi limitées de l'Ecosse. Mais avec l'accroissement numérique du personnel administratif de la fin du siècle, conséquence de l'occupation des colonies ennemies et de l'expansion aux Indes, l'éducation anglaise devint un avantage définitif

---

24 En 1777, après l'échec catastrophique d'une mission mixte (Edimbourg et Londres) au Foulah dans la colonie de Sierra Leone, la société d'Edimbourg entra en sommeil ainsi que le Missionary Magazine. Cf. Report of the Directors for 1797.

25 "Neither the Scottish M. P. nor the Scottish Peers were thought entirely respectable in the eighteenth century", dans Richard PARES : "A quarter of a millenium of Anglo-Scottish Union", in History, n. s. 39, 2, 1954, p. 234.

26 Dictionnaire de Biographie Mauricienne, à compléter par BROWN (M.) : Madagascar rediscovered, p. 132-33, avec un portrait.

qui permit aux seuls Ecossais de passer les différents examens, à égalité avec les Anglais.[27]

On constate la même anglicisation totale chez David Bogue, lui aussi produit de l'élite presbytérienne, ainsi que chez tous ses amis émigrés écossais qui tenaient le haut du pavé financier et culturel de Londres, au début du XIXe siècle. Edouard Irving, Alexandre Scott, les frères Haldane, Hugue Mc Neill, tous ces hommes étaient d'origine écossaise et tous enthousiastes soutiens des différentes sociétés philanthropiques et missionnaires, parce qu'elles constituaient la meilleure voie d'accès à cette respectabilité qui leur était encore contestée. Ce n'est d'ailleurs pas un hasard si Bogue, ancien ministre de la *Kirk*, devint congrégationaliste une fois installé en Angleterre et si tous ses amis écossais fréquentaient surtout les milieux dissidents ou anglicans évangéliques, notamment Charles Simeon.

On peut donc conclure en disant que l'Irlande et l'Ecosse nous offrent l'apparence d'une participation aux missions semblable à celle de l'Angleterre mais que les assises sociales et culturelles y étaient différentes. Il s'agissait pour certaines couches, sociales en Irlande, ethniques en Ecosse, d'acquérir un statut de pleine égalité culturelle, de trouver emplois et promotions, en Angleterre ou dans l'empire, et surtout d'effacer les préjugés défavorables attachés à leurs origines sociales, religieuses ou ethniques, par la participation à une œuvre de prestige : la civilisation par le christianisme et la culture anglaise des peuples sous influence ou sous domination britanniques.

Révolution Française, qui devait décider les ministres écossais à entreprendre sérieusement la mission pour hâter la venue du règne millénaire du Christ. On sait que son appel ne fut pas, à l'époque, bien accueilli par l'Eglise d'Ecosse. Pour des raisons politiques on jugea Bogue révolutionnaire mais sa démarche correspondait bien, sur le plan religieux, à une dynamique de l'ensemble du Bas-Pays écossais qui ne trouvait à s'épanouir qu'en dehors de l'Ecosse. Cette hostilité de la hiérarchie de la *Kirk* explique que l'importante participation écossaise à la fondation de la L.M.S. fut le fait de ministres et de paroisses de Londres. John Love, autre directeur, était natif de Paisley et pasteur de l'église écossaise d'Artillery-Street (Bishopsgate), Alexander Waugh, né à East Gordon (Berwickshire) était ministre de celle de Wells-Street, et Steven de la congrégation de Crown-Court. Bogue entretenait aussi de nombreuses relations avec de hauts fonctionnaires écossais dont les frères Haldane.

Deux autres exemples illustrent cette participation de l'Ecosse à l'impérialisme anglais, l'un civil, l'autre religieux. Andrew Burn, promoteur de la mission de Madagascar dès 1795, finit sa carrière comme Major général de la marine britannique et ardent soutien de diverses sociétés évangéliques. Il était né le 8 septembre 1742 à Dundee, dans le Bas-Pays d'Ecosse ouvert sur la pêche, le commerce maritime et l'industrie textile. "La plupart de mes ancêtres ayant été membres de l'Eglise

---

[27] Voir tout ceci dans H. J. HANHAM : *Scottish Nationalism*.

d'Ecosse et ayant été moi-même éduqué par mon pieux grand-père, un ministre de cette église à Anstruther-ouest, je pensai qu'il n'était pas de mon devoir de la quitter, et par conséquent me joignis à une congrégation Presbytérienne à Rochester'".[28] Burn resta attaché à la confession de ses ancêtres à travers tous les territoires britanniques où le conduisit sa carrière de marin. C'est cette religiosité qui l'amena naturellement à songer à la mission comme à un couronnement de sa vie au service de l'Angleterre ; en cela sa démarche spirituelle est fort proche de celle de ses compatriotes Telfair et Farquhar. Une autre ressemblance frappe immédiatement c'est sa participation en tant qu'Ecossais aux entreprises coloniales. "Je venais juste d'entrer dans ma dix-septième année, lorsque je m'embarquai, quoique mes chers parents ne fussent pas dans la ligne de ce que j'avais rêvé dans mes plans fous de gloire et de richesse : car mon père savait bien les grandes difficultés qu'il y avait à obtenir un brevet d'officier dans la carrière navale'".[29] Sachant cela, ses parents lui trouvèrent à Kingston de la Jamaïque, en 1759, une place de régisseur dans une "habitation",[30] peu de temps avant la révolte des esclaves à laquelle il assista. Cet événement le dégoûta de la carrière coloniale et il revint en Angleterre où il parvint, en 1761, à entrer dans la marine comme secrétaire. C'est alors que s'opéra définitivement son assimilation à l'anglicité. En 1779, il notait dans son journal à propos d'une l'île où il avait fait escale : (j'étais) "heureux de me rappeler que j'étais né Britannique et non Portugais, protestant et non pas catholique romain, homme libre et non pas esclave."[31] En conséquence, Burn ne revint jamais en Ecosse et c'est, Anglais, en Angleterre, qu'il prit toujours ses congés et finalement sa retraite.

David Bogue quant à lui, était né à Dowlau dans le Berwickshire, le 1er février 1750. Son père avait fait l'acquisition d'un domaine d'étendue modérée à Hallydown et lui-même s'était marié avec Margaret Swaston, l'arrière petite-fille du Colonel Crooks, l'un des officiers de Cromwell".[32] Il appartenait donc à la *gentry* écossaise mais, ses études universitaires achevées, il dut pourtant émigrer en Angleterre, où, grâce à l'appui de compatriotes, il trouva à s'employer comme professeur et ministre-assistant à Londres, dans la paroisse de Silver-Street et à l'église presbytérienne de Camberwell. En 1777, il accepta la charge de pasteur à Gosport où il finit ses jours. Bogue nourrit durant toute son existence un grand intérêt pour l'œuvre missionnaire outre-mer et eut de nombreux et intimes contact avec les officiers navals de Portsmouth. Il s'intéressa aussi à la mission chez les "sauvages" des Hautes Terres d'Ecosse. En 1792, c'est dans les Highlands et les îles d'Ecosse qu'il prêcha un

---

28 *Memoirs of the late Major General Burn*, p. 52.
29 *Memoirs*, p. 23, 260
30 Quoique inconnu aujourd'hui des Français de France, *habitation* est le véritable terme, depuis le XVIIe siècle, pour désigner le modèle français de l'exploitation agricole tropicale.
31 *Memoirs*, p. 177.
32 MORISON : *The Fathers*, vol. 1, p. 459.

146 LES PREMIERS MISSIONNAIRES PROTESTANTS DE MADAGASCAR

······· certain
— — — probable
- - - - conjecture

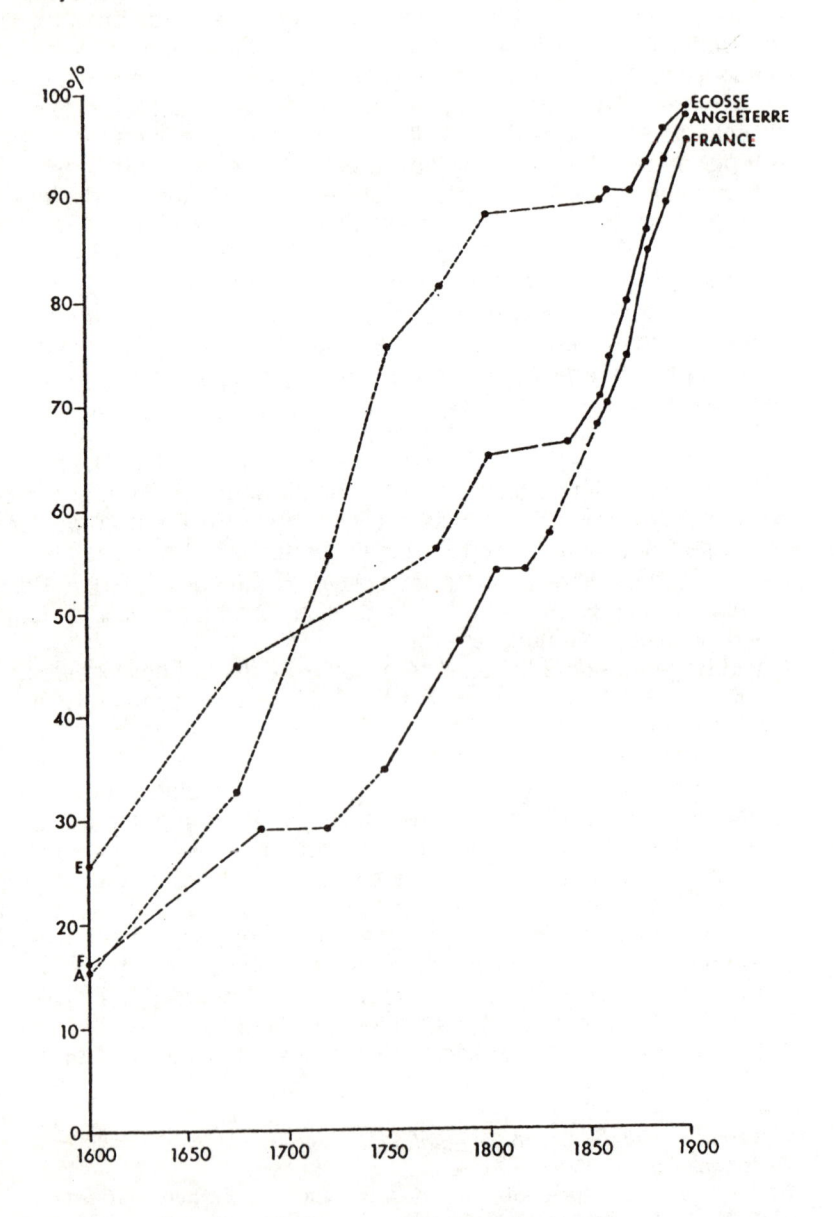

9 - L'Europe éduquée : l'avance de l'Ecosse.
D'après L. Stone : "Literacy...", p. 121. Graphique établi à partir des signatures des registres paroissiaux pour les hommes seulement.

sermon mémorable devant la Société pour la Promotion du Savoir Religieux (S.P.R.C.K) qu'il publia ensuite. Il y donnait une interprétation eschatologique des événements d'Europe, en particulier de la

L'Ecosse n'offrit qu'un seul missionnaire à Madagascar : James Cameron, et ce fut un artisan. Né le 6 Janvier 1800 à Little Dunkeld, dans le comté de Perth, d'un milieu très modeste, il appartenait à la génération qui fut touchée à partir de 1813 par le rayonnement des *Auxiliary Societies*. Né dans la classe laborieuse et recruté comme tisserand après un an de formation à Manchester, en 1825, il n'accepta pas son statut, ambitionnant de devenir un missionnaire à part entière. C'est seul qu'il poursuivit les études qui lui permirent de traduire en malgache le catéchisme de Russell (1829), ainsi que de nombreux ouvrages techniques. Il notait dans ses mémoires, avec une satisfaction non dissimulée, que David Johns, missionnaire gallois, n'avait appris l'anglais qu'à 22 ans et le malgache à 36 ans alors qu'il s'était fait lui même, quoique artisan, avec plus de vélocité.[33] Lui aussi se réclamait d'une anglicisation complète.

Les îles Anglo-Normandes

Pour compléter le tableau, il faut parler des îles Jersey et Guernesey, qui jouèrent un rôle non négligeable dans les entreprises missionnaires britanniques. En ce qui concerne Madagascar, Jean Le Brun aurait pu y être le premier missionnaire protestant. Quoique certaines études, dont celles de J. T. Hardyman, veuillent en faire un Suisse, Jean Le Brun était né le 7 septembre 1789 à Jersey de parents émigrés de Saint-Malo.[34] Depuis la révocation de l'Edit de Nantes les îles de la Manche avaient toujours servi de refuge aux protestants français. Sous la Révolution, elles reçurent des contingents d'émigrés protestants malmenés par le mouvement sectionnaire puis le fédéralisme. Un séminaire pastoral était installé à Jersey depuis le milieu du XVIIIe siècle, pour fournir des ministres aux protestants de France. Ce sont les conversions au protestantisme opérées parmi des émigrés bretons et normands cantonnés à Jersey qui incitèrent les milieux évangéliques londoniens à s'intéresser à ces îles qui pouvaient servir de base de départ à une mission en France. Deux personnalités jouèrent un rôle important dans la réévaluation de ces deux petites îles. Pierre de Pontavice (1700-1810), converti en Angleterre par le pasteur méthodiste William Bramwell (1759-1818) et Armand de Kerpezdron (1772-1834), son compagnon d'émigration, qui était protestant et devint méthodiste. Ce dernier fut employé à l'évangélisation des prisonniers français entassés sur les

---

33 CAMERON (J.) : *Recollection*, p. 11 ; sur Cameron, voir TOY (Rev. R.) : *The late Mr James Cameron*.
34 Notice biographique établie par P.-J. Barnwell in *Dictionnaire de Biographie Mauricienne*, Toussaint éd., Port-Louis, à partir du livre de Ev. Vanmerbeck : *Vie du Rév. Jean Le Brun*. L'erreur que l'on retrouve souvent sur les origines de Le Brun provient de l'ignorance de Sibree dans son *Register of Missionary*.

pontons de la Medway, sous la direction du méthodiste Coke, car les méthodistes tentaient alors de s'introduire en France. Ils n'étaient pas les seuls. Bogue, qui avait ouvert un séminaire de théologie à Gosport pour les étudiants non-conformistes, s'était vu refuser par la *East India Company* le droit d'aller évangéliser aux Indes en 1796. Il chercha à attirer à Gosport les Français convertis et se mit en rapport avec Jersey à travers deux de ses élèves, Laurent Cadoret (1770-1861) et Gilles Guillaume Portier. Ces deux hommes l'aidèrent à mettre au point l'édition française de la Bible et surtout la traduction de sa préface au Nouveau Testament qui fut largement diffusée par la *Religious Tract Society* auprès des prisonniers français, dans les prisons et sur les pontons, à partir de 1800. Mais c'est sans doute l'échec des plans de Bogue pour une mission en France, échec dû à la reprise des hostilités après la paix d'Amiens et aux difficultés de la propagande auprès des prisonniers, qui donnèrent toute leur importance aux îles anglo-normandes. Jersey devait être dans son esprit un véritable vivier de missionnaires britanniques vers la France, sitôt la paix revenue, et éventuellement vers des colonies françaises comme ce fut le cas pour Maurice et un certain temps pour les Antilles françaises. Le Brun lui-même quitta Jersey pour Londres en 1814, entraînant dans son sillage deux missionnaires, Messeray et Coutane, qu'il avait proposés à la Société de Londres pour le remplacer à Maurice, afin de lui permettre de gagner Madagascar. Ces deux hommes préférèrent se rendre en France à la fin des hostilités. [35]

Seule la mission pouvait offrir une chance de promotion sociale à l'élite de ces petites îles traditionnellement adonnées à l'émigration vers la France. La Restauration s'accompagna d'une recrudescence des missions catholiques françaises en France et outre-mer qui ne pouvait que renforcer le courant de départ des protestants vers l'Angleterre qu'avait provoqué la Révolution et l'Empire.

3 - Le Pays de Galles

Dans la principauté, les débuts de l'union avec le royaume d'Angleterre au XVIe siècle ont été particulièrement favorables à une anglicisation rapide de type écossais. Les origines galloises de Henri VIII jouèrent sans doute dans l'absence de toute politique d'expropriation et d'exploitation coloniale comme aussi la similitude de religion. La noblesse terrienne indigène profita de l'occasion pour s'enrichir considérablement des dépouilles des monastères dissous et pour renforcer son pouvoir en accaparant la représentation du Pays de Galles au Parlement ou encore en accédant à des emplois de direction dans le gouvernement et dans l'église de la principauté. La petite paysannerie libre et nombreuse était restée, jusqu'au XVIe siècle, indépendante aussi bien économiquement que socialement. Elle se considérait comme l'égale de la noblesse titrée grâce à la survivance de l'organisation tribale apparentée aux clans

---

[35] Le Brun à Burder, Port-Louis, Oct. 11 1815, Bogue, Sept. 29 1816 ; Journal, Oct. 1815 ; *Incom. Letters. Mauritius*, et *Journals Mad*.

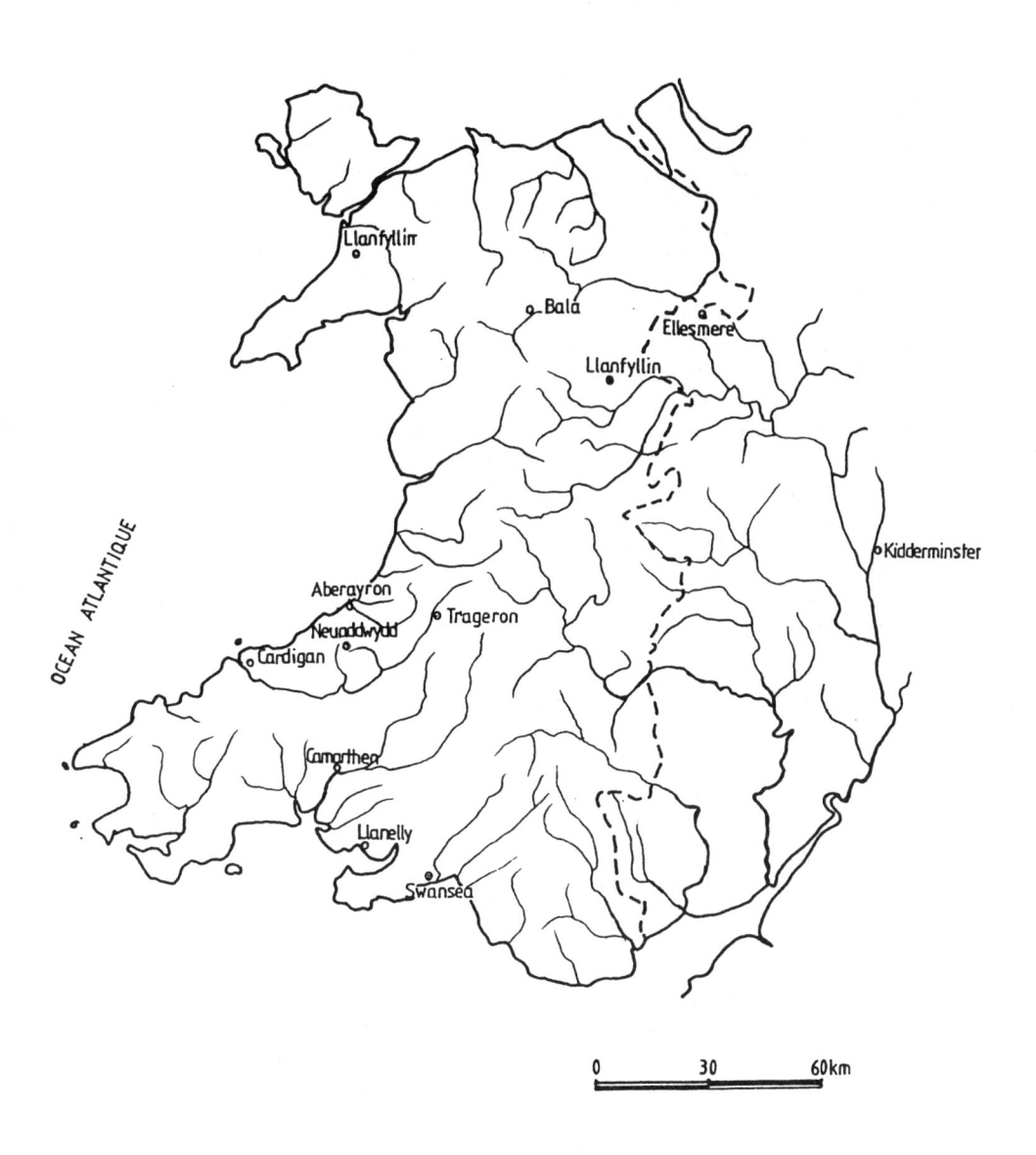

10 - Carte du Pays de Galles.

écossais et curieusement fort proche du système des "castes" malgaches, ce qui aurait du inciter un Maurice Bloch, s'il avait d'abord connu la culture de ses compatriotes britanniques, à des analyses moins catégoriques et des conclusions moins arbitraires. Le rattachement à un ancêtre commun aux tenanciers libres et aux nobles titrés justifiait pour tous les libres la prétention au *bonedd* (le sang noble). En outre, une sorte de démocratie nobiliaire, fort proche de celle du Pays Basque et similaire à celle des *foko* malgaches était assurée par la pratique du *gavelkinq*, redistribution viagère du patrimoine du clan, qui écartait toute forme d'appropriation ou d'accaparement personnel de la terre. La prédominance de l'élevage et d'une agriculture d'autosubsistance facilitait l'application de cette espèce de communisme agraire à l'intérieur de chaque clan. Mais rapidement les chefs claniques, privilégiés par leur proximité du pouvoir anglais, firent déclarer illégal le *gavelking*, ce qui amena une atomisation rapide de la propriété paysanne par le biais des héritages. Très nombreux, les paysans libres se retrouvèrent réduits à de minuscules exploitations, insuffisantes pour nourrir une famille, tandis que la *gentry* indigène adoptait la règle du droit d'aînesse pour maintenir et accroître ses propriétés foncières. Aux cadets écartés de l'héritage, on réservait les postes dans l'administration et l'église. Un gouffre se créa donc entre les classes dirigeantes galloises et les masses paysannes désormais contraintes à s'employer comme salariées sur les domaines de l'aristocratie, donnant naissance à une véritable féodalité de conquête, un second servage n'étant évité que par la nature de l'agriculture galloise essentiellement tournée vers l'élevage.

Les transformations sociales au Pays de Galles

Traditionnellement, le surplus démographique gallois trouvait à s'employer dans le mercenariat militaire. On sait l'importance des archers gallois, jusqu'au XVIe siècle, aussi bien lors de la guerre de Cent Ans que lors des guerres contre l'Ecosse ou l'Irlande. Les transformations des armées européennes ayant tarir ensuite cette source d'emploi, les Gallois et surtout les Galloises, devinrent des migrants saisonniers, pour les récoltes au Sud de l'Angleterre, notamment dans le Kent et le Surrey, et des migrants définitifs vers l'Irlande ou plus souvent le Nouveau Monde. Les villes étaient rares et de faible importance, entièrement occupées par des fonctions administratives ou ecclésiastiques, l'apparition d'une classe moyenne galloise devant encore attendre l'industrialisation du Sud, à la fin du XVIIIe siècle. La formation des villes s'est faite en Galles comme en Irlande par et pour les étrangers venus d'Angleterre. "Le mode de vie indigène, dans le Pays de Galles montagneux a retardé le développement d'un habitat groupé ; le Pays de Galles n'a pas d'héritage urbain (...). la distinction entre ville et campagne est largement une distinction entre Anglais et Gallois".[36] Ce clivage social s'accompagna d'une différenciation culturelle très marquée.

---

36 REES (Alwyn D.) : *Life in a Welsh Countryside.*

Les grands propriétaires fonciers dont les occupations et les aspirations sociales les rapprochaient de leurs pareils en Angleterre, s'anglicisèrent rapidement et complètement. Ils délaissèrent alors les bardes traditionnellement entretenus par les chefs de clans et auraient sans doute laissé périr la culture galloise, essentiellement orale, si une initiative de l'Eglise établie du Pays de Galles n'avait promu le gallois au rang de langue écrite. Comme sans aucun doute le malgache, la langue galloise doit sa survie et son existence comme langue de culture, à la traduction et à l'édition des Ecritures. La Bible et le *Prayer Book* gallois portèrent un coup fatal à la politique d'anglicisation. Les petits *squires* (hobereaux), ainsi que le clergé doté de bénéfices, se trouvaient placés entre les masses rurales de langue galloise. Le gallois leur donnait une très grande influence sur leurs compatriotes tandis que la langue anglaise leur garantissait l'accès à l'éducation dans les *grammar-schools*, les universités ou les *inns of court*. Ils adoptèrent donc le bilinguisme. Au cours du XVIIe et du début du XVIIIe siècle, ce phénomène atteignit les tenanciers restés indépendants et surtout le clergé non-conformiste, issu en totalité de cette catégorie sociale.[37]

Au cours du XVIIe siècle, une académie dissidente fut créée par Samuel Jones, ancien vicaire de Llangywid d'où il avait été expulsé, elle fut ensuite déplacée à Camarthen au début du siècle suivant. Cette académie, responsable de la formation de Charles Thomas ou du docteur Phillips auxquels nous aurons à nous intéresser, assura l'éducation supérieure de presque tous le clergé non-conformiste du Pays de Galles jusqu'en 1828, date de l'abrogation du *Test Act*. Les études consacrées au non-conformisme au Pays de Galles ont tendance à insister sur le nationalisme culturel des dissidents. Hechter déclare même que "la mise en valeur et la promotion de la culture galloise étaient en fait la *raison d'être* du non-conformisme en Galles à travers le service religieux et les publications". Au niveau des masses rurales, ce nationalisme provenait plus de leur mise en oubli que d'une véritable résistance, au moins jusqu'au "Réveil" du XIXe siècle qu'ont déclenché John Elias et Christmas Evans. Personne ne songeait avant le XVIIIe siècle à les éduquer ; la Bible, aussi bien en anglais qu'en gallois, n'était accessible qu'aux ministres du culte et aux rares maîtres d'école, de même que les différentes publications religieuses ou littéraires. Les méthodistes déployèrent de grands efforts vers les pays celtes et en particulier le Pays de Galles, mais les traditions du clergé indigène lui étaient hostiles et la langue faisait écran puisque les méthodistes étaient avant tout anglo-saxons et majoritairement anglais.[38] Ce fut un échec sauf à Trevecca où Whitefield, appuyé par la comtesse de Huntingdon, parvint à fonder une académie assez importante. Pourtant, à Trevecca comme à Camarthen, les professeurs, étaient en majorité gallois, quoique certains fussent venus de Bristol ou de Manchester. Ils enseignaient l'anglais et

---

37 Pour tout ceci voir WILLIAM (D.) : *A History of Modern Wales*, voir aussi H. E. LEWIS : *Non-Conformism in Wales*.
38 BERTRAND (C. J.) : *Le Méthodisme*, p. 76.

en anglais à des élèves en totalité gallois Les ministres qui sortaient de ces académies prêchaient et officiaient en gallois dans leur presbytère mais correspondaient entre eux et tenaient les registres paroissiaux en anglais. Bien mieux, il leur arrivait souvent, pour accroître leurs revenus, d'ouvrir de petits cours privés et payants dans lesquels ils enseignaient la langue anglaise aux fils de tenanciers aisés. Les missionnaires gallois de Madagascar sont de bons exemples de la production de Camarthen jusqu'en 1827.[39]

Durant le XVIIIe siècle et au début du XIXe siècle, les *Sunday Schools* galloises ne furent d'aucune façon reliées, comme en Angleterre, à l'industrialisation et à l'apparition d'une classe ouvrière déchristianisée. Au contraire, le non-conformisme gallois resta un phénomène rural dans toutes ses manifestations et, en cela même, conservateur d'une situation sociale acquise par le clergé dissident. Il n'est pas surprenant dès lors que, parmi les missionnaires de Madagascar, les Gallois aient été ceux qui ont traduit et imprimé la Bible, ceux qui ont valorisé l'étude livresque par rapport à toute autre forme d'instruction et qu'ils n'aient fourni aucun artisan missionnaire. Rowland, seul manuel parmi les Gallois présents à Madagascar jusqu'en 1836, était fils d'émigré dans le Shropshire et plus proche de l'Anglais Jeffreys qu'il avait connu à la *Sunday School* d'Ellesmere, que d'aucun des Gallois présents à ses côtés.[40] Son cas ne peut même pas valoir comme exception et je le rangerai parmi les non-conformistes anglais.

Le non-conformisme gallois.

Les élites intellectuelles galloises ainsi placées au coeur d'une société écartelée entre deux classes et deux cultures, avaient appris, dès le XVIIe siècle, à utiliser l'éducation et l'évangélisation de leurs compatriotes dans la langue indigène pour consolider leur situation économique et valoriser leur statut. Par leur anglicisation, elles avaient pu établir des contacts avec les élites non-conformistes et évangéliques de l'Ecosse et de l'Angleterre et pouvaient prétendre à un rôle prestigieux dans le cadre du nouvel empire qui se constituait outre-mer. Mais pour les Gallois, ce rôle ne pouvait être que religieux étant donnée leur formation. Rien n'en témoigne mieux que l'extraordinaire succès qu'eut chez eux l'édition (en anglais) du *Journal* de David Brainerd (1746) et du récit de sa vie par Jonathan Edwards (*An Account of the life of the late Rev. Mr David Brainerd*, 1749). Tous les candidats gallois à la Société Missionnaire de Londres en font état dans leurs lettres de candidature.[41]

---

[39] Jones écrivait en 1818 : "Before we ever saw England I had been teaching Mr Bevan English..." D. Jones to Waugh, Port-Louis, Nov. 10, 1818, *Incom. Letters Maur.* B/1/F/J/C
[40] Griffiths proposa aux Directeurs un candidat artisan en 1821, mais son initiative n'eut pas de suite. D. Griffiths to Burder, Port-Louis, Feb 1821, *Incom. Letters. Mad.*, B/1/F/2/J/A.
[41] Voir *Candidate Papers*, 1796/1899.

Les effets de cette situation ne se firent sentir qu'au début du XIXe siècle, car on discerne une véritable périodisation dans l'activité religieuse au Pays de Galles. Les différents "réveils" du XVIIIe et du XIXe siècles se produisent en effet à intervalle de 30 ans. Vers 1700, réveil anglican avec la *Society for Promotion of Christian Knowledge* animée par Sir Phillip, l'évêque de Bangor, Humphreys et John Evans. Vers 1730, réveil dit "méthodiste", encore qu'il n'ait eu rien à voir avec Wesley, conduit par Howell Harris et Daniel Rowlands. Ce mouvement fut repris par Whitefield et soutenu par Lady Selina Huntingdon et Griffiths Jones jusqu'à sa mort en 1770, mais il provoqua, à la fin du siècle, des rivalités et des luttes entre les calvinistes héritiers de Griffiths Jones et les wesleyens arminiens de Edward Jones qui tentèrent de s'implanter au Nord vers 1800. Le dernier réveil de la période est aussi celui qui nous concerne. Il débuta avec le siècle, à l'appel de John Elias, Christmas Evans et Williams of Wern. Il fut non-conformiste par son personnel mais récupéra une partie de l'héritage socinien de l'Académie de Camarthen, transférée à Breconshire, et les vieilles tendances démocratiques galloises, totalement indifférentes aux formes d'organisation religieuse, mais polarisées sur la Bible. Chacun de ces réveils est en fait un mouvement de conversion en masse, donc pour leurs initiateurs, une phase d'activité missionnaire et éducatrice qui va de plus en plus loin en importance et en qualité. C'est sur la qualité que je m'arrêterai.

Les premiers réveils avaient eu surtout le souci d'apporter des services et des sermons religieux en gallois à une population largement analphabète, tout en développant l'éducation primaire. Les derniers réveils, bénéficiant d'un encadrement presque surnuméraire et de l'œuvre d'alphabétisation de Griffiths Jones, eurent la volonté de développer une véritable culture religieuse. Alors que les premiers éveilleurs du XVIIIe siècle avaient été des orateurs populaires parfois hystériques (les *hot-gospellers*) et des compositeurs de cantiques comme William Williams, ceux du XIXe siècle étaient des intellectuels qui traduisaient en gallois quantité d'ouvrages non-conformistes et qui, dans leurs sermons, versaient dans la théologie, la philosophie ou même la poésie, comme Christmas Evans, plutôt que dans la ferveur apocalyptique "méthodiste". C'est dans cet esprit que Charles Thomas réclama des Bibles, car jusqu'alors on n'en distribuait qu'aux ministres du culte. Les *Sunday Schools* et les offices devenaient de véritable occasions de débats théologiques et parfois politiques et non plus des cours d'alphabétisation ou de catéchisme. En d'autres termes, à l'orée du XIXe siècle, l'évangélisation de la principauté était achevée pour les non-conformistes, les Gallois étaient devenus un peuple religieux quoique pauvre et "attardé" aux yeux du voisin anglais. Il n'y avait plus dès lors de place pour de nouveaux pasteurs ou évangélistes issus de la petite paysannerie.

Or deux phénomènes nouveaux vinrent renforcer le malaise des jeunes non-conformistes gallois. La principauté qu'Arthur Young décrivait encore comme "sous-développée" avec ses routes sauvages tout juste bonnes pour des mulets et que ses barrières géographiques avaient protégée de la pénétration économique anglaise, commençait à s'industrialiser au sud, attirant un nombre important d'immigrants anglais, contremaîtres, ouvriers spécialisés et techniciens. Les Anglais étaient aussi nombreux parmi les premiers entrepreneurs d'industrie et l'anglais était la langue du commerce et de l'industrie, à l'exception des mines de charbon dont l'essor est plus tardif. Ces industriels se retrouvaient dans un milieu totalement étranger et eurent tendance à se rapprocher des éléments anglophiles de la société galloise, c'est-à-dire de la noblesse foncière. Cela modifia complètement leur propre statut. Restés en Angleterre, la plupart des immigrants auraient été non-conformistes car issus des classes moyennes ou ouvrières, mais leur transfert au Pays de Galles leur apportait le sentiment d'une promotion de statut social par rapport à la population galloise, phénomène colonial bien connu. Par la vertu de leur culture anglaise ils étaient propulsés parmi l'élite locale anglicane même si, dans ce milieu, en vertu de leur origine ethnique anglaise, ils prétendaient passer devant les Gallois anglicisés. A cause de cet afflux d'Anglais, les académies galloises avec leur formation bilingue ne pouvaient plus garantir de débouchés à leurs étudiants, ni dans le soin des âmes, ni dans les emplois administratifs, commerciaux ou industriels, désormais accaparés soit par la *gentry* anglicisée, soit par les immigrants éduqués.

Une autre cause, économique celle-là, concourrait au malaise des intellectuels gallois : les cours de la laine. Dès le XVIe siècle, les marchands anglais de Shrewsbury s'étaient assurés le monopole du commerce de la laine du Nord gallois, dégageant de substantiels profits entre l'achat aux éleveurs indigènes et la revente aux lainiers londoniens.[42] Le système se maintint jusqu'au XVIIIe siècle.

galloise qui voyait là le seul moyen de se procurer des liquidités. La conséquence en fut l'apparition dans la principauté des premières *enclosures* et la diminution du nombre des tenanciers. L'abolition du *gavelking* aidant, les chefs de clan propriétaires du sol imposaient une élévation prohibitive des baux de fermage au moment du renouvellement et accaparaient les communaux.[43] La situation se stabilisa à la fin du XVIe siècle, les Hautes Terres galloises se trouvant presque entièrement clôturées et désertes, le Bas-Pays défendant pied à pied ses champs et son agriculture de subsistance. Mais à partir de 1740, l'approvisionnement en viande de Londres fit croître le prix du bœuf de façon extraordinaire jusqu'en 1815 ; dans le même temps, le prix de la laine connut un bond tout aussi étonnant. Ce "boom" sur les prix à l'élevage conduisit à une situation dans laquelle la valeur de la terre, en Galles, surpassait de loin celle du travail et donnait une nouvelle impulsion à la politique d'expropriation par les propriétaires fonciers dans les régions auxquelles ils ne s'étaient pas encore attaqués. Les règles coutumières qui garantissaient la stabilité des tenanciers furent violées,

---

42 HECHTER : *Internal Colonialism*, p. 82-83, 89-90.
43 WILSON (E. M. Carus) éd. : *Essays in Economic History*, 1954, p. 139-140. Voir aussi *The Agrarian History of England and Wales* par THIRSKE, p. 6

provoquant des départs de paysans vers les régions industrialisées du Sud et de l'Est, surtout le Monmouthshire. Ceux qui restèrent furent contraints de subsister sur de minuscules parcelles, se nourrissant du fameux *Welsh rare bit* et surtout de la pomme de terre, cultivée de façon intensive.

Dès le début, cette exploitation étrangère s'était chevillée sur la noblesse terrienne

Au tournant du XVIIIe-XIXe siècle le non-conformisme gallois vit ainsi fondre ses bases sociales rurales et fut contraint à suivre ses fidèles dans les villes du Sud ou de l'Est. Il y subit la concurrence non seulement des anglicans évangéliques mais aussi celle des méthodistes wesleyens.

La première manifestation de l'évangélisme gallois en relation avec l'Angleterre vint de Bala. On a vu que cette académie était à l'origine de la fondation de la *British and Foreign Bible Society* en 1804. A partir de cette date, les ministres congrégationalistes gallois du Cardiganshire entretiennent des rapports de plus en plus fréquents avec la Société Missionnaire, jusqu'à la formation, en 1813, des premières sociétés auxiliaires galloises. La répartition géographique de ces dernières est éclairante, le Nord et l'Est, gagnés au méthodisme échappent totalement au mouvement proprement gallois. Le Monmouthshire, rattaché à l'Angleterre, mais aussi le Montgomery et le Radnor participent directement au dynamisme du West Ridding dont l'épicentre est à Birmingham et à Bristol. En revanche les régions du Centre et de l'Ouest montagneux, presqu'entièrement adonnées à l'agriculture, fournissent la plus importante participation. Deux comtés se distinguent : le Cardiganshire et le Camarthenshire, et ce n'est pas un hasard. Le comté de Cardigan avec la petite ville d'Aberyswyth a toujours été une région où se sont forgées et renouvelées la langue et la culture galloise ; l'université de Galles s'y trouve d'ailleurs toujours. Au XVIIIe siècle, le Collège théologique de cette ville s'était laissé entraîner dans des querelles doctrinales aussi, au début du XIXe siècle, nombre de ministres étaient partis fonder des académies et des séminaires aux alentours, à Camarthen, à Llanfyllin puis à Neuaddlwyd. Camarthen était depuis des siècles un foyer de vie celtique dans le sud du Pays de Galles, cette ville fut aussi le pôle de regroupement de l'évangélisme gallois. La liste des communes touchées par les missions de la L.M.S. montre que le Camarthenshire était le comté le plus enthousiaste avec dix "ministres amis"; or c'était le plus exclusivement rural. Sa partie sud, qui possédait quelques activités minières et une colonie anglaise aux environs de Llanelly, ne participa ni en fonds ni en hommes à l'entreprise missionnaire, du moins aucune trace n'en subsiste. Quant au Cardiganshire il donne l'impression d'avoir participé largement parce que c'est de Neuaddlwyd, sur la route d'Aberyswyth à Camarthen, que partirent les deux pionniers de Madagascar : Jones et Bevan. Mais c'était une région très peuplée, tournée vers la mer et dont l'arrière-pays s'adonnait presqu'exclusivement à l'élevage. Ce comté donna relativement peu, en des points très précis, à Llangyllin, Lanarth, Penilriwgold, sans oublier Neuaddlwyd. Il donna essentiellement des hommes : quatre candidats entre 1816 et 1820, ce qui est très important.[44]

Le Sud portuaire et industriel ne rejoignit le mouvement que plus tard, en particulier le comté de Clamorgan, fortement colonisé par les Anglais, qui réagit sous l'impulsion du Docteur Rees à Swansea où fut fondée une *Auxiliary Society*. C'est de Gwynfe, dans ce comté, qu'était originaire David Griffiths, missionnaire à Madagascar.

Pas plus que les *Sunday Schools*, les missions galloises n'ont été des phénomènes liés à l'industrialisation mais plutôt les manifestations de résistance et de survie d'une société rurale menacée et brimée par le centre anglais. Il conviendra de se rappeler que le non-conformisme gallois était en pleine crise de mutation au moment où certains de ses membres devenaient missionnaires pour Madagascar. Il était même en pleine migration géographique et incapable d'occuper, sur place, la génération montante de jeunes pasteurs dont le nombre s'était soudain accru, face à la détérioration de la situation économique de la petite *squirearchy* et des fermiers aisés pour lesquels le ministère pastoral avait toujours constitué une bouée de sauvetage.

D'autre part l'immigration anglaise plaçait à nouveau le non-conformisme gallois dans une situation psychologique défavorable du fait que les Anglais, comme le gouvernement de Londres, le rendaient responsable du retard (*attardment*) des Gallois. Cette perte soudaine de prestige devait pousser certains jeunes Gallois à rechercher, à l'extérieur, les moyens de restaurer leur statut par la participation à des entreprises évangéliques.

---

44 L'un d'eux, Thomas Jones, fut un moment prévu pour accompagner Jones et Bevan à Madagascar, *Board Minutes*, Oct. 20 1817. N'ayant pu se libérer à temps de ses charges pastorales à Bishop's Castle, il ne fut recruté qu'en janvier 1818 et envoyé à Tahiti,*Com. Examination Minutes* , Dec. 1, 8, 22, 1818.

CHAPITRE VII

LES MUTATIONS DÉCISIVES DE LA L.M.S.

Ce devrait être une évidence que les rapports entre les Européens dominateurs et le reste du monde ont été et sont d'abord conditionnés, non par la nature même du reste du monde, mais par celle des rapports intrinsèques que des puissances colonisatrices ont créés en leur sein même. Le plus important de ces rapports pour notre propos est l'action "civilisatrice" de leur centre dominateur sur une périphérie dominée et "non-civilisée". A l'origine "civilisé", "cultivé", "policé", sont des notions presque synonymes que les hommes de cour (à Londres par exemple au XVIe siècle) employaient dans un sens plus ou moins large pour désigner la spécificité de leur comportement et par lesquelles ils entendaient opposer le haut niveau de leurs mœurs et de leur genre de vie, à celui des hommes plus simples et socialement moins évolués qui leur étaient subordonnés.[1] La notion de civilisation est l'expression, le symbole d'une réalité sociale et économique qui vise à englober des ethnies diverses. Cette dynamique se développe partout dans le monde depuis la plaine organisée, riche d'hommes et de terres cultivées, porteuse de villes, donc d'un groupe soumis à des règles civiles et de civilité, vers les espaces sauvages des montagnes voisines, comme l'a lumineusement exposé Fernand Braudel.[2] Dans les Hautes Terres périphériques de la plaine anglaise, cette réalité englobante s'est manifestée d'abord par l'imposition d'une langue commune, secondairement d'une religion commune, toutes deux diffusées à partir de la société de Cour. Le refus d'adopter la langue et la religion du centre étant perçu comme un refus de se civiliser, un "attardement" de la périphérie.

1 - Les racines sociales des missions britanniques

Confirmant cette analyse, Christopher Hill a pu écrire que "le pieux acharnement des protestants pour étendre la Religion anglaise et la civilisation anglaise, d'abord dans les 'coins obscurs' de l'Angleterre et des Galles, puis en Irlande et dans les Highlands d'Ecosse, était un acharnement pour étendre les valeurs de Londres et ainsi renforcer la

---

1 ELIAS (N.) : *La civilisation*.
2 BRAUDEL (F.) : *Civilisation matérielle*, vol 1.

sécurité nationale de l'Angleterre".[3] Pour les petites îles comme pour les plus vastes provinces de la périphérie celtique, l'acharnement de leurs élites à répandre la Bible et l'éducation chrétienne en Grande-Bretagne d'abord dans l'Empire britannique ensuite, était, avant tout, un combat pour s'imposer aux yeux de Londres et ainsi renforcer leur statut social et obtenir, à terme, l'égalité politique, culturelle, ethnique et religieuse dans l'ensemble du Royaume Uni.

Rien n'illustre mieux la vérité de l'analyse d'Elias à propos de la langue que le rapport qui fut fait en 1846 par une commission parlementaire londonienne sur l'état de développement du Pays de Galles.[4] Le texte n'en aurait été désavoué par aucun administrateur colonial du XIXe siècle parlant de "ses indigènes". *Because of their language the man of the Welsh people are inferior to the English in every branch of pratical knowledge and skill. The Welsh language distorts the truth, favors fraud and abets perjury. The Welsh language is a disastrous barrier to all moral improvement and popular progress in Wales.*

Le plus surprenant est que cette opinion pouvait être intériorisée par les élites de la périphérie. J'ai eu quelque étonnement à lire ce qu'écrivait depuis Maurice le pasteur Le Brun dont les parents français venaient de Saint-Malo. Pour lui, le français qu'il savait parler, n'était qu'un patois de Jersey, une langue vernaculaire. Ses études avaient été faites en anglais et il prétendait que c'était à l'île Maurice qu'il avait véritablement appris à écrire le français.[5] Dans la même missive il exprimait sa répulsion morale pour les Mauriciens : "le peuple de cette colonie est terriblement corrompu, il n'a aucun égard pour les ordonnances de Dieu (...) J'aurais eu quelques espérances si c'eût été un autre peuple que les Français". Une telle déclaration ne pouvait que flatter les convictions de Burder et des autres directeurs à Londres pour lesquels Maurice, comme toutes les anciennes colonies de la France, étaient à ranger parmi les "pays non éclairés" (*unenlightened countries*) même si leurs habitants n'étaient plus des sauvages. L'analyse qu'a menée R. Turtas du vocabulaire des Directeurs dans leurs sermons, lettres et appels montre quel usage était fait de ce terme *unenlightened* (comme aussi : *attardé*), moins définitif que celui de *savage* ou *barbarous*, pour qualifier les peuples à évangéliser.[6] Le terme apparaît officiellement en 1775 dans les Statuts de la Société : "le but de la société est la diffusion de la connaissance du Christ parmi les nations Païennes et *non éclairées* (*unenlightened*)".[7] Dans ce cas précis, le mot désigne aussi bien l'état des protestants que celui des catholiques non touchés par la lumière intérieure, non "convertis" à la vie du Christ, par opposition avec les païens qui eux

---

3 HILL (C.) : *Reformation to Industrial Revolution*, p. 28.
4 "Rapport à la chambre des Communes sur l'état de l'éducation galloise", *Livre Bleu*, 1846, cité par COUPLAND (R.) : *Welsh and Scottish Nationalism*.
5 Le Brun à Burder, Port-Louis, 12 Juillet 1818, Letters Mauritius, B/1/F/1/J/B. en français.
6 TURTAS (R.) : *L'Attivitá*, p. 24-29.
7 LOVETT (R.) : *History*, vol. 1, p. 30.

ignoraient jusqu'à l'existence du Christ. Mais dans les sermons ou dans les cours de Bogue, les *unlightened countries* désignaient bien souvent les pays non officiellement protestants par opposition aux pays touchés par d'autres confessions se réclamant de l'Evangile. A y regarder de près cette distinction récupérait à la fois l'héritage des Lumières et celui du nationalisme puritain et signifiait que, pour les fondateurs de la Société Missionnaire, les païens étaient en général des non Européens et les pays non éclairés étaient ceux qui n'avaient pas reçu ou adopté la civilisation anglaise. La preuve en est qu'en 1801, l'Irlande, irréductible à l'anglicisation, fut déclarée "pays non éclairé" et donc terre de mission. Les Directeurs se donnaient donc bien pour but d'exporter la totalité de la civilisation anglaise.

Dans cette exportation globale, la religion était l'âme, mais l'enjeu primordial, c'était la langue. La bonne société londonienne et ses émules de la périphérie pouvaient acceptaient l'échec de l'anglicisation de tous les peuples qu'ils contrôlaient mais ne pardonnaient pas le refus d'adopter leur langue. Derrière l'anglais se cachaient les règles du savoir-vivre, les idées et usages religieux, derrière les "mots indigènes" se cachait la superstition qui bloquait tous les autres secteurs susceptibles de progrès. La maîtrise de la langue liturgique et sa transparence devant être totales, c'est à la langue des Ecritures que s'attaquèrent d'abord et toujours les non-conformistes. Faute de pouvoir recourir à l'anglais, ils cherchaient à pénétrer la langue indigène, à la traduire pour lui ôter toute ambiguïté, à la clarifier et à l'enrichir. Ne pouvant la détruire, ils désamorcèrent sa fonction non anglaise et non biblique. Au Pays de Galles notamment, les critiques des anglicans évangéliques furent vives contre le non-conformisme parce que, disait le rapport de 1847, il avait surprivilégié les études bibliques en langue galloise et négligé les choses du siècle, la vie et la pensée modernes c'est-à-dire anglaises.

Le terme de civilisation employé par les humanitaristes, par les évangéliques comme avant eux par les hommes de cour, résumait donc l'avance que la société du centre croyait avoir prise sur les siècles précédents et sur les sociétés contemporaines dites "barbares" ou "sauvages". Cette avance se caractérisait pour cette société par ses techniques et ses connaissances scientifiques auxquelles participaient largement les non-conformistes anglais et écossais, ce qui leur mettait déjà un pied à l'étrier. Dans le miroir des mots de sa langue et le qualificatif de "civilisée", que la société du centre se présentait à elle-même, on doit distinguer aussi le reflet flatteur de ses règles de savoir-vivre et de sa vision du monde. La "civilisation" de façon phénotypique, c'est pour le "civilisé" d'Angleterre d'abord son comportement, son maintien (*behaviour*), différent de celui des hommes qui ne le sont pas.

Reste à comprendre comment la civilisation ainsi conçue se diffuse. On se rappellera pour ce faire que la civilisation est d'abord un *consensus*, une règle du jeu élaborée et remodelée à l'intérieur d'un groupe restreint à partir d'expériences communes à ce groupe.

Quiconque désire pénétrer ce groupe doit accepter la règle du jeu.[8] D'autre part, ce groupe qui est aussi le centre de la domination politique et sociale, développe des ramifications qui reconstituent dans les centres secondaires de domination de petits cercles de civilisation. La modification du comportement et l'adoption de la langue de cour sont ainsi les clés de l'ascension sociale. Au centre, pour la bourgeoisie active qui parvient à faire oublier ses origines religieuses différentes (le non-conformisme) derrière l'écran d'une propagande œcuménique et anti-sectaire (les funérailles du sectarisme ou *bigotry* dont parlent les fondateurs de la L.M.S.).[9] A la périphérie, pour les classes dominantes indigènes qui parviennent peu à peu à faire oublier leurs origines ethniques différentes par la projection dans le plus grand que soi : l'Empire.[10] Ce phénomène de civilisation qui n'est pas propre à la Grande-Bretagne y a permis, sans révolution sociale, la constitution intégrée d'une classe dominante nationale.

Lorsque s'amorce le mouvement évangélique et humanitariste, l'adoption de la langue et les mœurs des classes dirigeantes terriennes et commerciales par les classes moyennes se réalise d'autant plus facilement que ces classes se sont associées pour mieux lutter contre les tentatives autoritaires de la monarchie, notamment sous George III ; c'est l'essentiel de la force des *Whigs* au XIXe siècle.

La promotion par la civilisation

Les luttes politiques du XVIIIe siècle et du début du XIXe peuvent en effet se comprendre comme une tentative de redistribution du pouvoir entre ceux qui s'en jugent dignes, sans remettre en cause l'ordre social. Jamais les campagnes contre l'immoralité, si ce n'est de façon rarissime pour les prédications méthodistes, ne touchent à l'aristocratie ou à la Cour.[11] De façon unanime les explosions sociales apparaissent aux classes moyennes et supérieures non pas seulement comme une menace contre leurs personnes et contre leurs biens, mais comme des

---

8 L'acceptation de la règle du jeu se limite essentiellement à la langue et aux rapports sociaux : le genre de vie, les manières, en bref la civilité ; mais la bourgeoisie du centre parvient aussi à imposer sa morale qui condamne rigoureusement les rapports extra-conjugaux et surtout ce qui, dans le comportement, peut y faire penser. Max WEBER : *The sociology*, Chap. VI : Religion of non-privileged classes ; Norbert ELIAS : *La civilisation*, p. 259 à 261.
9 *Sermons kept at the Fondation of the Missionary Society in 1795.*
10 On notera que, dès 1698, l'ensemble de la *gentry* britannique (y compris galloise) avait récupéré le thème puritain "nationaliste" du joug normand qui lui permit de refaire l'unité ethnique anglo-saxonne en opposition à la *nobility* normande ou supposée telle, souvent suspecte de sympathies catholiques, preuve de ses origines.
11 Voyez les conclusions des études récentes résumées dans THOMAS (D. G.) : *La vie politique en Grande Bretagne* et surtout HOLMES (Geoffrey) et SZECHI (Daniel) : *The Ages of oligarchy. Pre-industrial Britain, 1722-1783*, Londres, Longman, 1992.

manifestations de la "barbarie" des couches inférieures, dans le cas de l'Angleterre, ou de l'état "arriéré" des indigènes, dans les provinces celtiques. Les soulèvements des Highlands écossais jusqu'en 1748 et de l'Irlande jusqu'en 1793 ont été ressentis de la même façon que la révolte des esclaves à la Jamaïque en 1760. C'est que les classes dirigeantes et moyennes du centre et de la périphérie considéraient que le processus de civilisation était pour elles accompli, et qu'elles se percevaient "comme des apôtres chargés de transmettre aux autres une civilisation existante et achevée".[12] Par civilisation à transmettre elles entendaient une certaine religion, le christianisme, une certaine langue, l'anglais et certains talents, parfois attribués à la race. Cette conviction de la supériorité de la civilisation qu'elles incarnaient donnaient toute leur assurance à ces classes, car elle justifiait à leurs yeux la place prépondérante que ses membres occupaient dans la société. Sur le plan mondial, il est bien connu que le mobile civilisateur a fourni aux nations conquérantes du XIXe siècle la justification de leur expansionnisme, mais on oublie qu'il a servi, sur le terrain colonial, à cautionner le rang de "couche supérieure" que se sont donné les immigrants blancs et plus tard les élites indigènes.

Une autre preuve de l'importance du processus civilisateur dans la logique missionnaire des Britanniques de cette époque nous est fournie par la comparaison entre ce qu'à vingt ans de distance, les Anglais pensaient des Gallois et ce que les Gallois pensaient des Malgaches.

The Welsh people are lacking in cleanliness and decency, chastity, veracity and fair dealing ; sexual incontinency is the beselting sin, the peculiar vice of the Principality. pensait-on à Londres des Gallois.

The directors have sent out the missionaries artisans who are but young unmarried into such a place of Corruption and filled with snares and temptations to which they will be daily exposed..... déclarait Jones depuis Tananarive.[13]

Les Gallois, aussi bien que les Malgaches, apparaissaient à ceux qui les jugeaient du haut de leur civilisation comme des gens chaleureux et amicaux (donc valant la peine qu'on s'intéresse à eux) mais dans un état de dépravation morale qui nécessitait une intervention immédiate de la part des missionnaires. On relèvera que c'est l'absence de moralité, en particulier dans le domaine sexuel, qui désigne dans les deux cas l'ignorance de la religion, l'inculture et l'attardement, bref l'état barbare sinon sauvage. Poussons plus loin la comparaison avec R. Coupland qui nous propose avec ironie un parallèle entre les déclarations du "civilisateur" Knibb, vis-à-vis des esclaves de la Jamaïque, celles de Macaulay vis-à-vis des affranchis de la Sierra Leone d'abord puis des indigènes rétifs à l'anglicisation en Inde, ensuite et enfin celles des Parlementaires vis-à-vis des gens des Highlands d'Ecosse et des Gallois,

---

12 ELIAS (N.) : *La civilisation*, voir aussi, pour une démonstration plus ample, R. H. TAWNEY : "The rise of the Gentry", *Economic history Review*, II, 1.
13 "Rapport parlementaire sur l'état de l'éducation galloise", 1846 ; Jones to Burder, Tananarivou, June 24, 1818, et *Madagascar Letters*, B2/F2/JA.

les Irlandais étant jugés perdus pour la civilisation.[14] On pourrait ajouter ce que le général Hall et le missionnaire Le Brun pensaient des habitants de l'île Maurice, ainsi que quelques témoignages de missionnaires à Madagascar (Griffiths, Jeffreys), sans qu'aucune fausse note ne se fasse entendre. R. Coupland peut en déduire que le "service colonial", qu'il fût civil, militaire ou religieux, était au fond une sphère d'emploi capitale pour les classes supérieures et moyennes anglaises et assimilées et qu'il n'est pas difficile de comprendre qu'elles aient eu tendance à voir dans *l'attardement* de leurs indigènes le même phénomène que dans l'attardement de ceux des colonies. Cela a donné aux missionnaires de Madagascar, un état d'esprit qu'Etienne Kruger décrit fort bien pour 1861. "Ils désiraient diriger 'leur église' ce groupement incohérent de chrétiens, certes très fidèles, ils l'avaient montré par leur courage, mais recrutés parmi un peuple de 'sauvages païens'. Beaucoup de ces jeunes gens rêvaient de *respectabilité*, se sentaient *gentlemen* en présence de leurs ouailles et les stations qu'ils créèrent alors furent en quelque sorte, des *manors* dont ils étaient les *squires*."[15] Ce tableau n'est certes pas valable pour l'ensemble de la génération missionnaire de 1815, mais certaines personnalités y correspondaient déjà parfaitement. Notons tout de suite une conséquence logique de cette idéologie qu'il faut rapprocher de celle de toutes les *real elite* définies par Louis Massignon : une fois constitué en couche supérieure le groupe missionnaire ne pouvait qu'avoir tendance à accentuer, voire à prolonger cet "attardement" de ses ouailles, au moins dans le discours, et se trouvait rapidement en contradiction avec la nécessité d'annoncer quelque succès de son action. Le discours missionnaire sur les convertis est donc de plus en plus ambivalent au fur et à mesure que se prolonge la mission comme nous l'avons vu pour le Pays de Galles et comme Françoise Raison l'a fait remarquer pour Madagascar. Mais ce n'est pas le pays de mission ni ses habitants qui forment le comportement missionnaire mais à tous égard, comme le soulignait Jacques Rossel, les sociétés missionnaires qui les envoient et qui ont servi d'abord à l'extension de la foi chrétienne dans le monde nord-atlantique. Les missions lointaines sont, historiquement parlant, le corollaire d'un mouvement destiné tout d'abord aux chrétiens d'Europe occidentale et d'Amérique du Nord.[16]

---

14 COUPLAND (R.) : *Welsh and Scottish*, p. 86-195.
15 KRUGER (E.) : "L'Isan'Enim-Bolana", p. 101, voir BALMAN (D. W. R) : *The moral revolution of 1688*, Yale, 1957. Cf. aussi les lettres de Le Brun et sa rancœur de n'être pas admis par la bonne société mauricienne compensée par la superstition et la corruption qu'il y voyait et auxquelles il échappait ainsi.
16 ROSSEL (J.) : "La situation des églises de mission", *Les Missions protestantes et l'histoire*.

2 - L'argent des Pauvres

L'impulsion aux missions lointaines une fois donnée, il fallut encore plus de dix ans à la L.M.S. pour envoyer ses deux premiers missionnaires à Madagascar. Ce long délai s'explique par des causes intérieures à la Grande-Bretagne, l'évolution de la situation économique et les transformations du climat social qui affectèrent la vie de la L.M.S. En 1795, la conjoncture économique était, nous l'avons vu, particulièrement favorable à la naissance de grandes sociétés philanthropiques, elle n'allait pas le rester.

Entre 1792 et 1795, la montée des prix agricoles avait permis l'accumulation de liquidités par les classes dirigeantes et, par conséquent, une certaine largesse de leur part dans la redistribution "évangélique" des profits. La chute brutale des prix de 1797-1798 fut sans conséquence pour la mission qui, grâce à ses réserves et malgré une réduction des entrées de fonds, se permit d'envoyer ses premiers missionnaires en Afrique du Sud. Ils débarquèrent au Cap le 31 mars 1799. Pendant deux années (1799-1801), les prix atteignirent leur maximum de hausse et firent, par contrecoup, affluer les fonds dans les caisses de la Société. Celle-ci en profita pour renforcer la mission d'Afrique du Sud, avec une antenne chez les Cafres, et pour relancer la mission du Pacifique. Mais l'effondrement des prix des années 1801 à 1804 détermina les premières difficultés financières de la Société. Malgré un relèvement des prix, progressif quoique irrégulier, de 1804 à 1813, elle ne put se donner des assises suffisamment solides, au moment où le puissant agent collecteur qu'était la campagne anti-esclavagiste entrait en sommeil, alors que les premiers échecs de Tahiti se révélaient fort coûteux. Entre 1800 et 1812, la situation financière fut préoccupante ; les entrées ne cessaient de se réduire face à des dépenses croissantes. Hardcastle, le trésorier, lança un cri d'alarme et obtint la mise en application de mesures d'économie draconiennes. Ces décisions donnèrent un coup d'arrêt à l'expansion missionnaire à un moment où le recrutement de candidats missionnaires était quasi nul. En 1812-1813, il y eut trois départs en tout et pour tout. Ces mesures permirent pourtant d'assainir les finances et lorsque, en 1814, dans la foulée de la campagne contre la Compagnie des Indes, les fonds et les candidatures recommencèrent à affluer, la Société put amorcer une reprise soutenue de ses activités.

Cet afflux de fonds en période de crise est un paradoxe qu'a relevé Turtas,[17] mais qui s'explique par la modification de la stratégie financière qu'adopta alors la Société. Renonçant aux grosses souscriptions qui gagnaient dès lors les caisses de la *Church Missionary Society*, elle développa sa propagande sur une base géographique nationale et en direction des classes laborieuses, compensant la maigreur des souscriptions par la multiplication des souscripteurs. Les courbes construites à partir des revenus de la L.M.S. et l'évolution du prix du

---

17 TURTAS (R.) : *L'Attività,*

froment font voir clairement le parallélisme qui existe entre les deux phénomènes jusqu'en 1813-1814. Mais à partir de ce moment les deux courbes ne concordent plus, ce qui exige une explication. Les premières années de la vie de la L.M.S. furent nourries de contributions peu nombreuses mais fort importantes, apportées par la bourgeoisie d'affaire *whig* dont j'ai souligné plus haut le rôle dans tous les secteurs de la philanthropie organisée. Les études récentes montrent que les crises cycliques et les dépressions de la période 1788-181, sont de type ancien, essentiellement déterminées par les variations de la production céréalière. Elles touchent surtout le monde rural et ouvrier qui subit les variations des cours et les propriétaires fonciers, la *gentry*. Au contraire "pendant les années de guerre, les hommes d'affaires ont dû opérer dans des conditions souvent difficiles, soumis à tous les aléas d'une conjoncture militaire et politique très troublée qui ouvrait ou fermait soudainement des marchés et qui faisait fluctuer violemment les cours des denrées. Cependant ce fut seulement en 1812-1813 et 1815-1816 que le nombre des faillites atteignit un niveau très élevé."[18] Les soutiens de la L.M.S. furent donc relativement peu touchés avant 1812, alors que les revenus de cette dernière ne cessaient de décroître dans la même période. L'explication se trouve d'elle-même lorsque l'on compare les difficultés de la L.M.S. avec celles d'autres associations évangéliques notamment les *Sunday Schools*. La *business community* britannique a traversé la dure période des guerres sans subir de désastres mais elle a peu à peu retiré son soutien aux entreprises à fonds perdus, d'autant que les taux de profit et la rémunération du capital tendaient à décroître pendant la dernière décennie des guerres. Moins d'argent et une certaine inquiétude devant l'activité politique des non-conformistes ont entraîné un repli vers la *Church* et ses institutions des membres de la bourgeoisie évangélique qui s'étaient fourvoyés dans des entreprises "non-dénominationnelles". Simeon ramena la Secte de Clapham vers l'Etablissement, suscitant la résurrection de la Société Biblique Anglicane et la création de *Sunday Schools* et d'une société missionnaire anglicanes.

Du point de vue financier, la *Missionary Society* bénéficia du succès de l'union de toutes les dénominations en son sein jusqu'en 1800, la diminution des entrées en 1795-1797 correspondant à une chute des prix liée au marasme causé par les opérations militaires sur le continent et à une épidémie de typhus (1794-1795) en Grande-Bretagne. La pointe maximale fut atteinte en 1800 et c'est alors que la grande bourgeoisie des villes commerçantes et manufacturières jugea le combat pour la mission secondaire par rapport à la lutte contre l'esclavage, dans un climat social tendu et à un moment où l'effondrement du prix des denrées amenuisait les profits agricoles et commerciaux. Durant les trois années 1801-1803, la Société enregistra des entrées inférieures à 2.000 livres,

---

18 CROUZET (F.) : "Bilan de l'économie britannique pendant les guerres de la Révolution et de l'Empire", *Revue Historique*.

LES MUTATIONS DÉCISIVES DE LA L.M.S.

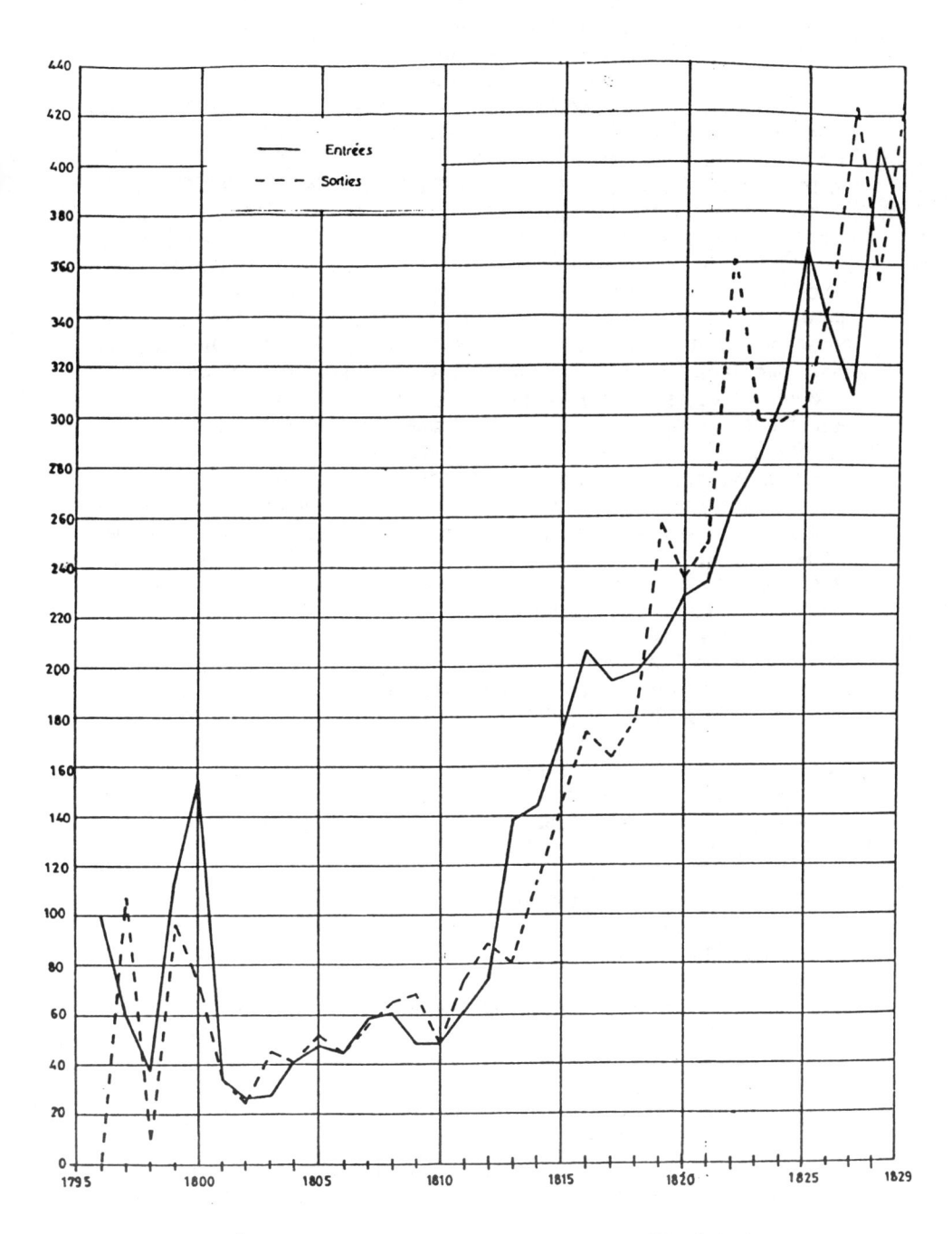

11 - Entrées et sorties de fonds de la L.M.S. de 1796 à 1829.

soit cinq fois moins qu'en 1795-1796. La pointe des 8.000 livres ne fut atteinte qu'en 1812. Deux choses frappent, à l'examen des finances des diverses sociétés durant ces dix années : la réduction générale des grosses donations mais aussi la diminution de la masse des souscriptions modestes. La première constatation ne peut s'expliquer par la brusque réduction des profits du grand commerce dans la mesure où ce secteur ne fut durement touché que dans les années 1812-1813. En revanche, si l'on songe à mettre en parallèle les rentrées de l'*African Society* et surtout de la *Church Missionary Society*, fondée en 1799 à l'instigation de Simeon, chef spirituel de la Secte de Clapham, on constate que seule la Société de Londres est touchée. C'est donc que l'essor d'autres sociétés a porté préjudice à la L.M.S. en arrêtant sa progression financière. On se souviendra des efforts des Directeurs pour rallier les anglicans et de la fin de non recevoir de Simeon qui en lançant une offensive dans l'*Establishment* retira à la L.M.S. ses gros souscripteurs et la contraignit à apparaître comme une société non-conformiste. En 1821, les recettes de la *Church Missionary* dépassaient les 30.000 livres par an, tandis que celles de la L.M.S. n'étaient que de 26.174 livres. L'écroulement des petites entrées paraît beaucoup plus surprenant dans la mesure où la baisse du prix des denrées, les salaires demeurant stables, favorisait les classes laborieuses. Il faut mettre cette chute des cotisations en rapport avec la disparition de toute candidature missionnaire dans les secteurs géographiques et sociaux qui avaient soutenu la Société à sa naissance.

Fonds de soutiens et hommes provenaient des classes non privilégiées de l'Angleterre urbaine. Il n'en vint plus qu'avec parcimonie parce que ces milieux sociaux, déçus dans leur "enthousiasme facile" de 1795 par les échecs de Tahiti, se détournèrent de la mission puis de toute entreprise humanitariste (lutte contre l'esclavage, *Sunday Schools*, etc.). La Société missionnaire était abandonnée par ses soutiens les plus fervents alors qu'elle devait poursuivre les entreprises multiples qu'elle avait programmées en direction des Antilles, du Brésil, du Cap, de l'Inde, de la Chine et du Pacifique. Elle vécut en déficit permanent de 1802 à 1812.

Ces considérations permettent de comprendre pourquoi la Société ne pensa pas immédiatement à la réalisation des projets de Vanderkemp concernant Madagascar. Cependant il convient de bien distinguer l'ordre des causes rédhibitoires à cette mission. En aucun cas, l'aspect financier des choses ne pouvait retenir les Directeurs, étant donné leur état d'esprit. Certes, comme le rappelait Lovett *in the Work of winning the heathen world for Jesus-Christ money is essential*[19], mais les Directeurs étaient persuadés d'avoir Dieu avec eux, qu'il fallait aller de l'avant car l'Intendance suivrait et qu'il se trouverait toujours des souscriptions providentielles pour les tirer du bord de la faillite. D'autre part, en 1818 encore, les Directeurs n'hésitaient pas à créer un déficit dans leur budget pour lancer de nouvelles missions, dont celle de Madagascar, persuadés

---

19 LOVETT (R.) : *History*, vol. 1, p. 84.

qu'en agissant ainsi ils ne déséquilibraient pas les finances puisqu'ils pourraient récupérer des fonds sur les stations bien lancées et les transférer sur les nouvelles. Dès 1796, il avait été entendu qu'une station missionnaire devait faire décroître ses dépenses par paliers de trois ou quatre années jusqu'à n'être plus à la charge de la Société, grâce à une judicieuse gestion. La station incapable de se soutenir par elle-même serait fermée après avertissement. Mais jamais aucune station ne fut fermée et jamais aucune ne fut en mesure de s'autofinancer. Au contraire, le Rapport financier des Directeurs pour 1817 constatait que toutes coûtaient de plus en plus cher ! En 1820, les dépenses de la Société excédaient de beaucoup ses entrées et cette situation se maintint jusqu'en 1830, à l'exception de l'année 1825. Les Directeurs, après le coup d'arrêt de 1812, avaient délibérément décidé d'ignorer les contingences financières et d'aller de l'avant ; c'est ce qui ressort de l'*Annual Report* de 1829. "Les missions établies dans des pays non civilisés tels que les îles des Mers du Sud, l'Afrique et Madagascar sont nécessairement coûteuses dès le départ ; mais lorsqu'elles commencent à produire leurs effets, elles doivent être encore plus puissamment aidées qu'avant sinon l'issue finale sera le désappointement si ce n'est l'échec complet. Le processus de civilisation doit être à la fois aidé et poursuivi jusqu'à ce que les gens soient rendus indépendants de l'assistance extérieure, ou un retour à leur ancien état peut être prévu et qu'après quelques lueurs de bonheur social, leurs vies s'en trouvent plus misérables qu'auparavant." Ce refus de se laisser lier par l'argent ne signifie pas que la direction de la Société attendait immobile que Dieu pourvût à ses besoins, bien au contraire. Toute la période qui précède l'envoi des missionnaires à Madagascar fut occupée à recréer un climat d'enthousiasme, à élargir la base géographique et sociale du soutien de la Société, à rechercher de nouvelles formes d'encaissement et à réduire les dépenses, notamment les salaires des missionnaires. En 1811, un règlement fut établi pour harmoniser et diminuer les traitements des missionnaires après qu'on eût abandonné l'idée, lancée par Vanderkemp en 1807, de les supprimer purement et simplement.[20] Ce dernier pensait que "le missionnaire était abondamment récompensé par son travail au service du Seigneur".[21] Il était malheureusement le seul missionnaire à penser ainsi.

3 - Les Sociétés auxiliaires (*Auxiliary Societies*)

En 1811 également, les Directeurs entreprirent de reconstituer le climat de 1795 par le mouvement des *Auxiliary Societies*. C'est en 1807, au moment de la victoire des groupes *whigs* au gouvernement et au Parlement, que George Burder eut l'idée d'organiser dans le cadre de sa congrégation à Flatter Lane (Londres) une association pour le soutien de

---

20 *Folios* 11 February 1811 *Considerations and Regulations respecting Missionaries in connection with the Missionary Society.*
21 Cité par LOVETT : *History*, vol. 1, p. 508.

la L.M.S., imitée à la fois de la *Yorkshire Association* de Wywill, des *district meetings*, de la lutte contre la traite des esclaves et des filiales de la *British and Foreign Bible Society*, fondées à partir de 1805. L'expérience plut et l'assemblée des Directeurs recommanda aussitôt aux ministres sympathisants de la Société de faire de même dans leurs paroisses.[22] Il s'agissait, dans l'esprit de la Direction, de ranimer le *Call for Prayer* des années 1790 mais dans un but plus précisément financier, même si "la prière des membres pour la prospérité de l'institution était toujours souhaitée". Renonçant à regret aux grosses souscriptions de l'*Establishment*, les Directeurs voulaient, à travers ces sociétés auxiliaires, attirer ceux qui n'étaient pas en mesure de payer la quote-part de membre de la Société Missionnaire en leur donnant la possibilité d'une certaine influence sur la mission par leur appartenance personnelle ou leur participation financière, même modique. En donnant un statut aux gens modestes, la Société espérait drainer leurs fonds.

Les sociétés étaient organisées sur le modèle de la Société mère : ouvertes à toutes les dénominations, mais plus particulièrement accueillantes aux gens modestes. Une assemblée générale réunissait chaque année les membres pour élire les divers responsables et nommer une commission chargée des affaires sociales. L'objectif était d'augmenter la régularité des contributions mineures de la Société mère par les souscriptions qui étaient collectées à l'occasion de l'assemblée et par la vente de divers opuscules ; il y avait aussi un collecteur permanent rétribué. La mise en place fut lente ; en 1811, on ne comptait encore que deux sociétés auxiliaires, toutes deux à Londres (City et East End). En 1812, trois grandes villes de provinces s'en donnaient une (Plymouth, Bristol et Dublin) et se préparaient à essaimer dans une demi-douzaine de localités périphériques. En 1813, il n'y en avait pourtant que 16 dont la moitié à Londres. C'est de cette année-là que date le démarrage et l'accroissement notable des entrées financières de la Société de Londres, grâce au mouvement d'opinion qui mobilisa non seulement les Anglais mais aussi la périphérie celtique, sur une question qui touchait de près à l'expansion missionnaire : la modification de la charte de la Compagnie des Indes. La Direction sut tirer avantage de ces circonstances pour lancer une vaste campagne de propagande et fonder des *Auxiliary societies* dans tous les centres urbains du territoire national. En 1814, 86 nouvelles sociétés voyaient le jour, dont 63 en province. En 1817, il y avait 223 associations dans toute la Grande-Bretagne, 37 à Londres, 13 en Angleterre, 7 au Pays de Galles, 24 en Ecosse et 5 en Irlande. La mission était devenue un thème de mobilisation national. Pour coordonner les actions et centraliser les fonds et les informations, la Société de Londres se donna, en 1812, une commission spéciale pour la correspondance et la liaison avec les sociétés auxiliaires ; elle faisait un rapport mensuel aux Directeurs. Son activité ne devint réelle qu'à partir de 1814, Burder en était le responsable, D. Langton s'occupait des finances. Il fallut, en 1817, séparer les deux activités en créant un

---

22 *Evangelical Magazine*, January 1807, article intitulé : "Missionary Union".

Committee of Funds le 16 juin, chargé uniquement des finances, puis, le 26 juin 1819, la correspondance devenant trop écrasante pour un homme qui se consacrait à d'autres domaines de l'administration de la Société, nommer un secrétaire spécial pour les relations avec les auxiliaires, le *Home Secretary*. Mais les visites des Directeurs dans les sociétés, les *Missionary tours* étaient beaucoup plus efficaces que la correspondance. En 1812, la tournée de Waugh en Irlande aboutit à la fondation d'une société à Dublin, celle de Rowland Hill dans le West Riding à celle de Bristol. Ces deux visites consistaient en prédications suivies de collectes dans chaque cité rencontrée et rapportèrent 200 livres à la Société. Chaque directeur avait son "fief" où il entretenait des contacts et se rendait pour une tournée. En 1818, l'Angleterre et les Galles furent divisées en six districts répartis entre les Directeurs. Toutes les régions du Royaume-Uni ne furent pas également sensibilisées par la propagande missionnaire et, en conséquence, ne contribuèrent pas dans la même proportion. Les comtés les plus missionnaires étaient ceux qui avaient la plus forte densité urbaine et un état d'industrialisation avancé, c'est-à-dire les régions non-conformistes où le *Call for Prayer* avait débuté ainsi que le mouvement des *Sunday Schools*. Le Yorkshire contribua entre 1813 et 1821 pour 14.000 livres. Le West Riding dans la même période pour 10.000, ces deux comtés n'étaient dépassés que par Londres. La presse, outil de propagande éprouvé, fut mise à contribution. En 1813, les Directeurs se rendirent compte que la diffusion de l'*Evangelical Magazine* était insuffisante, d'autant que l'Eglise établie avait créé cette année-là sa propre revue, le *Missionary Register*. Ils décidèrent donc, en accord avec les éditeurs de l'*Evangelical Magazine*, de lancer une revue d'information missionnaire de dimension réduite en annexe de l'*Evangelical* sous le titre de *Missionary Chronicle*. Les premiers lundis du mois, traditionnellement réservés aux réunions du *Call for Prayer* furent consacrés dans le cadre des *Auxiliary Societies* à la lecture publique de cette feuille envoyée aux secrétaires et aux ministres. Les pasteurs pouvaient en tirer la matière de leurs sermons lors des réunions de prière. La diffusion restait malgré tout limitée, aussi décida-t-on de lancer une feuille gratuitement distribuée aux collecteurs sous le titre de *Missionary Quaterly*. Elle commença à paraître tous les quatre mois, à partir de novembre 1816, sans donner satisfaction aux sociétés qui réclamaient une meilleure information missionnaire. Devant l'insistance de la base, le Comité directeur décida en 1817 la sortie des *Missionary Sketches* dont l'influence allait être énorme. En 1819, leur tirage atteignait 60.000 exemplaires et 120.000 en 1820, tandis que le *Missionary Chronicle* tirait à 10.000 exemplaires. Turtas, analysant ces chiffres, en déduit qu'il y avait en Grande Bretagne 60 000 personnes au moins qui versaient régulièrement leur contribution en faveur des missions et qui recevaient gratuitement les revues, 15 à 20 000 autres soutenaient la Société de façon irrégulière par des achats occasionnels de publications plus coûteuses.[23]

---

23 TURTAS (R.) : *L'Attivitá*, p. 111-113.

4 - La quête des hommes

Déjà pour fournir la mission d'Afrique du Sud en missionnaires, la Société avait dû faire appel à l'Allemagne et aux Pays-Bas ; cette solution ne pouvait suffire à la longue et ne pouvait satisfaire le nationalisme religieux des Directeurs. A l'évidence, l'Angleterre *stricto sensu*, ne voulait plus fournir de candidats, alors même que sa contribution financière augmentait. Il fallait donc se tourner vers les régions pauvres en argent mais dont l'enthousiasme ne s'était pas encore émoussé : la périphérie celtique. Il y avait certes le mauvais souvenir de la mission de Foulah, en Sierra Leone, où avaient éclatées des dissensions dues aux missionnaires celtes, mais on décida de les mettre au compte d'une mauvaise formation.

L'Ecosse par ses liens avec le Réveil américain s'était proposée d'elle-même depuis longtemps, Bogue et d'autres personnalités en étaient originaires. Les Cornouailles était représentées par John Eyre et Thomas Haweis, restait le Pays de Galles qui n'avait délégué qu'Edward Williams qui, bien qu'originaire de la principauté, était surtout actif dans sa paroisse de Rotherham d'où il anima, jusqu'à sa mort, en 1813, les débuts du mouvement des *Auxiliary Societies* dans le Yorkshire.

Ce n'est pas lui mais Burder qui songea, dès 1795, à rallier le Pays de Galles à l'enthousiasme missionnaire. Personnage surprenant et haut en couleur, il s'y prit de façon surprenante. Dans l'*Evangelical Magazine* de septembre 1796, il fit paraître un article dans lequel il affirmait que "des preuves permettaient de croire qu'un prince gallois avait gagné l'Amérique au XIe siècle avec une suite nombreuse, et que ses descendants qui parlaient toujours gallois devaient se trouver parmi les {Amér}indiens Choctaw sur le Mississipi et le Missouri". Burder en concluait que "lorsque des nouvelles plus complètes sur ces gens auraient été obtenues une foule zélée de ministres du Christ en Galles entreprendrait avec joie une mission parmi eux". Bien évidemment les nouvelles ne vinrent jamais et les Amérindiens-Gallois rejoignirent, dans la mythologie britannique, les tribus perdues d'Israël. Mais par ce subterfuge et sans doute en toute bonne foi, Burder songeait à intégrer le Pays de Galles resté marginal au vaste mouvement de réveil du monde atlantique. N'oublions pas que la même année, Burn, dans son mémoire, prétendait que les Malgaches étaient les fils perdus de Ham pour convaincre de la nécessité d'une mission chez eux. Ces fantasmagories sont à mettre au compte du climat eschatologique qui régnait alors et qui, sans doute, entraîna les centaines de candidatures pour la croisade missionnaire de Tahiti.

En 1799, à la veille de l'embarquement pour la seconde mission du Pacifique, les Directeurs cherchèrent à étendre l'aire géographique du recrutement. Haweis écrivit le 17 décembre 1799 à Charles Thomas, ministre de Bala, un petit village dans la zone montagneuse du Nord près du plus grand lac du Pays de Galles, pour préciser le profil des candidats : *Men of true grace, tried good spirits, who do not expect to become preachers, gentlemen or idle but active labourers and exemplars to the heathen in Purity and Industry* (...) *Your mountains can supply.*[24] Haweis, bourgeois de Londres, était à la recherche d'hommes simples (*plain men*) et considérait donc les montagnes de la périphérie galloise comme sous-développées et peuplées de rudes bergers incultes, ce qui, nous l'avons vu, était loin de correspondre à la réalité. Les Gallois ne furent pas plus intéressés par la mission qu'en 1796, les autres ethnies de la Grande-Bretagne non plus. La question cruciale du recrutement et de la formation fut alors confiée à une commission spéciale composée de Waugh, Wilks, Hardcastle et Michels avant l'assemblée générale de 1800. Pour la formation, elle décida la création d'un séminaire missionnaire à l'Académie de Gosport et pour résoudre le problème du recrutement elle rédigea "une lettre circulaire aux enseignants et aux étudiants de beaucoup de séminaires britanniques" leur rappelant *the extensive commission of Christ when he said to his ministers : Go bye into all world.*[25] Malgré cela, il n'y eut jamais plus de 5 candidats par an jusqu'en 1812. Entre 1808 et 1810 il n'y eut que 9 nouvelles candidatures, mais les années 1811-1813 virent une certaine reprise avec 10, puis 13, puis 15 candidats. C'est en 1814 que se produisit un véritable "boom" avec 36 demandes, puis 40 en 1816, une vingtaine en 1820. Les fluctuations des candidatures suivaient exactement celles des souscriptions et l'on ne peut expliquer cette reprise de 1814 que par l'influence des sociétés auxiliaires et par l'impact des *Missionary tours*. Il est vrai que les *Auxiliary Societies* étaient explicitement chargées, depuis 1807, de promouvoir les candidatures. La L.M.S., à partir de cette date, avait étendu géographiquement et socialement l'intérêt pour les missions. D'ailleurs, dès 1811, la majeure partie des missionnaires venait des classes laborieuses anglaises ou de la petite bourgeoisie de province et avait reçu une formation pastorale dans des séminaires de la périphérie. Entre 1813 et 1820, séminaires ou académies de province fournirent une vingtaine de candidats parmi lesquels Freeman (Hoxton Academy, 1813), Rowlands et Griffiths (Llanfyllin Academy, 1817), Jones et Bevan (Neuaddlwyld Seminary, 1815). Le nombre de candidats devint alors suffisant pour que l'on pût procéder à une sélection sévère ; entre 1814 et 1816, sur 102 candidats, 52 seulement furent trouvés idoines. Mais les ministres de province poussaient en avant leurs pupilles sans toujours se montrer sévères sur leurs capacités réelles, ce qui amena le comité d'examen à exprimer sa déception sur la qualité de certains candidats présentés avec une "haute recommandation". Ce fut en particulier le cas de John Jeffreys, missionnaire à Madagascar. Mais c'est en demandant à chaque région ce qu'elle pouvait donner par le canal des *Auxiliary Societies.*, que la L.M.S. parvint à assurer ses revenus et son personnel à partir de 1814.

---

24 *Letters Home*, E. Haweis to Thomas, Dec. 17 1799.
25 *Report of the Directors for 1802*, p. 136.

5 - L'ouverture de la route des Indes.

En dehors des problèmes de financement et de recrutement, la L.M.S. fut longtemps bloquée dans son expansion vers l'est parce que l'accès lui en était refusé par les autorités politiques. Jusqu'en 1814, la Société dut avoir recours à toutes sortes de ruses, pas toujours licites, pour pouvoir implanter des missions en Asie, à cause de l'hostilité de la Compagnie des Indes Orientales qui exerçait dans cette partie du monde non seulement un monopole commercial mais aussi une domination politique, sociale et même religieuse. Dès 1808, une affaire survenue à Ceylan prouvaient aux militants évangéliques que les avancées de la Compagnie n'étaient pas nécessairement celles de la mission. Le gouvernement de cette colonie, non content d'avoir expulsé les missionnaires de la Société de Londres, nomma officiellement des prêtres païens pour desservir les temples bouddhiques. Dès qu'il eut connu la nouvelle Hardcastle, indigné, écrivit à Wilberforce, pour dénoncer l'encouragement explicite donné à l'adoration des idoles.

Cette affaire donnait l'impression que le Gouvernement de Sa Majesté était impliqué "dans une collaboration active et soumise avec le pouvoir des ténèbres, en opposition avec les intérêts et le progrès du règne de notre Sauveur. Une attitude d'autant plus déplorable qu'au point de vue politique le renvoi des missionnaires de notre lointaine colonie n'améliorera pas la tranquillité et n'augmentera pas la stabilité.(...) Pour que soit promue avec efficacité la cause du Christ dans le monde il revient à l'actuel gouvernement de se charger de notifier aux Gouverneurs qui régissent les colonies de Ceylan, du Cap de Bonne Espérance, des îles des Antilles et des Indes Orientales que les missionnaires chrétiens de quelque dénomination qu'ils soient doivent être protégés dans leur œuvre pacifique tant qu'ils se comportent conformément à la loi".[26] Le problème de l'intégration de la mission dans le cadre de la colonisation britannique était ainsi clairement posé. Les Directeurs et leurs envoyés attendaient du gouvernement britannique une situation privilégiée de la religion protestante, puisque ce gouvernement était lui-même protestant. Mais à l'époque, la démarche de Hardcastle demeura sans suite.

En réalité, ce n'était pas la première fois que l'introduction ou la présence de missionnaires en Inde faisaient problème. Ziegenbald et ses amis, Carey et les siens, n'avaient pu partir et s'installer que sous le parapluie danois. Bogue et Haldane s'étaient vus refuser leur visa pour l'Inde par la *East India Company* en 1796. L'année suivante, malgré l'appui de Charles Grant, Nathanael Forsyth, qui avait obtenu de gagner la colonie danoise de Tranquebar sur un navire neutre, ne put s'y maintenir. Il fallut à Haldane deux ans d'insistance et de démarches pour obtenir que deux missionnaires de la Société fussent autorisés à voguer vers Tranquebar via Copenhague (1800-1803), puis deux autres vers Surate

---

26 *Memoirs of Joseph Hardcastle*, p. 241, Hardcastle à Wilberforce, 26 août 1808.

(1804). Le problème était encore plus épineux lorsqu'il s'agissait d'envoyer des artisans, car il fallait alors se procurer des licences pour l'exportation de main-d'œuvre spécialisée en territoire non britannique. Aussi, jusqu'en 1812, toutes les forces des Directeurs furent absorbées par la recherche de moyens pour introduire plus ou moins clandestinement des missionnaires dans les territoires contrôlés par la Compagnie. Entre 1800 et 1812, il ne purent en faire passer que 12. Aussi, à l'approche du terme de la charte de la compagnie, Hardcastle prit l'initiative d'écrire de nouveau à Wilberforce sur le sujet afin de déclencher une campagne d'opinion.[27] Ce dernier se déclara d'accord, puisque, selon lui, par la traite des esclaves à laquelle elle se livrait et par son comportement anti-missionnaire la Compagnie était responsable des plus graves "péchés nationaux" dont la Grande-Bretagne s'était jusqu'alors rendue coupable. Cependant, instruit par les difficultés de sa campagne pour l'abolition de la traite et par le raidissement récent de l'Eglise établie, il suggérait à Hardcastle quelques précautions indispensables.

Il fallait absolument éviter de donner au public l'impression que la cause défendue était une affaire de dissidents, d'autant que les missionnaires de la Société étaient plus nombreux en Inde que ceux de la *Church*. Certains membres de l'*Establishment* risquaient d'alarmer la hiérarchie qui boycotterait l'initiative et placerait de nombreux "évangéliques" sincères appartenant à ce même *Establishment* en position embarrassante. Wilberforce conseillait à Hardcastle d'inviter les dirigeants des organisations non-conformistes à faire savoir à la hiérarchie de la *Church* qu'ils renonçaient pour l'heure à demander l'abolition du *Five Miles Act* et du *Conventicle Act*.[28] D'autre part, il lui suggérait de ne pas commencer la campagne d'opinion contre la Compagnie avant l'*Establishment,* car l'organisation des dissidents, et plus encore des méthodistes, leur permettait une mobilisation beaucoup plus rapide, ce qui indisposerait la hiérarchie anglicane. Après s'être réuni avec Burder et Townsend, Hardcastle répondit positivement à Wilberforce à la condition toutefois que garantie leur fût donnée sur le contenu de la motion qui serait présentée au Parlement, c'est-à-dire que tous les missionnaires protestants en tireraient avantage et pas les seuls missionnaires de la *Church*.

Le 20 avril 1812, Hardcastle entamait la campagne par une pétition au Gouvernement demandant l'ouverture non seulement des territoires sous contrôle de la Compagnie des Indes mais de toutes les colonies britanniques. "L'Empire britannique est un nouvel Empire romain, était-il écrit, sa dimension est telle que seule la Providence l'a permise ; tel l'Empire romain, l'Empire britannique est seul investi du pouvoir d'étendre le règne du Christ. En regard de cette mission providentielle la

---

27 Lettre de 1812, perdue mais connue par la réponse de Wilberforce dans *Memoirs of Wilberforce*, du 15 février 1812.
28 Lois votées par le Parlement Cavalier (1664-1665) restreignant la liberté religieuse et excluant les non-conformistes de la vie publique.

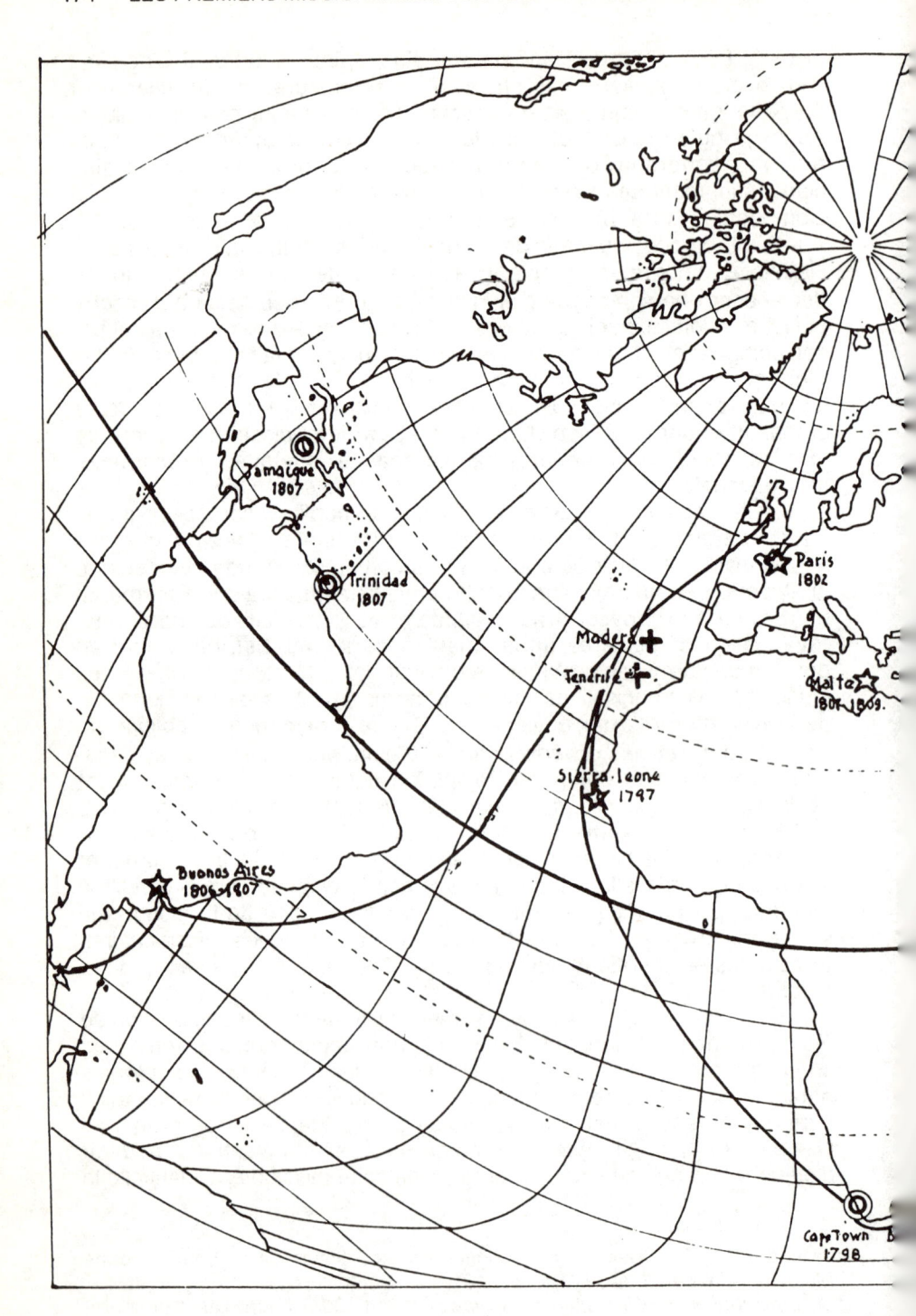

174 LES PREMIERS MISSIONNAIRES PROTESTANTS DE MADAGASCAR

LES MUTATIONS DÉCISIVES DE LA L.M.S.

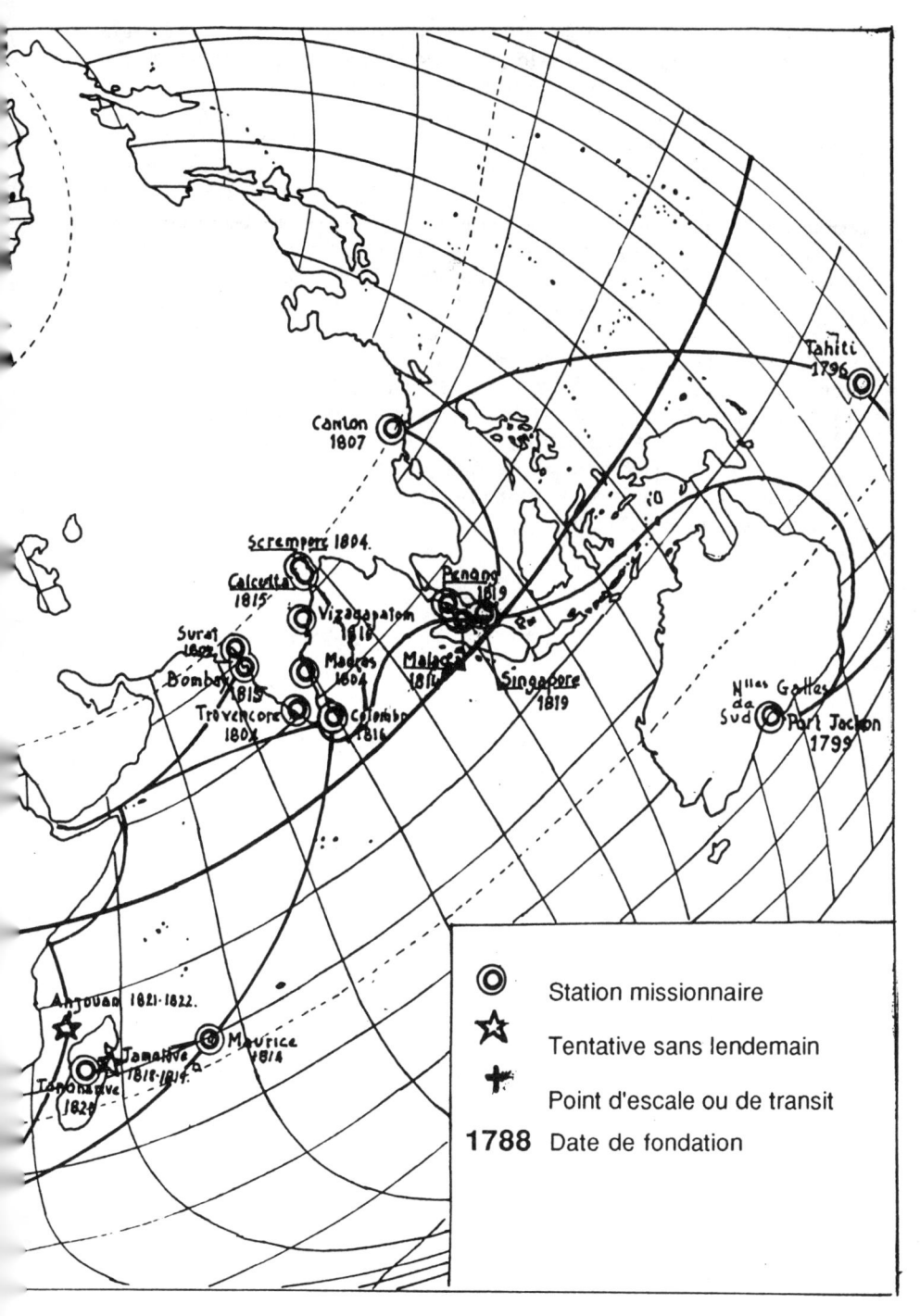

12 - La stratégie mondiale de la L.M.S.

politique anti-missionnaire de la Compagnie des Indes apparaît comme une entrave à ce qui est la finalité ultime de la puissance britannique." Par cet exposé d'intention qui reprenait des opinions émises en 1808, Hardcastle structurait la pensée missionnaire en une véritable doctrine. Cette pétition circula de la même façon que celles destinées à l'abolition de la traite ou du *Test Act*. Au cours d'un meeting, un orateur exposait le problème puis invitait l'auditoire à signer. 800 pétitions, représentant presque un million de signatures, soit 10 % de la population masculine du Royaume-Uni, furent déposées au Parlement. En 1814, la modification de la Charte de la Compagnie était acquise, les missions protestantes, et en particulier la L.M.S., étaient assurées de pouvoir pénétrer en tous les lieux vers lesquels se rendaient les navires britanniques et d'y bénéficier de l'encouragement et de la protection des représentants du Gouvernement de Sa Majesté. La route des Indes étant ouverte, Madagascar devenait accessible et, lorsqu'en 1814, l'arrivée de Le Brun à l'île Maurice fut connue à Londres, les Directeurs purent annoncer publiquement "qu'une longue période ayant été consacrée à recueillir des informations, nous croyons que cette Mission (Madagascar) ne tardera plus."

CONCLUSION DE LA PREMIERE PARTIE

De quelque façon que l'on considère les faits, une évidence demeure : le protestantisme malgache, né au début du XIXe siècle, a pour origine le bouillonnement religieux qui a résulté des transformations géographiques, politiques et sociales d'un monde atlantique compris entre l'Allemagne et les Etats-Unis.

Préparée par trois siècles de visites épisodiques et de tentatives avortées, nourrie de rêves utopiques et de projets enthousiastes, l'évangélisation de l'île de Madagascar par les protestants britanniques ne fut sérieusement envisagée qu'à la fin du XVIIIe siècle. C'est alors seulement que la conversion des païens de la grande île cessa de relever de l'aventure individuelle, du hasard des naufrages ou de l'utopie. Il s'agissait désormais pour des spécialistes de la conversion, de concevoir et d'organiser une entreprise rationnelle, sur le modèle des sociétés philanthropiques qui fleurissaient en Grande-Bretagne. La mission de Madagascar, comme toutes les missions de la fin du XVIIIe et du début du XIXe siècle, est avant tout la manifestation de l'expansionnisme religieux de certains groupes chrétiens d'Europe.

Les éléments culturels et religieux dont la combinaison a abouti à la création de la *Missionary Society*, devenue *London Missionary Society* en 1818, sont apparus dès le XVIIe siècle dans l'Europe du Nord protestante ; ils ont la forme, sur les frontières en expansion du monde blanc, à l'Est comme à l'Ouest, d'une "théologie missionnaire transatlantique" (*transatlantic divinity*). Mais, en fin de compte, c'est à la brutale transformation de l'univers britannique, à la fin du XVIIIe siècle, que l'on doit rattacher l'expansionnisme religieux du monde protestant. L'idée de mission, primitivement marginale, devint alors une préoccupation de masse. La perte des colonies d'Amérique, la guerre avec la France, les débuts de la révolution industrielle et la naissance d'un prolétariat urbain furent causes d'une brutale transformation de l'univers traditionnel des Anglais, puis de l'ensemble des habitants du Royaume-Uni. La recherche de nouveaux rapports sociaux et politiques entre les divers groupes religieux et ethniques et l'élargissement du monde connu et dominé par la Grande-Bretagne, provoquèrent une crise d'adaptation de la conscience collective des Britanniques qui prit la forme d'une exacerbation de la ferveur religieuse.

L'évangélisation du monde permit à la société britannique de dépasser ses contradictions en se projetant ailleurs, tout en demeurant inchangée dans son organisation. Les groupes religieux marginaux parvinrent à associer les classes populaires alphabétisées et la petite bourgeoisie non-conformiste de l'Angleterre dans un nouveau projet de croisade dans les Iles britanniques puis outre-mer. Les Britanniques, et pas seulement les Anglais, se crurent alors investis d'une mission divine, celle de réaliser le règne du Christ sur l'ensemble de la terre.

Ce projet déclencha une vague d'enthousiasme populaire, l'afflux de fonds et de candidatures missionnaires qui permirent la naissance de toutes les sociétés charitables protestantes de la fin du XVIIIe siècle, puis entre 1792 et 1818, des sociétés missionnaires dont la L.M.S. ne fut que la plus importante, la plus riche et la plus active.

Cette prééminence de la L.M.S. s'explique par ses soutiens, sa direction et sa politique. Née dans un climat d'enthousiasme facile, la Société de Londres n'aurait pas pu survivre aux échecs qui soldèrent ses premières entreprises ni à la démobilisation générale qui s'ensuivit, si elle n'avait pas su se donner des assises dans la nouvelle bourgeoisie montante. Le rationalisme, l'esprit de méthode et d'organisation des dissidents formés dans les académies vinrent relayer l'enthousiasme anarchique des débuts. De la sorte, la direction de la L.M.S. put donner des gages politiques à la grande bourgeoisie anglicane dont la frange "évangélique" lui accorda son soutien financier et moral, puis, après 1807, son appui politique.

Conçue et organisée dans un but religieux et non économique ou politique, la mission se trouva placée, par ses alliances et par sa stratégie, dans une situation de serviteur de l'impérialisme britannique et lui offrit un mobile et une justification idéologiques.

Les non-conformistes anglais, écossais et gallois qui participèrent aux activités de la L.M.S. à partir de 1795, partageaient avec la grande bourgeoisie anglicane la certitude que la Grande-Bretagne devait transmettre aux autres nations une civilisation existante et achevée. La distinction entre christianisation et anglicisation ne pouvait pas plus effleurer leur esprit que la différence entre l'Empire britannique et le Royaume de Dieu.

Pourtant cette civilisation chrétienne qu'ils proposaient à l'exportation n'était pas une, pas plus que n'était uniforme le christianisme protestant des membres et des sympathisants de la L.M.S. Derrière des caractéristiques générales communes se profilaient des particularités, voire des divergences qui pouvaient prendre une grave importance mais qui, dans notre période, n'affectèrent que le terrain. En Grande-Bretagne même, la *Missionary Society* était, en 1814, forte d'un enthousiasme populaire éclairé par les dures leçons de la réalité missionnaire dans le Pacifique, en Afrique du Sud et en Inde et conforté par de victorieuses campagnes d'opinion. Elle disposait d'une assise financière solide et élargie, d'une organisation décentralisée, souple et efficace et surtout du parapluie du gouvernement de l'Empire britannique naissant. La Société Missionnaire était donc en mesure de conduire au succès ses nombreuses entreprises d'évangélisation "dans tous les lieux vers lesquels pouvaient se diriger les navires britanniques". Or, en 1810, les Mascareignes étaient tombées sous la domination de la Grande-Bretagne, et, avec elles, leur "dépendance" : Madagascar...

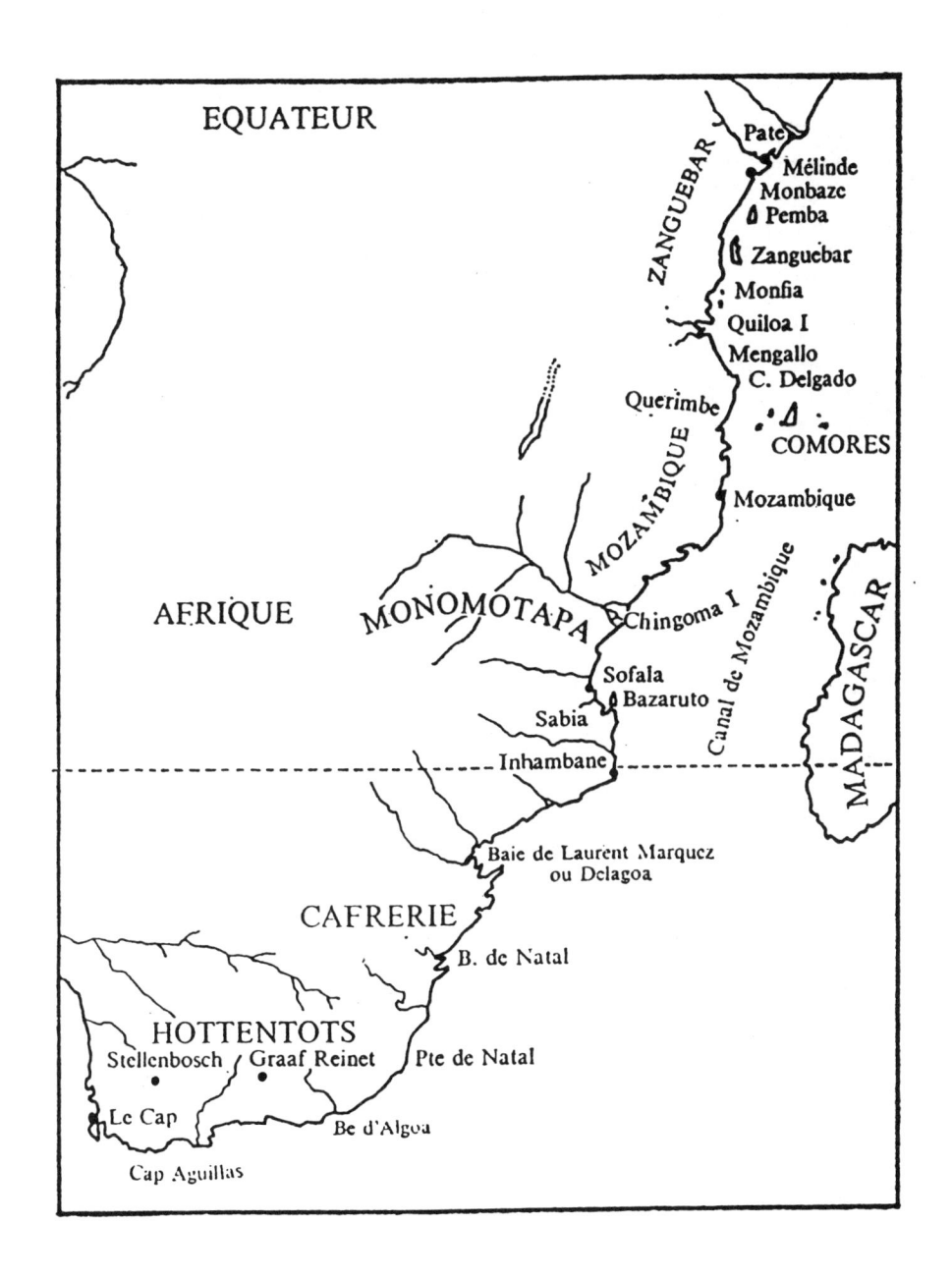

13 - L'Afrique australe et orientale en 1800.

DEUXIEME PARTIE

LES FONDATIONS D'UNE EGLISE

INTRODUCTION

En 1806, la prise du cap de Bonne Espérance par les troupes britanniques avait été saluée par les Directeurs de la L.M.S. comme une victoire de la mission car ils avaient choisi, dès 1797, l'Afrique du Sud comme base d'attaque pour une mission vers l'Inde. De l'autre côté du canal de Mozambique, Madagascar offrait aussi une position stratégique pour se rendre du Cap vers l'Inde et la Chine. Jusqu'en 1814, la Charte de la Compagnie des Indes Orientales avait constitué un obstacle qui explique en partie la longue inaction de la Société missionnaire de Londres dans l'océan Indien. En 1814, la route des Indes leur était ouverte et, depuis 1810, la présence française avait été éliminée de l'océan Indien.

Pourtant, ni le contexte géopolitique de l'océan Indien, ni la situation sociale ou politique en Grande-Bretagne, ni l'état de la L.M.S. ne permettent d'expliquer vraiment pourquoi le projet d'évangélisation de Madagascar, déposé en 1796 par un officier de marine, a dû attendre vingt et un ans pour devenir réalité. En revanche, la psychologie des promoteurs de l'évangélisation permet de mieux expliquer cette longue hésitation. La mission de Tahiti avait épuisé l'enthousiasme populaire que suscitait le mythe des îles, l'Inde et la Chine polarisaient seules l'attention et l'énergie des Directeurs dans l'océan Indien, enfin, très peu de gens en Grande-Bretagne s'intéressaient à l'Afrique.

Le rêve de Madagascar, si répandu au XVIIIe siècle, s'était dissipé en Grande-Bretagne à la fin du siècle. A l'aube du XIXe siècle, il ne se trouvait plus d'hommes en Angleterre pour projeter l'évangélisation de la grande île. C'est de Hollande que vint la candidature providentielle de Vanderkemp, c'est du Pays de Galles que partirent les premiers missionnaires.

Il n'y avait pas non plus au sein de la L.M.S. de personnalité qui eût à coeur de faire quelque chose pour Madagascar et c'est un représentant de la couronne britannique, le gouverneur de l'île Maurice, qui réussit, après plusieurs années d'acharnement, à convaincre la direction de la L.M.S. de l'utilité d'une mission à Madagascar.

Il n'y aurait sans doute jamais eu de mission "anglaise" en Imerina sans l'enthousiasme d'un Hollandais, l'entêtement d'un Ecossais, la résistance physique et morale d'une poignée de missionnaires gallois et le soutien d'un souverain malgache !

Cette mission qu'on aime à imaginer décidée dans l'enthousiasme des foules galloises rassemblées dans leurs montagnes et soutenant de toute leur foi, deux hommes désignés par Dieu, fut en réalité l'oeuvre de "professionnels" dûment formés et encadrés par cette institution qu'était devenue la L.M.S. Ces pasteurs qui furent d'abord des maîtres d'écoles, ces artisans qui s'improvisèrent commerçants ou catéchistes, tous accompagnés de leurs femmes et de leurs enfants, comment vécurent-ils à Madagascar ? A quelles activités se livrèrent-ils et quel fut le résultat de leur action ?

L'ENTREE DU PROTESTANTISME A MADAGASCAR

CHAPITRE VIII

PREMIERS PLANS POUR MADAGASCAR

1 - Le mémoire d'Andrew Burn.

Le 13 Mai 1796, un "Mémoire sur une Mission à Madagascar écrit par le Capitaine Byrn" fut présenté par Bogue, lors de l'assemblée générale. Le mémoire lui-même a disparu dans les papiers de Bogue, dispersés après sa mort, et aucune trace n'en subsiste dans les archives de la L.M.S. En revanche, certaines publications postérieures permettent des recoupements. Tout d'abord, on connaît par les différentes biographies des fondateurs de la L.M.S. les liens qu'entretenaient certains d'entre eux avec les milieux de la marine. Bogue, notamment, eut de nombreux contacts après son arrivée à Gosport, en 1771, avec les marins de Portsmouth où il accomplit ses obligations militaires pendant la guerre d'Amérique. A partir de 1792, il fut en rapport constant avec les ports du Sud où il cherchait à convertir les prisonniers français, surtout marins, emprisonnés sur les pontons de la Meday ou dans des cantonnements à terre, à proximité des grands ports de guerre. Mais aucune mention n'est faite de façon précise du capitaine Byrn dans les biographies de Bogue.[1] Le nom d'un certain Andrew Burn, officier de marine, apparaît en revanche dans le titre d'un livre paru en 1815 et dont compte rendu fut donné à deux reprises dans l'*Evangelical Magazine*.[2] Byrn était un presbytérien d'Ecosse appartenant à l'élite anglicisée de la périphérie celtique. Il était né à Dundee le 8 septembre 1742 et s'était fait très tôt marin. Il séjourna plusieurs années en France où il avoue avoir dévoré pas moins de 400 ouvrages (c'était une habitude, dans ces biographies édifiantes, de citer les livres qui avaient nourri l'esprit du converti). L'essentiel de ses lectures bien évidemment concernait les Philosophes français qui, selon la biographie, détruisirent la foi dans laquelle il avait été élevé. C'était donc un "sceptique", selon ses propres termes, semblable à nombre de presbytériens éduqués à l'école de Hume, lorsqu'il fut frappé par la conversion dans le plus pur style évangélique. C'était en

---

1 MORRISSON (J.) : *The Fathers and Founders of the L.M.S.*, vol. 1, p. 170 ; BENNET (J.) : *Memoirs of the Life of the Rev. David Bogue*.
2 *Memoirs of the Life of Maj.-Gen Andrew Burn* ; "The Life of Major-General Andrew Burn of the Royal Marines", n° 78 des *Christian's Biography* de la Religious Tract Society, Londres, sans date, 1 Vol. ; *Evangelical Magazine*, n° 22, 1817 et n° 24, 1819.

1771, il avait alors 29 ans. Neuf ans plus tard, entre juin et juillet 1780, au retour d'une expédition à Sumatra, il aurait fait une escale de plus d'un mois dans la baie de Saint-Augustin Tous ces détails permettent d'affirmer avec certitude que le major-général Andrew Burn est bien le même homme que le capitaine Byrn qui remit, en 1795, un mémoire pour une mission à Saint-Augustin. En septembre, au moment où il le déposait, Andrew Burn se trouvait en instance d'embarquement. En fait il ne prit la mer qu'en mars 1796, juste avant que Bogue ne présentât le projet à l'assemblée générale (mai 1796). On le retrouve par ailleurs lié à différentes organisations issues de la L.M.S. : la *Religious Tract Society* et la *British and Foreign Bible Society*, auxquelles il fournit une abondante production de dialogues édifiants, cela jusqu'à sa mort. Il disparut à Gillingham en 1814, peu après l'arrivée de Le Brun à l'île Maurice et les débuts de la mission de Madagascar.

Bien que son Mémoire ait disparu, les détails contenus dans sa biographie en deux volumes qui semblent être la reproduction pure et simple de ses papiers personnels, sont suffisamment développés pour qu'on puisse se permettre de le reconstituer.[3] A la différence de ses prédécesseurs du XVIIe siècle, Hamond et Boothby, Burn ne décrit pas l'île comme un paradis terrestre, encore que nombre de détails et de réflexions viennent nourrir le vieux mythe des îles, en particulier l'hospitalité des habitants et la douceur de leurs mœurs. Mais Burn n'est pas à la recherche du bonheur terrestre mais du salut des âmes, aussi est-ce à une enquête religieuse, à la manière de Carey, qu'il se livre. Ses investigations l'amènent à conclure que "croyant en un seul Créateur", ayant "des espèces de prophètes qui prétendent entrer en relation familière avec les esprits", les Malgaches doivent "probablement être les descendants immédiats de Ham". Héritier de la nouvelle théologie transatlantique, élaborée entre Allemagne et Amérique, Burn procède à une réinterprétation du mythe des Tribus perdues d'Israël. Selon la Bible, écrit-il, les Malgaches, sont les descendants des Cananéens qui ont été poussés vers la mer (Genèse, X, 18) mais, qui, après une période de plusieurs centaines d'années (500-600 selon Burn), seront réintégrés dans le sein du peuple de Dieu (*Ezéchiel* 26I, 18-21). Les prophéties d'Ezéchiel, quoique moins appréciées que certains passages de l'Apocalypse, donnaient alors lieu à des interprétations qui allaient dans le sens de la mission. Hâter le jour où les descendants de Cham rejoindraient le giron de leur père en se convertissant, c'était précipiter le jour du Jugement en Egypte, la fin de la captivité et de l'exil loin de la Terre Promise. En 1821 encore, Copland reprenait l'argumentation de Burn, prouvant qu'un contact plus serré avec les Malgaches n'avait pas détruit le mythe de leurs origines bibliques.[4] Burn concluait en déclarant : "Il est lamentable que des tentatives ne soient pas faites pour convertir les Madagasses (sic) au Christianisme".

---

3 Pour plus de détails sur Andrew Burn et Madagascar, voir J. T. HARDYMAN : "The London Missionary Society".
4 COPLAND (S.) : *History*, p. 77.

Une autre considération de Burn nous rappelle le climat utilitariste de l'époque des évangéliques et la dynamique qui pousse le monde atlantique vers l'Inde. "Cette île serait-elle entre les mains d'un peuple civilisé qu'elle pourrait fournir au monde oriental toutes les commodités qu'aussi bien la zone torride que la zone tempérée peuvent produire, car elle se trouve dans les deux". On pourrait presque dire que l'île de Madagascar apparaît à Burn comme la clé de l'Orient. Quelques années plus tard, George Buchan, rescapé du naufrage du *Winterton* à la baie de Saint-Augustin en 1792, raisonnera de façon tout à fait identique et proposera lui aussi une mission sur cette partie de Madagascar. C'est donc la côte occidentale de l'île et plus particulièrement la baie de Saint-Augustin, familière aux Britanniques, qui fut le premier objectif de la mission de Londres. Malgré les échecs passés du XVIIe siècle, malgré les difficultés du canal de Mozambique, c'était la seule possibilité offerte avant la prise des Mascareignes et le contrôle britannique de la côte orientale de l'île.[5]

L'intérêt suprême de Bogue c'était l'Inde, c'était aussi celui de toute la Grande Bretagne évangélique. Or les entraves à toute mutation politique, économique ou religieuse, contenues dans la Charte de l'*East India Company* étaient rédhibitoires. En attendant le renouvellement et la modification de cette charte, les évangéliques plaçaient leurs pions. Le Cap fut conquis sur la Hollande en 1796 pour des motifs purement stratégiques car les Français auraient pu s'en servir comme base d'attaque contre la navigation anglaise vers l'Inde. C'est précisément comme point de départ pour une mission vers l'Inde que Le Cap fut choisi par les Directeurs, en 1797. De l'autre côté du canal de Mozambique, Madagascar offrait une position stratégique pour commander la route du Cap vers l'Inde et la route des esclaves vers le Brésil. Depuis les échecs du XVIIe siècle, les autorités se souciaient peu d'y installer une colonie mais l'île, avec deux ou trois bons ports, offraient refuge aux navires français. Leur occupation était donc nécessaire et suffisante et c'est ce qui explique la prise de Tamatave en 1811. Dans le nord du canal de Mozambique régnait un climat d'insécurité et d'anarchie complète, les Betsimisaraka continuaient leurs raids contre les Comores et la côte d'Afrique, les pirates *malata*, métis de Malgaches et de Blancs les protégeaient et les navires français, réguliers et corsaires, s'y cachaient. Les unités britanniques, réduites en nombre, n'osaient guère s'y montrer.[6] En bref, seule était sûre la région sud-ouest de Madagascar, Burn et Bogue, comme plus tard Buchan, tous anciens

---

5 Sur les échecs passés de colonisation britannique, voir HARDYMAN (J. T.) : "Outline of the Maritime History of St Augustine's Bay", 1964, p. 315-341. Sur les difficultés de la navigation dans le canal de Mozambique voir DECARY (R.) : "Les satellites de Madagascar et l'ancienne navigation dans le canal de Mozambique", *B.A.M.*, n. s. t. XX, 1937, p. 53-72. Sur les divers projets d'évangélisation de la baie de Saint-Augustin, on se reportera à mon "Missions catholiques et missions protestantes à la baie de Saint-Augustin", *Omaly sy Anio*, jan.-déc. 1981, n° 13-14, p. 235-245.
6 GRAHAM (G. S.) : *Great Britain*.

marins, ne pouvaient s'y tromper. Les projets missionnaires de la L.M.S. se trouvaient ainsi dans la dépendance directe de la stratégie mondiale de la Grande-Bretagne, même s'ils n'étaient liés à aucun intérêt mercantile ou colonial. Ils étaient aussi conditionnés par l'existence d'hommes susceptibles de les réaliser.

De mauvaises circonstances

L'Afrique n'attirait guère l'enthousiasme populaire, nous l'avons vu, pourtant l'un des directeurs fondateurs de la société missionnaire, Hardcastle, était parvenu en 1797 à faire entreprendre une mission au Foulah, une région de l'intérieur de la colonie de Sierra Leone. Ce furent les Ecossais de Londres, avec John Love, directeur de la Société, et ceux d'Edimbourg, qui prirent en charge l'affaire. Il fut entendu que la mission n'aurait qu'un caractère préparatoire et exploratoire.

Les instructions données aux missionnaires destinés au Foulah furent publiées dans l'*Evangelical Magazine* de 1797 et dans le *Missionary Chronicle* de la même année. "Il sera envoyé un groupe nombreux de personnes bien qualifiées qui sachent unir l'instruction spirituelle à la connaissance d'un métier utile ; seront envoyés des familles dans l'intention de prendre soin de l'éducation des femmes du pays (...) ; sans cela un quelconque projet de mission dans les pays non civilisés serait incomplet ; on tendra autant que possible à la conversion des adultes et on assurera l'instruction des

enfants des deux sexes." Ce projet pour une première mission en Afrique reprenait une plate forme d'idées commune à Burder et Haweis d'un coté, à Hardcastle de l'autre, permettant une participation nombreuse, populaire, et la constitution d'une *christian colony*. Quoique jamais reformulées de façon publique, ces orientations seront conservées et mises en œuvre pour l'Afrique du Sud et pour Madagascar.

Le projet avait été déposé par Hardcastle lui-même, dès 1795, au moment où la préparation de la mission des îles des Mers du Sud commençait à peine. Pour le préparer, Hardcastle avait correspondu avec Dawes et Macaulay, gouverneurs successifs de la Sierra Leone. Dawes avait proposé la région Foulah, au nord de la colonie, comme la plus adaptée à un poste de mission, parce qu'elle permettait de reconstituer le modèle catholique de la réduction sud-américaine ou celui, protestant, du "village de prière" nord-américain. Le but était d'isoler un groupe d'Africains de toute influence européenne autre que celle des missionnaires. Cette idée ne sera abandonnée que dans les années 1830, c'est elle qui a déterminé le choix des terrains de mission en Afrique du Sud (Betheldorp) et à Madagascar (Imerina). Dawes conseillait à Hardcastle une région périphérique parce qu'il savait que des missionnaires anglicans et presbytériens d'Ecosse travaillaient déjà dans la zone côtière de la Sierra Leone et qu'il désirait éviter des interférences.[7] Les missionnaires écossais avaient été envoyés par la *Glasgow missionary society* et c'est par émulation que la *Edinburgh missionary society* se proposa pour le Foulah. Elle jugea cependant nécessaire de s'associer avec la Société de Londres à laquelle revenait l'initiative et qui disposait des appuis politiques nécessaires. Ce fut un échec total. Pour la première mais non la dernière fois, une mission programmée par Londres était confrontée au problème des antipathies ethniques entre missionnaires. Le mélange d'Anglais et d'Ecossais, se révéla explosif dès avant l'embarquement, malgré l'intervention personnelle d'un directeur, le Révérend Wilk. Après ce mauvais départ, trois missionnaires moururent à peine arrivés, un autre fut rapatrié pour indiscipline, les deux derniers démissionnèrent un peu plus tard. Les altercations n'avaient pas cessé sur le terrain. Les Directeurs abandonnèrent donc l'idée d'une reprise éventuelle de la mission de Sierra Leone.

Après une telle expérience, et compte tenu du peu d'attirance qu'exerçait l'Afrique sur les enthousiastes de la mission, il était à craindre que plus rien ne soit tenté dans cette direction. Toutes les énergies étaient tendues vers Tahiti et Haweis, l'organisateur de cette mission, n'évoquait l'Afrique, dans son sermon de 1795, que pour exprimer sa compassion affectueuse à l'endroit des missionnaires moraves qui s'étaient aventurés dans la colonie hollandaise du Cap, "contraints de vivre dans la hutte d'un misérable Hottentot".[8]

L'échec de la mission de Tahiti ne fit pas changer d'avis la majorité des Directeurs, mais provoqua, entre Bogue et Haweis notamment, un débat assez vif sur les causes et les responsabilités. Juste à ce moment, les revers de la campagne parlementaire menée par Wilberforce et la Secte de Clapham sur les thèmes de la lutte anti-esclavagiste et de l'abolition du *Test Act*, vinrent s'ajouter au piteux bilan de la première grande campagne missionnaire. La Société de Londres perdit la plupart de ses soutiens anglicans, ramenés au bercail par Simeon. Hésitant dans leurs nouveaux choix de campagne, ils se firent plus que discrets et retirèrent, dès 1799, leur soutien financier à toutes les campagnes. De leur côté les non-conformistes anglais du *Call for Prayer* stagnaient, incapables de susciter des vocations dans leurs rangs. Entre 1799 et 1810, le recrutement de missionnaires anglais était pratiquement tari. Il fallut le grand souffle de la lutte contre la Compagnie des Indes pour ranimer la flamme évangélique.

Entre-temps les Directeurs purent faire appel à la périphérie (Ecosse, Galles) et même au monde atlantique (Pays-Bas, France, Allemagne) pour recruter. La participation exceptionnelle du séminaire de Berlin, fondé le 1er février 1800 par le baron van Schirnding, et d'une société missionnaire fondée à Hatshusen, en Frise, par le pasteur Strache, retiennent l'attention. D'abord parce que ce séminaire, organisé sur le

---

7 GROVES (C. P.) : *The Planting*, vol. 1, p. 210.
8 HAWEIS (Thomas) : "Sermons preached at the fondation of the Society in 1795".

modèle de celui de Francke à Halle, en avait pris la succession dans la correspondance que le baron fondateur entretenait avec ses émules de Londres et d'Amérique, ainsi que de Leyde aux Pays-Bas.[9] Ensuite, parce qu'il précède la fondation du séminaire de Gosport et qu'il l'a sans doute inspiré, puisque Van Schirnding avait soumis ses propositions aux Directeurs et notamment à Bogue dès 1798.[10] Enfin ce séminaire fournit pendant les années 1800 des candidats inespérés à la *Missionary Society*, à un moment où les vocations missionnaires étaient rares en Angleterre et parce que cela permettait d'éviter en Afrique du Sud une prépondérance des missionnaires hollandais. Sur vingt missionnaires fournis à Londres par Berlin, six furent affectés au Cap.[11]

Les Hollandais réveillés tant par l'Allemagne que par l'Angleterre se souvenaient alors qu'ils avaient un empire dont le soin spirituel leur revenait.

2 - Des hommes pour l'Afrique

C'est de Leyde, la vieille métropole du protestantisme éclairé, que partit l'impulsion. Johann Theodorus Vanderkemp était un ancien étudiant de l'université de Leyde comme nombre de ses futurs compagnons missionnaires en Afrique du Sud. Au début de l'année 1797, il écrivit une lettre aux Directeurs dans laquelle il racontait sa conversion et demandait à entrer au service de la Société. Cette lettre fut lue en public lors de la troisième assemblée générale et souleva un grand enthousiasme.[12] Les Directeurs furent convaincus d'avoir avec lui un sujet exceptionnel. Après un échange de lettres, il fut convoqué à Londres par le *Committee of Examination* qui lui fit subir un long entretien, le 18 octobre 1797. Il fut ensuite ordonné et renvoyé en Hollande pour y fonder une société sur le modèle de celle de Londres et y défendre la cause des missions. Il réussit pleinement en fondant à Rotterdam la Société missionnaire néerlandaise à la fin de la même année.[13] Dès 1798, une dizaine de candidats hollandais se présentaient.

C'est de Vanderkemp que vint l'idée d'une reprise de la mission d'Afrique encore que, dans sa demande de 1797, après la fondation de la Société néerlandaise, il n'ait pas précisé son affectation mais simplement demandé à être envoyé dans un territoire hollandais (Indonésie, Inde, Afrique du Sud). A mon avis, Bogue qui s'était fait

---

9 Reprenant la tradition de Halle, le séminaire de Berlin fournit, entre 1800 et 1810, trente missionnaires à la *Church Missionary Society*, successeur de la S.P.C.K. en Inde.
10 *Board Minutes*, August 7, 1798.
11 *Board Minutes*, April 13, 1801, voir aussi TURTAS : *L'Attivitá*, p. 60-61.
12 *Board Minutes*, May 12, 1797 et LOVETT : *History*, vol. 1, p. 483.
13 *Nederlandsche Zendeling genootschaf*.

l'avocat d'une mission à Madagascar et qui venait de se voir refuser, ainsi que tous les membres de la Société, d'aller en Inde, dut faire pression sur ses collègues pour qu'ils expédient ce candidat exceptionnel en mission d'attente à la porte de l'océan Indien.[14]

La mission du Cap laissait entrevoir la réalisation du projet de Burn pour une mission à Saint-Augustin. Aucune autre approche de Madagascar n'était alors réalisable bien qu'elles aient presque toutes été proposées. Une mission directe vers la baie de Saint-Augustin, au départ d'Angleterre, était exclue, le *Duff*, acheté par la Société en Juillet 1796, avait appareillé pour les îles le 25 septembre 1796 et ne rentra qu'en juillet 1798. La Société ne possédait pas d'autre navire et il était fort douteux que l'on pût alors obtenir de l'Amirauté un transport à bord de ses navires vu l'hostilité de la Compagnie des Indes et la faiblesse des effectifs affectés à cette région du globe. Enfin, il aurait fallu trouver des hommes en nombre suffisant, ministres et artisans, pour constituer cette éventuelle *christian colony*, or les candidatures s'étaient faites rares et dispersées, même pour la troisième expédition vers Tahiti, en 1799. Carey avait mentionné dans son *Inquiry* l'existence à coté de Madagascar des îles Comores, dont Anjouan était la plus fréquentée à la fin du XVIIIe siècle par les navires européens auxquels elle offrait refuge et vivres. Malheureusement, l'île était peuplée de musulmans et d'un abord plus que difficile. Un projet fut pourtant soumis aux Directeurs, le 4 mai 1799, par un correspondant anonyme qui signait "Aspasio". Sa lettre intervenait après que les Directeurs eussent décidé l'envoi de Vanderkemp en mission exploratoire au Cap, mais il n'est pas dit qu'elle n'ait pas influencé leur décision de tenter une mission à Anjouan en 1821, une fois encore à partir du Cap.[15] Une troisième solution aurait consisté à partir de l'île Sainte-Marie où, selon Carey et Rochon, se trouvaient 500 "Papistes français". Cela était exclu à cause de la présence française en ces lieux.[16] Il n'est pourtant pas impossible que certains Directeurs, tel Bogue, qui entretenaient des relations avec les milieux d'émigrés français aient eu connaissance des tentatives que faisait Halnat, un ancien missionnaire catholique français de Madagascar, arrivé à Londres en 1793 avec un jeune Malgache, pour trouver des soutiens et reprendre sa mission dans l'île.[17]

---

14 Bogue aurait dû partir pour évangéliser en Inde en 1796 lorsque la *East India Co.* lui refusa le droit d'embarquer. Cette autorisation était indispensable quelle que fût la destination en Asie.
15 Sur Aspasio voir J. T. HARDYMAN : "The London Missionary Society", et MORISON (John) : *The Fathers...*, vol. 2, p. 509 ; sur la mission de Johanna (Anjouan) par William Elliot, voir *Letters Mauritius*, B1/F2/JA, Mars-Août 1821 et B1/F2/JD, Juillet 1824.
16 ROCHON : *A voyage to Madagascar.*
17 Sur les contacts des catholiques émigrés et des milieux anglais voir CRETINEAU-JOLY : *Histoire, politique et littéraire de la Compagnie de Jésus*, Paris, 1851, vol. 6 ; sur Halnat, F. COMBALUZIER : "M. F. Halnat missionnaire de Madagascar" in *Nouvelle Revue de Science missionnaire*, (Fribourg), 1955-56.

Devant ces difficultés, les Directeurs jugèrent plus sage de ne prendre aucune décision finale à Londres mais de se servir de l'Afrique du Sud comme tête de pont. De ce poste, lorsque des informations précises auraient été obtenues et lorsque le contexte politique se serait modifié, ils pourraient dresser des plans et lancer une expédition.

Les instructions qui furent données à Vanderkemp avant son embarquement témoignent de cette décision. Pourtant il semble bien que le projet a d'abord été élaboré par Vanderkemp lui-même car, en 1798, à l'occasion de l'assemblée générale, le médecin hollandais avait présenté un plan pour une mission chez les Namacquas, un peuple pasteur des confins septentrionaux de la Colonie du Cap.[18] Les Directeurs écrivirent immédiatement à la Société missionnaire néerlandaise dont dépendait Vanderkemp pour la prévenir que ce projet était accepté et qu'elle ait à envoyer les deux artisans missionnaires prévus pour accompagner Vanderkemp.[19] Les difficultés de relation maritime dues à la guerre retardèrent l'arrivée des deux candidats à Londres jusqu'au début d'août. Les trois hommes parvinrent au Cap en mars 1799, leur destination ayant été fixée à la dernière minute pour le pays des Cafres et non plus celui des Namacquas, sans doute trop éloigné de Cape Town et donc des sources d'informations sur l'océan Indien.[20]

Les plans du docteur Vanderkemp

Dès l'origine, Vanderkemp avait été nommé *Superintendant* de la nouvelle mission et investi de l'entière confiance des Directeurs pour prendre toutes les décisions qu'il jugerait utiles.[21] Les instructions données à Londres n'étaient en fait que des recommandations de principe et des suggestions qui concernaient avant tout l'installation d'une mission en Afrique du Sud.[22] Mais il y était ajouté : *We cannot but suggest to you one very interesting object (...) namely, the large and populous island of Madagascar which (...) is entirely within your reach. This place has already claimed the particular attention of our society, as a very inviting field of Missionary labour. The manner of the natives, in the districts frequently visited by Europeans, are uniformly known to be hospitable, open and sincere. In that island it would give us peculiar satisfaction to have a mission set on foot.* Cet intérêt des Directeurs pour Madagascar se manifesta encore dans leur première correspondance

---

18 *Board Minutes*, April 23, 1798.
19 *Board Minutes*, April 26, 1798.
20 Le terme "Cafre" que les Britanniques empruntent aux Hollandais dérive directement de l'arabe *Caf'r* qui signifie "païen, homme réductible en esclavage". Il désigne alors les Xhosas, les Zoulous n'ayant pas encore accompli leur invasion vers le sud.
21 *Board Minutes*, Oct 18, 1798.
22 Le texte des instructions fut publié dans l'*Evangelical Magazine* de 1799, p. 133-138.

avec Vanderkemp, après son arrivée au Cap.[23] Si la mission chez les Cafres ou toute autre nation africaine se révélait être un succès, Madagascar en devenait une annexe : *after you have gained a foot in the Caffre, or any other African nation, and either begin a missionary work by detaching two of them thither, or, this should not be advisable from the smallness of your number, and the encouragment you may, with the blessing of God, meet with on the Continent (...) then your visit to the island, and acquiring particular information of all that would be interesting to us, in preparing a future mission to the island, would be an important and useful service rendered to the society.*

On voit combien les Directeurs se montraient prudents en offrant à Vanderkemp une alternative de mission directe ou d'exploration en fonction de ses possibilités en hommes et du contexte politique. Dans le cas où la mission en Afrique du Sud se révélerait impossible, les missionnaires devaient se placer en position d'attente "jusqu'à ce qu'un autre objet d'entreprise missionnaire se présente (...) entre l'Afrique, Madagascar, les côtes de la Mer Rouge, le Golfe Persique, la côte de Malabar", c'est-à-dire tout l'ouest de l'océan Indien.

Durant les premières années (1799-1801), Vanderkemp et ses compagnons se préoccupèrent surtout de la mission chez les Cafres. Vanderkemp effectua plusieurs voyages chez eux, mais c'est paradoxalement avec les Hottentots, en guerre fréquente contre les Cafres, qu'il entra le plus facilement en contact, ce qui souleva l'hostilité des Boers, mais lui valut l'appui des autorités britanniques qui jouaient la carte des Hottentots contre les Cafres et contre les Boers. Le climat de tension et de guerre entretenu par les Xhosas et les Boers ne permit aux missionnaires que de forger des plans pour une "institution" inspirée des Frères Moraves qui étaient installés depuis 1792 à Genadendal, à 90 km du Cap, et des réductions jésuites d'Amérique dont le principe était cher à Hardcastle. La restauration du gouvernement hollandais à la suite du traité d'Amiens précipita les choses. En 1803 Vanderkemp gagnait la baie d'Algoa (actuel Port Elisabeth)[24] à proximité de laquelle il ouvrit bientôt l'institution de Bethelsdorp, une sorte d'asile religieux et civilisateur pour les Hottentots qui devint rapidement l'objet de controverses acerbes.[25] La reconquête du Cap par la Grande-Bretagne, en 1806, puis l'abolition de la traite des esclaves dans les territoires britanniques, en 1807, n'améliorèrent pas le climat. Amorcée à propos de

---

23 *Board Minutes*, Sept. 30, 1799.
24 La baie d'Algoa ne doit pas être confondue avec la baie Delagoa (26° lat. sud) connue aussi sous le nom de Lourenço Marques et aujourd'hui de Maputo. Juste avant la conquête britannique, un fort y avait été construit par les Hollandais pour marquer la porte du Natal ou pays des Cafres encore indépendants.
25 Là-dessus, voir l'ouvrage de Robert LACOUR-GAYET : *Histoire de l'Afrique du Sud*, Paris, Fayard, 1970, p. 83-87 et les passages plus nuancés de R. LOVETT, *History*, 1 vol. 1, p. 568-571. La question a été reprise depuis par Wiliam M. FREUND : "The Cape under the transitional governments, 1795-1814", p. 224-227 : 'The coming of the missionary', dans ELPHYCK et GILIOMEE éd. : *The Shaping of South African Society, 1652-1820*, Cape Town, Longman Penguin S. A., 1979.

la situation des Hottentots, la controverse se déplaça vers le sort des esclaves qui empirait brusquement du fait du tarissement des approvisionnements en chair fraîche. De Bethelsdorp, Vanderkemp et James Read, qui était arrivé en 1802, prirent violemment parti pour la défense des esclaves et, par leurs interventions en Angleterre, déclenchèrent le *Black Circuit*, tournée judiciaire de poursuite contre les maîtres abusifs et criminels, qui devait laisser parmi les Blancs un ressentiment durable contre la L.M.S.

Les informations sur Madagascar que le missionnaire hollandais communiqua entre 1799 et 1811 nous paraissent assez maigres. Elles confirment celles de Burn et n'y ajoutent de précisions que sur le climat et les communications avec la côte ouest. Il ne semble pas avoir envoyé à Londres de rapport détaillé. En revanche, il s'appliqua à suivre les suggestions qu'on lui avait remises en 1798. Dans une lettre du 13 mai 1799, donc un mois et demi après son arrivée au Cap, il rendait compte aux Directeurs de ses premières investigations.[26] Il avait pu rapidement entrer en contact avec un nommé Truter, membre de la Cour de Justice au Cap, qui, trente ans auparavant, avait vécu sur la côte ouest de Madagascar et se déclarait prêt à fournir aux missionnaires tous les renseignements demandés.[27] Vanderkemp communiqua ainsi des détails sur le climat de l'île qui, selon lui, n'était dangereux que pour les Européens qui ne prenaient pas de précautions et donc en aucun cas rédhibitoire. Parmi les différents royaumes qui se partageaient l'île, Truter recommandait celui de *Morandabia* (Morondava) comme le plus indiqué pour accueillir une mission, mais il était aussi facile de se déplacer sur toute la cote occidentale, du nord au sud, en prenant appui dans la baie de Saint-Augustin. A partir de ces informations et en fonction de la situation dans la colonie du Cap, Vanderkemp proposait aux Directeurs un plan en deux temps.

Tout d'abord trois ou quatre missionnaires seraient envoyés au Cap. Là "ils trouveraient suffisamment d'occasions pour s'instruire

---

26 *Letters South Africa*, B1/F1/JB, Vanderkemp to L.M.S., May 13, 1799.
27 A propos de Truter, James Armstrong m'a communiqué les informations suivantes : "le 'Truter' dont il est question, était presque à coup sûr Petrus Johannes Truter. Il était apparemment sur le *De Zon,* navire de la V.O.C. qui faisait la traite des esclaves à Anpandre (sic) (i. e. 'Maningaar' = Mananjary) en 1775-76. Pendant la période 1778-83, selon des sources d'archives publiées, il apparaît au Cap comme *boekhouder* de la V.O.C., c'est à dire commis, un poste de responsabilité mais de rang modeste. D'une année sur l'autre, durant la même période, il servit comme diacre de l'Eglise Réformée Néerlandaise à Cape Town. Il n'apparaît pas sur les listes du *Cape Directory* de 1800 - un répertoire d'adresses de résidents -. Aussi je pense que Vanderkemp se trompait en disant que Truter avait vécu 30 ans à Madagascar. Peut-être Vanderkemp emploie-t-il une expression toute faite pour exprimer "une expérience de 30 ans", même ainsi cela tirerait trop. Il y eut d'autres voyages négriers de la V.O.C. durant cette période (jusqu'en 1786), mais le nom de Truter n'y est pas associé.(...) Il y a trace d'autres Truter au Cap durant cette période, mais je n'ai aucun indice prouvant leur lien avec Madagascar."

parfaitement de la langue de Madagascar". Vanderkemp pensait sans doute que des Européens qui, comme Truter, avaient séjourné à Madagascar et surtout les nombreux esclaves malgaches leur fourniraient des occasions d'apprendre.[28] Dans un second temps, le *Duff*, navire de la Société, serait venu les prendre et les transporter jusqu'à la baie de Saint-Augustin. Vanderkemp n'envisageait donc pas de se rendre lui-même à Madagascar et cette position resta la sienne jusqu'en 1804, date à laquelle il se proposa pour partir "au cas où d'autres n'auraient pas pu ou pas voulu quitter Le Cap pour ce faire". Les Directeurs signifièrent à Vanderkemp leur accord et leur promesse "de (lui) envoyer des aides pour la grande œuvre des Mission parmi les Cafres et Bochimans et pour envisager la possibilité d'une mission à Madagascar." Ce n'était là guère plus qu'un encouragement à continuer à s'informer et en rien une autorisation. De fait, la Société venait de perdre le *Duff*, capturé le 19 février 1799 au large de Rio de Janeiro par un corsaire français. La seconde expédition vers Tahiti était un échec total et ruineux, qui doucha sérieusement l'enthousiasme des candidats missionnaires. Déjà, depuis 1797, la L.M.S. avait dû faire appel à la Hollande, puis au séminaire de Berlin pour se pourvoir en hommes. En 1800, elle écrivait à la *South African Missionary Society* pour lui demander "assistance afin de parvenir à l'établissement d'une Mission dans la vaste et populeuse île de Madagascar".[29] Les Directeurs n'avaient manifestement pas les moyens de lancer une nouvelle mission et tendaient alors toutes les énergies pour sauver celle de Tahiti en trouvant des fonds et des hommes pour une troisième expédition qui quitta l'Angleterre le 5 mai 1800.

Vanderkemp continua à s'informer comme on le lui conseillait et prit contact avec des esclaves malgaches auprès desquels les missions avaient entrepris un travail d'éducation et de conversion, au Cap et dans les environs. Il s'adressa à ses collègues de la *South African Missionary Society*, en vain. Il se résigna en 1804 à ne demander à la *Cape Society*, comme il l'appelait, qu'une aide matérielle. Cette société "s'arrangerait pour trouver un navire qui gagne la baie d'Algoa, pour y prendre deux ou trois missionnaires de Bethelsdorp, dont le cœur aurait été incliné par le Seigneur à se donner à ce service, et de les embarquer pour Madagascar ou ailleurs".[30] Il n'eut pas plus de succès. Il y avait alors quatre missionnaires en permanence à Bethelsdorp, Vanderkemp et son second, Read, faisaient de fréquents séjours au Cap où leurs relations avec la *South African Society* devinrent de plus en plus mauvaises. La coopération des gens du Cap était exclue, la participation des missionnaires de Bethelsdorp, surchargés de travail, illusoire. Ce fut alors

---

28 Il y avait à Cape Town au moins 6.000 esclaves vers 1800 dont une forte proportion était d'origine malgache. Les Hollandais avaient commencé à introduire des esclaves de Madagascar dès le XVIe siècle. Cf. J. T. HARDYMAN : "Malagasy Overseas 1500-1895", article non publié, et surtout les travaux cités de James C. ARMSTRONG, fondés sur d'autres sources.
29 *Outgoing Letters South Africa*, L.M.S. to South African Society, March 1800.
30 Vanderkemp to L.M.S., Feb. 29, 1804, publiée dans l'*Evangelical Magazine* de 1804.

que Vanderkemp décida de faire de la mission de Madagascar son affaire personnelle : *Should none be found,* écrit-il, *I should wish to supply their place..*[31] De ce moment jusqu'à sa mort, la mission dans l'île fut un thème récurrent dans toute sa correspondance, une idée d'autant plus fixe que les circonstances le contraignirent toujours à remettre son départ. En 1806, il se consacra à l'instruction des Malgaches du Cap, puis en juillet, décida de se remarier avec une esclave affranchie dont la mère était malgache.[32] Ce mariage ne fit que renforcer son attirance pour l'île, mais des difficultés à Bethelsdorp et une aggravation du climat social, en 1807, à la suite de l'abolition de la traite, le contraignirent à demeurer. En 1808, Read prenait la responsabilité d'écrire une lettre restée fameuse sur la situation des Hottentots, des Cafres et des esclaves dans la colonie. Elle déclencha l'intervention du gouvernement de Londres qui ordonna les enquêtes et les procès du *Black circuit*. Au même moment, Vanderkemp exposait aux Directeurs un plan de mission pour Madagascar affirmant que la mission et l'institution de Bethelsdorp étaient en bonne voie et en de bonnes mains. *The Institution (...) (had) attained such a degree of solidity, that it* (could) *be committed to the care of another Missionary. (...) This arrangement will enable me to proceed in the work of the Lord, and to devote some subsequent days of my far advanced age to his service among some other nation hitherto unacquainted with the way to everlasting happiness !*[33]

Les projets de Vanderkemp en 1808 reprenaient le plan en deux parties qu'il avait proposé aux Directeurs en 1805 : une extension en Afrique vers le nord-est et une mission à Madagascar, étant entendu que le développement en Afrique devait précéder toute tentative vers l'île. Vanderkemp s'était assuré le concours de deux missionnaires de Bethelsdorp, Ulbricht et Smith. Le premier, Hohan Gottfried Ulbricht était un de ces Allemands formés au séminaire de Berlin qui s'étaient mis à la disposition de la Société de Londres dès 1801.[34] Il faisait partie d'un groupe de trois missionnaires allemands mais les deux autres ne furent affecté en Afrique du Sud que plus tard. Ulbricht y était arrivé en 1805. Le second, Erasmus Smith était installé dans la colonie quand il décida de venir rejoindre les missionnaires à Bethelsdorp en 1809. Read était aussi proposé par Vanderkemp mais, semble-t-il, plus pour témoigner de son intérêt pour l'extension de la mission que dans la perspective d'un véritable départ, dans la mesure où, Vanderkemp parti, lui seul aurait pu diriger l'institution, à moins que les Directeurs envoient "une personne appropriée pour diriger Bethelsdorp et deux ou trois associés".[35] La

---

31 *Idem.*
32 Sur le mariage de Vanderkemp et ses conséquences, cf. BELROSE-HUYGHUES (V.) : "Le contact missionnaire au féminin ; Madagascar et la L.M.S. 1795-1835", *Omaly sy Anio*, janv.-déc. 1978, n° 7-8, p. 83-131.
33 Vanderkemp to L.M.S., Aug. 30, 1808, publiée dans l'*Evangelical Magazine*, 1810.
34 *Board Minutes*, April, 13 et 20, 1801.
35 Vanderkemp to L.M.S., Aug. 30, 1808.

proposition fut acceptée par les Directeurs qui désignèrent Read comme intérimaire à la tête de l'institution et dépêchèrent deux missionnaires allemands, promus en même temps qu'Ulbricht mais qu'ils avaient tenus en réserve : Wimmer et Pacalt.[36] Les Directeurs d'accord, restait à convaincre les Autorités. Le gouverneur Caledon était assez favorable aux missionnaires et avait lu avec intérêt les différentes plaintes déposées par eux concernant les Hottentots à la suite desquelles le "décret Caledon" fut promulgué, en 1809. Il déclarait que tout employeur serait dans l'obligation de signer un contrat prévoyant un salaire régulier et d'en rendre compte à l'Administration. Cette mesure ne devait pas satisfaire les missionnaires qui, en 1811 en référèrent à Lord Liverpool, le secrétaire à la Guerre et aux Colonies, qui ordonna une enquête. Bien disposé à l'égard des missionnaires en ce qui concernait les affaires intérieures, le gouvernement l'était beaucoup moins dès qu'il s'agissait d'entreprises qui pouvaient amener à des interventions contre les Xhosas ou les Mathimbas (appelés aussi *Tambochees*) chez lesquels les missionnaires désiraient se rendre. La frontière avait été fixée en 1798 et maintenue malgré une rude guerre contre les tribus bantou du nord-est entre 1799 et 1802. Les Britanniques ne voulaient à aucun prix se laisser entraîner au delà, ni par les Boers avides de terres, ni par les missionnaires. Présenté au gouverneur Caledon par le colonel Collins, qui avait reçu les missionnaires en janvier 1810, le projet africain fut refusé, mais le projet malgache retint l'attention et suscita une promesse d'aide pour le transport. Caledon communiqua ses décisions aux Directeurs sans préciser la nature de l'aide qu'il pensait apporter à Vanderkemp.[37]

Ce dernier entra à ce moment-là dans une période d'incertitude, incapable de prendre la moindre décision. Certains n'ont pas manqué de dire que c'était une conséquence de son union mal assortie avec une ancienne esclave.[38] Son épouse était tout simplement malade et Vanderkemp expliquait qu'il serait "déplorable pour elle et les enfants, que je meure pendant la traversée, ou (ce à quoi on peut s'attendre) dans l'île". Il était partagé entre son désir de partir et sa crainte de laisser Read dans une situation difficile. Il s'en remit au choix de Dieu sans bien préciser comment. Sans doute en ouvrant sa Bible au hasard et en interprétant la première phrase qui lui tombait sous les yeux. Ce procédé de divination, qu'on passe pudiquement sous silence, était assez fréquent chez les protestants du Réveil : *I have committed the direction of my choice to Him and without being conscious of any other emotion, chosen to go to Madagascar*. Il prit donc en 1810 toutes ses dispositions

---

36 *Outgoing Letters South Africa*, Hardcastle to Vanderkemp, Feb. 3, 1810.
37 *As I have not felt it expedient to accede to Dr. Van der Kemp's desire of visiting the Tambokee nation, I shall when the opportunity offers promote his designs of passing to Madagascar. Incoming Letters S. A.*, Caledon to L.M.S., June, 20, 1810.
38 Robert Moffat cité par PHILIP (J.) : *Researches in South Africa*, London, 1828.

pour partir avec femme et enfants, accompagné d'Ulbricht et de son épouse, d'un certain Verghoed, hollandais et missionnaire à son compte, et de l'un des deux nouveaux missionnaires allemands.[39] C'est alors qu'il rencontra l'obstacle du transport : comment atteindre Madagascar ?

Vanderkemp s'adressa aux particuliers comme au gouvernement local qui avait promis de l'aide, il écrivit à Londres en proposant à la Société d'affréter un navire qui de la baie d'Algoa se rendrait à Saint-Augustin. En vain. Au début de l'année 1811, il n'avait reçu aucune réponse. Ulbricht, atteint de la cataracte, était hors d'état de partir, Personne ne s'offrait pour le remplacer et les deux nouveaux missionnaires tardaient à arriver. Il décida de se rendre au Cap pour avoir une entrevue avec Caledon, à propos de la lettre d'accusation que Read avait expédiée au Secrétaire aux Colonies. Le gouverneur devait quitter l'Afrique après cette entrevue, aussi Vanderkemp décida-t-il d'attendre son successeur, Cradock, pour lui demander de tenir les promesses de son prédécesseur concernant un transport à Madagascar. Il profitait en même temps du passage au Cap d'un missionnaire L.M.S., Thompson, en route pour l'Inde, pour lui remettre un pli à l'intention du gouverneur de l'île Maurice, Farquhar.[40]

La route des îles

Un tournant fut pris dans la stratégie d'approche de Madagascar le jour où fut connue au Cap la prise par la Grande-Bretagne des îles de France et Bourbon La nouvelle ne parvint en Afrique que l'année suivante, alors que Vanderkemp se trouvait au Cap en train d'essayer de trouver un passage à partir de Cape Town ou d'Algoa Bay vers la baie de Saint-Augustin. Dès l'arrivée du nouveau gouverneur Cradock, il présenta les deux possibilités à son agrément. L'idée de se rendre à Madagascar en passant par Maurice souleva une opposition irréductible dont les causes ne sont pas très claires or il était tout à fait exclu d'entreprendre un tel voyage sans l'appui du gouvernement qui, seul, pourrait assurer le transport jusqu'à Maurice. Il fallait de plus s'assurer l'appui du gouverneur de Maurice qui, seul, pouvait accorder une autorisation pour Madagascar, sans parler de l'aide, pour s'y rendre. Cradock fit ajouter à sa réponse qu'à supposer que les missionnaires aient pu atteindre l'île de Madagascar, ils auraient été "contraints à résider dans un endroit déterminé sous les yeux d'un détachement militaire stationné près de la côte (...) sans autorisation pour s'avancer dans l'intérieur""[41] Peu après arrivée au Cap, en provenance de Bethelsdorp où il avait été affecté en 1809, le missionnaire Carl Pacalt qui se déclarait à

---

39 Verghoed était un *helper,* comme plus tard Kitching, un missionnaire non rémunéré par la Société mais qui entrait bénévolement dans ses cadres comme artisan ou auxiliaire.
40 *Odds* 8, Vanderkemp to Governor, Ile de France, Aug. 28, 1811, "Vanderkemp's papers".
41 *Odds* 8, Bird (Colonial secretary) to Vanderkemp, Oct. 30, 1811.

Vanderkemp "pleinement déterminé à s'embarquer avec (lui) à la première occasion".[42] Cette détermination, interprétée par Vanderkemp comme un encouragement du Ciel, l'incita à persévérer. Il reçut, dans cette même journée, deux autres signes de la Providence sous la forme de deux lettres. La première était la réponse officielle du gouverneur Cradock l'assurant de son soutien total pour son expédition directe à Madagascar.[43] La seconde était un rapport de Thompson sur la situation à Maurice et les premiers résultats de son intervention auprès du gouverneur.[44] Thompson avait rencontré à Port-Louis Charles Telfair, le secrétaire du gouvernement de la colonie, qui lui avait dit que Farquhar "était désireux qu'une mission fût établie à Madagascar et accorderait non seulement un transport gratuit dans l'île, mais des présents pour les Chefs." A Bourbon, Thomson s'était procuré "un catéchisme dans la langue de Madagascar avec une traduction latine, le catéchisme lui même étant rédigé en caractères arabes (car) la langue de Madagascar, semble-t-il, est une corruption de l'Arabe."[45] Le 2 novembre 1811, Thompson écrivait une seconde lettre, contenant beaucoup plus d'informations et qui parvint peut être à Vanderkemp vers le 2 novembre au mieux, puisqu'il fallait au moins 24 jours au courrier pour aller de Maurice au Cap, ou ne lui parvint jamais. Cette seconde lettre était accompagnée d'une encourageante missive de Charles Telfair. C'est dans ces circonstances, alors que tous ses espoirs allaient se réaliser, qu'il fut, le 7 décembre 1811, frappé d'une attaque d'apoplexie à la sortie d'un office et demeura paralysé d'une jambe jusqu'à sa mort survenue le 15 décembre.[46] Lorsque sa mort fut connue à Londres, en mars 1812, les Directeurs tinrent le 25 mars une réunion extraordinaire pour honorer la mémoire du défunt et décidèrent de faire imprimer dans l'année les *Memoirs of the late Rev. J. T. Vanderkemp* composés de larges extraits de sa correspondance et qui mettaient en valeur son intérêt pour la mission de Madagascar.[47] C'était justice car l'importance de Vanderkemp dans l'histoire de la L.M.S. avait été considérable. En premier lieu, le personnage avait su inspirer aux Directeurs une confiance totale, ses lettres étaient lues comme paroles d'Evangile et peu de missionnaires eurent alors et après un tel prestige, un tel poids auprès de la direction à Londres. Sa réussite en Afrique du Sud dans la défense des droits des Hottentots et dans la fondation de Bethelsdorp plongea les Directeurs dans un tel climat d'euphorie, après les échecs d'Afrique et du Pacifique, qu'ils décidèrent de renforcer, dans une période de famine de

---

42 Vanderkemp to L.M.S. Oct. 31, 1811, Carl Pacalt était né en Bohème en 1773 et avait fait ses études missionnaires au Séminaire de Berlin avant d'être envoyé à Londres en 1804, à la demande des Directeurs.
43 Vanderkemp to L.M.S., Oct. 31, 1811.
44 *Idem*.
45 Vanderkemp to L.M.S., Oct. 31, 1811. On verra plus loin le sort réservé à ce catéchisme.
46 *Incoming Letters South Africa*. Read to L.M.S., Jan. 9, 1812.
47 "Report of the Directors for 1812" et *Board Minutes*., March 25, 1812.

missionnaires et de dispersion des entreprises, les effectifs de l'Afrique du Sud qui reçut, entre 1801 et 1812, 18 missionnaires. Vanderkemp sut créer parmi des hommes primitivement obnubilés par les îles des Mers du Sud et l'Inde un intérêt, voire une sympathie pour l'Afrique et Madagascar. "Cette île très peuplée et longtemps négligée, a durant les nombreuses années passées, absorbé les désirs sacrés de son coeur, et il lui tardait de communiquer à ses nombreux habitants les bénédictions sans prix de l'Evangile éternel."[48]

Au départ, dans les années 1796, les Directeurs ne songeaient qu'à Tahiti ; un seul, Bogue, regardait vers l'Inde, un seul, Hardcastle, avait une vision mondiale de la stratégie de la mission et comprenait l'importance de l'Afrique. Après que Bogue et Haldane, suspectés de sympathies jacobines, se soient vus refuser un visa pour l'Inde, Hardcastle intervint auprès de Charles Grant, administrateur de la Compagnie des Indes, pour obtenir l'autorisation d'envoyer un missionnaire sur un navire neutre dans la colonie danoise de Tranquebar. Le missionnaire choisi, Nathanael Forsyth, s'embarqua en novembre 1797, mais il rencontra de telles oppositions sur place qu'il ne put s'installer et gagna la colonie du Cap qui venait d'être prise aux Hollandais.[49] Il n'y aurait sans doute jamais eu de mission de la L.M.S. au Cap, ni bien sûr à Madagascar, si Vanderkemp n'avait décidé d'aller évangéliser les Namacquas et n'avait rejoint Forsyth au Cap. C'est lui qui sut convaincre Hardcastle de l'importance de la mission d'Afrique du Sud, son succès fit le reste.

Une nouvelle stratégie missionnaire était en cours d'élaboration lorsque Hardcastle écrivait : "Chaque fois qu'une contrée tombe sous la domination de l'Angleterre, il doit être considéré comme un devoir de notre société que de lui envoyer des missionnaires". Dans le même texte le directeur saluait la conquête définitive du Cap "comme l'œuvre de la Providence Divine (...) qui a placé ce territoire entre les mains d'un Gouvernement respectueux des devoirs de la conscience (...) auquel la Société est redevable de nombreuses faveurs'."[50] En Afrique, Vanderkemp et Read s'étaient sans cesse appuyés sur le gouvernement local ou sur celui de Londres pour réaliser leurs entreprises ; c'est vers le gouvernement que Vanderkemp s'était tourné pour obtenir un moyen de transport vers la baie de Saint-Augustin et c'est la prise de l'île Maurice par les Britanniques qui l'avait amené à modifier ses plans d'approche vers Madagascar. On peut donc dire que dans l'océan Indien, à partir des années 1807, la L.M.S. a donné la préférence aux territoires sous contrôle britannique et cette politique fut encore renforcée par la révision de la charte de la Compagnie des Indes en 1813. La Direction avait acquis la conviction que le Gouvernement de Sa Majesté favoriserait l'évangélisation des païens et, en conséquence, garantirait aux missionnaires liberté et protection. "Le suprême régisseur des Nations

---

48 *Board Minutes*, March 25, 1812.
49 STOKES (Erik) : *The Unitarians*. , p. 85-86.
50 "Report of the Directors for 1807 and 1808", p. 247.

n'a-t-il pas permis une aussi vaste extension du contrôle du gouvernement britannique dans ces régions et réservé à nous seuls le trafic commercial avec la Chine, au point que les autres nations en sont presque exclues ? Le glorieux Evangile de Dieu sera désormais porté en tous les lieux vers lesquels pourront se diriger les navires marchands britanniques."[51] De l'île Maurice où un missionnaire allait être affecté, les envoyés de la L.M.S. devaient en effet jouir sans restriction de l'aide et de la protection du gouvernement britannique, en la personne de sir Farquhar, comme, au Cap, ils avaient bénéficié de celle de Caledon et de Cradock.

Naguère un court débat avait opposé MM. Mandrou et Séguy à propos de la transmission de l'hérésie à l'époque moderne.[52] Le premier liait fort savamment la transmission de l'hérésie, en l'occurrence le protestantisme, aux routes, le second à la poste. Robert Mandrou faisait observer que la poste n'intervenait vraiment qu'au XVIIIe siècle et nous avons vu son importance dans le transfert des informations et pour l'élaboration des premiers plans vers Madagascar. Mais pour l'époque et les lieux qui nous intéressent l'opposition n'existe pas car, à l'échelle mondiale, la route comme la poste c'était d'abord et avant tout le navire. A l'aube du XIXe siècle, l'hérésie protestante suivait la route des îles, celle qui reliait la Grande Bretagne à l'Orient.

---

51 "Report of the Directors for 1814", p. 526.
52 Publié dans *Hérésies et Sociétés*, p. 288-289.

14 - Madagascar et les îles françaises de l'océan Indien.

3 - Les informations de dernière heure

Entre la mort de Vanderkemp et la nomination de Jones et de Bevan, de 1811 à 1816, la direction de la Société, aux prises avec les multiples difficultés que nous avons relevées, continua à élaborer des projets pour Madagascar. Il s'agissait d'abord de recueillir le maximum de renseignements récents et de source sûre concernant le terrain pour savoir si, oui ou non, une mission dans l'île avait des chances de succès. En second lieu, il fallait choisir le lieu d'implantation et la base de départ entre trois possibilités : la côte occidentale par Le Cap ou par Anjouan, la côte orientale par l'île Maurice. Même si Madagascar n'était pas colonie anglaise, il fallait s'assurer de l'assistance du représentant du gouvernement britannique le plus proche, surtout pour les communications. Enfin, en fonction des données précédentes, il fallait élaborer une stratégie et évaluer les moyens qui seraient engagés dans cette mission. Les informations furent recueillies en provenance de trois endroits différents : tout d'abord de Londres, par le biais de publications et de lettres reçues au siège de la Société, du Cap, où la mission se poursuivait, et enfin de l'île Maurice

Nouveaux livres en Grande Bretagne.

Tandis que Vanderkemp s'affairait en Afrique du Sud, quelques publications venaient enrichir la documentation des Britanniques sur Madagascar. En 1803 parut un opuscule de 32 pages décrivant l'expérience des survivants du *Winterton*, naufragé à la côte ouest. Nous avons vu qu'un récit en avait été fait en 1794, mais celui de 1803, plus copieux, donnait des détails plus précis et plus récents que ceux de Burn sur la baie de Saint-Augustin, le meilleur endroit, semblait-il, pour fonder une mission.[53] En 1805, c'était le tour d'une traduction d'un mémoire de Lescallier, administrateur de la marine française qui, en 1792, avait accompli une mission d'exploration sur la côte est.[54]

Lescallier apportait aux Directeurs une bonne description physique des environs de Foulpointe et des observations sur les mœurs et les industries des Betsimisaraka. Quoiqu'une mission chrétienne fût tout à fait hors de l'esprit de l'auteur, la Philosophie héritée de Raynal et de Rochon qui sous-tendait son propos, le mettait à l'unisson des

---

[53] *Narrative of the Loss of the Winterton by the Third Mate*, 1805, l'auteur était en réalité un nommé DALE.
[54] LESCALLIER (baron Daniel) : "A description of Madagascar", *Monthly Magazine*, t. XIX (Avril-Juillet 1805), p. 222-225 et 548-553. Le Mémoire fut aussi publié dans les *Geographical Ephemerides*, t. XVIII, June 1805, p. 385-410. Jean Valette en a donné une édition critique dans le *Bulletin de Madagascar*, n° 244, 1966, p. 877-897. Sur les activités de Lescallier à Madagascar on se reportera à l'étude d'Yvette SYLLA : "Un envoyé de l'Assemblée nationale à Madagascar en 1792. La mission de Daniel Lescallier", dans *Regards sur Madagascar et la Révolution française*, Tananarive, Ed. CNAPMAD, 1990, p. 63-70.

préoccupations humanitaristes des Directeurs. Lescallier critiquait la traite des esclaves et les méfaits qu'elle occasionnait dans la population de l'île, rejoignant ainsi Raynal. Il expliquait l'échec des différentes tentatives de colonisation par l'immoralité de leurs objectifs : "les promoteurs de ces entreprises se sont toujours trop uniquement occupés du gain et de l'intérêt des Européens et surtout de leurs profits personnels et jamais du bien être des indigènes". Son expérience du terrain l'amenait en revanche à critiquer Raynal sur certaines de ses affirmations concernant les mœurs et l'agriculture. Le peuple de Madagascar était présenté comme "doux et affable, industrieux et accueillant, naturellement respectueux de la race blanche au point qu'ils se croient honorés d'en avoir des rejetons dans leur famille". Il paraissait bien semblable aux habitants de Tahiti auxquels il était comparé.

En 1802 avait paru à Londres un ouvrage dont on ne peut assurer que les Directeurs eurent connaissance, bien que son auteur eût entretenu des relations avec le milieu écossais de Londres. Il s'agit de l'*History of Mauritius* rédigée à Londres par Charles Le Grand du Catelet, natif de l'île Maurice mais fixé à Londres depuis 1791, à partir des lettres et documents que lui avait laissés son père qu'il désigne dans le livre sous le nom de baron Grant.[55] Connu ou non des Directeurs, ce livre n'apportait aucune information nouvelle sur la côte est par rapport aux livres de Bernardin de Saint-Pierre, de Raynal ou de Rochon et aucune sur la côte ouest. Les renseignements donnés paraissent d'ailleurs vieillis au regard de ceux fournis par le mémoire de Lescallier. Le baron avait quitté l'île de France depuis 1755 et l'auteur n'avait aucun souvenir personnel de la grande île, ils ne pouvaient donc, ni l'un ni l'autre, rafraîchir la documentation des Directeurs. Un dernier ouvrage, déjà signalé, le *Journal* de Robert Drury fut à nouveau disponible, dans une réédition faite à Hull en 1807. On peut considérer que seule la documentation relative à la côte ouest retint l'attention des Directeurs car l'accès à la côte est resta pratiquement interdit aux Britanniques jusqu'en 1811. C'est pourquoi, après la prise des Mascareignes et de Tamatave, les informations toutes fraîches sur la côte est qu'elle autorisa furent considérées avec intérêt. Le mémoire de Lescallier, que Froberville avait retraduit de l'anglais, utilisé à la fois par Farquhar et par les Directeurs prit alors toute son importance.

Au Cap rien de nouveau.

Les informations en provenance du Cap, qui ne pouvaient concerner que la côte ouest, continuèrent pourtant à être réclamées et étudiées après la mort de Vanderkemp et la prise des Mascareignes. L'année 1812, si importante pour l'histoire interne de la L.M.S., fut consacrée à la reprise en main des missions existantes et aux sévères restrictions financières exigées par Hardcastle qui ont été évoquées plus haut. Pour

---

55 GRANT (C.), *The History of Mauritius*, sur Madagascar, p. 219-250, 301-4 et 338-45 ; sur GRANT, voir le *Dictionnaire de Biographie Mauricienne*.

l'Afrique du Sud, en particulier, il fallut régler la difficile succession de Vanderkemp par l'envoi d'une mission d'inspection conduite par John Campbell. Les projets de Vanderkemp ne furent pas suspendus mais les Directeurs ne donnèrent que de vagues directives à leur envoyé pour les reprendre et les mener à terme. Il devait, s'il le jugeait possible, dépêcher une mission à Madagascar au cours de son séjour en Afrique du Sud. Campbell rencontra donc Pacalt, le compagnon que Vanderkemp s'était choisi en 1811. Il paraissait toujours décidé à partir, à condition qu'on lui trouvât un second approprié. Pour répondre à cette demande, Campbell écrivit à un certain Messer, missionnaire au Cap qui souhaitait s'employer ailleurs, mais qui se déroba.[56] Cependant, Campbell enquêtait sur Madagascar, renouant avec les informateurs de Vanderkemp et notamment avec Truter. Ce qu'il apprenait le laissait hésitant, il ne prit donc aucune initiative et estima que son rôle devait se borner à approfondir l'information sur Madagascar, ce qu'il fit auprès d'un certain Oncruydt, "Président du synode urbain, qui avait été à la côte ouest."[57] Le résultat de ses enquêtes fut communiqué à la L.M.S. en mars 1813, et parut dans l'*Evangelical Magazine* de la même année.[58]

Il décrivait Madagascar comme un pays fertile, relativement sain, surtout si l'on prenait des précautions convenables dans le domaine vestimentaire et alimentaire, et si l'on évitait de trop s'exposer au soleil. La région de Tuléar était bonne du point de vue de la santé. Les habitants pratiquaient l'agriculture et l'on trouvait du riz en abondance. On comptait dans l'ensemble de l'île une "nombreuse population" et son genre de vie indiquait "un état de civilisation considérable." En particulier, on disait que les gens du centre étaient loin d'être malhabiles dans les métiers de la métallurgie. Mais l'écriture était inconnue. Les gens menaient habituellement une existence sédentaire mais différents groupes se faisaient la guerre. Quant à son caractère, le Malgache ne paraissait être ni sauvage ni cruel et il était accueillant aux étrangers. Pourtant, un informateur relatant les attaques des Malgaches sur les Comores doutait de l'entière sécurité des missionnaires qui s'installeraient parmi eux. Pour la religion, ils étaient païens et avaient quelques "superstitions" dont on pensait qu'elles dérivaient des Mahométans. Ils ne semblaient pas particulièrement attachés à défendre leur propre religion ou particulièrement hostiles à d'autres. Sur le plan politique, l'influence du chef de la région de Tuléar s'étendait loin dans les terres. Les communications avec Madagascar n'étaient pas faciles et se faisaient surtout par les îles Mascareignes. Ce rapport n'apportait rien de décisif et Campbell en était bien conscient lui-même puisqu'il profita du passage du Révérend Milne, en route pour la Chine avec son compagnon

---

56 *Letters S. A.*, Campbell to Messer, 7 Jan. 1813. Messer, né en 1773, arriva au Cap en 1811 où il travailla jusqu'en 1842. SIBREE : *Register of Missionaries*, 9.
57 *Letters S. A.*, Campbell to Burder, 7 and 13 Jan. 1813, sur l'activité de Campbell voir son livre : *Travels in South Africa,* London, 1815, 2 vol. ; sur Madagascar, voir vol. 1.
58 *Letters S. A.*, Campbell to L.M.S., March 1813.

Judson, pour lui demander de procéder à une enquête à l'île Maurice, au cas où il y ferait escale. Comme Vanderkemp, Campbell avait dû se rendre compte que les communications étaient déterminantes et que tout nouveau pas vers Madagascar devait obligatoirement se poser sur les îles.

Enquêtes à l'île Maurice.

Les informateurs de l'île Maurice nous sont déjà connus ; il y eut d'abord Thompson qui recueillit les souvenirs d'un certain "Captain S." et du matelot Johnson qui avait été jeté à la côte est par un corsaire français et d'autres personnages non nommés qui avaient fréquenté l'île. On sait quelles furent les sources de Milne et de Judson à l'île Maurice, grâce à la publication du mémoire de Milne faite par Jean Valette.[59] Milne faisait connaître aux Directeurs, au cas où ils l'auraient ignoré, le livre de Grant dont j'ai souligné l'intérêt mineur, et surtout celui, en français, de Sonnerat. De cet ouvrage dont la première édition remontait à 1782, il y avait eu un nouveau tirage en 1806.[60] Milne fit une traduction des passages qui concernaient Madagascar, en particulier le chapitre intitulé "De l'Isle de Madagascar" qui est particulièrement intéressant par l'importance qu'il donne aux mœurs et croyances religieuses des Malgaches et dont le missionnaire n'a pas toujours saisi l'importance. Par exemple, Sonnerat relève l'existence de trois races dans l'île. "Ceux qui forment la seconde habitent quelques provinces de l'intérieur ; ils sont basanés et ont les cheveux plats ; on les a nommés *Malambou* ils sont continuellement en guerre avec les premiers ; on les estime moins à l'île de France que les autres parce qu'ils sont moins forts pour le travail, et qu'ils sont en général très paresseux, leurs traits ressemblent à ceux des Malais."[61] Cette observation qui aurait pu faire connaître aux Directeurs l'existence des Merina est passée sous silence par le mémoire de Milne, prouvant bien qu'à l'île de France même on n'avait pas encore évalué l'importance politique et stratégique de ce peuple et qu'à la direction de la L.M.S. on n'envisageait, en 1813, qu'une mission côtière pour Madagascar. Pour tout ce qui concerne la religion, Millne se montre extrêmement scrupuleux à reproduire le texte de Sonnerat et à le critiquer avec un bonheur très inégal. Lorsque Sonnerat affirme que "les Madegasses n'ont à proprement parler aucune religion",[62] Milne rétorque : "il a été dit qu'ils n'ont pas de religion, mais cela ne peut être admis en aucune façon. Ils en ont une de quelque façon qu'elle vienne et aussi peu digne d'estime qu'elle puisse être comme il apparaîtra à partir des témoignages suivants."[63] Les témoignages sur lesquels s'appuie le missionnaire sont ceux qu'il a recueillis auprès de Rondeaux, un traitant

---

59 MILNE (Rev. A.) : *Memoire*, éd. VALETTE.
60 SONNERAT : *Voyage aux Indes*.
61 SONNERAT : *Idem*, vol. 1, p. 56.
62 SONNERAT : *Idem*, vol. 1, p. 68.
63 SONNERAT : édition Valette, p. 230.

de Madagascar. Pourtant, si Milne reprend à son compte le manichéisme que Sonnerat attribue aux Malgaches, il donne une étonnante interprétation du mot *Zanhar* (Zanahary) le principe du Bien qui n'est que de lui. *Mr Rondeaux says Zan means love, and har signifies incarnate, so that the word signifies Love incarnate according to it'.*[64] Aucune traduction n'est donnée du mot *Angat* (Angatra) le principe du Mal. S'empêtrant un peu, Milne attribue à Rondeaux des observations sur la croyance à la métempsycose qu'il a lues dans Sonnerat, tandis qu'il oublie de relever la présence de musulmans pourtant notée par Sonnerat. Les rites de sacrifices bien observés par Sonnerat sont soigneusement repris et augmentés par Milne. Le *fatidra* (fraternité de sang) est, avec quelque finesse, rapproché des rites de la franc-maçonnerie, mais la pratique de l'astrologie relevée par Sonnerat est négligée par Milne. La comparaison du livre de Sonnerat et du mémoire de Milne amène à penser que, si les Directeurs n'avaient pas eu d'autres sources d'informations, ils se seraient fait une idée bien surprenante de la religion des Malgaches et de leurs origines, encore que cela ne fût pas pour les troubler, vu la fascination pour le merveilleux et l'occulte qu'ils partageaient avec leurs compatriotes. Après lecture d'un livre aussi sérieux et bien informé que celui de Sonnerat, assaisonné d'un peu de Rochon et de Grant, Milne achevait son rapport sur la religion des Malgaches de la façon suivante : *Upon the whole, so far as I can learn, it appears that the religion of this people may be considered as a compound having, part from Pythagoreans, Platonists, Egyptians, Persians, Jews, Mahomidans, Bramhins and Christians. This is much confirmed by considering that people holding all these different systems have resided in the island.*

La lettre de Judson, nourrie de Rochon et de Grant, n'apportait rien d'important par rapport au copieux mémoire de Milne mais, en 1814, Jean Le Brun arrivait à l'île Maurice avec pour instructions d'avoir à s'informer et à préparer la mission de Madagascar. Il y retrouvait Hooper, correspondant de Burder déjà signalé, qui ne savait pas grand-chose, de son propre aveu, sur la grande île. "Nous n'avons pas été en mesure d'apprendre quoi que ce soit de conséquent concernant les naturels, excepté d'être jaloux de toute colonisation dans leur île, et qu'ils semblent peu soucieux de cérémonies religieuses ou de culte".[65] Le Brun se préoccupa surtout de fonder une école et de réunir une congrégation parmi les gens de couleurs libres à l'île Maurice. Il se remit entièrement à Farquhar du soin de fournir des renseignements aux Directeurs mais se déclarait toujours prêt à partir. "Depuis que la Missionary Society a commencé une Mission ici, il serait beaucoup mieux que la même Société commence cette importante Mission (de Madagascar) sans délai. Le soutien du Gouvernement ici et là-bas aussi, puisqu'ils ont commencé une colonie parmi eux. (Port-Louquez). S'il y avait deux missionnaires de Jersey ou Guernesey pour venir ici, je suis

---

64 SONNERAT : *Idem*, note (b).
65 *Letters Mauritius*, B I/Fl/JA, Hooper to Burder, P-L, 14 nov. 1814.

prêt à aller à Madagascar (...) car j'ai trop à faire ici."[66] La seule contribution notable de Le Brun et de Hooper fut la rédaction d'un "Appel" destiné à sensibiliser l'opinion des classes laborieuses en Grande-Bretagne pour la mission de Madagascar.[67] Il ne semble pas que ce texte ait été publié par les Directeurs, il n'apportait aucune solution et aucune information nouvelles. C'est de Farquhar que vint en réalité l'information la plus consistante, jusqu'en 1817.

---

66 *Letters Mauritius*, BI/FI/JB, Le Brun to Burder, P-L, July, 29th, 1816. Les points de suspension indiquent des passages illisibles. En 1815, un petit poste de traite fut établi par les Britanniques à Port Louquez, dans une baie située entre Vohémar et Diego Suarez. Une querelle entre les traitants et le chef Tsitsipy, quelques mois après l'installation, ne laissa qu'un seul survivant parmi les étrangers. Malgré une expédition punitive conduite par le capitaine Le Sage, qui permit l'exécution de Tsitsipy et l'octroi d'une large concession de terre, les autorités britanniques ne purent trouver personne, à Maurice, pour occuper la petite colonie. Il est significatif que Le Brun ne touche pas un mot de cet échec à la direction de la L.M.S. BROWN (Mervyn) : *Madagascar*, p. 135.
67 *Letters Mauritius*, BI/ FI/JA, Hooper to Burder, P-L , 1st Nov. 1814.

CHAPITRE IX

PREMIERS PAS VERS MADAGASCAR

1 - Les choix décisifs

La langue

Le projet de Burn, influencé ou non par Bogue, entrait largement dans les vues de ce dernier, quant au choix du personnel missionnaire. Burn insistait sur la nécessité d'entreprendre l'étude de la langue malgache comme un préalable à la conversion des habitants. L'entreprise devrait être menée par des hommes choisis "dont le caractère attirant devrait s'ajouter aux connaissances et aux talents pour lesquels l'homme blanc était déjà respecté". En 1799, le premier projet de Vanderkemp insistait pour que les missionnaires fassent un séjour au Cap parmi les esclaves malgaches et les Européens ayant séjourné dans l'île *to be perfectly instructed in the Madagascar language*.. En 1806, il entreprit dans ce but l'instruction des esclaves malgaches du Cap, et se maria avec une femme de ce pays, dont la mère était native de l'île.[1] Tout cela, selon l'opinion des Directeurs, "ne pouvait que le mettre en plus grande sympathie avec la terre qu'il se proposait d'évangéliser."[2] En 1811, Thompson lui faisait parvenir *a Catechism in the Madagascar language*.[3] Vanderkemp qui mourut peu après avoir reçu la lettre de Thompson, ne put sans doute pas tirer profit des informations et du catéchisme fournis, mais ces documents furent transmis à Londres. Milne, qui s'était procuré un autre catéchisme en 1813, écrivait : *Though they have no character that can be called their own, yet their language can be reduced to a system. This is evident from the Catechism I have sent you and also from the following testimonies.*[4] Les preuves fournies sont des extraits de

---

[1] *Letters S. A.*, 10 July 1806, Vanderkemp to L.M.S.
[2] *Evangelical Magazine*, Mars 1812.
[3] *Odds 8*, Thomson to Vanderkemp 2 Nov. 1811, Vanderkemp's papers et *Africa : Incoming correspondance*. Ce catéchisme n'existe pas dans les Archives de la L.M.S. J. Hardyman, dans "The London Missionary Society...", pense qu'il ne fut jamais envoyé à Londres par Pacalt, mais il est vrai qu'il était adressé à Vanderkemp. Voir note 24.
[4] Ces documents se trouvent dans les archives de la L.M.S. : *Madagascar vocabulaire* et *Catéchisme*.

Rochon sur l'écriture arabico-malgache et la fabrication du papier et de l'encre dans le Sud-Est. Milne ajoutait que "certains naturels de la côte parlent un peu le Français et l'Anglais". Dès 1805, le public britannique pouvait apprendre, en lisant le Mémoire de Lescallier, "qu'il (s'était) introduit dans la langue madégasse beaucoup de mots de la langue arabe ou maure qui y a quelque rapport" et que "la langue malgache était fort proche de celle de 0'Taïti. Presque tous les noms numériques sont absolument les mêmes et beaucoup de mots principaux se ressemblent parfaitement. (...) Il y a quelque apparence aussi que la langue madégasse a quelque mélange de langue maure des Indes qui est un dialecte de l'Indoustan et aussi de l'arabe."[5] Partageant la naïveté et la suffisance de tous les voyageurs européens de l'époque, Lescallier estimait : "la langue madégasse (...) est simple dans sa construction à peu près comme celle de tous les peuples sauvages, c'est à-dire voisins de la nature."

Les témoignages ci-dessus permettent d'affirmer que, dès 1807, les Directeurs pouvaient savoir que la langue malgache s'écrivait en caractères arabes et le fait qu'il est impossible qu'ils aient reçu par Thompson un catéchisme en arabico-malgache en 1812, comme le pense Munthe, n'y change pas grand-chose.[6] La formation qu'ils donnaient à leurs missionnaires pour l'Inde pouvait donc convenir à ceux destinés à Madagascar, c'est-à-dire un bagage de linguistique arabe et persane et de théologie coranique. Mais la croyance en la simplicité des "langues sauvages" et au don surnaturel des langues qu'accorde Dieu à ses envoyés, faisait que beaucoup de Directeurs et de missionnaires négligeaient cette préparation linguistique, s'imaginant pouvoir parler la langue de Tahiti en quelques mois, dans les années 1796, et celle de Madagascar, dans le même délai, en 1813.[7] Il y a là un point très important et très souvent négligé par les travaux sur la langue édités à ce jour qui mérite qu'on s'y arrête. La conception que les évangéliques et les convertis du Réveil se faisaient du missionnaire était directement inspirée par les Actes des Apôtres. La part du travail et des dons personnels sur le terrain étaient les éléments qui prouvaient qu'on était un véritable missionnaire, mais le critère fondamental pour en juger était la capacité à apprendre la langue du pays. Bogue, dans son séminaire, déclarait aux futurs missionnaires que "l'incapacité à apprendre la langue devait être considérée comme un signe d'absence de vocation".[8] Les

---

5 LESCALLIER, édition Valette.
6 MUNTHE (L.) : *La Bible à Madagascar*, conteste la teneur de l'article de l'*Evangelical Magazine* de Mars 1812 reproduisant la lettre de Thompson à Vanderkemp.
7 MILNE : "*The language is not uncommon nor difficult of acquisition*", édition Valette, p. 26
8 *Missionary Lectures*. Pour un examen de la croyance au "don des langues", voir mon article : "Considérations sur l'introduction de l'imprimerie à Madagascar", *Omaly sy Anio*, n° 5-6, 1977, p. 89-105. Dans ses études consacrées à ce problème de la langue, comme dans sa thèse, Mme Raison néglige ces particularités de l'anthropologie des missionnaires.

missionnaires étaient malgré tout autorisés à se servir au début d'un interprète. La présence à Maurice et sur la côte est de gens qui pratiquaient à la fois la langue malgache et une langue européenne était donc un argument supplémentaire en faveur d'une mission à Tamatave.

La nature du terrain missionnaire.

Les Directeurs choisissaient et classaient les différents terrains de mission en fonction du type de religion qu'on y pratiquait et du degré de civilisation de leurs habitants. A trois grandes catégories correspondaient des méthodes et un personnel appropriés.

l. Les populations qui avaient atteint un stade de haute civilisation (presque tous les Juifs, beaucoup de Musulmans, les Païens de l'Inde, de la Chine et du Japon).

2. Les populations qui pour être quelque peu civilisées, conservaient encore beaucoup de barbarie (le reste des Juifs et beaucoup de Païens).

3. Les peuples qui vivaient encore à un stade inculte et sauvage (tribus de l'intérieur de l'Afrique et des îles des Mers du Sud).

La ressemblance des Malgaches avec les habitants des îles des Mers du Sud et leur proximité des Hottentots d'Afrique du Sud, faisaient que, lorsque D. Bogue développait ses cours de géographie missionnaire, il plaçait délibérément Madagascar dans la dernière catégorie. C'est ce que confirmait Milne, fraîchement émoulu de Gosport en 1813, en appliquant aux Malgaches le système classificatoire appris au séminaire. *As there appears considerable similitary in many respects between this people and those of the heathen in Africa, Hottentots, and s. o., I think that a Missionary who would labour there* (en Afrique) *for some time is most suitable for this Mission.*[9] Farquhar avait bien tenté de démontrer que les Malgaches était un peuple à la "civilisation non négligeable", mais Le Brun écrivait encore de Maurice, en 1818, que c'était "un peuple barbare".[10] Cette opinion dut persister puisqu'on la retrouve, intériorisée par l'auteur, sous la plume de Rabary dans plusieurs de ses écrits, ainsi :

Ny olona ambonimbony rehetra dia nanan-tsivilisasio kely, noho ny fifaneraserany tamin'ny Vazaha sy ny Talaotra mpivarotra... fa raha ny be sy ny maro kosa dia mbola barbara avokoa. (...) *Ny finoany an'Andriamanitra nefa ireo aza dia finoana isy ampy sady kilemaina.*[11]

---

9 *Mémoire* de Milne, édition Valette, p. 26.
10 *Letters Maur.*, B1/Fl/JB, P-L, 12 Juil. 1818, Le Brun à Bogue, en français.
11 RABARY : *Ny Maritiora Malagasy*, Toko IV. Traduction : "Les gens de l'élite possédait une teinture de civilisation, du fait de leur fréquentation avec les traitants et les marchands antalaotra (...) mais pour ce qui concerne la majorité de la population, elle était encore complètement barbare (...) Quant à leur croyance en Dieu quoique réelle c'était une croyance insuffisante et infirme." C'est moi qui souligne.

Plein men from humble walks of life, with no prospects...,[12] voilà ceux qui conviennent parfaitement aux missions chez les Barbares, disait Bogue à ses élèves. Dans la mesure où Madagascar appartenait à la troisième catégorie de terrains, des *plein men* devaient suffire à la tâche. En 1819 lors de l'Assemblée générale, il précisait un peu plus sa pensée : "les missionnaires de la Société ont à prêcher l'Evangile parmi trois classes d'hommes vivant en société. (...) Les premiers (ceux du Pacifique et de l'Afrique du Sud) sont tellement barbares que les Barbares dont parle saint Paul pourraient être considérés comme civilisés comparés à eux". Selon lui, on pouvait espérer obtenir des conversions en masse chez ces gens. Les hommes de la deuxième classe se trouvaient dans un état intermédiaire entre la civilisation et la barbarie. Chez ceux-là, on obtenait de véritables conversions individuelles parmi les milliers qui faisaient profession du christianisme. Ces chrétiens nominaux, comme cela s'était passé pour les barbares d'Europe, les Anglo-saxons, seraient vraiment convertis au fil des ans par l'influence de l'Esprit. Pour ces deux classes d'hommes, et surtout pour la dernière, il n'était vraiment pas nécessaire d'envoyer des théologiens savants et des lettrés.

Dès 1796, Bogue avait exposé au Comité directeur la place qu'il réservait aux hommes de peu de savoir, aux simples : "les *plain men* pourront bien convenir pour les sauvages".[13] "Mais il est vrai que le Christ choisit les simples, il leur accorde des dons surnaturels auxquels nous ne pouvons pas prétendre" lui avait-il été répondu. Ses collègues, Haweis et Burder surtout, inconsciemment inspirés par les Croisades médiévales, tenaient à faire participer au plus près les masses laborieuses anglaises, à l'entreprise missionnaire. A leur avis, les gens peu éduqués avaient "des sentiments religieux brûlants et fervents qui compensaient le manque de force mentale et d'entraînement intellectuel et spirituel."[14] Bogue fit paraître sa réponse dans l'*Evangelical Magazine* de 1797 : seuls les Ministres éprouvés étaient capables de faire de bons missionnaires, mais, hélas ! ils n'étaient pas les plus zélés pour offrir leurs services.[15] En revanche les laïcs étaient nombreux et, parmi eux, les artisans pieux, les *Godly mechanics* comme disaient Haweis et Burder.

Finalement, après la fondation du séminaire de Gosport, dans les années 1800, on arriva à un compromis entre les deux tendances reposant sur la classification en deux types de fonctions missionnaires pour correspondre à deux types de missions. Pour les pays civilisés, on ferait appel à des missionnaires instruits, formés à Gosport ; pour les pays non civilisés, on aurait recours, en majorité sinon exclusivement, à des missionnaires à peine dégrossis et surtout à des artisans. Mais "parmi

---

[12] "Des hommes simples issus des humbles chemins de la vie, sans ambitions...", *Missionary Lectures*, 1817.
[13] *Letters South India, General*, "Bogue's proposal for a Mission to Surat", April 7, 1796. Réponse du Comité : *Board Minutes,* April 1796.
[14] *Board Minutes*, May 12, 1797.
[15] *Evangelical Magazine*, May 1797, "Thoughts on Obtaining Missionaries" signé : "Philadelphos".

ceux qui seront désignés pour les nations non civilisées, devraient s'en trouver quelques-uns de ceux qui sont qualifiés pour prendre la direction et présider de quelques degrés au-dessus de leurs frères."[16] Cela correspondait, en quelque sorte, à institutionnaliser la hiérarchie qui s'instaura en Afrique du Sud jusqu'en 1811, période durant laquelle la personnalité peu ordinaire de Vanderkemp domina ses collègues. C'était une telle hiérarchie que Milne, Hooper et Le Brun envisageaient pour Madagascar : un missionnaire qui aurait travaillé quelque temps en Afrique du Sud et qui aurait acquis "une connaissance considérable de la philosophie ancienne et de la mythologie serait le chef de la mission."[17] On l'entourerait de gens qui seraient charpentiers, forgerons, maçons et tanneurs.[18] La L.M.S. était donc naturellement disposée à envoyer des artisans dans les pays de mission qu'elle avait classés comme "barbares ou demi-civilisés", elle incitait tous ses missionnaires à acquérir "des connaissances en agriculture, ou dans les branches des arts mécaniques dont l'application est utile dans les pays non civilisés".[19]

Entre 1811 et 1816, ses différents envoyés avaient classé Madagascar dans la même catégorie que l'Afrique du Sud et les îles des Mers du Sud, il était donc normal qu'elle prévît pour la grande île une mission de style africain qui tiendrait compte à la fois des leçons de la Sierra Leone et de l'Afrique du Sud et des candidatures qui se présenteraient. Le projet missionnaire pour Madagascar était au fond peu éloigné des réalisations des jésuites en Amérique latine. Il s'agissait d'introduire et d'aménager dans le pays un modèle de société civilisée et chrétienne, à l'abri des influences malfaisantes des autres Européens et surtout des traitants, tous liés à l'esclavage et hostiles à l'évangélisation. Pour cela, il fallait constituer à l'écart une véritable colonie chrétienne qui regrouperait les catéchumènes et tenterait de vivre en autarcie sous la protection des autorités britanniques. Milne, en 1813, proposait l'achat d'un terrain à Madagascar qui fournirait la base matérielle de cette "réduction protestante". Une telle colonie ne pouvait être créée par le gouvernement britannique, puisque Madagascar, comme Tahiti, n'étaient pas possessions de la Couronne, il fallait qu'elle fût cédée par les Malgaches eux-mêmes. Il convenait donc de nouer de bonnes relations avec les naturels et avec leurs chefs. Milne prévoyait pour ce faire des cadeaux et surtout, après information, une utilisation de la fraternité de sang que les missionnaires pourraient conclure avec les chefs. "Il n'y a pas de doute, si la chose n'entraîne pas de péché, qu'elle serait d'un grand avantage pour eux, car les gens les considéreraient de ce fait comme partie d'eux mêmes et se sentiraient obligés de les protéger". Il ne semble pas que le *fatidra* (fraternité de sang) ait été jugé pur de tout péché, car il n'en fut plus question par la suite. En revanche, dès 1818, Jones et Bevan, porteurs de cadeaux, recherchaient l'amitié

---

16 *Committee Minutes*, May, 5, 1800.
17 *Memoire* de Milne, édition Valette, p. 26.
18 *Letters Mauritius.*, B1/F1/JB., P-L July, 29, 1816, Le Brun to Burder.
19 *Committee Minutes*, May, 5, 1800.

des chefs de Tamatave et tentaient de s'établir à l'écart des traitants blancs.

Les Hommes

Les péripéties du choix des hommes sont certainement la seule ressemblance que l'on peut trouver, dans cette phase, entre la mission de Madagascar et celles d'Afrique car, pour le reste, les choses furent sensiblement différentes à cause du contexte, mais avant tout à cause des missionnaires eux-mêmes. Pour Madagascar, la question de savoir si les missionnaires choisissaient eux-mêmes leur pays d'affectation est d'importance puisque le cas exceptionnel de Vanderkemp ainsi que la légende de la vocation de David Jones et de Thomas Bevan ont fait souvent croire et écrire aux historiens que ces pionniers, appelés par la Providence, avaient choisi Madagascar. La vérité est bien différente, ne serait-ce que parce que les hommes qui parvinrent à Madagascar en savaient peu de choses et n'avaient jamais songé à y aller, tandis que ceux qui avaient rêvé d'y répandre l'Evangile, par une ironie du sort, n'eurent jamais l'occasion d'en fouler le sol.

Les règles de la Société étaient claires : "lorsqu'un candidat se présentait, il exprimait ses désirs et motifs en écrivant directement au Secrétaire, qui communiquait la lettre aux Directeurs lors de leur réunion mensuelle."[20] Cette demande devait être accompagnée d'une recommandation signée par un ministre connu des Directeurs, d'un certificat attestant son expérience de la vie chrétienne, établi par un ministre ou un membre respectable de la congrégation à laquelle il appartenait, contresigné par un Directeur. Si la demande était jugée recevable à l'unanimité, ce qui fut le cas de Vanderkemp, le candidat était immédiatement accepté et engagé. A la majorité des deux tiers, la candidature restait en attente pour enquête. A partir des années 1813, le candidat recevait, dans tous les cas, un imprimé comportant les règlements de la Société dont il devait prendre connaissance et qu'il devait signer ainsi qu'un questionnaire sur trois pages qu'il devait remplir soigneusement.[21] Les points abordés par cet imprimé étaient les suivants : - l, date de réception comme membre d'une congrégation et désignation de cette congrégation, - 2, date et lieu de naissance, situation des parents, - 3, opinion sur le baptême des enfants, - 4, études, - 5, raisons et circonstances qui ont amené le candidat à vouloir se faire missionnaire, - 6, situation matrimoniale et en cas de célibat, projet d'avenir en ce domaine. Suivait ensuite une série de questions sur les opinions du candidat relatives à la mission, au Credo, au nombre de sacrements qu'il reconnaissait. Il n'était fait aucune mention du lieu de destination souhaité, en revanche, en signant le règlement qui précédait

---

20 "Rules for the Examination of Missionaries", Sept. 28, 1795 reproduites par LOVETT : *History,* vol.1, p. 43.
21 "Considérations and Regulations respecting Missionaries in connection with the Missionary society".

le questionnaire, le candidat s'engageait "à partir du moment où il serait choisi pour cette tâche jusqu'à celui où il serait effectivement envoyé, (à se soumettre) à la volonté des Directeurs, qui feront tout ce qui sera en leur pouvoir pour le rendre apte à sa destination particulière." En principe donc, les Directeurs pouvaient envoyer n'importe quel candidat où bon leur semblait, sans tenir compte de ses préférences. A la lecture, la plupart des lettres de candidatures montrent bien que cette disposition était connue des candidats. Vanderkemp, le premier, demandait à être envoyé "là où les Directeurs le jugeraient bon, mais de préférence à..." Le Brun, Griffiths et bien d'autres firent de même. D'un autre côté, par les articles de l'*Evangelical Magazine* et du *Missionary Chronicle*, les Directeurs faisaient de la réclame pour tel ou tel pays de mission, selon les années, en fonction de leurs projets et de leurs besoins. Il leur était difficile de tromper l'espérance de ceux qui, touchés par tel ou tel article, se sentaient appelés plus précisément vers un pays particulier. Aussi la Direction tenait-elle compte des préférences des candidats mais les subordonnait à leurs capacités. Nombre de candidats virent ainsi la Direction répondre à leurs vœux, ce fut le cas de Griffiths en 1819.[22] Il avait lu avec intérêt les lettres de ses compatriotes gallois, Jones et Bevan, dans le *Missionary Chronicle* et se sentait attiré par Madagascar, où il fut envoyé.

Mais en 1819, il était beaucoup plus facile aux Directeurs d'agir ainsi grâce à l'abondance des candidatures. De 1811 à 1816, la situation avait été nettement différente. On a vu que les années 1812-1813 virent un étiage des candidatures en Angleterre et que la Direction dut faire alors appel à des missionnaires étrangers, allemands et néerlandais. En 1811, deux missionnaires étaient prévus pour Madagascar au départ du Cap, Vanderkemp et Pacalt. Mais on lit dans le livre de Copland "qu'après la mort du Dr Vanderkemp il apparut que Mr Pacalt renonçait à son dessein de gagner Madagascar, et rien ne transpira plus sur ce sujet pendant quelques années."[23] Copland travaillait à partir des publications de la Société, mais la lecture des archives conduit à nuancer ses affirmations concernant Pacalt et l'Afrique du Sud. En 1811 en effet, Pacalt écrivait à la L.M.S. pour annoncer le décès de Vanderkemp et expliquait : *The door to Madagascar which had been so long shut appears to be open to proceed there from this country*. Mais il ajoutait ne pas savoir si, après la mort du chef de la mission envisagée, il avait mandat pour conduire le projet à terme et si les autorités seraient aussi décidées qu'avant à les transporter ainsi qu'elles l'avaient promis. Il exposait ses hésitations aux Directeurs et leur transmettait la longue lettre de Thompson adressée à Vanderkemp.[24]

---

[22] *Candidate Papers*, "Accepted candidates", Griffiths to L.M.S., Gosport, Nov. 13, 1819.
[23] COPLAND (S.) : *A History*, Appendix, p. 355.
[24] *Letters S. A.*, Pacalt to L.M.S., 16 décembre 1811. Il n'a sans doute pas transmis le catéchisme.

En 1813, nous l'avons vu, la Société fut préoccupée avant tout par ses finances, par l'ouverture de l'Asie et par la mise en place des premières *Auxiliary societies.* Les rares candidats recrutés servirent d'abord à renforcer les stations existantes (Inde, Chine, Pacifique). Aucune mission nouvelle ne vit le jour entre 1807 et 1814. Il n'est donc pas étonnant que les Directeurs n'aient pas donné l'autorisation à Pacalt pour s'engager à Madagascar, bien que celui-ci se soit déclaré toujours "fermement déterminé à partir."[25] Campbell, en mission d'inspection en Afrique du Sud, rechercha un compagnon pour Pacalt et écrivit pour cela à Messer le 7 janvier 1813, lui proposant de l'envoyer à Madagascar ou ailleurs, mais plutôt à Madagascar. En mars 1813, Campbell écrivait qu'il n'avait pu prendre de décision, Messer s'étant récusé. Pacalt retourna donc travailler parmi les Hottentots "attendant qu'on puisse trouver un frère pour l'accompagner à Madagascar." Verghoed, auquel avait pensé Vanderkemp en 1810, ne fut plus sollicité ni par Pacalt, ni par Campbell.[26] Après le passage de Milne et le départ de Campbell, il fut encore question d'envoyer des missionnaires à Madagascar au départ de l'Afrique du Sud, mais on ne désigna plus Pacalt. Les Directeurs considéraient désormais qu'il était bien implanté en Afrique du Sud où il rendait de grands services à la mission et qu'il n'était plus nécessaire de déplacer un homme au travail quand d'autres se présentaient. De fait il n'y en eut qu'un, Thom, personnage peu discipliné, particulièrement antipathique à travers ses actes, sa correspondance et le témoignage de ses contemporains. Il était destiné à l'Inde et, en cours de route, avait décidé de s'arrêter au Cap en Février 1814, grâce à la protection de Burder. Il faisait partie de la même promotion de missionnaires que Le Brun, destiné à l'île Maurice, avec lequel il entretint correspondance jusqu'en 1817.[27] Après moins d'un an de séjour au Cap, il demanda à être muté et les Directeurs songèrent à l'envoyer à Madagascar. Son affectation fut décidée le 21 novembre 1814, alors que lui même se disposait à se rendre en Amérique comme aumônier d'un régiment. Thom ne tarda pas à répondre qu'il ne pouvait prendre le poste car il ne parlait pas le français, alors que la mission de Madagascar devait être obligatoirement basée à Maurice.[28] Cela fut accepté sans difficulté. Au même moment, Pacalt, qui se sentait oublié, relançait les Directeurs et demandait à être remplacé dans son poste par Messer. Il avait appris par Thom le refus de Messer et se présentait à sa place. Peu de temps après, il apprit que les plans de Vanderkemp étaient devenus caducs et que des missionnaires avaient été désignés à Londres pour une mission qui passerait par l'île Maurice. Il renonça à ses projets malgaches et termina sa carrière en Afrique du Sud.

---

25 Campbell to L.M.S., March 1813.
26 CAMPBELL : *Travels in South Africa,* vol. 1, p. 541.
27 Sur l'activité de George Thom en Afrique du Sud, voir mon article "Le contact missionnaire au féminin".
28 *Board Minutes,* Nov. 21, 1814.

C'est donc d'Angleterre que devaient venir tous les missionnaires pour Madagascar. Le 4 octobre 1813, les Directeurs qui avaient reçu le rapport de Milne, les lettres de Judson, de Farquhar et de Telfair avaient décidé d'affecter un missionnaire à l'île Maurice "pour préparer la route vers la grande île de Madagascar."[29] Jean Le Brun, natif de Jersey où il avait été ordonné le 25 novembre 1813 après un séjour de deux ans à Gosport, fut bien étonné d'apprendre sa nomination. Dès qu'il connut la nouvelle il écrivit une lettre à l'un de ses camarades de séminaire, T. C. Supper, afin qu'il intervienne auprès de Burder, car ses souhaits le portaient vers la Flandre française.[30] Mais les Directeurs maintinrent son affectation et prirent toutes les dispositions pour son départ. Le choix d'un tel homme était judicieux car Le Brun était francophone et Milne avait insisté, dans son Mémoire, sur la nécessité pour le futur missionnaire de maîtriser le français.

2 - La stratégie du gouverneur Farquhar

Une figure controversée

Le gouverneur Farquhar est un personnage de l'histoire politique et religieuse de Madagascar particulièrement controversée. Personne n'oserait nier son rôle déterminant dans l'introduction du christianisme, dans la suppression de la traite des esclaves et dans l'assistance technique et diplomatique qu'il prêta à Radama. Pourtant, de son vivant même, ses actes furent vivement attaqués et, depuis sa mort, ses mobiles n'ont cessé d'être mis en suspicion par divers historiens. Pour tout dire, on lui a reproché son hypocrisie et sa mauvaise foi : son soutien à l'évangélisation n'aurait été qu'une manœuvre subtile pour assurer la domination politique et économique de la Grande-Bretagne sur Madagascar, la suppression de la traite qu'un prétexte humanitaire démenti dans les faits par la persistance du trafic, voire son encouragement à Maurice même.[31] Il est vrai que, dès 1828, Farquhar fut violemment attaqué au Parlement britannique pour avoir favorisé la traite des esclaves, accusation qu'il put réfuter, mais qui mérite malgré tout quelque examen à la lumière des témoignages des missionnaires présents à l'île Maurice.[32] Mais, peut-on mettre en doute, comme l'ont

---

29 ELLIS (W.) : *History*, vol. 2, p. 203.
30 *Candidates papers*, Accepted candidates, Gosport, Oct. 1813, T. C. Supper to Burder.
31 Voir un condensé de ces thèmes dans l'article de LINTINGRE (P.) : "Notes sur la rivalité franco-britannique".
32 Le Brun n'hésitait pas à accuser Farquhar "d'indulgence pour Messieurs les Français" et à lui reprocher de faire peu d'efforts pour anéantir la traite. *Letters Maur.*, B1/Fl/JB, Port-Louis, Aug. 2, 1818, Le Brun to Burder, en français. Sur l'ensemble des relations de Farquhar avec les missionnaires des Mascareignes on se reportera à mon "Religion et esclavage aux Mascareignes sous le

fait nombre d'historiens francophones de Madagascar, la sincérité de ses convictions religieuses, peut-on les dissocier de ses ambitions politiques pour n'en faire qu'un masque ? Après ce que j'ai découvert de l'attitude des humanitaristes à l'œuvre dans l'Empire britannique, il ne me semble pas possible de faire du gouverneur Farquhar un voltairien cynique pour lequel la religion n'aurait été qu'un des meilleurs moyens pour soumettre les peuples à la Couronne britannique. Farquhar était au contraire un émule des grands chefs du mouvement évangélique, regroupés dans la Secte de Clapham, avec lesquels il fut sans cesse en correspondance durant son séjour outre-mer et sur lesquels il put compter pour le défendre lors de sa mise en accusation à Londres, en 1828. C'est à Charles Grant, qu'à plusieurs reprises, en 1814 et 1815, Farquhar adressa des lettres pour faire pression sur la Société Missionnaire de Londres et pour activer l'envoi de missionnaires à Madagascar. Il est vrai qu'il n'obtint pas de réponse, mais cela ne prouve en rien que les évangéliques de l'*Establishment* désapprouvaient ses initiatives.[33] Manifestement, Farquhar avait l'ambition d'être un grand gouverneur, dans le style des Macaulay et des Grant ; il se faisait une très haute et très sérieuse idée de sa fonction et de ses responsabilités vis-à-vis de la partie de l'humanité que la Providence avait placée sous son autorité pour la plus grande gloire de la Couronne britannique. Et, comme on l'a vu plus haut en découvrant les fondements providentialistes de l'impérialisme britannique mis en forme par Hardcastle, il estimait du devoir des représentants de l'Angleterre de répandre la religion chrétienne sur toutes les terres où ils avaient accès. Farquhar en a lui-même laissé la preuve en écrivant ces lignes :

"J'ai depuis plusieurs années à cœur de procurer cet inestimable bienfait aux habitants de Madagascar qui forment une portion des dépendances de mon gouvernement. Je considère comme un devoir (...) de ne pas abandonner mes efforts pour attirer une partie de l'attention du monde religieux sur cette intéressante Ile qui me semble particulièrement adaptée pour recevoir une instruction religieuse (...) ma situation de Gouverneur de ces îles a mis en mon pouvoir de réunir tous les moyens pour faciliter la tentative des Missionnaires qui voudront appliquer leurs efforts à étendre le bénéfice de la Rédemption à l'île de Madagascar. (...) Mon grand désir est d'introduire le christianisme sans tenir compte des ombres de différence qui séparent les sectes. Les grandes conséquences de la christianisation que j'envisage ne sont réservées à aucune dénomination particulière..."[34]

---

gouvernement de Farquhar", *Le mouvement des idées dans l'océan Indien occidental*, Saint-Denis de la Réunion, A.H.I.O.I., 1985, p. 317-330.
33 Propos de Le Brun cités par R. Carver, lettre du 28 juin 1816, in HARDYMAN (J. T.) : "Methodist Plans...". L'absence de réponse de Charles Grant s'explique par la distance que prirent les membres de la secte vis-à-vis de la L.M.S. à partir de 1814 (voir plus haut).
34 R. T. Farquhar to Thomas Thompson M.P., 3d June 1816, *Incoming Letters* .S.A.

Soulignons encore que les traités conclus avec Radama par Farquhar, étaient, comme ceux qu'il avait passés avec le sultan de Ternate dans les Moluques en 1801, un préalable destiné à garantir la sécurité des missionnaires et des artisans autant que celle des commerçants. Leurs but étaient la suppression de l'esclavage autant que le maintien de l'équilibre des forces avec la France dans cette partie du monde. Une fois encore nous constatons que ce n'est pas le terrain qui décidait des attitudes et des entreprises humanitaristes dont les missions ne sont qu'un aspect, mais bien la conviction, préétablie en Europe, de ces personnalités qui n'attendaient que des circonstances favorables pour agir et se montraient même capables de préparer le terrain si nécessaire. Dans le cas de Farquhar, il est clair qu'il a voulu s'assurer que ce serait avec l'île Maurice que le royaume le plus puissant de Madagascar (celui des Merina) aurait les liens les plus étroits. Cela, pour le bénéfice de Maurice même, mais aussi pour empêcher la France de reprendre pied dans l'une ou l'autre de ces îles et de lui couper la route du Cap vers l'Inde. "Il lui semblait inévitable, qu'à longue échéance, la rivale la plus formidable de la Grande-Bretagne ne revînt à la charge avec son ardeur traditionnelle pour restaurer sa fortune dans le domaine colonial. Il lui était difficile de croire que les habitants d'origine française de Maurice ne porteraient pas aide à leur ancienne métropole en cas de crise."[35]

Quant à la traite des esclaves, la France fut la nation qui mit le plus d'obstacles à sa suppression lors des négociations pour la signatures du traité de Vienne, elle refusa ensuite le droit de visite aux vaisseaux britanniques jusqu'en 1831 et créa des difficultés à l'Amirauté britannique pour les navires négriers français saisis. Tout cela détermina Farquhar à écarter la France de tout accès aux sources est-africaines et malgaches du trafic négrier. Au total, la sollicitude de Farquhar en faveur des missionnaires résultait d'un mélange de mobiles politiques, commerciaux, religieux et philanthropiques qu'il serait d'autant plus vain de vouloir dissocier que cette disposition était commune à tout le personnel colonial britannique de l'époque.[36]

---

35 GRAHAM (G. S.) : *Great Britain*, p. 51-57. L'*Histoire de Madagascar* de Deschamps, démarquée par Valette dans *Etudes sur le règne de Radama*, et l'*Histoire de l'Océan Indien* de Toussaint sont particulièrement faibles sur ce sujet. Deschamps cite pourtant, dans sa bibliographie, un travail de recherche déjà ancien que les jeunes historiens anglophones, notamment Gow, auraient dû consulter pour nuancer leurs conclusions : WASTELL (R. E. P.) : *The British Impérial Policy in Relation to Madagascar, 1810-1896*, Ph. D., London University, 1944, dactyl.
36 Analyse nuancée de cette attitude par VALETTE (J.) : "Une Lettre à Griffiths", p. 868-872.

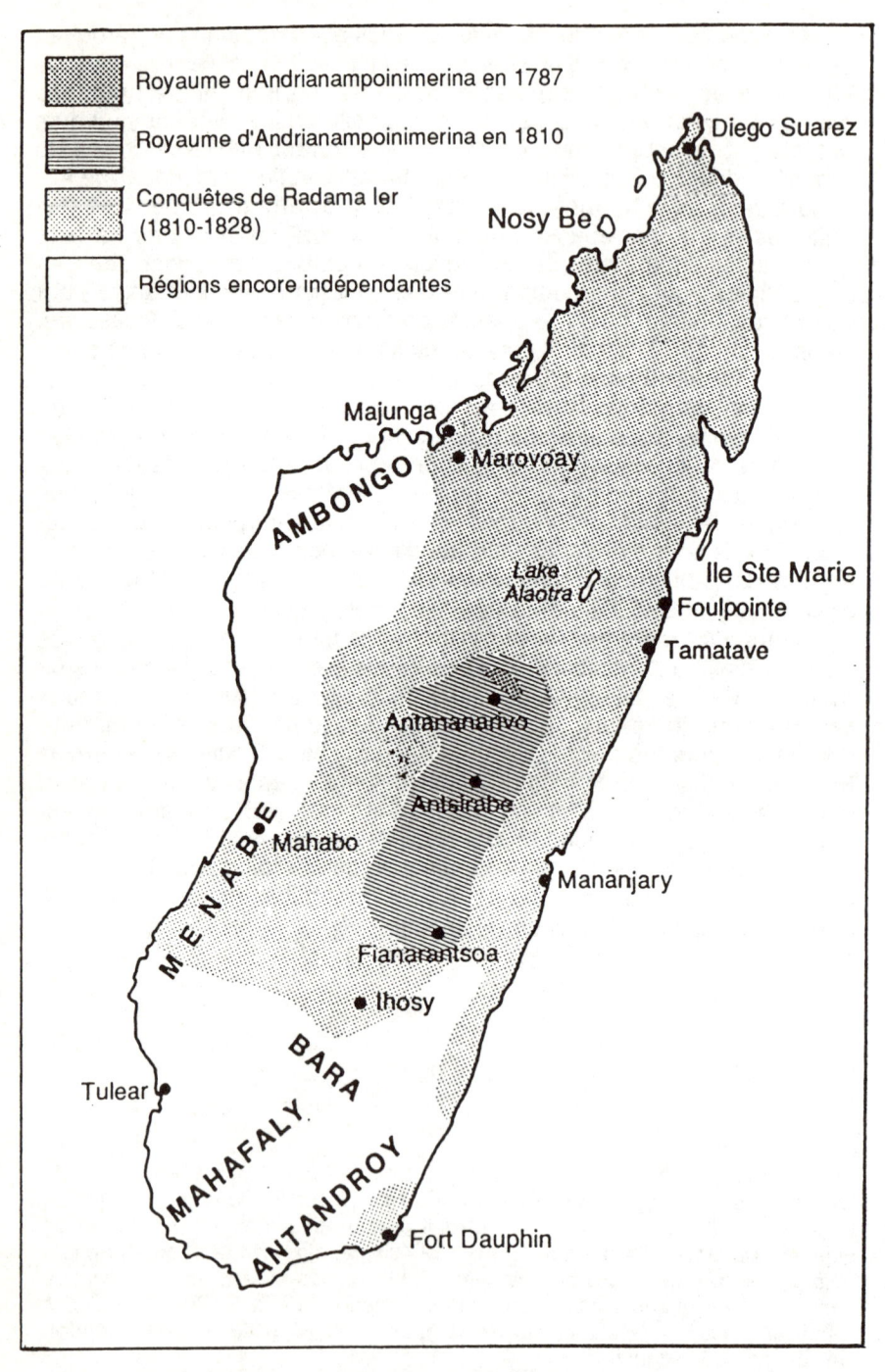

15 - La formation du Royaume de Madagascar (1787-1828).

L'Évangélisation de la dépendance

Dès qu'il reçut la lettre de Vanderkemp en 1811, mais peut-être même avant, Farquhar dut songer à lancer l'évangélisation de Madagascar avec les forces dont il disposait dans les Mascareignes, en attendant que, de Londres ou du Cap, lui viennent des assurances plus précises, en réponse à ses sollicitations. Sur place le compte était vite fait. Les seuls agents du christianisme qu'il avait trouvé en arrivant étaient les missionnaires catholiques, dont une majorité de lazaristes réduits en nombre, vieillis et parfois aigris par les longues querelles qui les avaient divisés sous Decaen à propos de la préfecture apostolique. Seul parmi les clercs de l'île Maurice, l'abbé Flageollet, quoique refusant toute fonction officielle, accepta de lui fournir renseignements et documents, depuis sa paroisse de Saint-Pierre à Moka d'où il ne voulait plus bouger. Le gouverneur cherchait donc autant à reconstituer un clergé catholique loyal envers la Grande-Bretagne pour les îles qu'à se procurer des missionnaires pour Madagascar.

Il fallait pour les Mascareignes pourvoir la Préfecture apostolique qui regroupait Bourbon, l'île de France et Madagascar depuis 1787. Le 10 novembre 1792, la Constituante avait décrété la suppression des préfectures apostoliques dans les colonies françaises, le Consulat les ayant rétablies en 1803, le gouverneur Decaen nomma l'abbé Pierre Hoffmann sans recourir à Rome. Ce préfet ne reçut l'investiture canonique qu'en 1807, quelques mois avant sa mort. Un remplaçant lui fut trouvé en 1809 parmi les curés de l'île de France : l'abbé Emmanuel Gouillart. C'est lui qui dirigeait le clergé à l'arrivée de Farquhar en 1810. Les démêlées entre le gouverneur britannique et le supérieur ecclésiastique ne nous intéressent pas ici, en revanche il est sûr, en l'état actuel de la documentation, qu'avant la signature du traité de Paris et sa confirmation comme gouverneur en 1814, Farquhar songea à utiliser les prêtres catholiques pour l'évangélisation de Madagascar. Selon P. Lintingre, il adressa même une demande à la Curie Romaine pour obtenir la nomination d'un vicaire apostolique d'origine britannique et la juridiction canonique sur l'île de Madagascar considérée comme l'une de ses dépendances.[37] Le vicariat apostolique de l'île Maurice ne fut érigé que le 11 mars 1819 mais, entre-temps, Farquhar obtint que l'île et ses dépendances, en tant que simple préfecture, relèvent d'un Vicariat apostolique du cap de Bonne Espérance, possession britannique, où fut nommé, en 1817, un prélat de nationalité britannique, Monseigneur Slater. Tandis que des bénédictins venaient relayer les lazaristes à Maurice, on en revint à la préfecture apostolique pour Bourbon, restituée à la France. Elle fut enlevée aux lazaristes, peut-être sur intervention du

---

37 LINTINGRE (P.) : "Note sur la rivalité franco-britannique". Voir aussi de FAUCHEUR (G. S. s. p.) : "Madagascar et les Spiritains", *R.H.M.*, Tome V, 1928, p. 407-437.

gouverneur Bouvet[38], peut-être par refus de M. Hanon, leur supérieur qui manquait d'hommes et qui ne voulait plus de cette mission, peut-être encore en application d'une circulaire du roi Louis XVIII.[39] Elle fut confiée aux pères du Saint-Esprit comme la plupart des "vieilles colonies".

Sur l'extension de la préfecture de Maurice, Rome temporisa d'autant plus que le père Berthout, supérieur des spiritains, réagit vivement en apprenant la démarche de Farquhar. Il écrivit au ministre Portal, qui intervint à Rome, pour demander que la juridiction religieuse sur Madagascar soit reconnue au Préfet apostolique de Bourbon et non à celui de Maurice. C'est l'occupation de Sainte-Marie par les gens de Bourbon, en 1821, qui permit à la Congrégation de la Propagande de trancher en étendant la préfecture de Bourbon à l'île de Sainte-Marie, la Grande-Bretagne ayant renoncé à cette date à considérer Madagascar comme une dépendance de l'île Maurice.

Les autorités romaines enjoignirent alors à Monseigneur Berthout "de s'entendre avec l'évêque de Maurice sur l'envoi de missionnaires dans l'île de Madagascar". On demeure surpris de la largeur de l'esprit œcuménique du gouverneur de Maurice, mais on ne peut pas s'étonner de l'étroit nationalisme de tous les protagonistes de cette escarmouche missionnaire. Mais peut-on imaginer que, sans le paramètre nationaliste, des missionnaires catholiques envoyés de Maurice auraient pu précéder les protestants à Madagascar ? Ce qui est certain c'est qu'aucune entreprise catholique ne fut lancée depuis Maurice au cours du XIXe siècle. Tirant les leçons de l'expérience, Farquhar pouvait écrire que "les différentes tentatives des Missionnaires catholiques furent des échecs parce qu'ils cherchaient les moyens d'agrandir le territoire ou d'augmenter la gloire vaniteuse de leur propre nation plutôt que le bénéfice des individus qu'ils prétendaient convertir."[40] Farquhar se retourna donc avec plus d'insistance vers les différentes sociétés missionnaires protestantes, beaucoup plus actives et surtout plus proches à tous points de vue de ses intérêts et de ses sympathies.

De l'étude qu'a faite L. Munthe des rapports annuels de la *B.F.B.S.* on tire la certitude que Farquhar soutint très tôt l'activité du révérend Shephard, aumônier militaire et correspondant de cette société. Plus tard, le 11 novembre 1812, le gouverneur soutint la fondation de l'antenne de la Société Biblique à l'île Maurice, approvisionnée en livres par Londres.[41] Arrivé à Port-Louis comme fonctionnaire de l'administration, Hooper prit immédiatement contact avec M. Baron, le

---

38 Suggéré par LACAZE (Dr Honoré) : *L'Ile Bourbon, l'Ile de France et Madagascar*, Paris, A. Parent, 1880.
39 Voir LA VAISSIERE (R. P. de) : *Madagascar, ses habitants, ses missionnaires*, vol. 1 et surtout LINTINGRE (P.) : "Note sur la rivalité...".
40 Mauritius, 3 June 1816, Farquhar to Thompson M. P., *Methodist Archives*, "Incom. Letters.S. A."
41 MUNTHE (L.) : *La Bible à Madagascar*. On notera que les informations concernant le Comité directeur de la B.F.B.S. ne correspondent pas à celles données par Hooper, *Letters Mauritius,*. B1/F1/JA, Hooper to Burder, P-L, 12 Nov. 1812.

vice-président de cette société et archiviste de la colonie de son état. Hooper avait rendu visite à la L.M.S. avant son départ en 1812 et Burder l'avait chargé de distribuer des ouvrages imprimés par la B.F.B.S. et de tâter le terrain à Bourbon et à Maurice.[42] La L.M.S. ne l'avait en aucune façon investi d'une mission officielle auprès des autorités et il ne fut recruté par elle qu'en 1816. Il ne semble pas avoir jamais rencontré personnellement Farquhar ni même Telfair jusqu'à cette date, mais Farquhar ne recevait que des envoyés dûment accrédités et porteurs d'un message. En ce qui concerne la L.M.S, il accueillit Thompson en 1811, chargé d'une lettre par Vanderkemp, il reçut Milne et Judson en 1813, porteurs d'une lettre de Campbell, et Le Brun en 1814, avec une lettre des Directeurs. En novembre 1815, après le traité rendant Bourbon à la France, voyant que la L.M.S. n'envoyait pas d'autre missionnaire, il fit demander à Le Brun s'il irait ou non à Madagascar.[43] Ce dernier remit une réponse évasive et, peu après, tomba malade. C'est à partir de cette période que des représentants d'autres sociétés évangéliques se trouvèrent de passage à Maurice.

C'est en effet à ce moment que les méthodistes wesleyens commencèrent à s'intéresser à Madagascar. Cette dénomination s'était affranchie des préjugés anti-missionnaires de son fondateur et commençait à manifester une très importante activité en ce domaine, avec la fondation en 1816 d'une revue, les *Missionary Notices*, et celle, en 1818, d'un organisme la *General Wesleyan Missionary Society*. Les informations contenues dans la presse de la L.M.S. relatives à Madagascar allumèrent son intérêt et, en 1816, quatre missionnaires destinés à Ceylan furent chargés d'une enquête préparatoire à une mission à Madagascar. L'un d'entre eux, R. Carver fut reçu par Farquhar. "M. Le Brun envoya une note à Mr Telfair, Deputy Secretary, joignant une carte avec les noms des missionnaires (...) Le 17 mai, Mr Le Brun m'accompagna à sa maison et à celle du Gouverneur. Le Gouverneur orienta immédiatement la conversation sur le sujet d'une Mission à établir dans l'île de Madagascar, laquelle pourrait introduire quelques arts utiles."[44] Farquhar et Telfair proposèrent à Carver l'établissement d'une mission dans le centre de l'île et lui signalèrent la grande quantité de documents, entre autres linguistiques, qui existait à Maurice. "M. Le Brun, disaient-ils, représentant de la L.M.S., avait déjà trop de travail à Maurice et n'avait pas été en mesure de profiter de l'offre qui lui avait été faite d'un voyage gratuit (...) les Méthodistes devraient entreprendre la mission". Le Brun, témoin de cet entretien, signale, peut-être par erreur, la présence de deux missionnaires baptistes, en route eux aussi pour

---

42 Hooper to L.M.S., 12 Nov. 1812, Hooper to Burder, *Incom. Letters Maur.*, B1/FI/JA, P-L, 14, Nov. 1814. Les livres à distribuer étaient les *Commentaires* de Doddridge, l'*Essay* de Bogue, des Bibles, des Nouveaux Testaments en français et des tracts en français et en anglais.
43 *Letters Maur*, B1/F1/JA, Le Brun to Burder, P-L, Nov. 1815.
44 Lettre du 11 Mai 1816 publiée dans *Missionary Chronicle* de janvier 1817, p. 97-99.

Ceylan, auxquels Farquhar aurait dit, au même moment "qu'il avait déjà écrit deux fois à la L.M.S. pour l'envoi d'un Missionnaire à Madagascar mais qu'il n'avait reçu aucune réponse à ses lettres".[45]

Sans tenir compte de la présence de ces ministres dont l'existence, quoique fort possible, reste à prouver par des recherches dans les archives de la Mission Baptiste, il est évident que Farquhar voulait faire jouer la concurrence entre les institutions missionnaires, les congrégationalistes contre les méthodistes, et qu'il n'aurait pas hésité à en faire entrer d'autres dans la course. La correspondance qu'il adressa au siège des deux sociétés après cette entrevue en fait foi. Le 3 juin 1816, Farquhar expédiait une lettre à Thompson, membre du comité de la Société Missionnaire méthodiste dont Carver lui avait fourni le nom, pour qu'il en fasse parvenir le contenu aux Directeurs.[46] Il y reprenait les propos qu'il avait tenus à Carver : "qu'il avait correspondu avec M. Burder de la L.M.S. et avec d'autres personnes mais que jusque-là, le succès n'avait pas répondu à ses effort". Le 20 mai 1816, il avait écrit de nouveau à la L.M.S., sans lui parler des méthodistes et en expliquant qu'il considérait la mission de Maurice comme le point de départ de celle de Madagascar, proposant la création d'un centre missionnaire basé à Maurice pour la pénétration de l'île voisine.[47] Farquhar prenait des précautions avec la L.M.S, se rappelant ce que lui avait dit Milne, en 1813, du principe qui réclamait le privilège exclusif de la Société pour toute mission qu'elle entreprenait : *No society should begin before ours*. Les deux sociétés discutèrent chacune de son côté le contenu de la correspondance de Farquhar en octobre 1816. Pour la L.M.S., Madagascar n'était pas une affaire nouvelle, mais la lettre de Le Brun, reçue peu après, qui faisait état d'une concurrence possible des sociétés méthodiste et baptiste, dut certainement précipiter les choses. C'est le 21 octobre 1816 en effet que fut prise la décision d'envoyer des missionnaires à Madagascar. Quant aux méthodistes, ils en restaient à la phase d'enquête et décidaient, entre le 18 et le 25 octobre, de s'informer au Cap et à Maurice en profitant de trois de leurs missionnaires qui partaient pour Ceylan. L'un d'entre eux, Newstead, resterait à Maurice et étudierait avec Farquhar "les moyens les plus efficaces pour l'établissement d'une Mission dans l'île de Madagascar et entreprendrait immédiatement la dite mission s'il lui apparaissait à lui et aux autres Frères, après avoir consulté le Gouverneur, que des chances de succès existaient telles qu'il valût la peine d'essayer."[48]

La situation créée par Farquhar était en sorte que deux sociétés, dont l'une jalouse de son exclusivité, lui répondaient favorablement en même temps. Mais le temps joua en faveur de la L.M.S., sans qu'elle s'en rendit compte. En décembre, elle put désigner nommément deux hommes pour Madagascar tandis que la société méthodiste, le 13 décembre

---

45 *Letters Maur.*, B1/F1/J.B, June 9, 1816, Le Brun.
46 Citée par HARDYMAN (J. T.) : "Methodist Plans...", p. 262.
47 *Letters Mauritius*, B1/F1/JB, P-L, May 20, 1816, Farquhar to L.M.S.
48 Cité par HARDYMAN : "Methodist plans...", p. 263.

1. Habitant de Madagascar.

2. Clarkson s'adressant aux militants de l'abolition de la traite des esclaves lors de la Convention anti-esclavagiste de 1840. Tableau par B. R. Haydon, National Portrait Gallery, Londres.

Radama I painted by Coppalle

James Hastie

Sir Robert Farquhar

3. Portraits de Radama, Hastie et Farquhar. Musée du Palais de la Reine, Tananarive.

4. Tamatave au début du XIXe siècle. Dessin de Bérard, 1848.

5. Revue des troupes par Radama (1823 ?), gravure extraite de Leguevel de Lacombe, *Voyages à Madagascar,* 1840.

6. Un village de l'Imerina au début du XIXe siècle. Dessin anonyme.

7. Le *Missionary College* d'Ambatomiangara (gravure extraite de Clark, *Tantaran'ny...*, *op. cit.*, d'après un dessin de D. Johns).

David Griffiths

David Jones

William Ellis

J.J. Freeman

Andriambelo

Quatre missionnaires de Madagascar et l'un des « Douze » premiers auxiliaires thographie extraite de Lovett, *The History of the L.M.S.*, volume 2).

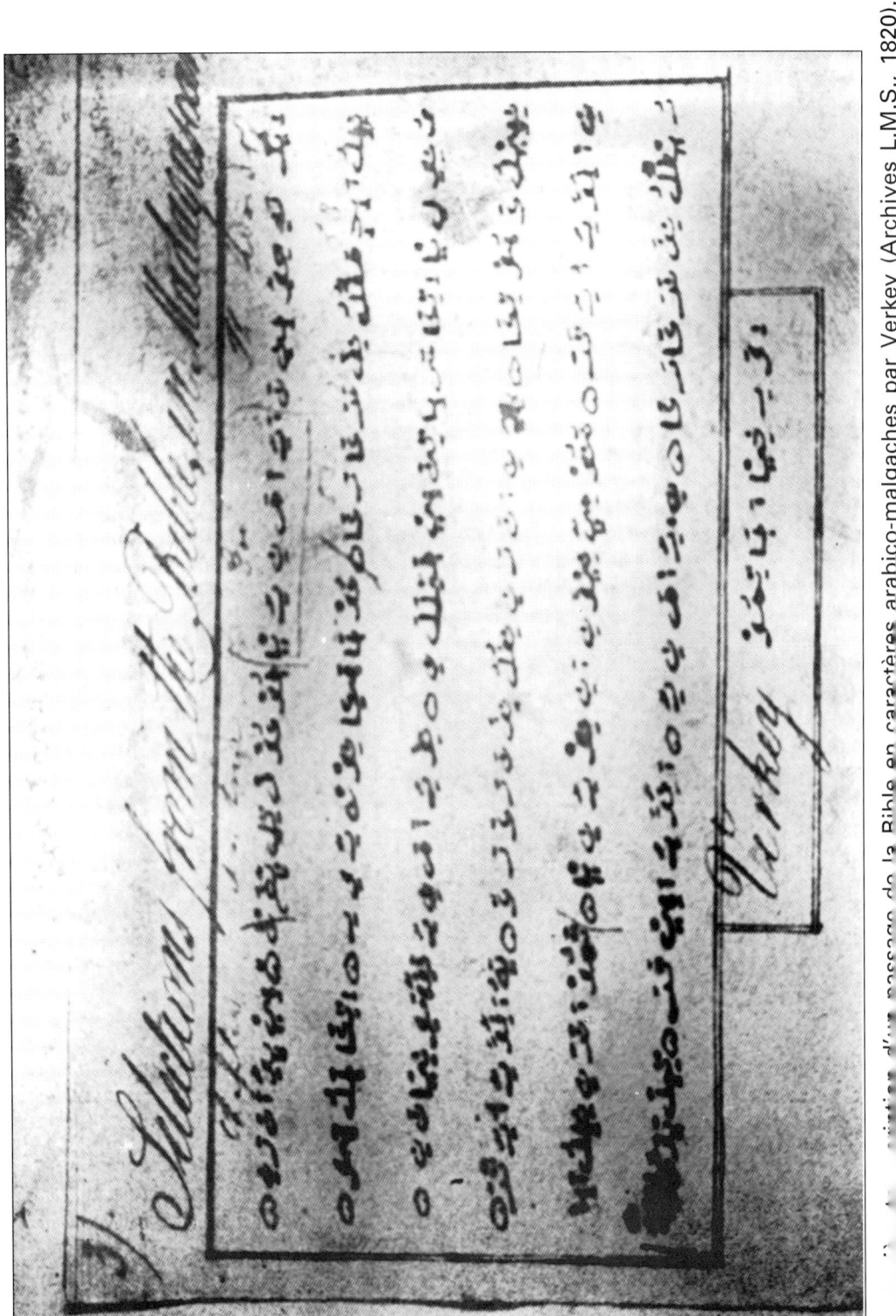

Ancien écrit d'un passage de la Bible en caractères arabico-malgaches par Verkey (Archives L.M.S., 1820).

Moramang Oct 13 1821

Tarantite hanao asa maroñ
Leidam Manzaka - moi et
Monsieur Griffiths avec nos
femmes fini arrivé en bon santé
ici - Tonga sik isiret an
Tananarivou antilou andr
tamin din sik si zaza keli ve
Moi bien content entendre vous
fini arrivé avec votre monde en
bon santé de la guerre -
Akor Mousolahi si Rasova ravou
ravou zaho ra tsi hadin taratas zera
Tarantitr hanao-tonga sik rehef
en tananarivou dia zaho miresak
keli tamin zanak ne rehet -
Veloma ni saheisami isirehet -

David Jones
Missionary

). La première lettre en malgache de D. Jones à Radama, Moramanga,
octobre 1821 (Archives de Madagascar).

11. La première presse typographique introduite à Madagascar (1826, cliché H.-B., avec l'aimable autorisation de la F.J.K.M., Imarivolanitra).

1816, décidait elle aussi l'envoi de deux hommes sans pouvoir les désigner et procédait à des sondages parmi ses adhérents pour trouver des candidats. Malgré les précautions de Farquhar, la L.M.S. apprit par Le Brun que les méthodistes projetaient une mission dans la Grande Ile. Burder leur écrivit aussitôt pour donner le point de vue de sa société.[49] Après avoir admis qu'un pays suffisamment vaste et peuplé pouvait accueillir plus d'une dénomination religieuse, il affirmait que Madagascar était une aire trop petite pour deux sociétés et que la L.M.S. s'en préoccupait depuis des années et qu'en conséquence elle seule devrait y travailler.

Cette position à l'égard de coreligionnaires doit permettre de nuancer la réaction de la L.M.S. lorsqu'en 1820 elle rencontra à Madagascar la concurrence catholique en la personne de l'abbé Pastre, arrivé à Bourbon en 1817. La L.M.S. n'était pas sectaire, au niveau de sa direction du moins, mais elle voulait à tout prix éviter d'offrir aux païens le spectacle d'une division du christianisme, ce qui aurait, selon elle, ralenti la conversion.

Aussi, lorsque les méthodistes eurent affirmé leur volonté de ne pas renoncer, les Directeurs résolurent d'accepter "une division du travail et une collaboration relative à la Mission de Madagascar et particulièrement pour la sécurité des missionnaires."[50] Mais les wesleyens ne purent trouver ni hommes ni fonds pour Madagascar avant août 1820, tandis que les deux hommes désignés par la L.M.S., Jones et Bevan, s'étaient embarqués en 1817 pour Maurice et avaient gagné Madagascar dès le début de 1818.

3 - La préparation du terrain

Farquhar devait être en mesure de garantir aux sociétés missionnaires qu'il pourrait aider et protéger leurs envoyés. Il devait aussi les assurer que les évangélisateurs ne risqueraient ni leur vie ni leur santé à Madagascar. C'est pourquoi il conseilla, dès le début, la région du centre dont le climat lui avait été décrit comme plus favorable à des blancs. C'est aussi pourquoi il chercha à consolider le pouvoir du roi merina et à se l'attacher : "Le roi des Ova a dernièrement conquis deux autres Rois dans le Nord et ajouté leurs possessions à la sienne. Le prince est en termes amicaux avec les Anglais et son Excellence a peu de doutes qu'il offrira protection dans ses états à quelque missionnaire anglais qui pourrait être envoyé."[51] Il devait aussi faire valoir que la mission de Madagascar n'offrait "pas seulement une possibilité mais une grande probabilité de

---

49 Cette lettre a disparu mais on peut en supposer la teneur d'après la réponse que lui firent Marsden et Waltson le 28 décembre 1816, *Board Minutes* et *Methodist Letter-book.*.
50 *Board Minutes*, Dec. 30, 1816.
51 R. Carver, lettre du 28 juin 1816, citée par HARDYMAN : "Methodist Plans..."

succès" pour répondre à cet esprit d'économie et au souci de rentabilité qui animaient les dirigeants des sociétés missionnaires, et qu'il connaissait bien. Pour cela, il s'appliqua très tôt à réunir sur la Grande Ile une documentation qu'on pourrait qualifier d'ethnographique mais dans laquelle il ne choisit que ce qui pouvait déclencher ou activer la décision de la L.M.S. ou de la société wesleyenne. La première chose qui frappe dans l'information de Farquhar est son ignorance des sources anglaises sur l'île, sources qui étaient toutes largement favorables et dont les dernières en date contenaient déjà des projets d'évangélisation. Persuadé qu'à Londres les Directeurs avaient la même image défavorable que celle qu'il avait trouvée en arrivant parmi les créoles blancs des Mascareignes, et que trouveront Jones et Bevan, il s'appliqua à détruire la fâcheuse réputation des habitants de Madagascar.

En 1812, il avait quoiqu'en dise J. Valette, une information déjà consistante dont témoigne son rapport à Lord Liverpool.[52] En tout cas, les grandes lignes de son appréciation de l'île ne varieront point dans ses lettres postérieures, pas plus que ses intentions clairement exposées : "Quoique Madagascar ait été jusqu'ici considéré de par le monde comme un pays sans intérêt dont les ressources naturelles sont inutilisables, habité par un petit nombre de tribus nomades ne se distinguant entre elles que par d'infimes nuances de civilisation, une étude plus approfondie nous a convaincus que ce pays serait une acquisition plus importante que les possessions espagnoles..." Ce rapport destiné à convaincre les autorités de Londres de l'intérêt d'une colonisation de l'île témoigne de la même démarche que les différentes lettres qu'il adressa plus tard aux personnalités du monde missionnaire. Il fallait, dans son esprit, détruire une vieille image défavorable, présenter un tableau flatteur de l'île, quitte à forcer la réalité, et convaincre des conséquences avantageuses et facilement obtenues d'une mainmise qu'elle fût coloniale ou missionnaire.

C'est ainsi que Copland, dans son *Histoire*, interprétait l'action du gouverneur ; "l'envoi de deux missionnaires (nommément, le Rev. D. Jones et le Rev. T. Bevan) pour Maurice (fut décidé par les Directeurs) avec l'intention ultérieure de gagner Madagascar, si la situation de cette île était telle que cela fut en sécurité, ce qu'ils avaient été encouragés à espérer à partir des renseignements qui avaient été reçus du Gouvernement de Farquhar".[53]

Néanmoins, en tenant compte de l'accent mis sur les richesses réelles ou supposées de l'île à destination d'un membre du gouvernement, on doit reconnaître que sa lettre fournit sur les religions de Madagascar des informations des plus sommaires. "Ils ont de beaucoup dépassé l'état sauvage. Leurs idées religieuses tirent en de

---

52 "Madagascar et les théories de Sir R. T. Farquhar en 1812" par Jean VALETTE qui écrit : "A en croire Sir R.T. Farquhar, Madagascar serait un véritable "El Dorado" (...) A vrai dire, il reste dans les généralités, il ne semble pas être en possession de données précises", p. 349.
53 COPLAND (S.) : *A History*, Appendix, p. 355.

nombreux cas leur origine du Coran auquel se mélangent beaucoup des plus bizarres et des plus absurdes superstitions de la sorcellerie".[54] Cette information en soi n'était pas totalement fausse, mais utilisée pour des buts de propagande missionnaire, ce qui n'était pas le cas en 1812, elle était particulièrement malhabile, les évangéliques préférant les populations "sauvages" chez lesquelles il était possible de faire table rase de toutes superstitions, aux demi-barbares islamisés. La lutte contre l'islam n'entrant à aucun moment dans les projets missionnaires de l'époque, présenter les Malgaches comme des suppôts de Mahomet, ce n'était pas faire la partie belle à une éventuelle mission. Farquhar le comprit très vite et corrigea le tir dès qu'il s'adressa à des personnalités religieuses.

Déjà en octobre 1811, Telfair et lui-même s'étaient efforcés de fournir à Thompson et Judson, délégués par Vanderkemp, des renseignements plus étoffés et plus nuancés. Les "arts" étaient selon eux dans un état peu avancé, sauf ceux du textile dont ils proposaient l'envoi d'un spécimen à Londres. Les coutumes religieuses telles que la circoncision, le mariage et la fraternité de sang (*fatidra*) étaient signalées et décrites. Il n'était plus question de faire des Malgaches des musulmans quoiqu'on affirmât que leur langue était "une corruption de l'Arabe", mais la façon de l'écrire dérivait de l'hébreu. Ils avaient une religion, bien qu'elle fût "pleine de superstitions et peu estimable". Ils croyaient en un Dieu, auquel on faisait des sacrifices, et de mauvais chefs religieux appelés *ombiasses*. En 1813, Milne ne prit pas la peine de se renseigner auprès du gouverneur mais puisa la documentation de son mémoire auprès de Rondeaux, un traitant français nommé en 1811 commissaire civil à Madagascar par Farquhar. Il venait de rentrer de Tamatave et avait rédigé un rapport à l'intention de Charles Telfair et un "Mémoire sur Madagascar" utilisé plus tard par Froberville.[55] En 1814, Farquhar écrivait aux Directeurs que : "cette île intéressante n'a pas encore suscité l'attention qu'elle mérite, en raison probablement des publications d'Auteurs qui avaient intérêt à dénigrer les dispositions et les capacités des habitants ; car les plus authentiques auteurs sur Madagascar sont ceux qui ont commis les plus grandes irrégularités et ont par conséquent calomnié le peuple pour justifier leur propre conduite."[56]

Un programme d'enquêtes

En vue d'une connaissance exacte de la géographie de Madagascar Farquhar orientait son activité vers la recherche de documents inédits. Cette documentation pouvait servir tant l'entreprise de colonisation politique qu'une tentative d'évangélisation, ou mieux encore, les deux à la fois, selon l'idéal de la "colonie chrétienne", comme Milne le suggérait

---

54 "Madagascar et les théories de Sir R. T. Farquhar".
55 VALETTE : "Une source de l'histoire malgache au début du XIXe siècle, Rondeaux", *B. de M.*, n° 219, 1964, p. 603-618.
56 BI/F1/JA, P-L, June 20, 1814, Farquhar to Burder.

dans son mémoire.[57] En 1811, Farquhar avait pris contact avec un commandant français du Génie en poste à Maurice, Lislet-Geoffroy, fils d'une princesse de Guinée et d'un traitant européen, qui avait réalisé, en 1807, une carte de l'île de France saisie en mer par les Anglais et imprimée à Londres en 1814.[58] Le gouverneur lui proposa de rester dans la colonie et lui offrit un emploi de géographe. En 1814, il fit partie d'une mission que Farquhar envoya à Madagascar, visita les côtes de la partie nord et la "baie de Louiqui" (Lokia) au sud-est de Diego-Suarez, où, l'année suivante, les Anglais devaient tenter l'établissement d'une petite colonie baptisée Port-Louquez.[59] Avec ses nouvelles observations complétées par celles de Rochon, de Legentil et d'Agelet, il établit une carte générale de Madagascar qui fut éditée par les soins de Farquhar en 1819 à Londres.[60] Dans le même temps, Froberville, un Français qui entretenait correspondance avec tous ceux qui pouvaient lui apporter des renseignements sur la Grande Ile, achevait son "Grand Dictionaire de Madagascar" le 4 février 1816 et le confiait à Farquhar quelques mois plus tard.

Farquhar qui annonce cette acquisition en termes voilés aux directeurs de la L.M.S. le 20 mai 1816, n'est pas très disert sur ses relations avec Froberville qu'il ne cite même pas.[61] Le Brun apporte de son côté plus de précisions et semble avoir connu Froberville en personne : "Il (le Gouverneur) montra un grand Dictionnaire dans la langue de Madagascar et une Grammaire avec un grand vocabulaire, vingt ans de travail d'un Gentilhomme Français. Il n'est pas imprimé, il souhaite connaître quelles sociétés existent pour l'impression spéciale de grammaires et vocabulaires."[62] En fait, on ne sait rien des relations entre Froberville et Farquhar avant la cession que le premier fit au second dè ses manuscrits pour être imprimés, mais on peut supposer qu'ils se connaissaient puisque des manuscrits d'informateurs comme Rondeaux, adressés au gouverneur ou à son secrétaire Telfair, ont d'abord été utilisés et cités par Froberville, avant 1815, et ensuite classés dans ses papiers. En tout cas Alexandre Huet de Froberville, qui n'était pas créole mais avait pris sa retraite dans l'île en 1780, ne fut jamais employé par

---

57 "Le mémoire de Milne" (Valette, p. 25) : *it should be purchased in order to form a small Missionary colony (...) By a colony of this kind considerable favors might be set up.* Milne songeait sans doute à reproduire la station sud-africaine de Bethelsdorp.
58 *Dictionnaire de Biographie Mauricienne*, article "Lislet-Geoffroy".
59 COPLAND : *History*, Appendix, p. 260-261. DESCHAMPS (p. 152), repris sans vérification par BROWN (pourtant Britannique, p. 135 et 139) affirment que Port Louquez se trouve dans la baie d'Antongil où on le cherchera en vain. Sur la carte de D'Après de Mannevillette (1775) comme bien entendu sur celle de Lislet-Geoffroy, Port-Louquez se trouve entre Vohemar et Diego Suarez.
60 *Memoir and notice explanatory of a Chart of Madagascar.*
61 *Letters Maur*, BI/FI/JB, P-L, May 20, 1816, Farquahr to L.M.S., voir aussi *Incom. Letters S. A..*, Farquhar to Thompson, 3 June 1816.
62 *Letters Maur.*, B1/F1/JB, P-L, June 9, 1816, Le Brun to Burder.

Farquhar, malgré les affirmations de certains auteurs.[63] En revanche "le gouverneur chargeait le baron d'Unienville, qu'il avait en 1815 nommé archiviste de l'île Maurice en remplacement de M. Baron, d'utiliser la documentation réunie dans les archives locales pour une étude sur Madagascar".[64] Le Brun quant à lui était régulièrement tenu au courant des progrès réalisés dans la connaissance de l'île.[65] En 1816, après l'échec de la tentative de Port-Louquez au nord de Vohémar et la dépêche de Lord Barthurst du 18 octobre qui lui faisait savoir que les établissements possédés par la France à Madagascar ne dépendaient pas de Maurice, Farquhar envoya une mission au roi Radama. Je n'insisterai pas sur les aspects diplomatique de cette ambassade. Ce qui est sûr c'est qu'elle se situait dans le prolongement direct de l'entreprise d'information et d'évaluation des réalités de l'île que Farquhar avait lancée depuis 1811. A cette date, il écrivait : *Have formed correspondance with the different chiefs capable of forwarding the objects of the society...* En 1816, les instructions particulièrement détaillées qu'il remit à son envoyé Chardenoux et qui sont distinctes de la "Note Secrète concernant les approches d'un traité pour l'abolition de la Traite" confirment cette préoccupation.[66] Mais ce sont les instructions données à Lesage en 1816 qui insistent le plus sur les aspects religieux de la mission. Farquhar y demandait à son émissaire de "célébrer le service divin tous les jours où il doit l'être dans un lieu expressément choisi dans ce but. Empêcher les Musulmans de répandre des opinions dirigées contre le Foi chrétienne". Le Gouverneur n'hésitait pas à affirmer : "le terrain étant vierge, la religion protestante pourra être aisément introduite."[67] Mais dans un autre Mémorandum, il signifiait à Lesage d'avoir à garder une tolérance complète en matière de religion pour que personne ne puisse être choqué, contradiction qui annonçait certaines incohérences futures des missionnaires.[68]

Les journaux de ces différentes ambassades (Chardenoux, Lesage et Hastie), entre 1816 et 1817, lui apportèrent une documentation exceptionnelle que les envoyés de la L.M.S. trouvèrent à leur arrivée. Car, au moment où s'accomplissaient ces expéditions diplomatiques, les deux missionnaires désignés à Londres étaient en route.

---

63 Notamment Valette : *Etudes*, p. 8 et Deschamps : *Histoire* , p. 152, qui se recopient mutuellement.
64 TOUSSAINT (A.) : *Histoire des Mascareignes*, p. 155, les brouillons d'Unienville sont conservés au British Museum dans les papiers de Froberville sous le nom d'"Essai sur l'isle de Madagascar".
65 *Letters Maur.*, B1/F1/JA, P-L, Mars 30, 1815, Le Brun to Burder.
66 "La mission de Chardenoux auprès de Radama I (1816)", 'Instruction', p. 660-667, 'Note secrète', p. 667-668.
67 2ème Memorandum de Farquhar au Cap. Lesage, Port-Louis, Nov. 6, 1816, *Archives Maurice,* H.B. 7, pièce 60.
68 3è Mémorandum, *Archives Maurice*, H.B. 7, pièce 40. Ces lettres ont été publiées en traduction française par VALETTE (J.) : "Document pour servir à l'histoire des relations entre la Grande-Bretagne et Madagascar sous Radama Ier".

L'élaboration des outils de mission

Tout en organisant la réclame autour de Madagascar, Farquhar prenait soin de préparer pour les futurs missionnaires l'un des outils les plus importants de leur apostolat : une traduction de la Bible, ou plutôt des éléments pour la réaliser rapidement. Dans un premier temps, il s'appliqua à prouver que la traduction de concepts religieux en malgache était possible et avait même déjà été réalisée par les missionnaires catholiques. En 1811, Thompson put faire parvenir de Bourbon un exemplaire du catéchisme du Père Caulier, imprimé à Rome en 1785 en français et en malgache. Il est possible que Thompson en ait acquis une version manuscrite de 1780 puisqu'il est question dans sa lettre à Vanderkemp d'un catéchisme *in Arabic Characters*.[69] Les Directeurs firent insérer un extrait de cet ouvrage dans l'*Evangelical Magazine* de 1812, adoptant eux aussi l'attitude publicitaire du gouverneur. En 1813, c'est Milne qui put se procurer, à Maurice même, un autre catéchisme qu'il fit parvenir aux Directeurs. Il s'agissait du *Petit catéchisme* de Flacourt, imprimé à Paris en 1657, qui fut lui aussi publié dans l'*Evangelical Magazine* de janvier 1814.[70] Grâce à Froberville et à l'abbé Flageollet, Farquhar eut entre les mains, dès les années 1815-1816, de nombreux autres textes en malgache imprimés ou manuscrits, tel le *Catéchisme abrégé à l'usage des Madécasses* d'Antoine Flageollet, composé entre 1780 et 1787, et différents vocabulaires et grammaires : le *Dictionnaire de la langue de Madagascar* de Flacourt, imprimé en France en 1657 et 1658, le *Vocabulaire français-malgache* du père Challan, imprimé à l'île de France en 1773, la *Grammaire de la langue madécasse*, rédigée par l'abbé Flageollet dans les années 1785.[71] Avec ces travaux, avec l'assistance des traitants qui connaissaient la langue de Madagascar et celle des esclaves malgaches, notamment ceux que Telfair possédait sur l'Habitation Belle Ombre, Farquhar fit entreprendre la traduction de la Bible en malgache. "Il est très

---

69 Sur ce catéchisme qui fut peut-être, selon certains auteurs, imprimé à l'île de France, voyez TOUSSAINT (A.) : "Notes de Bibliographie malgache", *Mémoires de l'Académie Malgache*, hors série, 1948, p. 39-42. Le catéchisme imprimé conservé dans les Archives de la L.M.S. ne comporte pas de caractères arabes. On trouvera un bonne synthèse de la documentation linguistique disponible dans l'article de Jacques DEZ : "Les sources européennes anciennes de la linguistique malgache", *Bulletin de l'Académie malgache*, t. 56, n° 1-2, 1978 (1982), p. 1-25.
70 D'après COUSINS (W.) : *The Translation of the Malagasy Bible*, FFMA Press, Antananarivo, 1873, 8 p. + Appendix 9-16. Ce Catéchisme n'est pas conservé dans les Archives de la L.M.S. qui ont été déposées à la Bibliothèque de la School of Oriental and African Studies (Londres).
71 DELORD (R.) : "L'énigme de la Grammaire..."

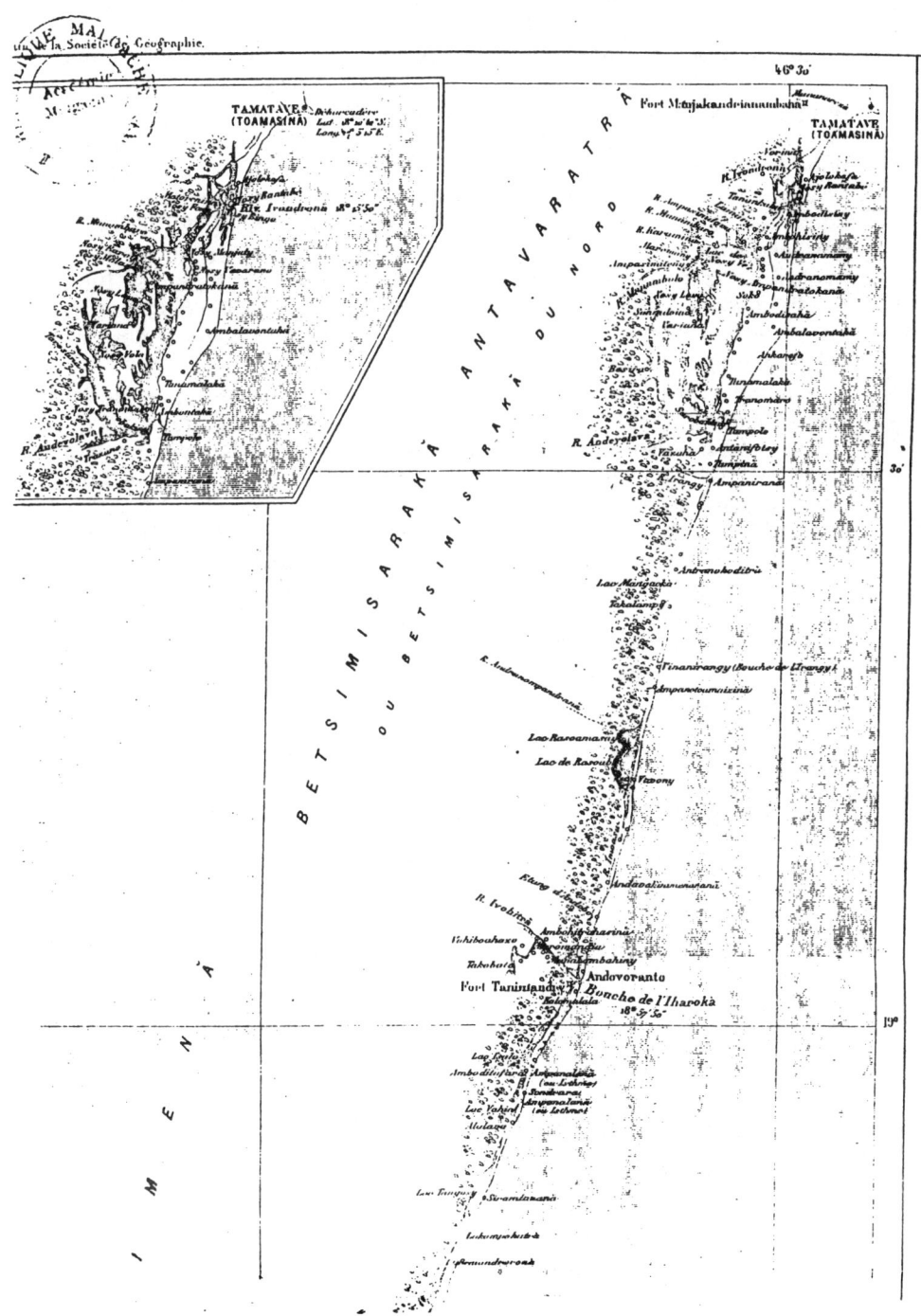

16 - La côte est de Madagascar au début du XIXe siècle.
Le pays Betsimisaraka.

probable que c'est après qu'il eût été élu protecteur de la Société Biblique de l'île Maurice (fin 1812) que Farquhar a fait commencer cette première traduction des Evangiles en langue malgache."[72] C'est ce qu'il écrivait en 1814, dans une lettre adressée à la L.M.S. en remerciement pour l'arrivée de futurs missionnaires et le cadeau d'une Bible : "J'ai fait faire tous les préliminaires pour faciliter leur travail en rassemblant des documents pour un vocabulaire complet et une grammaire et j'ai l'espoir d'accomplir une traduction des Evangiles dans cette langue. Cela sera la meilleure façon d'exprimer ma gratitude à votre Société pour la Bible qu'elle m'a présentée que de lui permettre de répandre le volume sacré parmi des millions de nos frères dans cette dépendance de mon gouvernement."[73]

Il semble qu'en plus des centaines d'esclaves de Telfair, Farquhar se soit assuré la collaboration d'interprètes recrutés à Maurice, ce qui expliquerait la présence d'un catéchisme en arabico-malgache transmis à Londres en 1816. L'un de ces interprètes, promis à un destin brillant dans sa patrie d'origine, nous est connu. Il s'agit de Verkey (Ravarika ou Rainimanana), esclave à Maurice, utilisé en 1816 comme interprète par la Mission Lesage auprès de Radama et qui fut capable, en 1820, à Londres, de traduire et de transcrire des passages de la Bible en arabico-malgache.[74] Verkey n'était pas le seul esclave du gouvernement ainsi utilisé. On relève, dans la liste des membres de l'expédition Le Sage de 1816, les noms d'Hector, interprète anjouanais, et de Jolicoeur. Mais le fait d'avoir utilisé les interprètes pour les différentes missions vers l'Imerina en 1816 et 1817, explique peut-être que les travaux de traduction des Evangiles n'aient guère avancé. D'autre part, dans l'attente de l'arrivée certaine de deux missionnaires pour Madagascar, en 1817, et sachant qu'il devait prendre son congé en Angleterre à la fin de cette même année, Farquhar préféra remettre l'ensemble des matériaux accumulés à des spécialistes plutôt que de poursuivre une oeuvre qui s'avérait difficile. C'est en tout cas ce qu'il laissait entendre, le 20 mai 1816, à propos du Nouveau Testament : "J'ai du me rendre compte qu'il était difficile, sinon impossible de trouver quelqu'un qui soit intimement familier avec la langue et en même temps assez imprégné de l'esprit de l'Evangile pour lui permettre d'entreprendre le travail solennel de sa traduction. Je ne puis courir le risque de publier la parole de Dieu, par le travail d'un incroyant quels que puissent être ses talents. (...) Cette oeuvre glorieuse est, j'espère, réservée à l'un de vos membres."

Au même moment, d'après la correspondance de Le Brun en 1816, il confiait à ce missionnaire l'instruction religieuse des deux jeunes princes

---

72 MUNTHE (L.) : *La Bible...op. cit.* En 1816, il pouvait écrire à la L.M.S. : *I have got all the vocabularies formed by different travellers, collated, revised and reduced into the form of a Dictionary sufficientely copious for all the purposes of the language.*
73 *Letters Maur.*, B1/F1/JA, P-L, June 20, 1814, Farquhar to Burder.
74 MUNTHE (L.) : "Deux manuscrits arabico-malgache en provenance de Londres", *B.A.M.*, 1973, n. s. t. LI, 1, p. 13-23 et MUNTHE, RAVOAJANAHARY, AYACHE : "Radama 1er et les Anglais".

malgache ramenés par Chardenoux : Rahovy et Ratafika. "Le Gouverneur a envoyé une demande pour que quelques jeunes princes viennent ici pour recevoir une instruction et ils viendront dans mon école ; par ce moyen, leur père sera peut-être plus favorable à la cause".[75] En réalité, Le Brun dut donner ses cours chez le gouverneur qui avait jugé indigne des deux jeunes princes cette école réservée aux pauvres enfants de couleur. C'est ce que nous apprend une lettre du 7 janvier 1817 : "Le gouverneur Farquhar souhaite si possible introduire le Christianisme dans cette grande île de Madagascar et a dans ce but pris en charge deux jeunes princes âgés de 12 et 14 ans pour les élever dans les principes de la religion chrétienne. Je suis de ce fait obligé de me rendre dans sa maison de campagne à environ 7 miles et demi depuis deux mois. Je leur ai enseigné la lecture et l'un d'eux se débrouille très bien. Il a récité le Notre Père et le Credo que tous deux écrivent vraiment bien et tout le monde est étonné des progrès qu'ils ont faits en si peu de temps."[76] Ce document oblige à nuancer l'affirmation selon laquelle Hastie se serait chargé de l'éducation des jeunes princes, car elle leur était donnée en français, langue que le sergent irlandais ignorait.[77] Le séjour de ces jeunes gens s'acheva en juin 1817, quelques mois avant le départ du gouverneur.[78]

Lorsque les deux missionnaires, Jones et Bevan, débarquèrent à Maurice en 1818, ils ne trouvèrent ni les jeunes princes malgaches, ni même le gouverneur Farquhar et l'on pourrait penser que toute l'œuvre de documentation réalisée par ce dernier et par ses assistants Telfair, Froberville, d'Unienville, Flageollet et d'autres, avait été vaine. Il faudrait accepter d'attribuer tout le mérite de la traduction des écritures au seul génie ou au fameux "don des langues", de Jones puis de Griffiths comme l'ont fait certains de leurs biographes. Cela paraît aller de soi si l'on note que le gouverneur avait emporté avec lui le *Grand Dictionnaire de Madagascar* que lui avait remis Froberville. En réalité, l'aventure de Tamatave en 1818-1819 n'était qu'une mission d'exploration du terrain qui n'apporta pas grand-chose dans le domaine de la langue aux deux premiers envoyés du protestantisme. Bevan mourut lors du deuxième séjour et Jones put tout juste réunir un vocabulaire de mots usuels. C'est ce qui apparaît dans sa lettre de 1818 : *We have made a very large vocabulary of Malagasy words and have acquired a great number of familiar expressions and find them very difficult in a grammatical respect.*[79] Mais dans la propriété de "Belle Ombre", sous la protection de Telfair et sitôt remis de ses fatigues malgaches, Jones se livra effectivement à l'étude des documents rassemblés par Farquhar et à l'instruction des esclaves malgaches de l'habitation. "Je désire rendre

---

75 *Letters Maur.*, BI/FI/JB, P-L, July 9, 1816, Le Brun to Burder
76 *Letters Maur.*, BI/FI/JB, P-L, Jan. 7, 1817, Le Brun to Burder.
77 Précisions de Jones, *Letters Maur.*, BI/FI/JC, P-L, July 11, 1818, Jones to Bogue.
78 *Letters Maur.*, B1/F1/JB, P-L, June 18, 1817, Farquhar to Hankey.
79 *Letters Maur.*, B1/F1/JC, Mauritius, Nov. 10, 1818, Jones to Waugh.

justice à votre missionnaire, écrivait le maître des lieux, Mr David Jones, qui a résidé chez moi depuis la date de ma dernière lettre (juillet 1819) recouvrant peu à peu sa santé. La masse volumineuse des manuscrits sur les manières, les langues, croyances, rites et coutumes de cette île, rédigés par les Missionnaires catholiques du passé et les agents du gouverneur de ces îles a été étudiée à fond par Mr Jones et ses progrès ont été rapides en proportion..."[80]

Peut-être est-ce par orgueil que Jones n'a pas mentionné, dès 1818, l'existence de ce fonds de documents.[81] Bevan, plus modeste, avait fait état de leur existence au retour de leur première expédition.[82] "Ayant entendu... (déchiré) ...que le gouverneur Farquhar avait emporté un Dictionnaire manuscrit de la langue Malagash, composé par un gentilhomme français, avec lui en Angleterre avec l'intention de le faire imprimer, nous espérons que les Directeurs en enverront quelques exemplaires pour nous dès qu'il sera imprimé..."[83] On sait que Farquhar ne put trouver de soutien financier pour éditer cette oeuvre qui est restée, jusqu'à ce jour, manuscrite.[84]

Que conclure sur cette période de préparation et d'expectative (1810-1817) sinon qu'elle fut animée presque exclusivement, en tout cas dans le domaine religieux, par la volonté tenace du gouverneur Farquhar ? A travers les fluctuations de la diplomatie qui lui firent considérer Madagascar tour à tour comme une dépendance de son gouvernement, comme une colonie possible et enfin comme un pays indépendant, son projet missionnaire ne varia pas et ne fit que se renforcer. A un moment où, comme on l'a vu plus haut, les sociétés missionnaires traversaient une crise grave en Grande Bretagne, alors que la guerre rendait les communications difficiles, il multiplia les demandes et les exhortations, organisa une véritable campagne publicitaire qu'il nourrit d'une information considérable et sans cesse renouvelée. Farquhar savait voir loin et neuf, allier la souplesse et le pragmatisme à un entêtement inébranlable, sans doute lié à ses profondes convictions religieuses et humanitaristes. Pour lui comme pour les grands coloniaux issus du Réveil évangélique de la fin du XVIIIe siècle en Grande Bretagne, la mission devait répondre à deux objectifs. Tout d'abord aider à la valorisation de la main-d'œuvre malgache que l'abolition de la traite rendrait disponible puisque non exportée sous forme d'esclaves. Cette main-d'œuvre recevrait des missionnaires un enseignement technique et

---

80 *Letters Maur.*, B1/F1/JD, Belle Ombre, March 15, 1820, Telfair to Southern Committee, il s'agissait sans aucun doute des doubles conservés par Froberville.
81 Il ne le signale pas non plus dans sa lettre du 19 août 1820 où il parle de son séjour chez Telfair, B1/F1/JD, P-L, Aug. 19, 1820, Jones to Hankey.
82 *Letters Maur.*, B1/F1/JC, P-L, Nov. 1818, Bevan to Burder.
83 *Letters Maur.* B1/Fl/JC, P-L, Nov. 20, 1818, Bevan to Burder.
84 L'édition du *Grand Dictionnaire* par Valette et Ranaivo dans le *Bulletin de Madagascar,* entreprise en janvier 1964, n'a malheureusement jamais été menée à son terme.

peut-être commercial qui permettrait la création et l'encadrement de futures industries agricoles et manufacturières. Ainsi Madagascar deviendrait un nouveau partenaire économique de la Grande-Bretagne. C'était une vieille idée des Philosophes du XVIIIe siècle qui en avaient déjà parlé à propos de Madagascar, tel Rochon qui proposait déjà la formation en Europe de quelques jeunes gens. C'était aussi une idée partagée par les Directeurs de la L.M.S., notamment Burder et Hardcastle, et appliquée par eux à Tahiti et en Sierra Leone. Mais les projets de la L.M.S. étaient multiples et, pour Madagascar, ne prévoyaient que des enquêtes jusqu'en 1816. Farquhar sut convaincre et décider les Directeurs d'envoyer des missionnaires artisans, ce qui ne fut acquis qu'en 1822. Il put néanmoins faire partir de jeunes Malgaches à Maurice puis en Angleterre dès 1820. Le second objectif assigné par Farquhar aux missions était d'aider les dirigeants et les élites de Madagascar à prendre conscience de l'horreur de l'esclavage, par l'éducation, par l'inculcation dès l'enfance de principes "évangéliques" hostiles à cette institution, et par l'adoption de moeurs, imitées de l'Angleterre et incompatibles, selon lui, avec celles d'une société esclavagiste.

Les membres de la L.M.S. participaient activement en Angleterre à la lutte anti-esclavagiste et au mouvement d'éducation populaire. D'autre part, ses envoyés avaient commencé à faire leurs preuves en Inde, à l'époque où Farquhar s'y trouvait encore. Les objectifs du gouvernement et ceux de la L.M.S. concordaient mais ne se seraient pas rencontrés sans l'intervention du premier. Il est évident qu'en Angleterre comme sur le terrain les membres de la L.M.S. étaient plus proches, par les idées et la pratique, de l'humanitarisme du gouverneur Farquhar que ne l'étaient les baptistes et les méthodistes. En particulier les plus éminents soutiens et la direction de la L.M.S. appartenaient à la même classe sociale et, pour certains, à la même ethnie que le gouverneur. Mais il est sûr qu'il aurait accueilli et soutenu toute société qui se serait engagée effectivement. Tous ces gens partageaient cette espèce de nationalisme messianique qui voulait que toute terre tombée sous le contrôle de la Couronne britannique fut une terre à évangéliser, pour la plus grande gloire de Dieu, pour l'approche du Dernier Jour pensaient certains, pour la sanctification du peuple élu, le leur, ils en étaient tous convaincus.

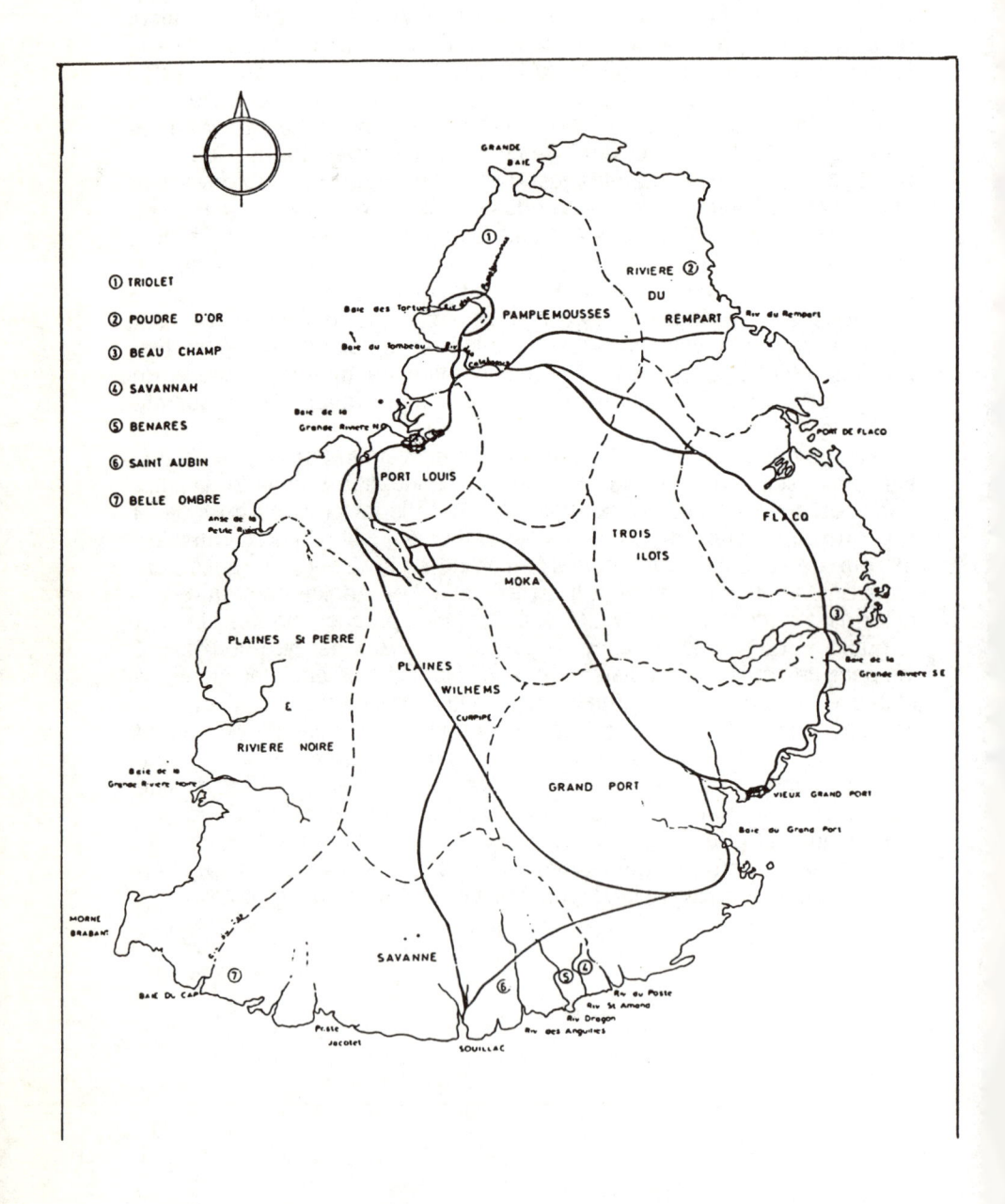

17 - L'Ile de France en 1810, d'après Hubert Brue.

CHAPITRE X

LA MISSION DE TAMATAVE (1818-1819)

La première tentative de la L.M.S. à Madagascar est beaucoup moins bien connue que la seconde, celle qui se fixa à Antananarivo, en raison sans doute de sa brièveté et de son échec. J'ai rappelé plus haut le silence de l'historiographie missionnaire sur cet épisode tragique. Il ne fut pas immédiat, mais s'établit peu à peu au cours du XIXe siècle. En 1822, Copland rapporte presque intégralement le récit fait par Jones de son séjour à Tamatave, ainsi que la version de Le Brun parue dans les *Missionary Chronicles* de 1819.[1] Cette première publication, confrontée aux archives existant sur la période, révèle que seul le journal de Jones du 3 mai au 6 décembre 1819, rédigé à Tamatave et à "Belle Ombre", une lettre du 10 novembre 1818 de Port-Louis, ainsi que les comptes rendus de Le Brun pour 1818 ont été copieusement utilisés.[2] Les lettres adressées à différents directeurs par Jones et Bevan furent délibérément ignorées par les éditeurs des publications missionnaires. Elles le furent aussi par Ellis qui ne consulta pas les archives pas plus que ses successeurs Sibree et Rabary, les seuls à avoir accordé plus que quelques lignes à la mission de Tamatave. Au moment où je rédigeais cette partie, Jean Valette, ancien archiviste de la République Malgache, faisait paraître une édition critique des lettres et journaux de Jones et de Le Brun (1818-1819), qui complète utilement la publication qu'il avait faite précédemment du journal de voyage entre Tamatave et Tananarive et qui confirme parfaitement mon analyse de l'historiographie. On notera cependant qu'il n'a pas lu les écrits des Bevan ni utilisé tous les témoignages de différents visiteurs de Tamatave au moment des deux séjours des pionniers protestants et que sa critique de l'historiographie se limite à Raombana, Ellis, Clark, Chapus et Mondain.[3]

---

[1] COPLAND : *A History*, Appendix p. 355.
[2] *Incoming Letters Mauritius Madagascar,* B1/F2/JA, May 3rd August 7, Dec. 6, 1819. Jones to Burder. Cette lettre est mal classée dans les archives, les lettres de Le Brun se trouvent dans B1/F1/J C et D.
[3] VALETTE (Jean) : "Aux origines de l'évangélisation de Madagascar : les débuts de l'apostolat de Jones (1818-1819)", *Revue française d'Histoire d'Outre-mer*, t. LXIV (1977), n° 236, p. 376-392, et "L'itinéraire Tamatave- Tananarive d'après (...) Jones (1820)", *M.R.G.*, n° 15, juillet-déc. 1969. Il est évident que J. Valette n'a pas dépouillé personnellement les archives de la L.M.S. à Londres mais

1 - L'arrivée des premiers missionnaires

Désignés et non appelés

Le 21 octobre 1816, l'assemblée mensuelle des Directeurs de la L.M.S. décida que "deux missionnaires bien qualifiés seraient envoyés à Maurice pour entreprendre de là une Mission dans l'île de Madagascar."[4] Une lettre fut envoyée à Gosport pour demander à Bogue s'il disposait de trois candidats, l'un d'eux devant seconder Le Brun à Maurice. La réponse fut discutée par le Comité le 28 octobre ; deux noms étaient proposés pour Madagascar : ceux de David Jones et de Stephen Laidler. Ils seraient prêts à s'embarquer à la fin du mois d'avril 1817.[5] D'autres candidatures furent examinées en novembre 1816, mais les deux premières furent finalement retenues le 23 décembre 1816. Pourtant, dans l'annonce qui fut faite dans la presse en 1817,[6] le nom de Laidler se trouvait remplacé par celui de Bevan. Le changement était intervenu en janvier 1817, il n'en demeure aucune trace dans les archives.

Les pièces d'archives qui subsistent sont malgré cela suffisamment nombreuses pour autoriser à dire que non seulement Jones et Bevan ne furent pas déterminés par le rêve de leur maître, le docteur Phillips, mais qu'avant novembre 1816, date de leur affectation, ils n'avaient jamais songé à partir pour Madagascar. Aucun document émanant de Jones et de Bevan ou les concernant ne permet de penser qu'ils aient manifesté un quelconque intérêt pour la Grande Ile. La chronologie de leur carrière missionnaire ne laisse là-dessus aucun doute. David Jones, fils aîné d'un diacre de la paroisse de Neuaddlwyd, issu, comme ses compatriotes missionnaires, de la petite paysannerie libre en perte de vitesse à la fin du XVIIIe siècle, fut sans doute éduqué par son père jusqu'à l'âge de 14 ans. Né en 1797, il entra en 1810 "dans une institution qui formait des prédicateurs, connue sous le nom d'Ecole ou Académie de Neuaddlwyd. Le professeur de théologie de cette école était le docteur Phillips, D. Jones devint l'un de ses étudiants".[7] En réalité, on ne sait pas quand Jones entra à Neuaddlwyd, mais seulement qu'il ne put le faire avant 1810, vu son âge, et surtout parce que c'est en 1810 que fut fondée l'académie. A cette date en effet, les ministres indépendants gallois issus de Camarthen, parmi lesquels Charles Thomas et Phillips, décidèrent de créer une annexe de cette académie déjà prestigieuse comme nous avons vu plus haut. Destinée aux jeunes gens du Cardiganshire et des comtés voisins qui se destinaient à la prédication, elle devait dégrossir les

---

travaillé sur microfilms, car il aurait retrouvé certains documents qu'il estime perdus.
4 *Board Minutes,* Oct. 14, 21 1816.
5 *Board Minutes,* Oct. 28, 1816.
6 *Board Minutes,* Dec. 23, 1816, *Missionary Register,* 1817, Feb. p. 18.
7 COUSINS (Rev. W. E) : *David Jones the Pioneer of Protestant missions in Madagascar,* Short stories of L.M.S. Missionaries, London L.M.S., s. d., 24 p.

futurs pasteurs qui iraient ensuite parfaire leur formation à Camarthen. Phillips en reçut la responsabilité et l'installa près de sa paroisse de Neuaddlwyd, à proximité de son logis, situé dans une dépendance de la ferme Penybane, au lieu dit Ysgol. C'était une simple grange en pierre couverte de chaume,[8] mais à partir de 1813, ce séminaire, ainsi que celui de Llanfyllin, servirent de pépinière de missionnaires gallois. En 1814, les directeurs de l'Académie de Camarthen proposèrent pour la première fois un candidat gallois que l'on envoya à Gosport : Evans, futur missionnaire en Afrique du Sud.[9] C'est en 1815 que deux nouveaux candidats furent recommandés par Camarthen, sans que fut précisée leur affectation ; il s'agissait de David Jones et de Thomas Bevan.[10] Jones s'adressa lui-même à la Société le 29 avril 1815, sa lettre est toujours conservée dans les archives de la L.M.S.[11] Le candidat donnait un bref aperçu de sa vie spirituelle. Il se souvenait qu'après avoir été sérieusement malade, il avait assisté, à Neuaddlwyd, à la réception comme membre de la congrégation d'un de ses jeunes amis et d'en avoir ressenti le choc de la vocation missionnaire. Il racontait par ailleurs un rêve qu'il aurait fait en septembre 1814, dans lequel il était "dans une lointaine et étrange contrée prêchant aux Païens, et voyait leurs idolâtrie et misérables superstitions ce qui affecta (son) esprit..." Des lectures avaient aussi nourri sa vocation, l'*Epître aux Romains* (10, 13-15) et la vie de Brainerd : *I cannot express the joy, and the desire which this aroused in me to be attached to the same work as he. Whilst the pagans were shouting 'Come and help us' my constant reply was : Behold me ; send me.* Jones a donc bien rêvé être missionnaire, lui-même le dit, mais son rêve était nourri de Carey et de Brainerd et point des plans de Burn ou de Vanderkemp sur Madagascar. D. Jones fut accepté comme membre de la congrégation de Neuaddlwyd en 1808 et commença à prêcher en 1812, tandis qu'il étudiait au Séminaire. Phillips, dans la recommandation jointe à la lettre de candidature, écrit de lui : "Je le recommande comme un jeune homme à la piété sérieuse d'un caractère droit et agréable et d'une grande intelligence et application." Après qu'il eût été examiné et accepté par le comité directeur de Camarthen, les Directeurs à Londres l'admirent à Gosport. Mais il était encore à Neuaddlwyd en janvier 1816 lorsque la Société décida qu'il lui serait proposé d'aller immédiatement en Afrique avec trois autres missionnaires dont Laidler et Evans. On ne sait pas ce qui se passa ensuite mais, le 29 février, Jones entrait à l'Académie de Gosport.[12]

---

8 RABENORO (Césaire) : "Pays de Galles et Madagascar", *B.A.M*, n. s. Tome XLVI-I et XLVI-II, 1968 (1970), p. 189-193.
9 *Committee of Examination Minutes*, 29 Aug. 1814 : *read a letter from the Trustees of the Seminary of Camarthen (Wales)*.
10 *Committee of Examination Minutes*, Oct. 11, 1815.
11 *Candidates Papers.*, "Accepted candidates", Box 9 n° 1, la lettre est en très mauvais état mais une transcription dactylographiée l'accompagne.
12 HARDYMAN (J. T) : "Dr Phillips'dream of Madagascar".

A quel moment Bevan le rejoignit-il ? Selon la tradition, Bevan aurait répondu à l'appel du docteur Phillips immédiatement après Jones et les deux jeunes Gallois ne se seraient plus quittés jusqu'en 1819. Aucun document ne justifie pareille version des faits : Thomas Bevan, plus âgé de deux ans que Jones, était né en 1795, dans un hameau à proximité de Neuaddlwyd, d'une famille de tenanciers libres, très pauvres, et beaucoup moins éduqués que les parents de Jones. Il fut placé très jeune comme valet de ferme par ses parents et le ressentit durement. A l'âge de 13 ans, on lui trouva une place à Neuaddlwyd et il en profita pour venir écouter fréquemment les sermons de Thomas Phillips. Il se joignit aux jeunes gens qui apprenaient le catéchisme et se mit à lire la Bible à ses moments de loisir. C'est sans doute à ce moment-là ou plus tard, après sa confirmation, qu'il rencontra Jones qui lui enseigna des rudiments d'anglais. En 1810, Phillips l'accepta comme élève, grâce à l'aide financière de la congrégation, et il commença à prêcher. *By reading of state of heathen countries I began to be impressed with a strong desire to be employed as a Missionary* écrit-il dans sa lettre de candidature.[13] Si l'on en croit Jones, Bevan aurait été son pupille quoique son aîné, il lui aurait enseigné l'anglais et lui aurait fait part de ses lectures, notamment de la vie de Brainerd.[14] Il est certain que, dans la réalité, Bevan agit à l'exemple de Jones, mais avec un décalage de plusieurs mois. Jones adressa sa lettre de candidature à la L.M.S. le 29 avril 1815 et, après avoir failli être envoyé directement en Afrique, entra à Gosport le 2 février 1816. C'est alors seulement, le 4 juin 1816, que Bevan envoya la sienne, accompagnée d'une recommandation de Phillips pour Gosport. Il ne rejoignit Jones au Séminaire qu'en septembre 1816, soit huit mois après. A aucun moment, dans aucun document, Bevan ne se trouve associé avec Madagascar avant février 1817.

Rien ne permet donc de penser que les deux pionniers de la mission de Madagascar furent appelés de façon providentielle vers la Grande Ile. On peut au contraire affirmer que, jusqu'en 1816, ils n'en connaissaient peut-être rien et, qu'à coup sûr, ils ne demandèrent jamais à y être affectés mais furent désignés par Bogue. Cette désignation n'alla pas de soi et, bien loin de voler vers la terre de leur rêve, les deux candidats déclenchèrent une crise au sein de la Société en refusant de partir.

C'est à la fin du mois d'octobre 1816 que Jone apprit qu'il serait missionnaire à Madagascar. Il n'était pas alors question de Bevan qui venait d'entrer au séminaire. D'ailleurs Bogue ne jugeait pas Bevan au niveau puisqu'il écrivait de lui : "quoique dans la première classe en Latin et Grec (...) ses connaissances en Théologie sont faibles, mais c'est un étudiant appliqué."[15] Mais comment alors expliquer que Bevan ait été désigné pour Madagascar quelques mois après ce jugement du tuteur de Gosport ? Une seule explication semble possible devant le silence des

---

13 *Candidates' Papers*, Accepted candidates, Box 2 45. Lettres de candidature de Bevan, Neuaddlwyd, June 4th 1816.
14 *Letters Maur*, B1/F1/JC, P-L, Nov. 10, 1818, D. Jones to Waugh.
15 *Committee of Examination Minutes*, Oct. 28, 1816.

archives, en fonction de la suite des événements de 1817 : Bevan avait pris l'habitude de suivre voire d'imiter son cadet Jones. A peine arrivé à Gosport, en septembre 1816, il sut que son compatriote était désigné pour Madagascar et s'embarquerait en avril 1817. On peut penser que les deux camarades se mirent d'accord pour adresser une requête aux Directeurs afin d'être envoyés ensemble et que cela fut accepté. Laidler fut en conséquence ramené à son ancienne affectation pour l'Afrique.

C'est alors que les deux Gallois refusèrent de partir si on ne les autorisait pas à se marier. Les lettres adressées par chacun d'eux aux Directeurs furent lues le 27 janvier 1817 par le Comité d'Examen. "Leurs souhaits sur le sujet de se marier furent considérés comme irrespectueux et inconvenants et frustrèrent les espérances des Directeurs".[16] Ces derniers étaient en principe hostiles à l'envoi de missionnaires mariés et faisaient signer aux étudiants de Gosport un engagement de non mariage à leur entrée au séminaire. En outre, selon l'avis de Milne et de Le Brun, la présence de femmes de missionnaires n'était pas souhaitable à Madagascar. Convoqués par un sous-comité de la Direction les deux candidats s'entêtèrent, Jones déclarant que sa résolution demeurait inchangée. En conséquence, leur engagement fut suspendu et leur ordination reportée, ce qui fut annoncé devant tous les étudiants en février 1817. Peu après, Bevan fit acte de contrition et fut réintégré.[17] Cette affaire retarda le début de la mission car les Directeurs durent chercher un remplaçant à Jones et choisirent Laidler.[18] Malheureusement ce dernier se désista, alléguant les insuffisances de son éducation qui ne lui permettaient pas de faire des traductions. Les Directeurs refusèrent d'accepter et réitérèrent sa nomination en demandant l'appui de Bogue.[19] Ce dernier ayant répondu favorablement le 30 juin, Bevan et Laidler furent confirmés dans leur destination et Laidler reçut une lettre lui enjoignant de partir.[20] Lorsque Jones connut la nouvelle, il demanda l'autorisation aux Directeurs d'être ordonné ministre du culte congrégationaliste en même temps que Bevan dans leur province d'origine. Cela fut accepté. Les deux hommes furent consacrés solennellement à Neuaddlwyd devant une assistance de 5 000 personnes, dit la légende, les 20-21 août 1817. Ils parlèrent devant la foule, exposant leur cas personnel : Jones devait rester ministre en Grande-Bretagne, Bevan s'apprêtait à partir pour Madagascar. Mais tout le monde fut persuadé, si l'on en croit la tradition, qu'ils partaient tous les deux. C'est vraisemblablement parce qu'ils partirent effectivement ensemble, peu après, que la légende put prendre forme.

---

16 *Board Minutes*, January 27th, *Committee of Examination Minutes*, Feb. 23, 1812. Sur les problèmes de mariage des missionnaires, voir mon étude : "Le contact missionnaire...".
17 *Board Minutes*, Feb. 10, 17 1817.
18 *Board Minutes* , May l9, 1817.
19 *Board Minutes*, June 16, 1817. La lettre de Laidler est du 31 mai.
20 *Board Minutes*, July 12, 1817.

En octobre, à la suite d'un examen, il apparut à Bogue et aux Directeurs que Laidler n'avait pas le niveau pour faire un missionnaire ni même pour être ordonné et qu'il lui fallait encore étudier au moins un an au Séminaire.[21] Son affectation fut suspendue. C'est alors que Bevan, appuyé par Thomas et Phillips, écrivit de Neuaddlwyd pour demander à nouveau l'autorisation de se marier.[22] Le Comité d'examen la lui accorda "à la condition que Madame Bevan n'accompagne pas Mr B (sic) à Madagascar." A partir de ce moment les registres et les cartons de lettres sont muets jusqu'au 9 février 1818, date à laquelle Jones et Bevan, accompagnés de leurs épouses s'embarquèrent pour Madagascar. Pour ne pas compromettre la mission de cette île et faute de disposer d'autres candidats, les Directeurs avaient préféré céder à l'entêtement des deux Gallois et les autoriser à partir mariés.

Jones, Bevan et leurs deux épouses débarquèrent à Port-Louis le 3 juillet 1818 et furent accueillis par Jean Le Brun qui se chargea de les héberger et de les introduire auprès du gouverneur intérimaire Hall. Ils firent une première tentative à Tamatave du 8 août au 24 septembre de la même année, laissant leurs femmes à Maurice. Ils les y rejoignirent le 9 octobre 1818. La famille Jones gagna Tamatave le 20 novembre 1818, d'où seul David Jones devait repartir vivant, le 3 juillet 1819, tandis que les Bevan y parvenaient le 6 janvier 1819 pour y trouver une mort tragique et précoce, entre le 24 janvier et le 3 février 1819. En tout, la mission de Tamatave ne dura pas un an.

L'issue fatale de cette première tentative n'a pas manqué de susciter maintes explications fort éloignées de la réalité des archives. On a mis en doute l'assistance qu'auraient dû recevoir les missionnaires de la part des autorités de Maurice, sous prétexte de l'absence du gouverneur Farquhar. On a incriminé le général Hall, son remplaçant, d'avoir rompu le traité passé par Farquhar avec Radama et créé une très mauvaise situation politique pour les missionnaires. On a enfin accusé les traitants blancs d'avoir empoisonné les missionnaires, parce qu'ils étaient hostiles à la traite des esclaves.[23] Aucune de ces allégations ne résiste à l'examen des faits et des témoignages du moment.

---

21 *Committee of Examination Minutes*, Oct. 13, 1817 : *he is not qualified to be sent out as a missionary at present.*.
22 *Committee of Examination Minutes*, August 25, 1817, la lettre est du 22 août.
23 Hastie fut le premier à présenter cette version des événements dans une lettre à Griffiths du 18 fév. 1821. VALETTE : "Une lettre d'Hastie...", *B. de M.*, n° 293-294, 1970, p. 867-893.

2 - La situation diplomatique

Le 10 septembre 1817, Le Brun écrivait de Maurice que le gouverneur Farquhar se préparait à partir pour l'Angleterre et qu'il espérait que "les deux frères Missionnaires arriveraient avant son départ. On a vu le retard que prit la mission à cause de la question du mariage, aussi, lorsque Bevan et Jones parvinrent à Maurice, Farquhar se trouvait à Londres. Avant de partir, il avait renouvelé à Le Brun l'assurance que le gouvernement de l'île fournirait à la mission toute l'assistance possible. Le Brun écrivait : "je crois bien que leur traversée de l'île de France à Madagascar ne coûtera rien à la Société et ils seront très bien reçus par le frère des deux jeunes princes dont je vous ai parlé".[24] La société manifesta malgré tout quelque inquiétude lorsqu'elle connut le départ de Farquhar. Soit que celui-ci leur ait adressé un rapport, soit qu'il ait rencontré à Londres l'un des Directeurs, ils se sentirent obligés d'adresser un appel à la prudence à Jean Le Brun qui avait connu bien des ennuis au cours de l'année 1817 et qui, sans soutien, risquait de compromettre le succès de la future mission de Madagascar. Hudson, le secrétaire, transmettait ainsi leurs recommandations : *It is their most earnest hope and request that you will exercise the utmost caution and circumspection in the whole of your department and proceeding (...) they feel as doubtless you also feel that the circumstances in which you are planed require a more than ordinary wisdom and circumspection, that no pretext whatesoever may be afforded to any person to malign your character, object or labours.*[25]

Cette prudence qu'on lui commandait d'observer paralysa Le Brun qui avouait, en avril, ne pas avoir encore osé rencontrer le gouverneur Hall, afin d'obtenir le magasin désaffecté que Farquhar lui avait promis pour faire une école. Il nourrissait pourtant une certaine sympathie pour cet homme qui s'employait avec conviction à détruire la traite. "Le général Hall n'est pas des plus aimés des Français parce que ses vues sont de faire justice à tous les hommes sans distinction de naissance ou de couleur, il ne sourit pas facilement aux Renards à figure humaine qui ne cherchent qu'à s'approcher des rois et des gouverneurs que pour les flatter ou les séduire. Pour le peu de temps qu'il a été ici, il a fait bien du changement et suivant mes faibles lumières, je n'ai rien vu qui ne soit conforme à la raison et au bon sens."[26] En vérité, Le Brun n'eut qu'à se féliciter de Hall qui suspendit deux de ses ennemis les plus acharnés, le *Chief Justice* George Smith et le Procureur général Virieux, que Farquhar avait maintenus en place par politique, malgré leur mollesse évidente dans l'administration du *Board of Slaves* et l'application de la réglementation sur la traite, promulguée en 1813.

---

24 *Letters Maur.*, BI/FI/JB, P-L, 12 Juillet 1818, Le Brun à Bogue, en français.
25 *Letters Maur.*, B1/FI/JC, "Missionary Room", Feb. 10, 1818, Hudson to Le Brun.
26 *Letters Maur.*, BI/FI/JB, P-L, Aug. 2, 1818, Le Brun to Burder, en français.

La lutte contre ce trafic ne pouvait manquer d'entraîner le général Hall à reconsidérer la question de Madagascar. Le 23 octobre 1817, les plénipotentiaires de Radama, "Roi de Madagascar", avaient signé avec le gouverneur Farquhar un traité y abolissant la traite, en échange d'une compensation fournie par le gouvernement britannique. L'une des raisons du voyage du gouverneur était la ratification à Londres de ce traité. La traite était donc théoriquement abolie en 1818. Ce n'était pas l'avis du gouverneur Hall qui, sitôt installé, cassa le traité. On a souvent présenté cet homme comme borné et méprisant pour un "souverain sauvage" dont on pouvait négliger la parole et l'alliance. Une étude récente a fait la lumière et montré que l'attitude du général ne manquait pas de fondement.[27]

Les trois missionnaires, Le Brun, Jones et Bevan qui lui rendirent visite le lundi 7 juillet 1818, n'eurent pas l'impression d'avoir affaire à une brute hostile à Madagascar, bien au contraire.

"Nous fûmes tous ensemble voir le gouverneur Général Hall, nous lui donnâmes les lettres adressées au Gouverneur Farquhar qui lui firent connaître le lieu de leur destinée ; il fut fort étonné et voulut les persuader à ne pas y aller, leur donnant les raisons suivantes :

1) J'ai retiré tous les commissaires que le gouverneur Farquhar y avait envoyés.

2) J'ai cassé le traité qui avait été fait avec Radama, j'empêche qu'on lui fournisse de la poudre et des fusils parce que c'est bien comme le meilleur moyen pour faire la traite des Noirs.

3) C'est un pays très malsain.

4) Tous les rapports du gouverneur Farquhar sont faux concernant la prohibition de l'Esclavage, il y en a eu 1700 d'introduits dans cette colonie depuis le traité qu'on a fait avec Radama.

5) Je ne puis vous donner aucune protection ni aucune lettre d'introduction à qui que ce soit."[28]

La version donnée par Jones et Bevan, différente dans les détails, ne contredit en rien celle de Le Brun : "Il déclara que la traite des esclaves n'était pas encore abolie à Madagascar, de telle sorte qu'il apparaissait que les gens en Angleterre sont complètement trompés sur les conditions du traité passé entre son Excellence le Gouv. Farquhar et le roi des Ova pour l'abolition de la traite des esclaves ces conditions ne sont pas respectées au moindre degré."[29] A la suite de cette entrevue, Hall rédigea lui-même une lettre à l'intention des Directeurs. "Je regrette profondément l'arrivée de ces Messieurs pour cette destination dans un tel moment, car je suis fondé raisonnablement à concevoir que les rapports que j'avais transmis au comte Bathurst auraient tendu à dissiper

---

27 MUNTHE, RAVOAJANAHARY, AYACHE : "Radama Ier et les Anglais", p. 62-63.
28 *Letters Maur.*, Bl/Fl/JB, P-L, 12 Juillet 1818, Le Brun à Bogue, en français.
29 *Letters Mauritius*, B1/Fl/JB, P-L, July 9, 1818, Jones and Bevan to Burder (écriture de Jones).

les erreurs sur la base desquelles vous semblez travailler en Angleterre en ce qui concerne l'état de cette île et les dispositions de ses Chefs."[30]

Malgré la sécheresse du ton de cette lettre, Hall se proposa pour aider les deux Gallois qui persistaient à vouloir gagner la Grande Ile comme *private gentlemen*, pour voir l'état des choses et explorer le pays. "Il nous dit qu'il se sentait hautement satisfait par le but de la Société Missionnaire ; et qu'il pensait que le monde avait longtemps manqué d'une telle institution. Alors nous lui demandâmes s'il jugeait approprié que nous nous rendions là-bas à titre privé, en ne faisant pas connaître notre intention (...) Il dit que ce serait le meilleur plan, et il offrit avec bienveillance de nous donner toute l'assistance en son pouvoir."[31] De fait, lorsqu'en novembre Jones et Bevan demandèrent deux esclaves du Gouvernement pour leur servir d'interprètes à Madagascar, Hall les leur donna "avec le plus grand plaisir" et ajouta des provisions de riz pour deux mois.[32] Si, contrairement aux espérances de Le Brun, les deux missionnaires durent payer 90 piastres pour leur transport en bateau, c'est sans doute que le budget de la colonie ne permettait pas de leur en faire cadeau.[33] Les missionnaires n'étaient pas loin de penser que le responsable de leur situation, si décevante par rapport aux espérances qui avaient été données à la Société, était bel et bien Farquhar et non pas Hall, comme on l'a si souvent écrit. Bevan s'en plaignait à Burder à la veille de leur embarquement. "Etant complètement ignorants des vues de Son Excellence le Gouv. Farquhar concernant la mission projetée, puisqu'il n'a laissé d'instruction à son sujet à aucune personne à Maurice, nous partîmes alors avec de sombres sentiments."[34] Lorsqu'ils revinrent en octobre, le gouverneur Hall les accueillit immédiatement et s'informa de leur séjour. Leur apparente réussite le réjouit et il écrivit immédiatement son sentiment à la Société. "Mr Jones (...) est récemment revenu de Tamatave et m'a fait un tel rapport sur cette île que je considère qu'il permet les meilleurs espoirs pour les pieux objectifs de votre institution dans cette région du Globe."[35] En fait, l'assistance du général Hall aux missionnaires ne faillit jamais jusqu'à son départ en 1820.

Il reste que la situation qu'il avait créée en rompant le traité pouvait être effectivement gênante pour une entreprise missionnaire. Les gens de l'entourage de Le Brun continuaient à croire en l'honnêteté et la bonne volonté de Radama. Avant leur départ, on conseilla aux deux missionnaires de ne pas tenter d'établir une mission près de la côte, parmi les Européens, "car ils savent que la doctrine que nous répandons milite contre la traite et vise à la détruire entièrement. En conséquence ils exciteront les naturels contre nous en leur disant que nous sommes venus pour leur nuire. En conséquence que nous devions aller

---

30 *Letters Mauritius,* B1/Fl/JC, P-L, July 12, 1818, Gov. Hall to Hudson.
31 *Letters Maur.*, B1/F1/JC, P-L, 9 July, 1818, Jones and Bevan to Burder.
32 *Letters Maur.*, B1/F1/JC, P-L, Nov. l0th 1818, Jones to Waugh.
33 *Letters Maur.*, B l/F l/JB, P-L, 12 Juillet 1818, Le Brun à Bogue, en français.
34 *Letters Maur.*, Bl/Fl/JC, P-L, 20 Nov,. Bevan to Burder.
35 *Letters Maur.*, B2/Fl/JC, P-L, Oct. 16th 1818, Gov. Hall to L.M.S.

immédiatement dans l'intérieur à environ 12 lieues i. e. au Roi Ova dont on dit qu'il est le plus puissant Prince à Madagascar, et un homme de bon tempérament."[36] Le gouverneur Hall lui-même semblait penser que la situation créée par la poursuite du trafic négrier était due aux traitants de la côte, complices des "habitants propriétaires" de Maurice, et incriminait tout spécialement Jean René : *the indisposition manifested by a Creole from this Island who now exercises the soveraignty at Tamatave to the visit of any stranger who had for his awoved object to unlighten, the darkness of the natives and thereby annihilate the slave traffic in that Island.*[37] La réputation largement justifiée de Jean Renée, chef de Tamatave, n'était contestée par personne à Maurice et il est fort surprenant de voir l'accueil qu'il réserva à Jones et à Bevan. En revanche, la personnalité de Radama était fortement débattue, et nombre de gens rencontrés par Jones et Bevan n'avaient pas de lui une opinion aussi favorable que les amis de Le Brun. Ceux qui continuaient à aller à Tamatave, et peut-être Rondeaux, disaient de lui à Jones : "Radama a une maison remplie de dollars espagnols, qu'il a acquis par le commerce des esclaves et on dit que c'est un tyran faisant ravage des provinces voisines et qui prend hommes, femmes et enfants en captivité et les vend aux Européens."[38] Rien de tout cela n'était faux, Radama avait repris la traite et Jean René n'avait jamais cessé.

Il y avait pourtant, dans cette situation de Madagascar en 1818, un élément du contexte qui échappait aux protagonistes du temps et qui permettrait peut-être de comprendre que l'expérience de Jones et de Bevan ait failli réussir. En juillet 1817, Radama, appuyé par les Anglais, s'était assuré la suzeraineté de la région de Tamatave ; Jean René, par un traité rédigé par l'agent Pye, se reconnaissait "cadet de Radama".[39] Pourtant, le roi d'Antananarivo ne contrôlait pas du tout Tamatave où Jean René ne cachait pas son mécontentement depuis l'annonce de l'abolition de la traite. Raombana raconte, qu'au lendemain de l'accord anglo-merina, il vit lui-même "un nombre énorme d'esclaves achetés à Antananarivo par les Européens pour être conduits à Tamatave (...) Et un certain nombre de ces esclaves appartenaient à Radama, représentant sa part de butin". Les historiens d'aujourd'hui proposent une explication :

---

36 *Letters Maur.*, BI/FI/JC, P-L, July 11th 1818, Jones to Bogue. Selon ELLIS : *History*, vol. 2, p. 206, l'un de ces informateurs aurait été Hastie lui-même. Voir la version d'Hastie dans VALETTE (J.) : "Une lettre d'Hastie" *op. cit.*
37 *Letters Maur.*, BI/FI/JC, P-L, Oct. 16th 1818, Gov. Hall to L.M.S. Pour plus de détails sur Jean René on se reportera à l'article de Manassé ESOAVELOMANDROSO : "Les 'créoles' malgaches de Tamatave au XIXe siècle", *Diogène*, n° 111, juillet-sept. 1980, p. 55-69.
38 *Letters Maur.*, BI/FI/JC, P-L, Nov. 10th 1818, Jones to Waugh. Le général Hall tout particulièrement avait déconseillé aux deux hommes d'essayer de pénétrer à l'intérieur. BI/FI/JC, July 12 1818, Gov. Hall to Hudson.
39 VALETTE (J.) : "Pye et les événements de Tamatave du 6 Juin au 14 Juillet 1817", *B. de M.*, n° 245, 1966, p. 978-980, voir aussi du même *B. de M.* n° 265, 1968, p. 579-589. Pour comprendre la position de Jean René et de sa parentèle voir ESOAVELOMANDROSO (Manassé) : "Les "Créoles malgaches".

Radama ne s'était interdit à lui-même que la vente d'esclaves sur la côte pour l'exportation immédiate. Mais il pratiquait le commerce intérieur, alimenté par ses conquêtes dans le Nord et l'Est, commerce toujours licite, et laissait retomber la responsabilité de l'exportation par Tamatave, où il n'exerçait aucun contrôle, sur les traitants européens, sur Jean René et sur les autorités anglaises ou françaises qui laissaient embarquer tous ces esclaves.[40] Tout cela est bien conforme aux opinions qui circulaient à Maurice en 1818, mais ce que ne pouvaient comprendre les Mauriciens, c'est que l'attitude de Radama et de Jean René n'entraînait pas dans leur esprit de conséquences diplomatiques ni de rancœur particulière contre les Britanniques, pas plus que la signature du traité de 1817 n'avait impliqué pour eux d'hostilité contre les Français. Radama attendait une indemnité qui ne venait pas et qui était bien inférieure à ce que lui rapportait la traite, Jean René, menait un subtil jeu de bascule entre les Français et les Britanniques et tous deux pouvaient tirer argument du non respect du Traité par ces derniers pour continuer à s'enrichir.

En fait, le général Hall ne voulait pas remettre en cause l'action de son prédécesseur mais au contraire la faire aboutir. Il pensait plus efficace de supprimer la traite à partir de Maurice en surveillant les ports, tandis que Farquhar avait voulu la détruire à sa source et en tirer un triple bénéfice : politique, moral et économique. Malgré les décisions de Hall aucune animosité réelle n'existait contre les Britanniques à Madagascar. Jean René laissa espérer son appui aux Français tant qu'ils furent seuls à Tamatave, mais sitôt que l'influence britannique revint en force, il pencha du côté de Farquhar dont il connaissait les projets civilisateurs. N'oublions pas que celui qu'il instituera son neveu, Coroller, et qui était pour lors son secrétaire, était né à Maurice où il avait reçu une bonne éducation du temps des Français. Les deux créoles ne pouvaient ignorer que les missionnaires, qui se présentèrent avec une lettre d'Hastie étaient en quelque sorte les représentants du gouverneur.[41] Quant à Radama, sitôt informé de leur passage en 1818, il leur fit parvenir une invitation à lui rendre visite immédiatement.[42] Lors de leur second séjour, en 1819, il leur fit porter par Brady une invitation à se rendre à Antananarivo : *Radame's general visited me lately and said that Radame is very desirous for missionaries and for me to go and see him*[43] écrivait Jones, qui ajoutait que Radama aurait même envoyé un détachement pour les conduire à lui, mais qu'arrivée à Tamatave, la troupe fut informée "par des ennemis" qu'ils étaient tous morts et s'en retourna. En fait

---

40 MUNTHE, RAVOAJANAHARY, AYACHE : ""Radama ler et les Anglais", p. 62-63.
41 A Madagascar, on appelle "Créoles" les originaires des îles Mascareignes, souvent métis malgaches, et, par extension, de toutes les îles tropicales françaises quelle que soit leur couleur de peau. Voir le dictionnaire ci-après.
42 *Letters Maur.*, B1/F1/JC, P-L, Nov. 10th 1818, Jones to Waugh.
43 *Letters Maur.*, B1/F2/JA, Tamatave, May 3rd 1819, Jones to L.M.S. Brady, instructeur des armées de Radama, était un créole de la Jamaïque, donc sujet britannique.

Radama avait compris que les Britanniques représentaient la seule aide diplomatique, mais surtout militaire et technique, qui s'était proposée à lui et qu'il ne fallait pas laisser échapper la chance qui s'était offerte en 1817. Il estimait sans doute indispensable l'aide britannique dont il continuait de profiter en la personne de Brady, son meilleur conseiller militaire, Jamaïcain d'origine. Mais il songeait déjà à tirer avantage du parjure anglais pour de nouvelles négociations. Elles eurent lieu en juin et permirent l'entrée de Jones à Antananarivo.

3 - Les séjours à Tamatave

Sitôt débarqués, Jones et Bevan se présentèrent à Jean René munis de leur lettre d'introduction et conduits par le capitaine commandant leur navire. Jean René, les ayant écoutés, leur répondit prudemment "que toutes les tentatives pour évangéliser les Malagash avorteraient, mais en même temps qu'il serait bien pour nous d'essayer. Monsieur Bragg qui se trouvait par hasard dans la maison du chef au même moment et pour lequel nous avions une lettre d'introduction nous offrit avec bienveillance une pièce dans sa maison pendant notre séjour dans cet endroit."[44] Bragg, installé depuis 7 ans dans la région, possédait 100 acres plantés en coton et faisait de temps à autre des tournées commerciales dans l'intérieur de l'île. Comme le souligne J. Valette, aucun témoignage connu, que ce soit de Lesage, Hastie, Chardenoux, Petit de la Rhodière ou de Bréon, ne fait allusion à une quelconque participation au trafic négrier de sa part. Il leur fit un portrait flatteur des Malgaches qui les surprit fort, après ce qu'ils avaient entendu à Maurice. A l'écoute de ces paroles réconfortantes, Jones et Bevan reprirent courage, mais Jones continuait à se méfier : "malgré tout j'étais dans la crainte que tout cela ne fut qu'hypocrisie de leur part pour tenter de nous prendre au piège, ce qui me rendit plus prudent et sur mes gardes."[45]

Premier séjour : 8 août - 24 septembre 1818

Leur projet à tous deux était d'entrer si possible en contact avec Radama. Ils s'en ouvrirent à Jean René, lui demandant d'écrire pour eux une lettre à ce souverain qui ne leur fut à aucun moment présenté comme le suzerain du chef de Tamatave, mais comme un chef fort irrité contre les Anglais. Jean René ou Bragg ou les deux ensemble, s'appliquèrent à décourager les deux missionnaires en leur parlant du

---

44 *Letters Maur.*, B1/F1/JC, P-L, Nov. 20th, 1818, Bevan to Burder, selon ELLIS : *History*, vol. 2, p. 208, la maison de Bragg se trouvait à environ un *mile* à l'ouest du centre de Tamatave. Valette la met à 1/2 *mile* et précise que, selon La Rhodière, elle était bâtie sur les bords du Manangareza. Cf. "Aux origines de l'évangélisation", p. 379, note 11.
45 *Letters Maur.*, B1/F1/JC, P-L, Nov.10th 1818, Jones to Waugh.

"despotisme, de l'orgueil et de la tyrannie de Radama" et leur faisant craindre l'approche de la mauvaise saison, la longueur et les frais de la route. Ils parvinrent à les faire renoncer aussi bien à écrire qu'à monter à Antananarivo. Les dispositions de Radama n'étaient pas si mauvaises puisque trois semaines plus tard, renseigné par ses espions, il invitait les deux Blancs à le rejoindre, ce qu'ils renoncèrent à faire "pour beaucoup de raisons" mais sans doute d'abord par crainte.

C'est la peur, confortée par les directives enseignées par Bogue "d'avoir à se tenir écartés des mauvais Européens", qui les amena à décider de s'éloigner "du village capitale où les Français étaient des ennemis invétérés et les Européens et Malagash des trafiquants d'esclaves (pour s'installer) à *Vandroo* (Ivondro ou Ivondrona), à 9 *miles* (14,5 km), au sud de Tamatave, qui est situé dans un espace aéré et très salubre près de la mer."[46] Malgré la méfiance de Jones, c'est Bragg qui les introduisit auprès du chef d'Ivondrona, Fiche, lequel était, selon Jones, d'un rang égal à Jean René et commandait à des "sous-chefs gouvernant les villages voisins qui leur sont assujettis." Bragg aurait été le "frère de sang" de Fiche, au dire de Jones, on sait en tout cas que ce dernier était le frère utérin de Jean René. Fiche réunit ses ministres et Bragg exposa le but de la mission des deux Blancs "et le bénéfice en découlant si le chef pouvait parler français et l'un de ses ministres."[47] Toujours accompagnés de Bragg, ils visitèrent tour à tour Fiche et ses ministres dans leurs maisons, par ordre de préséance, demandant qu'on leur confie des enfants. "Aucun ne refusa de donner ses enfants pour être éduqués, mais ils considérèrent la chose comme un grand bénéfice pour eux et mirent de puissantes raisons à cela. Un homme à l'extérieur, entendant la conversation, courut après nous, alors que nous nous rendions à la maison d'un autre ministre, désirant que nous prenions son enfant."[48] Ils firent expliquer "qu'ils reviendraient s'installer parmi eux enseigner aux gens de tout âge après (leur) retour en mars car (ils avaient) décidé sur les avis des Médecins de retourner à Maurice, vers la fin de novembre et y rester jusqu'à la fin de la mauvaise saison qui est en mars et (qu'ils avaient) des femmes qui enseigneraient aux femmes malgaches à lire, écrire et coudre etc. (...) hommes et femmes s'exclamèrent avec des rires : sarabe, sarabe." Il semble que le bon

---

46 *Idem* et BI/FI/JC, P-L, Nov. 20th 1818, Bevan to Burder. A noter que Bevan écrit "Ivandrio" dans sa lettre, de même qu'il transcrit beaucoup plus mal les mots malgaches qu'il rapporte. Ivondro ou Ivondrona, se situe à environ 10 km au sud de Tamatave, Jones dit 9 *miles*.
47 *to explain the matter of our mission and the benefit arising if the chief could speak French, and one of his chief minister.* Etant donné l'anglais parfois barbare le Jones, cette phrase n'est pas très claire. Il faut sans doute comprendre que Jones a laissé dire par Bragg qu'ils allaient enseigner cette langue qu'ils ne connaissaient pas... A moins que Fiche et l'un de ses ministres parlant déjà français, Jones et Bevan se soient proposé de les alphabétiser dans cette langue, ce qui paraît plus vraisemblable. *Letters Maur.*, B1/F1/JC, P-L, Nov. 10th 1818, Jones to Waugh.
48 *Letters Maur.*, B1/F1/JC, P-L, Nov. lOth 1818, Jones to Waugh.

accueil rencontré, ainsi que la salubrité apparente de l'endroit aient incité nos missionnaires à modifier leur calendrier.[49] Ils quittèrent les lieux bien avant le mois de novembre, c'est-à-dire en septembre, pour revenir, dans le cas des Jones, en pleine mauvaise saison, le 20 novembre 1818.

Ayant décidé de rester, ils furent reçus avec hospitalité par les différents ministres, en attendant que Bragg leur ait construit un bâtiment à Manangareza pour servir à la fois d'école et de logement. Ils s'y installèrent, y enseignèrent jusqu'aux environs du 20 septembre et s'embarquèrent à Tamatave le 24. Durant ce séjour, ils n'eurent à se plaindre de quiconque, ils virent peu Jean René, qui était occupé à des manœuvres diplomatiques avec les agents français de Bourbon, et Bragg leur fut d'une assistance indiscutable et apparemment honnête. "M. Bragg avait promis de nous donner toute assistance en son pouvoir pour effectuer notre mission ; ce qu'il a fait à coup sûr au-delà de nos espérances, bien que je doive dire qu'il est étranger à la grâce de Dieu". Cette appréciation de Jones, écrite après son retour à Maurice, ne laisse aucun doute sur leurs relations avec celui qu'on a présenté comme un invétéré trafiquant d'esclaves. Un tel monstre aurait-il adressé une demande de missionnaires pour Tamatave aux Directeurs ? [50] De l'hospitalité qu'ils reçurent des Malgaches, il faut dire qu'elle fut largement la conséquence de l'appui de leur introducteur, de la façon dont ils présentèrent leur mission et de leur comportement dont on reparlera.

Intermède

De retour à Maurice, les missionnaires trouvèrent une situation beaucoup moins réjouissante que celle qu'ils venaient de quitter. Leurs épouses avaient subi toutes sortes d'avanies de la part des Mauriciens et un conflit éclata peu après entre les deux missionnaires. Cette crise, soigneusement dissimulée par les historiographes de la mission, donne une bonne idée des mœurs des "îles où l'on parle français", valable aujourd'hui encore, et de l'esprit des missionnaires d'alors. Voici ce qu'en raconte Jones : "On me rapporta bientôt qu'un bruit courrait à Port-Louis, selon lequel Madame Jones avait été alitée et délivrée à terme d'un enfant et avant le délai normal par rapport à son mariage : i. e. qu'aussi bien disaient-ils les missionnaires font des enfants avant le mariage, et disant que le Dr Sibbald qui avait soigné Madame Jones le disait. Toutefois je décidai de faire une enquête là-dessus et de poursuivre les diffamateurs et d'avoir ma propre réputation lavée ce que je pensais être mon devoir". Jones s'adressa au docteur Sibbald qui lui remit un certificat médical attestant que l'enfant était né prématuré entre le 7è et le 8è mois de grossesse et l'assurant qu'il n'avait jamais pu dire autre chose. Monsieur White, chez qui Madame Jones avait accouché, lui répondit la

---

[49] Notons qu'en juillet leur projet était d'explorer le pays pendant 4 à 6 mois, mais qu'ils pensaient alors gagner l'intérieur réputé plus salubre.
[50] Au dos de la lettre de Jones, du 10 novembre 1818, se trouve copie d'une lettre de Bragg aux Directeurs demandant des missionnaires pour une école.

même chose. Jones fit alors lire par Monsieur White le certificat médical en présence de Le Brun et de Bevan, ce qui, dit-il, fit taire la rumeur. Et Jones d'ajouter : "J'ai ce certificat toujours en ma possession et en ferai une copie si j'ai assez de papier. Si les Directeurs en veulent une copie, je la leur écrirai avec plaisir."

Ainsi lavé de tout soupçon d'impureté préconjugale, Jones se mit en devoir de rechercher l'auteur de l'infamie. Il semble l'avoir trouvé mais refuse d'en communiquer le nom aux Directeurs : "le bruit est parti de (blanc) car personne ne savait en dehors de (blanc) quand je me suis marié". Suit une attaque en règle contre Bevan qui ne laisse guère de doute sur l'identité du fautif, très certainement Madame Bevan, mariée au même moment que Madame Jones dans les circonstances que nous savons, et qui devait nourrir quelque acrimonie en tant que Galloise contre cette Anglaise bien éduquée qu'était Madame Jones.[51] Il apparaît que l'affaire de la naissance de la petite Jones a fait éclater un conflit qui couvait depuis quelque temps entre Jones et Bevan et dont Bevan, peut-être fautif, ne parla jamais. C'est le premier d'une longue série qui secouera périodiquement la communauté missionnaire de Madagascar et qui a sans doute pour origine les ambiguïtés des principes congrégationalistes en terrain de mission. A la différence de la mission d'Afrique du Sud où l'on avait nommé d'office le plus capable à la direction de la mission, les Directeurs n'avaient pas choisi Jones, plus doué, mais Bevan, plus âgé et surtout plus discipliné, pour diriger la mission de Madagascar. Jones qui en fut mortifié le rappelle : "Je comprends que les Directeurs ait donné la Doyenneté (*Seniority*) à Monsieur Bevan, qui en toute justice me revient certainement, si c'est un - (tache) - dans le séminaire de Gosport et parmi tous les autres missionnaires autant que j'ai tout compris et je suis prêt à être dans la sujétion (*in subjunction* ?) de M. Bevan et ne vois pas - (déchiré) - etc." Jones développe alors ses griefs à l'égard de Bevan. C'est lui, Jones, qui a éduqué Bevan, c'est à son exemple que Bevan est devenu missionnaire et c'est parce que lui, Jones, premier missionnaire sorti de Neuaddlwyd, a été affecté à Madagascar que Bevan a demandé à y partir. Et de poursuivre "sachant tout cela (il) donne libre cours à sa vanité - (illisible) - me dégoûte et m'est insupportable, aussi me suis-je séparé de lui et me suis déterminé à ne jamais me trouver dans le même endroit que lui, ni à me joindre à lui pour quoi que ce soit."[52] Là-dessus, Jones informait les Directeurs que l'éloignement leur permettrait d'entretenir tous deux des relations plus sereines, mais qu'il fallait désormais les considérer comme deux missionnaires indépendants, leur envoyer courrier et matériel séparément. Il concluait : "ainsi M. Bevan peut toujours avoir la Doyenneté (quoique j'affirme toujours qu'elle est mon droit en bonne justice), pourtant je déclare formellement que je ne lui

---

51 Pour plus de détails, voir mon article : "Le contact missionnaire au féminin".
52 *Letters Maur.*, B1/F1/JC, P-L, Nov. 10th 1818, Jones to Waugh. Le document est très abîmé (taches et déchirures) et rédigé dans un anglais encore plus "gallois" que d'habitude.

serai jamais subordonné." Sans attendre une réponse des Directeurs dont je n'ai pas trouvé trace,[53] Jones annonçait, dans la même lettre, son départ pour Madagascar le 14 novembre, malgré les risques de la mauvaise saison et son ignorance des intentions de Bevan.

Second séjour : 20 novembre 1818 - 3 juillet 1819

Par ces documents, jamais cités à ce jour, se trouvent donc éclaircies les étranges circonstances du second séjour en solitaires de Jones et de Bevan qu'on explique généralement par une maladie de Madame Bevan qui l'aurait retenue à Maurice, et par les surprises d'un débarquement non prévu à Foulpointe.[54] Du côté de Bevan, on sait seulement qu'il écrivit le 20 novembre, six jours après le départ des Jones, sans préciser ses intentions de départ, car aucune trace ne subsiste dans les archives de sa correspondance jusqu'à sa mort en 1819. Ellis évoque bien une lettre qu'il aurait adressée à Jones à Tamatave en date du 6 janvier 1819 lui annonçant sa venue,[55] mais il ne donne aucun extrait de cette lettre. Il semble bien qu'il narre l'installation de Bevan et de sa famille à Atakalampona ou *Andevorantra* et les débuts de son travail missionnaire, à partir des longues lettres de Jones des 3 mai, 7 août et 6 décembre 1819. Dans la lettre du mois d'août, Jones écrit : "J'espère, après tout ce temps, que vous avez reçu ce rapport sur Madagascar que M. Bevan et moi-même vous avons envoyé en novembre dernier", ce qui laisse supposer que, pour sa part en tout cas, il n'a pas écrit aux Directeurs entre son départ de Maurice et son retour, se contentant de tenir un journal, dont il comptait donner les extraits, et qui a peut-être disparu avec les effets qu'il accuse Bragg de lui avoir dérobés. Ces trois lettres, fort longues, sont les seuls documents authentiques dont nous disposons pour nous faire une idée de cette seconde mission de Tamatave.[56] On peut y ajouter la transcription que fit Le Brun, en janvier 1819, d'une lettre, perdue, de Jones, datée du 22 novembre 1818.[57]

---

[53] Sans doute erreur de classement, la Boite 1 des *Committee Minutes* pour Madagascar commence en 1826. Il faudrait sans doute dépouiller les *Outgoing Letters* pour Maurice.

[54] Explications fournies par RABARY (à partir d'Ellis et de Sibree) : *Ny Daty Malaza*, vol.1, p. 9-l0.

[55] Il existe dans les archives une notice classée *Odds* n° 4, dactylographiée par un ancien archiviste et présentant une lettre de Bevan à D. Jones, datée du 6 nov. 1818, qui aurait été découverte en avril 1936 à Halifax par James Sherman chez Miss Bruce qui la tenait de famille par une Miss Richardson. Cette lettre a disparu ou a été mal reclassée par un utilisateur. Voir ELLIS : *History*, vol. 2, p. 211-212.

[56] *Letters Maur.*, Bl/F2/JA, Tamatave, May 3rd 1819, Belle Ombre, August 7th, 1819, Jones to L.M.S.

[57] *Letters Maur.*, Bl/Fl/JD, January 6th 1819, Le Brun to L.M.S. Le résumé de Le Brun est sensiblement identique à la lettre de Jones du 3 mai 1819 ; il s'agit évidemment de copies que Jones faisait de son Journal.

Jones, sa femme et leur fillette arrivèrent à Tamatave le 14 novembre 1818, en bonne santé "sauf leur petit enfant qui n'avait jamais été bien depuis sa naissance". Le voyage avait duré quatre jours. Après le débarquement tôt le matin, ils se rendirent dans le village où ils furent accueillis par des cris de joie et des rires. Les Malgaches s'exclamaient : "Finaritra, Finaritra !" Les enfants qu'avaient éduqués Jones et Bevan lors de leur premier passage avaient continué à étudier et avaient pris en charge d'enseigner à d'autres enfants. Tous attendaient avec impatience que les missionnaires reprennent leurs cours. Jones s'installa chez Bragg mais Jean René lui offrit un lopin de terre à Manangareza où il fit construire une école, se proposant en même temps d'y installer un logement. En fait, à la façon du Pays de Galles, maison et école constituèrent toujours un seul et même bâtiment pour les missionnaires de Madagascar. Mais si, le 22 novembre, Jones se proposait de commencer immédiatement à enseigner et à apprendre sérieusement la langue malgache, la maladie l'empêcha de rien faire avant le début du mois de mai 1819.

Il tomba malade fin novembre et c'est peut-être à ce moment que le baron de Mackau, apprenant son état, vint lui rendre visite, accompagné de Monsieur Roux et d'un médecin de la Marine.[58] Deux jours après le début de la maladie de Jones, sa petite fille tomba malade et mourut le 13 décembre 1818. La mère, elle aussi souffrante, ne put pratiquement rien faire pour soigner l'enfant car elle ne tenait plus debout. Les choses parurent s'améliorer pour la Noël, puisque Jones écrivait : "Le 26 décembre, nous possédions suffisamment de force pour marcher main dans la main dans notre chambre ; je lui dis : laissez-moi prendre appui sur votre bras, car vous êtes plus forte que moi ; et elle était plus forte. Mais hélas ! hélas ! Le jour suivant je vis en elle un grand changement car elle était affligée de surdité et de mutisme. Le jour suivant, son aspect était encore plus sinistre, car les signes de la Mort se voyaient dans sa contenance (...) Le 29, à 2 heures et demie du matin, elle me quitta."[59]

Bragg se chargea de l'enterrement des deux défunts à proximité du cimetière malgache, au nord de Tamatave, et Jones, récupérant peu à peu santé et courage, se mit au travail. "Je trouvais en mon esprit une grande angoisse et une résolution de mettre toutes mes forces à apprendre la langue et à instruire les Malagash dans la Connaissance de Dieu et de son fils Jésus-Christ". Mais ajoutait-il dans un post scriptum, "la longueur et la violence de ma maladie ont été un grand empêchement pour mon étude de la langue (...) j'ai commencé à classer mon vocabulaire et ma collection de mots en ordre alphabétique mais je n'ai pas été capable d'achever." A la fin du mois de mars, se sentant mieux, il fit "une tournée en pirogue sur deux rivières situées à près de 70 *miles* (105 km) au sud pour (se) faire connaître des Malagash, des chefs et

---

58 Sur cette étrange visite citée par ELLIS : *History*, vol. 2, p. 211, mais non mentionnée par Mackau, voir VALETTE (J.) : "Rapport du Baron de Mackau...", p. 301-324, note 323. Notons que Jones n'en dit rien.
59 *Letters Maur.*, B1/F2/JA, Tamatave, May 3d 1819, Jones to L.M.S.

pour chercher d'autres stations pour d'autres missionnaires", tout cela accompagné de M. Bragg. Le 22 mai, il informait les Directeurs qu'il avait commencé la veille son école, avec 5 élèves, fils de chefs. Mais sa santé se dégradant peu à peu, il dut s'aliter au mois de juin et s'embarqua le 3 juillet 1819 pour Maurice. C'est durant ce mois de juin 1819 que Jones se plaint d'avoir subi toutes sortes de mauvais traitements de la part de Bragg et des traitants européens de Tamatave. "Immédiatement après la mort de tous, M. J. Bragg, qui s'était d'abord comporté à notre égard comme un ami scrupuleux, se révéla être un parfait hypocrite. Lui et quelques-uns de ses camarades et mes ennemis, traitants européens à Tamatave et trafiquants d'esclaves, firent tout ce qu'ils purent pour empêcher ma guérison et, je pense, hâter ma mort". Une altercation suivit dans laquelle Jones reprocha à Bragg sa conduite sans que celui-ci en paraisse affecté. C'est par la suite que Jones l'aurait entendu, ainsi que d'autres, "le maudire et l'injurier et l'appeler par tous les noms qu'ils pouvaient trouver et le traitant dans leur conversation de chien, de porc." Beaucoup plus grave est ce qu'il dit du vol que Bragg et d'autres auraient commis à son encontre, "ayant dérobé pour une valeur de plus de 500 dollars, bien que je l'aie payé pour le logement, l'assistance aux malades et les funérailles".[60] L'attitude de Bragg paraît extrêmement surprenante car rien auparavant ne pouvait laisser prévoir un tel changement, rien dans son comportement futur à l'égard d'autres missionnaires ne le laisse soupçonner. Le 4 mai 1821, soit deux ans après, Bragg recevait à déjeuner David Griffiths, remplaçant de Bevan à Madagascar, et lui montrait les tombes des Jones et des Bevan.[61]

Peut-être l'état moral et physique de Jones lui a-t-il fait voir des choses qui n'étaient point, peut-être a-t-il fait un peu de paranoïa et s'est-il senti persécuté par ceux qui l'avaient aidé dans un moment où il passait d'accès de fièvre en alitement ? On ne le saura sans doute jamais. Toujours est-il qu'il quitta Tamatave en catastrophe sur un petit transport de bœufs et, à son arrivée, dut traverser à pied Port-Louis pour se rendre chez Le Brun où personne ne l'attendait.[62]

Ce qu'il advint des Bevan lors de leur ultime séjour à Madagascar est bien plus difficile à reconstituer. Le 22 novembre 1818, Jones écrivait à

---

60 *Letters Maur.*, B1/F2/JA, Belle Ombre, Mauritius, Aug. 7th, 1819. Cette lettre est transcrite presqu'intégralement par RABARY : *Daty Malaza*, vol. 1, 3 juill. 1819, p. 12-13.
61 *Journals Madagascar*, B1/J3, Madagascar, 1821, March 4th, May 4th, D. Griffiths. Jean Valette, dans son "Aux origines de l'évangélisation", p. 390-391, propose une explication très vraisemblable des fausses allégations de Jones contre Bragg. Le missionnaire aurait voulu faire endosser par un autre les dépenses considérables qu'il avait effectuées tant en argent qu'en matériel.
62 Il est surprenant que Jones, dans son Journal de 1820, écrive en date du 13 septembre 1820 : "Je me suis renseigné aujourd'hui au sujet des objets laissés à la garde de M. Bragg lorsque, malade de la fièvre, j'ai dû quitter Madagascar. J'ai trouvé beaucoup de mes livres et de mes vêtements entièrement détruits". S'il avait confié ses effets à Bragg, ce dernier ne pouvait les lui avoir volé et ces effets ont été détruits par la pluie et non dérobés. *Journals Mauritius*, Box. 1 J.A.

Le Brun une lettre qu'il l'a recopiée, disant : "un chef de Foulpointe nous a rendu visite et désire que nous allions enseigner ses enfants (...) Je pense que Foulpointe et les villages voisins seront un bel endroit pour commencer une mission."[63] Cette lettre, sans doute communiquée par Le Brun à Bevan, décida ce dernier à choisir Foulpointe comme lieu de débarquement à Madagascar, dans la mesure où il lui fallait éviter la proximité de Jones, installé à Manangareza. C'est ce qui ressort de la lettre de Le Brun aux Directeurs en date du 6 janvier 1819 : "M. et Mme Bevan qui ont quitté Maurice le 27 décembre pour Madagascar, feront un voyage à Foulpointe."[64]

Contrairement à ce qu'écrivait Rabary, ce n'est donc pas par hasard que les Bevan ont débarqué à Imahavelona (Foulpointe) et décidé de s'y fixer, mais selon un plan bien établi. L'historien qui traduit Ellis en malgache, a commis à cet endroit un gros contresens. Selon Ellis, qui utilise les extraits de lettres parues dans la presse missionnaire en 1819, Bevan "s'embarqua sur un vaisseau en partance, en premier lieu, pour Foulpointe, où il se proposait de recommencer ses travaux, comme missionnaire à Madagascar."[65] Rabary de son côté écrit : "aujourd'hui Dimanche le Rév. T. Bevan, sa femme et leur enfant ont quitté Maurice, car Madame allait mieux. Le navire qui les transportait a fait escale à Imahavelona (Foulpointe) et y est resté quelques jours. Il conversa avec les Malgaches, leur exposant les raisons de sa venue à Madagascar, ce qui réjouit fortement les gens, particulièrement les chefs (...) et ils songèrent, sa femme et lui, que c'était là le poste que le Seigneur leur avait choisi. Ils gagnèrent Tamatave malgré tout pour parler d'abord avec M. Jones."[66] La version du pasteur Rabary est fort éloignée de celle

---

63 *Incoming Letters*, B1/F1/JD, P-L, Jan. 6th 1819, Le Brun to L.M.S.
64 *Idem*.
65 ELLIS : *History*, vol. 2, p. 212.
66 RABARY : *Ny Daty*, vol. 1, p. 10. Ellis écrivait : *the chiefs at that place (Foulpointe) expressed a desire to have their children educated and the station appeared eligible* , à partir d'une lettre de Jones et non de Bevan disant : *Some chief of Foulpointe has visited us (...) Everybody want us to teach their children. I think that Foulpointe and the neighbouring village will be a beautiful place to commence a mission*. ELLIS : *History*, vol. 2, p. 212. Jones à Le Brun, Tamatave Nov. 22 1818, citée par Le Brun pour les Directeurs, *Incom. Letters*, B1/FI/JD, P-L, Jan. 6th 1819.

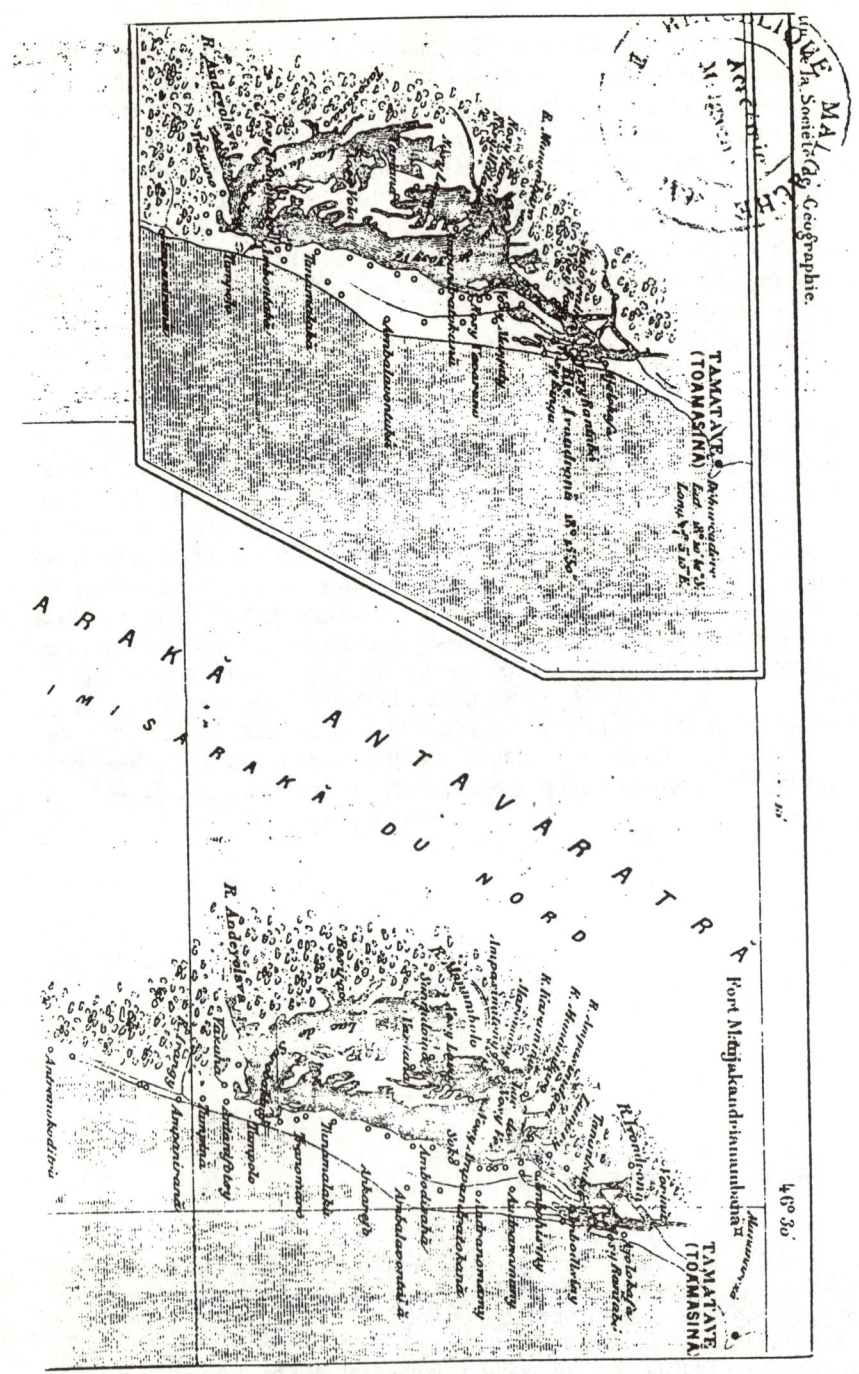

18 - La région de Tamatave en 1818, carte de Grandidier (Coll. Académie malgache).

d'Ellis qui doit être retenue comme la bonne ; elle est surtout fort romancée. Quand on songe qu'Ellis lui-même manipulait les témoignages des missionnaires, que Sibree fit de même à partir d'Ellis et que Rabary poursuivit ensuite à partir de ses deux prédécesseurs, on comprend à quel point l'histoire de la mission à Madagascar est peu historienne.

Les Bevan s'installèrent donc quelque temps à Foulpointe d'où ils écrivirent le 6 janvier 1819 à Jones leur intention de se rendre à Tamatave, dès qu'ils auraient trouvé un navire. Deux jours après ils entraient dans le port. Bevan, informé des décès survenus dans la famille Jones, se rendit en hâte au chevet du survivant, accompagné et conforté par l'indispensable Bragg. Il songea d'abord à repartir pour Maurice sans avoir débarqué sa famille, puis, après réflexion, décida de rester et d'aller fonder une station à Takalampona, petit village au sud de Tamatave, appelé aussi Andovoranto et Andevorantra. On ne sait s'il eut le temps de s'y rendre car, le 9 janvier, sa femme et lui tombaient malades. Le 25 leur enfant mourait, le 31, c'était le tour de Bevan et le 3 février celui de son épouse. Durant leur maladie, les missionnaires n'eurent jamais à se plaindre ni de Bragg, ni de Jean René ni de quiconque à Tamatave, bien au contraire. L'attitude de Bragg n'aurait changé qu'après la disparition des Bevan, selon les dires de Jones. Quant à Jean René, il envoya un soigneur et une servante pour assister les malades, s'occupa des cercueils et organisa les funérailles auxquelles aucun Blanc n'assista. C'était lui qui avait logé la famille Jones, la première maison, construite par Bragg, ayant disparu. Rien ne permet donc de croire que l'issue fatale de cette première mission fut le fait des habitants ou de Jean René. Les témoignages concordent pour louer la gentillesse de l'accueil, les soins et l'aide que les missionnaires reçurent partout où ils séjournèrent. Leur attitude y était sans doute pour beaucoup.

"Lire, écrire et aimer Zangahara".

Tel était le programme que les deux missionnaires proposèrent partout où ils passèrent et qu'ils tentèrent d'appliquer à Manangareza et à Tamatave. *Your children are taught to read and write, love Zangahar and all men, there will be no wars.* Voilà ce que Jones et Bevan firent traduire par Bragg et ses interprètes à Fiche et à ses ministres.[67] Lors de leur premier séjour, ils prirent dix jeunes gens en pensionnat chez Bragg, parmi lesquels Berora, fils de Fiche. Les âges variaient entre 9 et 14 ans mais Jones affirme que le fils d'un chef du sud avait 20 ans. Jones, seul en 1819, accueillit 5 élèves. Ils étaient dans la nécessité de leur donner à manger du riz prélevé sur la provision que leur avait donnée le général Hall, car cette denrée était difficile à trouver à cette époque, après les ravages des différentes guerres de 1817. Selon la méthode des *Sundays Schools*, ils se soucièrent aussi de vêtir les corps, distribuant des pièces de toile bleue pour en faire des *simbo* (pagne pour les

---

67 *Letters Maur.*, B1/F1/JC, P-L, Nov. 20 1818, Bevan to Burder.

hommes). Les deux missionnaires avaient d'emblée compris que les enfants qu'on leur confierait seraient entièrement à leur charge et que non seulement les parents ne leur donneraient rien mais encore attendraient d'eux des cadeaux. C'est Bevan qui notait que "les Malgaches sont accoutumés à recevoir des présents de ces traitants qui viennent parmi eux, ce qui fait qu'ils en attendent de tous les Européens." Jones aura soin, lors de son second séjour, de se munir de présents pour les chefs et pour les enfants.

Instruits par les gens de Maurice et par leur propre expérience, les missionnaires protestants britanniques se comportaient exactement comme leurs prédécesseurs catholiques et français du XVIIIe siècle. Comment résister à la tentation d'évoquer ce texte de 1779, écrit à Foulpointe par l'abbé Durocher, vicaire apostolique de Madagascar ? "Les peuples et les chefs ont une singulière estime et confiance dans le prêtre. Ils m'apportaient tous leurs petits enfants à baptiser et m'envoyaient leurs grands enfants au catéchisme, pour que je les instruisisse comme les Blancs."[68] Les projets élaborés par les catholiques de cette époque ressemblent étrangement aux lettres de Jones et Bevan. On y retrouve la réputation d'empoisonneurs des Malgaches de la côte ainsi que la nécessité de se pourvoir en médicaments et en petits cadeaux pour les chefs.[69] En l'absence de tout appui militaire ou politique, les agents de l'évangélisation devaient se soumettre au contexte ; qu'ils fussent catholiques ou protestants, ils devaient séduire et non détruire. Heureuse situation, hélas incompatible avec le zèle conquérant des agents européens du Christ qui ne la supportèrent pas longtemps.

Les missionnaires durent aussi s'adapter à la situation matérielle et aux conditions de vie de leurs élèves, ce qui est tout à leur honneur. C'est sur le sable que les enfants apprirent leur alphabet, le papier, rare, étant réservé pour les plus avancés, afin de conserver le témoignage de leurs aptitudes. Ils recevaient une récompense pour chaque exercice réussi. "M. René me fit remarquer qu'il admirait la patience et la persévérance de M. Jones par dessus tout, bien loin de prendre aucune mesure sévère avec les enfants de son école, il avait l'habitude de leur faire de petits présents, et de jouer un petit peu de sa flûte pour leur être agréable et ensuite il les persuadait de travailler de nouveau."[70]

Les deux missionnaires appliquaient la méthode Lancaster, les élèves les plus avancés servant de moniteurs aux autres ; cela explique que l'école ait pu continuer en leur absence, en 1818. Par ces méthodes douces et attrayantes, ils obtinrent des succès rapides.

---

68 Lettre de M. Durocher, Isle de France, dans *Mémoires de la Congrégation de la Mission de St Lazare*, 1866, p. 610.
69 Lettre de M. Monet à M. de Noinville du Glefier, 1735, *Idem*, p. 595.
70 *Journals Madagascar*, Box 1 J 3, Griffiths, Ap. 30 - May 1st 1821. Si Jean René confia son neveu Berora à Sylvain Roux pour être éduqué en France, c'est sans doute parce que Jones, malade, n'avait pas repris ses cours.

Dans le domaine de la religion, les missionnaires se limitèrent à enseigner le catéchisme et quelques cantiques ; ils ne firent aucune cérémonie religieuse durant tout leur séjour, se contentant d'enquêter sur la religion de leurs élèves. "Les Malgaches croient en l'existence d'un être Suprême qu'ils appellent Zangahara et en celle d'un esprit du mal qu'ils nomment Angagitr (Angatra)", écrivait Jones une fois rentré à Maurice. "Mais ils n'ont aucune sorte d'idoles. Ils pratiquent la circoncision et accordent une grande importance à la nouvelle lune, par laquelle ils règlent leur vie." Pourtant, ces renseignements, identiques chez Jones et Bevan, ne témoignent pas d'une sérieuse enquête ethnographique et ressemblent étrangement au mémoire de Lescallier qu'ils purent consulter à Maurice et qui avait déjà été recopié par Milne, en 1814. On peut raisonnablement penser qu'en si peu de temps et ne maîtrisant pas la langue, ils n'avaient pas appris grand-chose par eux-mêmes.

4 - Évaluation d'un échec

De multiples causes sont aujourd'hui encore invoquées pour expliquer l'échec de la première mission protestante de Madagascar. Les plus classiques sont celles-là même que les catholiques avaient données de leur insuccès au cours des siècles précédents. L'insalubrité du climat qui fait de la côte Est "le pays de la fièvre" et "le tombeau des Européens", est la première avancée, quoique peu convaincante, comme nous le verrons plus loin.[71] On incrimine aussi le caractère des habitants, gens perfides, empoisonneurs redoutés, ce n'est pas en tous cas ce qu'en disaient Jones et Bevan qui n'ont eu qu'à s'en louer. Reste le rôle des traitants européens et créoles qui ne pouvaient voir d'un bon œil l'installation et l'implantation de ces deux gêneurs, ennemis déclarés de leur trafic.[72] La christianisation aurait été empêchée par les Blancs, théoriquement chrétiens. Cet argument est valable mais non déterminant, dans la mesure où les missionnaires se tinrent le plus possible à l'écart de ces Européens. Reste une dernière cause, la mission n'aurait-elle pas été aussi conduite à l'échec par la faute des missionnaires eux-mêmes ?

---

71 Voir l'article de Manassé ESOAVELOMANDROSO : "L'évangélisation du pays Betsimisaraka à la fin du XIXe siècle", *Omaly sy Anio*, n° 7-8, 1978, p. 7-42.
72 Voir la lettre de Hastie à Griffiths du 18 fév. 1821 dans VALETTE : "Une lettre...", . p. 883-888 ; cit. p. 886.

"Ce n'était pas la fièvre malgache"

C'est ainsi que Jones conclut le récit de la mort de sa femme survenue le 29 décembre 1818.[73] Madame Jones serait morte, selon lui, de la "fièvre du lait" (*milk fever*), que J. Valette traduit par "fièvre inflammatoire". Cette fièvre puerpérale, qui provoque effectivement une acidification du lait était la suite d'un accouchement prématuré et mal suivi depuis Maurice et qui aurait conduit à une infection généralisée. Tous les symptômes décrits par Jones rappellent plus le tétanos que le paludisme, bien que ce dernier ait été surtout frappé par la disparition du lait sitôt après la mort de l'enfant. La petite fille, née avant terme, n'avait jamais été bien portante depuis sa naissance et arriva malade à Tamatave, selon les propres dires de Jones. Là aussi, le missionnaire fait le diagnostic de la maladie : deux jours après lui, la petite commença à souffrir de constipation et mourut le 13 décembre, âgée de moins de 5 mois.[74] On a avancé que Madame Jones et sa fille avaient été empoisonnées,[75] mais il n'est peut-être pas besoin de porter une telle accusation lorsque leurs décès s'expliquent par des changements d'alimentation et de climat qui auraient aggravé des affections contractées à l'Ile Maurice. En tout cas Jones, pourtant facilement sensible à la persécution, n'a jamais parlé d'empoisonnement.

Lorsque Bevan quitta Maurice avec sa famille, son épouse, qui avait accouché d'un garçon le 13 octobre, était souffrante et trop malade aussi bien pour être laissée seule à Maurice que pour voyager. Pourtant, dans une lettre au missionnaire Evan Evans, du 6 novembre 1818, Bevan disait que la mère et l'enfant jouissaient alors d'une bonne santé. C'est donc dans le courant de novembre que Madame Bevan tomba malade, sans qu'aucune précision puisse être trouvée sur l'origine et la nature de sa maladie. On peut supposer, à partir de la similarité des circonstances, qu'elle fut atteinte des mêmes maux que Madame Jones, c'est-à-dire de tout autre chose que de la fameuse "fièvre de Madagascar". L'évolution de la maladie, avec des périodes de mieux-être jusqu'à la rechute finale, est la même dans le cas des deux familles. Les hommes paraissent y avoir mieux résisté que les femmes et les enfants, puisque Jones survécut et que Bevan, à en croire Jones, aurait guéri s'il n'avait pas eu si peur ! "La peur est ici reconnue comme la pire cause de la fièvre...."[76] Or Bevan confiait à Bragg, le 6 février jour de son arrivée, qu'il était fermement convaincu que lui aussi serait saisi par la fièvre et mourrait certainement et

---

[73] *Incoming Letters Mauritius*, Bl/F2/J.A,.Tamatave, Mars 3rd 1819. Jones écrit : *Her disease as for as I can judge was the milk fever and a combination of other diseases (...) However, it was not the Malagash fever.*
[74] *Incoming Letters Mauritius*, B1/F2/JA, Tamatave, May 3rd-1819. Jones écrit : *in 2 days after me our little girl fell sick with costiveness which terminated in her death, December 13th.*
[75] Affirmation d'Ellis parfaitement gratuite dans le cas des Jones, et plus acceptable pour les Bevan, *History*, p. 210 et p. 12. Reprise avec circonspection par Rabary : *Ny Daty Malaza*, vol. 1, p. 10 et p. 11.
[76] *Incom. Letters Mauritius*, B1/F1/JA,. P-L, Nov. 10 1818, Jones to Waugh.

qu'il avait même songé à se rembarquer immédiatement pour Maurice. Auto-persuasion, recherche du martyre, surenchère vaniteuse devant le destin de Jones, tout est possible avec ces personnalités exaltées par le Réveil évangélique et mues par ce qu'on a justement appelé le "romantisme missionnaire". En tout cas, un diagnostic qui ne tiendrait pas compte du comportement psychologique d'adultes aussi rapidement fauchés par la mort serait bien incomplet.

La responsabilité des missionnaires.

La réalité de l'insalubrité du climat de Tamatave était connue des missionnaires depuis leur premier séjour, c'est d'ailleurs pourquoi ils avaient songé à s'installer en novembre. Jones avait pu se rendre compte personnellement des inconvénients de l'endroit et l'écrivait : "Le mauvais climat de cette côte de Madagascar peut être attribué avec justesse à une chaîne de hautes montagnes dans l'intérieur, appelée par les naturels "Tanam-boitra". Une autre cause qui contribue à l'insalubrité de Tamatave est la grande étendue de marais le long de la côte en même temps que le sol sableux et la saleté des habitants qui jettent toutes les ordures de la maison devant leur porte." Ces observations de Jones ainsi que les différentes descriptions données par les deux missionnaires de leurs souffrances et de celles des leurs, présentées par moi à un médecin habitué à la côte, l'ont amené à penser que les missionnaires avaient été atteints de la fièvre typhoïde, fièvre qu'ils avaient peut-être contractée depuis Maurice.[77] Jones connaissait les risques qu'il y avait à rester à Tamatave pendant la mauvaise saison,[78] mais il y en avait sans doute aussi à rester à Maurice. D'autre part, on les avait munis de médicaments pour lutter contre la "fièvre de Madagascar" et ils ne manquèrent des secours ni de Jean René, ni de Bragg, ni même, peut-être, du médecin de l'expédition Roux. On les avait prémunis contre la fièvre de Madagascar, le paludisme, mais non contre le typhus pour lequel il n'existait alors aucun remède. D'autre part, Jones aurait pu gagner l'intérieur tout de suite, en dépit des difficultés de transport, mais "c'était une opinion entretenue depuis longtemps à Maurice (et confirmée par l'expédition Lesage) que l'intérieur de Madagascar était plus insalubre que la côte."[79]

En fait, on ne peut sérieusement incriminer que le manque de prudence des deux missionnaires, emportés par leur zèle mais peut-être plus encore par leur rivalité et par leur mauvaise adaptation à Maurice où, semble-t-il, on les avait fort mal reçus. Jones lui-même reconnaissait ses torts en 1820 : *Though almost all the first Missionaries fell victims in their gold attempt in the face of every discouragement and opposition though*

---

77 Précisions communiquées par le professeur Charles RAZAFINTSALAMA.
78 *Incom. Letters*, B1/F1/J.C, Mauritius, Nov 10th 1818, Jones to Waugh. ELLIS : *History*, vol. 2, p. 210, ajoute que Jones pensait que ses propres malaises étaient causés par le climat de l'île Maurice.
79 ELLIS : *History*, p. 157.

a very imprudent boldnest and real (illisible).[80] Le plus surprenant est sans doute la condamnation extrêmement sévère que Jones subit, plus tard, de la part d'un de ses collègues, dont les principales qualités, il est vrai, n'étaient ni la modestie ni l'esprit de charité. C'est Freeman qui me dispense ici de porter un jugement sur l'action de Jones et de Bevan, et qui innocente "la fièvre de Madagascar".

"Il aurait dû apparaître qu'il devait y avoir quelque imprudence à entreprendre une installation sur cette partie de la côte à une telle époque de l'année lorsque les familles missionnaires débarquèrent en 1819 (...) Leur zèle excéda leur prudence et, par conséquent, cessa d'être ce zèle que les amis de la mission peuvent considérer avec une parfaite satisfaction. Aucun homme ne peut méconnaître impunément la voix du Seigneur dans sa providence. Bien des missionnaires, c'est à craindre, ont sacrifié leur santé par une confiance vaniteuse en sa stabilité. Ils se sont imaginés capables de soutenir n'importe quelles fatigues, même lorsque d'autres avaient fait l'expérience et avaient échoué ; et alors, ayant négligé sans prévoyance ces conseils donnés à temps, ont trouvé et confessé de quoi les corriger, et sont tombés lamentablement dans une tombe prématurée."[81] Après les traits d'un Jones contre son compatriote et collègue, après les tentatives de diffamation d'une épouse missionnaire contre l'autre, cette tirade devrait nous convaincre définitivement que tous ces gens n'étaient pas des saints, même s'ils prétendaient être des héros

---

80 *Incoming Letters Madagascar*, B1/F2/JB, Tananarivou, Nov. 3, 1820, Jones to Dr Bogue.
81 FREEMAN (J. J.) and JOHNS (D.) : *A Narrative of the Persecution,* p. 62.

LA MISSION DE TAMATAVE (1818-1819) 263

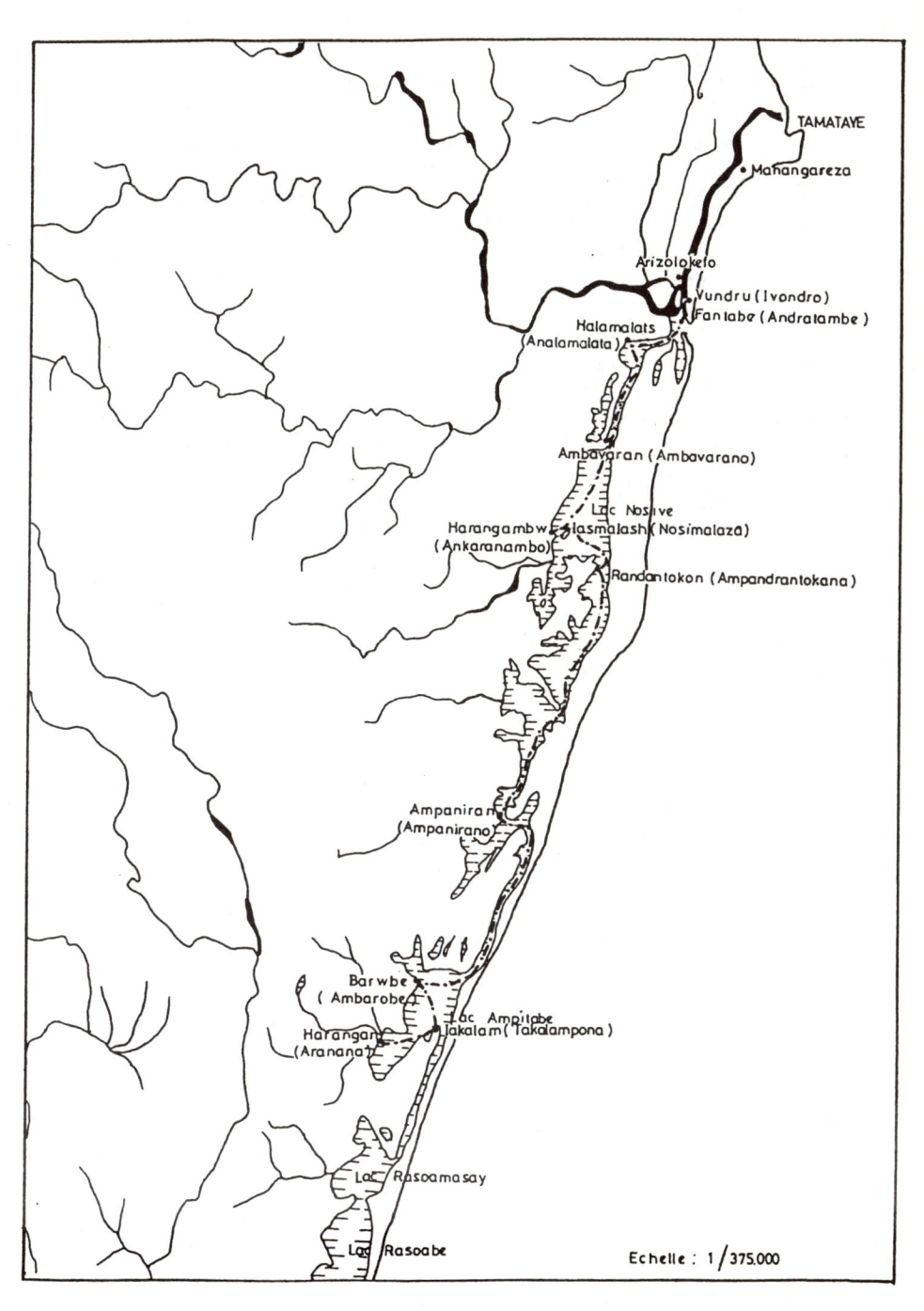

19 - Le voyage de David Jones en 1819.

Les projets d'extension

Dès 1819, il était dans les intentions de Jones et de Bevan de faire une reconnaissance dans l'intérieur et de tenter d'approcher Radama. Cela ne put se faire ni en 1818, ni en 1819, malgré les avances de Radama. Pourtant Jones, lors de son second séjour, semble avoir abandonné l'idée de s'installer sur les Hautes Terres, proposant aux Directeurs d'y envoyer un autre missionnaire. A la suite de la visite du général Brady, en 1819, il leur écrivait d'abord : "j'ai hâte d'avoir une station missionnaire à Ankeï (Ankay) le royaume de Radama, car il y a des milliers de gens mourant par manque d'éducation. A la capitale où Radama réside, il y a assez de travail pour 3 ou 4 missionnaires, car les habitants sont très nombreux." Pourtant sa réponse à Brady fut négative. "Je désirais que son général lui dise que j'irai le visiter avec plaisir à la condition d'être libre de revenir à mon école à Tamatave et d'être protégé par lui."[82] Il est clair, d'après cette phrase, qu'en 1819, Jones avait renoncé à gagner Antananarivo pour autre chose qu'une simple tournée d'exploration.

D'ailleurs, son attention était tout entière tournée vers la côte, et c'est à la suite de la visite de certains chefs du Nord qu'il suggéra à Le Brun une mission à Foulpointe et que Bevan saisit la balle au bond. Ce dernier aurait dû normalement s'y installer. D'autre part, à la suite de la visite de quelques chefs du Sud qui, depuis 1818, leur avaient confié, à Bevan et à lui, leurs enfants, il décida d'entreprendre en mars 1819 une tournée d'exploration en compagnie de Bragg.

Après avoir franchi en pirogue l'Ivondro, il traversa le lac Nosive et gagna le sud du lac Irangy, ce qui représente un parcours de près de 120 km. Sa santé n'en fut pas affectée. "Les chefs des différents villages offraient leur propre maison pour manger et pour dormir la nuit. Par là dessus, ils nous donnaient en abondance du lait, du bœuf, du riz, des volailles et tout ce qu'il pouvait y avoir dans la maison. Lorsque nous parlions au sujet de la mission, ils étaient grandement ravis."[83]

Jones proposait alors un découpage de la région, avec des missionnaires itinérants, selon le modèle gallois, proposition qu'il renouvela, et cette fois appliqua, pour l'Imerina, quelques années plus tard.[84] Il ne fut jamais tenu compte de ces projets et Jones les oublia lui-même, dans la fièvre du succès d'Antananarivo. Pourtant les preuves de

---

82 *Incoming Letters Mauritius*, BI/F2/JA, Tamatave, May 3 1818, Jones to L.M.S.
83 *Incoming Letters Mauritius*, B1/F2/JA, Tamatave, May 3 1819, Jones to L.M.S.
84 *Incoming Letters Mauritius*, B1/F2/JA, Tamatave, May 3 1819, Jones to L.M.S. C'est à partir de 1737 que Griffith Jones, Vicaire de Llanddownor, mit au point ses *Circulating Schools* avec des maîtres itinérants qui ouvraient une école dans une localité pendant trois mois puis allaient dans un autre village. Cette éducation était donnée en langue vernaculaire, ce qui était le projet de Jones à Tamatave. Sur les conditions de voyage voir la lettre de Hastie in VALETTE : "Une lettre d'Hastie", *op. cit.*, p. 890-891.

COPIE DU TABLEAU DE D. JONES
avec restitution des noms de lieux et de personnes.[85]

	Villages	Chiefs
	Vandru (Ivondro)	Fisch (Fiche, Fisatra, Fisa*)
For 1 missionary	Fantobe (Andratambe, Fantrobe*)	Metrobi (? Toby*)
	Halamalats (Analamalata, Analamalotra*)	Inala
	Ambevaran (Ambavarano)	Chiripete (Tsiripetaka)
For 1 missionary	Harangambw (Ankaranambo)	Ratandu (Ratandro, Ranandro*))
	Jasmalash (? Nosimalaza)	Unknown
	Randantokon (Ampandrantokana)	Chirandru (Trirandro)
	Ampaniran (Ampanirana)	Unknown
For one or two missionaries	Barwbe (Ambarobe)	Idilu
	Takalam (Takalampona)	Jackafardi (Zakafidy*)
	Harangan (Arañana)	Chivilw (Tsivilona*)

l'intérêt porté à la côte est par la mission protestante à ses débuts sont là. Jones, demeuré seul en 1819, s'entêtait à rester à Tamatave alors qu'on l'appelait à Tananarive, tandis qu'après 1820, ses collègues et lui-même négligèrent totalement les régions côtières. Comment expliquer cet abandon rapide et complet ?

Les véritables raisons doivent être recherchées ailleurs qu'à Tamatave, à Maurice d'abord, en Grande-Bretagne surtout. Depuis 1814, la L.M.S. s'était rangée sous le pavillon des flottes britanniques. En

---

85 Pour l'identification des lieux on se reportera à ma carte dans le texte. A mes propres identifications, j'ai ajouté celles de Jean Valette qui publie et commente ce tableau dans son "Aux origines de l'évangélisation de Madagascar : les débuts de l'apostolat de Jones (1818-1819), p. 385-386. Les identifications de Valette sont signalées par un astérisque. On notera que Valette lit souvent "i" dans le texte de Jones là où je reconnais "e", il est vrai qu'il a travaillé à partir de microfilms. Voir aussi la carte reconstituée par Jean VALETTE dans "L'itinéraire Tamatave-Tananarive d'après...", dans *M.R.G.*, n° 15, juil.-déc. 1969, p. 86.

1818-1819, la vacance du pouvoir britannique à Madagascar laissa la L.M.S., en l'occurrence ses envoyés, en situation véritablement apostolique, seuls, face aux païens, sans armée, sans argent, sans diplomatie et sans le prestige ou la crainte des navires de guerre. Durant ce court intermède seulement, la L.M.S. fut véritablement fidèle à son idéal "primitiviste" d'indépendance à l'égard de toute puissance terrestre. Mais alors l'Esprit manqua aux hommes qui la représentaient ou tout simplement la prudence.

En tout cas, ce n'est pas le doigt de Dieu, comme l'affirme le pasteur Rabary, qui fit que la mission échoua sur la côte est et réussit en Imerina, mais la logique politique de l'humanitarisme qui recherchait toujours le lieu de la plus grande puissance pour y désigner un peuple élu.[86]

La Mission de Tamatave avait-elle un avenir ?

Trois paramètres doivent être pris en compte pour envisager le problème, d'abord la politique de la L.M.S., ensuite celle de Farquhar, enfin le milieu malgache.

La nature des terrains de mission telle que l'envisageait la L.M.S. a été étudiée plus haut. Il s'agit là de l'évaluation globale et non de la stratégie d'approche et de pénétration de la Société de Londres. Celle-ci était claire et fort élaborée. Les missionnaires en étaient pénétrés par les enseignements que Bogue leur dispensait à Gosport. Les cours qui se rapportent aux champs de mission ont été préservés dans la copie qu'en fit le missionnaire Moffat, nous avons donc tous les éléments pour comprendre ce que l'on attendait de Jones et de Bevan.[87]

Bogue expliquait que l'on devait choisir comme centre de rayonnement missionnaire le pays ou la région dont la langue était parlée par une nombreuse population et, si possible, déjà codifiée et diffusée par l'écriture, une région dont les relations internes et externes étaient particulières. "De telles conditions ne se trouvaient que dans des pays peu éloignés de la civilisation." L'éminent docteur fondait sa façon de voir sur la pratique missionnaire des premiers Apôtres du Christ. Au terme de leur vie, ces derniers avaient conquis l'Empire romain et les peuples civilisés. Ce n'est qu'après et en partant de ces peuples déjà civilisés que l'Evangile s'était communiqué aussi aux Barbares. "Il est tout à fait improbable que les Apôtres ou les Evangélistes aient prêché l'Evangile à des nations qui auraient ressemblé en quelque sorte aux Sauvages de l'Amérique du Nord ou du Sud. On ne voit aucun exemple d'un peuple barbare qui aurait jamais porté l'Evangile à un peuple déjà civilisé ; on voit en revanche de nombreux exemples du contraire." On ne pouvait être

---

86 Selon RABARY : *Ny Maritiora*, p. 9 "*Hafa anefa no lahatr' Andriamanitra : Antananarivo no tiany ho foiben' ny asany eto Madagasikara ary ny Hova no voafidiny hampandroso ny Filazantsara eto amin' ity Nosy ity ; noho izany, tsy tafapetraka tany Toamasina ny misionera.*
87 *Missionary Lectures* : 12 : Fields of Missions 1st ; 26 : Advantages of Ancient and Modern Missionaries compared ; 28 : Of Christ's Mission.

plus clair pour affirmer que les missionnaires devaient d'abord s'adresser aux nations les plus proches du monde atlantique par leur densité de population, urbaine de préférence, leur organisation et leur puissance. La côte est de Madagascar apparaissait de ce fait comme condamnée d'avance, ainsi que toutes les régions périphériques de l'île.

N'oublions pas que, jusqu'en 1818, les Directeurs à Londres, ainsi que les deux missionnaire pour Madagascar, ignoraient le rapport de force, voire de civilisation, à Madagascar. De l'île, ils ne connaissaient que ses côtes, l'occidentale par les voyageurs anglais et les rapports venus d'Afrique du Sud, l'orientale par la littérature recueillie à l'île Maurice. D'autre part, en 1818, la situation diplomatique faisait qu'à l'île Maurice beaucoup plus qu'à Madagascar, les autorités n'étaient pas favorable à une pénétration dans l'intérieur. Jones et Bevan furent ainsi amenés à adopter une position d'attente sur la côte, exactement comme firent leurs successeurs catholiques dans les années 1840, lorsque, exclus de l'Imerina, ils créèrent la mission des Petites Iles.

Que Jones ait un moment songé à persévérer à Tamatave ne change rien à la logique de la situation. Les régions les moins populeuses, les moins organisées, les moins puissantes, les moins "civilisées" donc, étaient, dans la logique de la L.M.S., des régions sans intérêt. La faiblesse de l'implantation missionnaire dans ces parties de l'île, jusqu'à la fin du XIXe siècle, ne fait que le confirmer.[88]

Vues du côté de Farquhar les choses sont à peu près semblables. Ayant reçu l'ordre de ne pas s'ingérer dans les affaires des naturels, le gouverneur de Maurice ne s'intéressa guère à l'intérieur du pays entre 1811 et 1816. Sa tentative de colonisation sur la côte nord-est à Loky (ou Lokia) le prouve suffisamment. Mais sitôt que les accords diplomatiques européens lui eurent enlevé tout espoir de faire de Madagascar une dépendance de l'île Maurice et l'eurent conduit à modifier sa politique, sa seule préoccupation fut dès lors de rechercher, puis de s'attacher la puissance prépondérante. Les papiers de Froberville et les rapports de Rondeaux lui firent découvrir "le pays de Ova" le plus peuplé, le plus fertile et qui, sous la direction d'un chef remarquable, était en train de devenir le plus puissant de l'île.[89] Sitôt qu'il eût réussi à entrer en relation avec Radama par diverses ambassades, Farquhar orienta la propagande missionnaire vers l'Imerina, ne songeant pas un instant que l'évangélisation de la côte fût nécessaire.

Alors même que l'entreprise de Port-Louquez n'était pas encore abandonnée, Farquhar se proposait d'envoyer Le Brun à Antananarivo.

---

88 Sur le peu d'intérêt manifesté pour la côte est par toutes les missions du XIXe siecle, voir ESOAVELOMANDROSO (M.) : "L'évangélisation du pays betsimiaraka à la fin du XIXe s.", *op. cit.*

89 *Ova* ou *Hova*, terme auquel aujourd'hui encore certains Français restent attachés, a été jadis le synonyme d'Amboalambo, pour désigner aux Mascareignes les habitants des Hautes Terres d'origine austronésienne. Avec la (re)constitution de l'Imerina au XVIIIe siècle, il ne désigne plus que la caste des roturiers, signification qu'il conserve aujourd'hui. Les sujets directs de Radama s'appelaient donc Ambaniandro, Ambanilanitra ou Merina.

"J'ai l'intention de proposer à cet homme (Le Brun) de gagner la cour de Radama et d'y prendre résidence ; de cette façon, j'aurai des communications constantes avec l'intérieur de Madagascar et serai en mesure de faire le meilleur usage de l'amitié de ce prince pour l'intérêt mutuel de nos pays respectifs" écrivait-il.[90] Lorsque, le 17 mai 1816, les missionnaires méthodistes se présentèrent pour solliciter leur participation, Telfair et lui-même leur dirent que : "si une mission était décidée, les missionnaires devraient immédiatement gagner l'intérieur." Cet intérieur était décrit pas le gouverneur comme "très salubre et si fertile que tout ce qui est nécessaire à la vie y était produit en abondance." Le "roi des Ova" était présenté comme "un grand conquérant et un protecteur des éventuels missionnaires à venir."[91]

Farquhar avait pour objectif la création d'un royaume chrétien de Madagascar à partir d'un noyau malgache ; à ses yeux, ce n'était pas sur la côte est que ce grand royaume était en formation mais au cœur de l'Imerina. Seule l'absence du gouverneur de Maurice, de 1818 à 1820, explique que la mission de Tamatave ait pu exister. Son retour déclencha immédiatement les débuts de la mission de Tananarive.[92]

Peut-on affirmer, comme le firent certains au XIXe siècle, que toute mission à Tamatave aurait échoué du fait des Betsimisaraka ? Une telle affirmation paraît être beaucoup plus l'excuse d'une négligence prolongée des missionnaires qu'une véritable évaluation des circonstances. Rappelons tout d'abord que c'est dans ces régions, de Foulpointe à Fort-Dauphin, que les missionnaires lazaristes obtinrent, au XVIIIe siècle, leurs plus sérieux succès et qu'ils furent obtenus par des missionnaires isolés, véritables apôtres, sans l'appui d'une colonie européenne armée et conquérante, comme cela avait été le cas à Fort-Dauphin au XVIIe siècle. Le premier prêtre malgache, ordonné en 1791, était originaire de la baie d'Antongil.[93] Il n'y avait pas d'opposition au christianisme plus forte sur la côte qu'en Imerina et peut-être moins, vu l'ancienneté des relations de ces régions avec des chrétiens, missionnaires ou non.

D'autre part, l'influence des missionnaires catholiques et des traitants, catholiques plus que tièdes, n'avait pas été suffisamment forte pour qu'au début du XIXe siècle, les Betsimisaraka qui avaient entendu parler du christianisme puissent refuser le protestantisme. D'ailleurs, ni Bevan, ni Jones ne se soucièrent de faire la démonstration de ce qui différenciait le catholicisme du protestantisme, restant, comme leurs prédécesseurs, au niveau du simple catéchisme.

---

90 Public Record Office C.O. 167, vol. 10, Farquhar to Lord Bathurst, Sept. 12th 1816. Lettre citée par Ellis : *History*, vol. 2, p. 154.
91 *Incom. Letters S.A.*, Lettre de Carver à la Société Missionnaire wesleyenne à Londres, Point de Galle, June 28 1816.
92 Voir la lettre de Hastie, 18 fev. 1821, dans VALETTE : *op; cit.*, p. 872-882.
93 BLOT (Bernard) : "Une période peu connue de l'histoire religieuse de Madagascar", *L'Ami du Clergé malgache*, Tana., t. VIII, n° 7, p. 198-200.

Quant à l'éducation, les succès remportés par Jones et Bevan en si peu de temps prouvent qu'elle eût été possible sinon facile. Un effort soutenu des missionnaires aurait peut-être permis une alphabétisation précoce de la côte est. Cet enseignement était dispensé en anglais ou en créole de Maurice, mais c'est ainsi qu'il le fut d'abord à Tananarive, et les missionnaires avaient commencé à apprendre la langue.

Pourtant, il est permis de douter que l'éducation ait pu atteindre sur la côte l'extension qu'elle connut plus tard en Imerina car il lui manquait un mobile porteur. L'utilité d'une éducation par les Blancs n'apparaissait qu'à ceux qui étaient en rapport avec les Blancs : chefs de traite et de villages, fournisseurs de riz, de bestiaux et d'esclaves, acheteurs d'armes et d'alcool, employés des traitants. Pouvoir discuter d'égal à égal avec les *Vazaha* permettait de réévaluer les termes de l'échange commercial. Il n'est pas dit que ces élites de la traite eussent aimé partager ce privilège de l'éducation avec tous leurs compatriotes.[94] On constate que, longtemps au XIXe siècle, seuls les fils de chefs furent éduqués.

D'autre part, les Blancs étaient eux-mêmes l'obstacle le plus puissant à l'alphabétisation. Par leur présence et leurs activités, ils entretenaient deux fléaux : la guerre, pour le contrôle des réseaux de traite d'esclaves et de denrées, et l'alcoolisme. Ils maintenaient les structures sociales en état d'instabilité permanente, bloquaient toute évolution culturelle. Or les missionnaires ne pouvaient pas véritablement s'éloigner des traitants et évangéliser dans la brousse, car ils en avaient besoin pour se fournir en médicaments, vêtements, vivres, en tout ce qui faisait d'eux des "civilisés" face aux "sauvages". La contradiction n'était pas supportable.

Ainsi, ni le climat de leur pays ni les Betsimisaraka eux-mêmes ne sont entièrement responsables du délaissement complet dont fut victime la province orientale de la part de la mission protestante. Ses habitants n'avaient que le tort de n'être pas assez organisés et puissants.

---

94 Fisatra (ou Fisa), frère aîné de Jean René, fut relégué à Ivondrona parce qu'illettré ; ELLIS : *History*, vol. 2, p. 141

LA MISSION ET LES MISSIONNAIRES EN IMERINA
(1820-1827)

CHAPITRE XI

LES MISSIONNAIRES EN ACTION

1 - L'installation de la mission de Tananarive (1820-1821)

La reprise des relations entre la cour d'Imerina et le gouvernement de l'île Maurice, en 1820, a fait l'objet de nombreuses publications. Nous ne retiendrons ici que ce qui concerne directement la mission, en faisant d'abord appel aux documents de l'époque.

Dès son retour d'Europe, en février 1820, Farquhar s'efforça de reprendre la politique qu'il avait élaborée depuis 1816, en renouant avec Jean René et avec Radama. Par lettre du 1er août 1820, il exprimait à Radama toute la satisfaction qu'il éprouverait "à rétablir entre sa Majesté et le gouvernement de Maurice les relations d'amitié qui n'eussent jamais dû souffrir d'altération après le traité d'alliance..." Il lui annonçait d'autre part l'envoi de présents "offerts par sa Majesté le Roi d'Angleterre".[1] Cette lettre ne reçut pas de réponse, il ne faut pas s'en étonner. En février 1820, Radama avait organisé une expédition vers le Menabe, dans l'ouest, sous le commandement de Ramamba et d'Andrianikija (le Français Robin). Cette campagne se termina par une débandade cuisante, qui eut pour seul avantage de renforcer Radama dans son désir de moderniser et d'équiper son armée et donc d'accueillir favorablement l'aide britannique lors de la visite d'Hastie en octobre 1820.

L'ouverture que faisait Farquhar en direction de Jean René, le même 1er août 1820, provoqua une réponse diligente et favorable. Jean René invitait le gouverneur à envoyer à Madagascar "une personne de (sa) confiance pour venir conférer..."[2] Cette personne fut désignée le 18 août 1820, c'était James Hastie, réduit à des emplois de survie depuis le début de l'intérim du général Hall, en octobre 1818. Farquhar annonça son arrivée à Jean René le 1er septembre 1820, sans parler de David Jones.[3]

---

1 *Archives Maurice*, HB 21, pièce 1 Minute, texte en français publié par VALETTE (J.) : "Documents...", *op. cit.*, n° 24, 1963, p. 40.
2 *Archives Maurice*, HB 21 pièce 27 Minute, texte en français édition Valette : "Documents", *op. cit.*, p. 40-41.
3 *Archives Maurice,* HB 21, pièce 4, Original, texte en français, édition Valette, *op. cit.*, p. 41-42.

Pourtant, le 19 août 1820, Jones annonçait aux Directeurs son "intention de voguer une fois encore vers cette grande île à la fin de ce mois et d'y pénétrer pour visiter Radama en compagnie de l'agent anglais envoyé par le gouverneur Farquhar qui est en train d'essayer de renouer le traité qui a été brisé par le Maj. Gén. Hall".[4] Il signalait avoir eu une longue conversation avec le gouverneur au sujet de Madagascar, puis une autre au cours de laquelle il lui avait présenté deux projets pour recommencer la mission qui avaient reçu son approbation. Le premier devait être mis en œuvre dans l'année.

"Ce plan en bref est qu'un missionnaire accompagne l'agent anglais chez Radama pour ouvrir la route et pour faire toutes les préparations entre Tamatave et Ova pour de futurs efforts l'année suivante après la fin de la mauvaise saison. Ce sera le rôle du missionnaire de parler avec Radama au sujet des missions, de s'efforcer d'obtenir sa permission et celle de ses ministres d'envoyer des missionnaires parmi eux, de fixer les stations les plus avantageuses pour l'établissement des missionnaires, de ramener quelques jeunes gens malgaches avec lui pour être instruits à Maurice".

"Le second (plan) est, après avoir obtenu la fondation (de la mission) cette année par le premier plan, de fournir les stations missionnaires avec des Missionnaires adaptés et des artisans pour évangéliser et civiliser les habitants de Madagascar."[5]

Jones affirmait que Radama aurait donné une réponse favorable à l'exécution de ces plans, ce qui est possible.

Le Traité de 1820

Jones et Hastie, accompagnés de divers domestiques, s'embarquèrent le lundi 4 septembre 1820 et parvinrent à Antananarivo le 3 octobre.

L'essentiel de ce qu'on a écrit jusqu'à récemment repose sur les écrits d'Ellis, le témoignage de Raombana et les lettres de Hastie, le journal de ce dernier, à supposer qu'il y en eût un, ayant disparu.[6] Utilisant les archives de la L.M.S., Simon Ayache a su donner un autre éclairage à ce marathon diplomatique qui opposa, du 4 au 11 octobre, Hastie aux conseillers et ministres de Radama. Pourtant la version donnée par S. Ayache ne semble pas tenir compte du journal de Jones, avant sa montée à Antananarivo et pendant les négociations, elle s'appuie encore sur le témoignage de Raombana. Or le texte de

---

4 *Incom. Letters Mad.*, B1/F1/JD, Aug. 19 1820, Jones to W. Alern Hankey.
5 *Idem*, lettre publiée en extraits dans le *Quaterly Chronicle* de 1821, vol. 2, p. 119.
6 VALETTE (J.) : "Etude sur les Journaux de James HASTIE, 1815-1826", *B. de M.*, n° 259, 1967, p. 977-986. ELLIS : *History*, vol. 2 p. 220-244, partie du manuscrit de Raombana, éditée par VALETTE : "Documents", *B. de M.*, n° 26, 1964, p. 41. Lettre de Hastie dans VALETTE : "Une lettre..." Voir aussi l'exposé clair donné par AYACHE (S.) : *Raombana*, p. 66-69.

Raombana semble curieusement proche des versions officielles de la L.M.S., parues dans les périodiques de la mission en 1821, et donc de celle d'Ellis. Rappelons d'abord que le plan missionnaire de Jones, cité plus haut, avait reçu l'approbation du gouverneur Farquhar ; ce plan prévoyait de ramener des jeunes gens pour être instruits à Maurice et d'envoyer des artisans pour civiliser le pays. Hastie ne pouvait manquer de le savoir et, en aucun cas, il ne put être surpris par une demande de Radama en ce sens, tout au plus pouvait-il être gêné par l'exigence, formulée par Radama, d'un envoi en Angleterre et non à Maurice. Et c'est un fait que Farquhar dut immédiatement trouver une solution à ce problème imprévu en s'adressant à la L.M.S. et à ses amis de l'*African Society*. Le journal de Jones a été publié pour ce qui concerne le voyage mais malheureusement pas pour ce qui touche aux négociations, mais les archives sont là.[7] "Le 4 octobre 1820, Mr Hastie et moi même avons essayé de persuader le Roi de cesser la traite des esclaves par un traité", écrivait Jones. Mais le Roi, habilement, porta son refus sur le terrain politique, disant "qu'il ne pouvait les contenter tout en mécontentant ses sujets qui l'avaient fait Roi". Le 8 octobre eut lieu la troisième entrevue avec Hastie, Jones n'étant peut-être pas présent. "M. Hastie, à court d'argument, invoqua alors la raison divine, avançant que le Roi était responsable devant Dieu de sa conduite vis-à-vis de son peuple."[8] "Nous rencontrâmes une grande opposition de la part des gens (...) Le 8 octobre, après plusieurs débats dans les *kabary*, où l'on parla contre le traité sans interruption, nous avions perdu tout espoir et nous proposions de retourner."[9] "Le 9 octobre, Radama, par sincérité ou par ruse, accepta en échange de l'éventuel traité les propositions de Hastie. L'agent anglais en profita pour rappeler les bienfaits que la L.M.S. apporterait aussi bien dans la civilisation que dans la christianisation. Il annonça l'arrivée d'artisans et d'enseignants. Certains Malgaches iraient à Maurice pour y être instruits, mais pour ceux qui devaient aller en Angleterre, il fallait attendre l'avis du gouverneur Farquhar". Jones, consulté, promit alors aussi d'envoyer des personnes, notamment des charpentiers et des forgerons. "A cette condition seule, il consentait au traité et il autorisait M. Jones à écrire à la L.M.S. et il écrivit lui-même..."[10] "Le 11, vers 11 heures du matin, le traité fut accepté. Une porte était

---

7 Le Journal a été édité en traduction par VALETTE (J.) dans : "L'itinéraire Tamatave-Tananarive d'après le Journal du Rév. David Jones (1820)...", *M.R.G.*, n° 15, 1969, p. 81-86. En février 1821, Griffiths donnait un résumé du Journal de Hastie (non retrouvé) et de la lettre de Jones racontant le renouvellement du traité avec Radama. *Incom. Letters Mauritius*, B1/F2/JA, P-L, Feb (?) 1821, Griffiths to Burder. Valette, dans "Une lettre...", *op. cit.*, oublie une lettre de Hastie à Griffiths qui semble être une copie de son journal.
8 *Incom. Letters Mauritius*, B1/F2/JB, Tananarivou Oct. 18, 1820, Jones to L.M.S.
9 *Journals Mauritius*, B1/JA/1, A Journal to Madagascar in 1820 by D. Jones Oct. 3 - Oct. 11.
10 *Journals Mauritius*, B1/JA/2, Madagascar, 1820 Oct., Jones, Extract only refering to treaty for abolition of slavery.

ouverte pour le christianisme et la civilisation et la porte d'exportation des Malgaches comme esclaves condamnée."[11] Le 2 novembre, Radama écrivit à Farquhar une lettre qui ne laisse aucun doute sur ses intentions, il demandait "l'envoi aux frais du gouvernement britannique de quelques personnes de ses sujets en Angleterre pour y être instruites et des personnes près de lui pour faire connaître l'usage du travail des Européens."[12] Aucune mention n'est faite du christianisme ou d'une quelconque évangélisation. Le même jour, Radama écrivit à la L.M.S. avec une lettre d'accompagnement de Jones. Le souverain demandait d'autres missionnaires mais le commentaire de Jones précisait que le Roi "n'attendait pas de la Société qu'elle envoie des personnes seulement pour rendre son peuple religieux, sans lui apprendre en même temps les arts de la civilisation, mais, dit-il, je souhaite qu'ils enseignent à la fois ces deux sortes de choses ; ou qu'il y ait une moitié pour les faire chrétiens et une autre moitié pour en faire de bons ouvriers."[13] A partir de ces deux lettres qui sont, comme l'affirme Raombana, certainement de la main de Jones, d'Hastie et de Robin, on peut assurer que le seul souci de Radama était de se procurer des artisans et des enseignants techniques et qu'il acceptait la christianisation comme une condition peu gênante imposée par ses interlocuteurs britanniques. Il ne manquera pas de préciser sa position en termes encore plus clairs quelques années plus tard.[14] Au départ, cette façon de voir correspondait assez bien avec les positions de la L.M.S. qui, en théorie comme en pratique, n'entendait pas dissocier l'enseignement des arts de la civilisation européenne de la propagation de l'Evangile. Certains directeurs comme Hardcastle, Haweis et Burder étaient même tout à fait dans les vues de Radama. Cela permettait à Jones de conclure : "qui sait si Madagascar ne deviendra pas un second Tahiti en quelques années..." Cet espoir le décida sans doute à rester à Tananarive, contrairement à ses premiers plans.

L'installation

Ayant obtenu de nombreux avantages, une bonne maison, deux domestiques, de la nourriture et la protection royale, il ouvrit une école, le 8 décembre 1820, dans l'enceinte du palais avec trois élèves, parents du roi : Rakotobe, son neveu, Ramasy, son petit neveu et un troisième dont on ignore le nom. Le nombre des élèves passa rapidement à 12 et rendit le local initial trop exigu. Radama 1er fournit à Jones une nouvelle maison et assista lui-même aux cérémonies d'inauguration. Cette école se serait

---

11 Lettre du 18 oct. citée plus haut.
12 *Arch. Maurice*, HB 21, pièce 14 (p. 28-30) publiée par VALETTE : "Documents", *R. de M.,* n° 26, 1964, p. 90.
13 *Incoming Letters Mauritius*, B 1/F 2/J B : 1.- copie de la proclamation de Radama Manjaka, 1820 ; 2.- Lettre de Radama à la L.M.S., Nov. 2 1820 ; 3. - Lettre de Jones au Dr. Bogue Nov. 2 1820.
14 AYACHE (S.) : *Raombana*, p. 67-69 et BROWN (M.) : "Ranavalona I and the Missionaries 1828-1840", *Omaly sy Anio,* n° 5-6, 1977, p. 107-139.

trouvée dans le quartier d'Ifidirana, proche de l'actuel palais d'Andafiavaratra, selon divers auteurs, dont Rabary. Cette localisation est fort discutable, et je penserais pour ma part, au vu des lettres et journaux des missionnaires, que l'école de Jones demeura dans l'enceinte royale, le Rova, jusqu'en 1822, on l'appela "the Royal School".[15] Une lettre de D. Jones à Le Brun ne laisse à ce sujet aucun doute : l'Ecole Royale fut installée dans la maison nommée "Bevato", au sud du Rova.[16]

Entre-temps, les Directeurs de la Société avaient pourvu au remplacement de Bevan en désignant David Griffiths, le 11 novembre 1819. En 1817, l'Académie galloise de Llanfyllin, représentée par le révérend D. Lewis et le révérend. docteur Roberts, avait proposé deux candidats à l'attention de la Société : Rowlands et Griffiths. George Burder leur envoya un questionnaire à remplir qui lui fut retourné le 12 janvier 1818.[17] Cette pièce d'archives nous apprend que le Gallois David Griffiths était, à la fin de l'année 1792, dans le hameau de Gwynfe, paroisse de Langadock (Carmarthenshire) où il fit ses études primaires et fut accepté par la congrégation en 1811. Il se décida, écrit-il, à devenir ministre du culte, et pour réaliser cette vocation, entra à l'Académie de Neuaddlwyd pour deux ans, puis vint parfaire ses connaissances au Séminaire de Llanfyllin, où il se trouvait depuis deux ans et six mois lorsqu'il présenta sa candidature. Il faut remarquer tout de suite que la formation de Griffiths, étalée sur plus de quatre ans, était beaucoup plus solide que celle de Jones et surtout de Bevan.

C'est l'ordination d'Evans à Camarthen, en 1815, qui produisit sur lui le choc de l'appel de la mission : *Here I am send me !* Il nourrit cet appel de lectures assez abondantes à la façon de tous les candidats missionnaires de cette époque : *Missionary Chronicles*, *Travel in Africa* de Campbell, récits de Buchan en Inde et comptes rendus des Assemblées missionnaires. Lui non plus n'avait manifesté aucune attirance particulière pour Madagascar avant son acceptation ; cependant, lorsqu'il connut son affectation, alors qu'il se trouvait à Gosport en Novembre 1819, il se réjouit à l'idée d'aller rejoindre Jones et Bevan. "Lorsque la très affligeante nouvelle concernant la mort de notre ami arriva, écrivait-il, quoique fort secoué par elle, je ne fus pas le moins du monde découragé, mais je me sentis plus résolu qu'auparavant, car j'étais convaincu de l'absolue nécessité d'envoyer quelqu'un là-bas, immédiatement." On ignore complètement que Griffiths faillit lui aussi

---

15 RABARY : *Ny Maritiora,* p. 23-25. Sur la localisation exacte de la première école voir mon " Rova de Tananarive", *op. cit.,* p. 193. Le premier local attribué à Jones était la maison royale "Besakana", appelée "case" par les auteurs français, comme toutes les constructions malgaches en bois. Les contemporains, comme aujourd'hui tous les Créoles, utilisaient ce terme avec son sens de "maison", mot inconnu du lexique créole. Il semble que Jones ait pris la relève de Robin, précepteur royal depuis 1818.
16 *Archives Maurice,* H.B. 21, pièce 20, (p. 44-47), Jones à Le Brun, Tananarive, 1820 Dec. 30, publiée par Valette : "Documents", n° 26, 1964, p. 46.
17 *Candidates' Papers,* Accepted candidates, Box 6, n° 38, questionnaire imprimé, daté Dec. 20 1817, renvoyé le 12 janvier 1818.

compromettre la poursuite de la mission de Madagascar, en forçant les Directeurs à accepter son mariage et les frais de transport de son épouse. Pourtant, dans le questionnaire de 1817, il écrivait *Not married. I would be very glad to know the will of the Lord in this like other things* ajoutant aussitôt *but my intention is to have a wife and my mind is not entirely unfixed.* Les Directeurs avaient toujours été d'avis qu'il ne fallait pas envoyer d'homme marié à Madagascar, opinion renforcée par les avis de Le Brun en 1819 et surtout par le sort des deux épouses Jones et Bevan.[18] Or, c'est parce qu'il n'était pas marié que Griffiths avait été choisi. Dans sa lettre du 14 novembre 1819, il exprimait d'ailleurs ses inquiétudes à ce sujet : "lorsque j'ai vu ce qui était rapporté dans le *Missionary Chronicle*, l'opinion de M. Le Brun selon laquelle ceux des missionnaires qui seraient envoyés à Madagascar devraient être célibataires (...) Je repoussai de mon esprit toute idée de partir là-bas. Car c'est toujours mon intention ainsi que ma ferme détermination de partir étant marié." Griffiths rappelait "que les Directeurs n'avaient pas fait d'objection à ses engagements à l'égard d'une certaine demoiselle" et qu'il avait considéré cela comme une acceptation de principe. Aussi, quelle ne fut pas sa fureur d'apprendre, en décembre 1819, que les Directeurs maintenaient son affectation pour Madagascar mais qu'ils le feraient partir seul, l'assurant "qu'ils saisiraient la première occasion favorable pour envoyer (sa femme) le rejoindre." Dans une lettre du 6 décembre, Griffiths refuse de partir s'il est envoyé seul, rappelant aux Directeurs que "le Seigneur n'a jamais promis de préserver celui qui se jetterait présomptueusement au milieu des tentations sans aucune protection sur lui" et que "c'était l'opinion de M. Jones et d'autres que les missionnaires qui partiraient là-bas soient mariés."[19] Cédant pour la troisième fois au chantage d'un missionnaire gallois, les Directeurs acceptèrent et son mariage et son ordination qui eurent lieu dans sa paroisse natale à Gwynfe au Pays de Galles, les 26 et 27 juillet 1820. C'est le 25 octobre que le couple s'embarqua à Londres pour Maurice où il arriva le 23 janvier 1821. Par prudence, ils attendirent la saison des pluies et l'accouchement de Madame Griffiths pour gagner Madagascar. Pourtant Griffiths, instruit par l'expérience de ses prédécesseurs, décida de laisser femme et enfant à Maurice et de se rendre seul à Antananarivo. Il y parvint avec Hastie et un groupe d'artisans le 30 mai 1821.

Durant son séjour de près de trois mois à Maurice, Griffiths se documenta sur Madagascar, grâce aux papiers de Froberville fournis par Farquhar.[20] Il commença l'apprentissage de la langue malgache, grâce à Hastie, et surtout en donnant des leçons à un jeune parent de Radama

---

18 Voir là-dessus mon : "Le contact missionnaire au féminin" *op. cit.*
19 *Candidates' Papers*, Accepted candidates, Box 3, n° 38. Lettre de Griffiths à Burder, datée Gosport, Dec. 6th 1819. Griffiths fait référence aux prises de position des missionnaires de l'Inde, de Le Brun et de Jones, que j'ai étudiées dans l'article cité plus haut.
20 *Incom. Letters Mauritius*, B1/F2/JA, P-L, March 16th, 1821, Farquhar to Burder.

confié aux soins de Hastie : Andriantsimisetra. Ce prince accompagnait, avec le prince Ratefy, les jeunes gens que l'on envoyait à Maurice et en Angleterre. Radama avait décidé que "Andriatsimisetra ne devrait pas aller au-delà de l'île Maurice mais rentrer aussitôt à Madagascar."[21] Il passa trois mois chez Hastie ; Griffiths lui rendit visite chaque jour "pour apprendre de lui le Malgache et pour lui apprendre l'Anglais."[22] Griffiths fut donc introduit au dialecte merina dans son apprentissage de la langue malagasy, bénéficia tout de suite de la somme de connaissances rassemblée par Froberville et put s'informer directement sur l'Imerina, ce qui n'avait pas été le cas de Jones. "Griffiths quitta Maurice le 23 avril et arriva à Tamatave le 27 du même mois. Ils commencèrent leur voyage pour Tananarive le 15 mai."[23]

Farquhar avait annoncé leur arrivée à Radama le 14 mars 1821 : "courant avril je renverrai M. Hastie auprès de vous avec un autre bon missionnaire pour rejoindre M. Jones sous votre protection. M. Hastie amènera aussi plusieurs artisans de Maurice qui apprendront à votre peuple les arts de l'Europe". Cette dernière phrase nous montre combien Farquhar avait jugé importante la demande de Radama, car, sans attendre la réponse de la L.M.S., il s'était enquis d'artisans volontaires pour Madagascar, à Maurice même. C'est Le Brun qui avait été chargé de trouver des candidats parmi ses paroissiens, malheureusement ceux qui s'étaient inscrits furent dissuadés de persévérer par leurs compatriotes hostiles à Madagascar. Pourtant deux d'entre eux persévérèrent et accompagnèrent Griffiths et Jones en 1821 : Mario, tailleur couturier, et Louis Carvaille, ferblantier. Mario reçut une pension de 20 piastres allouée par le gouvernement de Maurice. Ses élèves réalisèrent les premiers travaux d'aiguille et les premiers habits cousus et redingotes fabriqués à Madagascar.[24] On ne connaît point avec certitude les origines de Mario, vraisemblablement créole mauricien, ni sa destinée malgache. En revanche, on peut apprendre que Carvaille était issu de la "caste" des libres de couleur, membre de la paroisse du révérend Le Brun à Maurice. Il avait répondu à l'appel de Farquhar, mais ne fut pas pris en charge par le Gouvernement.[25] D'autres, aux origines diverses comme Jean Julien, Casimir, Le Gros, Filleau et Davieu étaient déjà sur place, sans doute depuis 1817.

---

21 AYACHE (S.) : "La destinée du Prince Ratefy", *B. de M.*, n° 258, 1967, p. 874-881. S. Ayache cite le texte de Raombana, p. 724 de son édition critique.
22 *Journal Mauritius*, Box 1/A/1, Extracts from a Journal of Mr D. Griffiths, Port-Louis, 1821, March 4 - May 4 et *Incom. Letters Mauritius*, B1/F2/JA, P-L.
23 *Incom. Letters Maur.*, B1/F2/JA, P-L, June 22th 1821, Le Brun to Burder.
24 L'engagement des artisans est signalé par une lettre de Hastie à Telfair, P-L, 26 Mars 1821, *Arch. Maurice*, H B 21, pièce 25 (p. 61-62). Les appointements de Mario sont notifiés par Farquhar à Hastie, P-L, 30 Av. 1822, "Instructions de Farquhar à Hastie", éditées par Valette (J.) dans *B. de M.*, n° 270, 1968, p. 1007-1016 ; voir *Arch. Maurice*, H B 7, pièce 68 (p. 149-150) et pièces 59 et 61 (p. 136-137, 140).
25 CAMERON (J.) : *Recollection*, p. 27.

A l'arrivée de Grifriths, Jones comptait 12 élèves dont un tiers composé de filles. Il avait quitté la maison royale "Besakana", où se faisait d'abord l'école, pour emménager dans la superbe "Bevato" au sud du Rova. La partie basse était réservée à l'Ecole royale et l'étage était aménagé en pièces d'habitation. "Je m'emploie quotidiennement à étudier la langue de ce pays, écrivait Jones, et à enseigner aux enfants de la famille du Roi dans le Collège Royal qui apprennent à lire et à écrire en anglais. Le dimanche, je leur enseigne les principes de la religion chrétienne et ils ont fait de tolérables progrès dans leurs cantiques et catéchisme."[26] Griffiths de son côté s'installa dans les appartements de Jones et partagea ses tâches d'enseignement. Le 8 juin, Jones quitta Antananarivo pour se rendre en congé à l'île Maurice. Le 28 juillet, il y épousait la sœur de Madame Le Brun, une créole mauricienne, Marie Anne Mabille. Il revint à Tamatave, accompagné de sa nouvelle épouse, de Mme Griffiths et du jeune Griffiths, né à Maurice. Griffiths descendit en août rejoindre le convoi sur la côte et tous parvinrent à Antananarivo le 16 octobre 1821. Jones conserva son logement au Rova et Griffiths reçut de la mère du roi, Rambolamasoandro, fort intéressée à la mission, un entrepôt à Ifidirana, au nord et en contrebas du palais. La famille dut se contenter de ce local exigu et infesté de rats jusqu'à ce que les démarches pressantes de Griffiths aboutissent à la construction, le 22 décembre 1823, du bâtiment d'Ambodin'Andohalo, première véritable école de la mission.[27]

Les premiers plans de Jones étaient réalisés, à la satisfaction conjointe de Radama et de Farquhar. Le protestantisme avait marqué un point dans cette partie du monde, tandis que les catholiques en étaient encore à essayer d'évaluer la situation. C'est ce dont témoigne cette lettre aigrie du gouverneur français de Bourbon en 1821. "Déjà Radama ne prend plus d'autre titre que celui de Roi de Madagascar (...) Il appelle de tous les côtés des arts mécaniques à son secours, nos rivaux se sont engagés à le satisfaire, ils vont plus loin, ils songent déjà à prêcher eux-mêmes l'Evangile dans les états du Roi des Ovas ; ils y destinent des missionnaires qui seront appuyés de toute l'autorité de ce chef qui ne paraît pas éloigné d'embrasser lui-même la religion anglicane."[28]

---

26 *Incoming Letters Mad.*, B1/F2/JC, Tananarivou, March 14th, 1822, Jones to Miss Jane Darby (sa belle-soeur), voir aussi ELLIS : *History*, vol. 2, p. 266-267.
27 Pour plus de détails voir RABARY : *Ny Daty*, vol. 1, p. 24. Pour les constructions missionnaires, mon article : "Le Rova...", p. 195-196.
28 Lettre du gouverneur de Bourbon (Freycinet) au Ministre de la Marine, *Archives N.S.O.M.*, Correspondance générale 94, St-Denis, 16 Av. 1821.

2 - La crise d'adaptation 1822-1824

Pour comprendre la situation à la fin de l'année 1821, il faut se placer dans une perspective large, remonter aux principes généraux de la mission en matière de fondation d'une station, regarder ce qui se passait ailleurs au même moment, essayer de comprendre ce que voulait Radama.

La liberté surveillée

On pourrait dire abruptement que le roi Radama voulait régner sur Madagascar. Pour cela, il n'avait pas attendu l'arrivée des Européens. Dès la mort de son père, il avait eu à cœur de consolider ses récentes acquisitions, puis de les étendre à l'est et au sud. Mais c'est seulement lorsqu'il put disposer d'approvisionnements en armes et en munitions de façon abondante et régulière et lorsqu'il eut formé une armée à l'européenne qu'il fut en mesure de le faire. "Je vais réaliser les dernières paroles d'Andrianampoinimerina (...), déclarait-il à son peuple, lors d'une assemblée à Sahafa, en 1822, car cette île n'a pas deux maîtres puisqu'Andrianampoinimerina l'a revendiquée tout entière. Les derniers mots de sa bouche furent : la mer est la bordure de ma rizière."[29] Radama disposait alors de plusieurs instructeurs européens, d'armes, de munitions et même d'uniformes et de chevaux, grâce à l'assistance britannique. On peut penser que, dès son accession au trône, Radama avait recherché l'aide des étrangers "arabes" d'abord, créoles et européens ensuite. Il se rendit compte que ces étrangers blancs ou métis, qu'il avait vus monter dans sa jeunesse en Imerina à l'appel de son père et qu'il rencontra nombreux à Tamatave en 1817, disposaient d'une puissance qui ne cessa de le fasciner. Mais les *Vazaha* qui ont inspiré durant tout le XIXe siècle une crainte superstitieuse aux paysans malgaches, n'étaient plus sous Radama des colporteurs ou autres traitants en maraude mais des envoyés diplomatiques qui, disposant d'une ruse et d'une habileté extraordinaire et surtout de moyens matériels prodigieux, venaient demander son assistance et bientôt son alliance au roi d'Imerina. Ces nouveaux *Vazaha* venaient lui proposer les objets manufacturés et notamment les armes qui assuraient leur puissance en échange de l'abandon de la vente des esclaves. On peut penser, comme Radama, que l'offre tenait du miracle. En habile politique, il sut saisir l'occasion et en profiter.

Pourtant, ce n'est pas sous cet angle qu'apparaît vraiment le génie de Radama. On peut penser que la nation merina, en expansion démographique sans que les rendements du riz aient changé, était contrainte à l'expansion géographique à la fin du XVIIIe siècle. Il est aisé

---

[29] *Tantara ny Andriana*, du R. P. CALLET, p. 1063, traduction Delivré. Andrianampoinimerina (1787-1810), père de Radama, est le réunificateur du royaume d'Imerina.

de comprendre que l'inévitable redistribution des produits du sol entre un nombre croissant d'habitants amenuisait les ressources de l'aristocratie qui n'en retirait plus vraiment que de l'esclavage. La guerre, pour se procurer des esclaves et l'expansion géographique, pour s'approvisionner, étaient inscrites dans le destin de l'Imerina d'alors. Le contact avec les Européens aussi, puisque l'Imerina devenait leur plus gros fournisseur de main-d'œuvre servile et que, d'autre part, l'aristocratie ne pouvait laisser longtemps d'autres populations comme les Bezanozano, les Sihanaka, les Betanimena et les Betsimisaraka, prélever des droits sur les échanges commerciaux avec l'outremer. Le contrôle des débouchés de l'Imerina vers l'est, par Tamatave, vers l'ouest, par Majunga, était aussi prédestiné. Pour maîtriser les routes de la traite, pour se procurer des esclaves à vendre, l'Imerina aurait obligatoirement dû s'ouvrir aux fournisseurs d'armes de l'époque, les traitants des Mascareignes ou les gouvernements de ces îles, directement intéressés par des relations avec le peuple le plus puissant de l'île. En quelque sorte, Radama avait raison de dire qu'il obéissait aux injonctions de ses ancêtres, la dynamique qui le poussait vers les côtes dépassait la simple conjoncture, prenait racine aux sources même de l'état merina.

Mais Radama aurait pu, comme nombre de souverains africains ou asiatiques, admettre le fossé technologique qui le séparait de l'Europe, accepter l'engrenage de la dépendance et de l'échange inégal. Car si les forgerons merina étaient habiles, s'ils savaient réparer les fusils, voire en confectionner les pièces, ils ne connaissaient pas le secret des *Vazaha* qui leur permettaient de fabriquer en série des armes à feu de toutes sortes. L'Imerina n'aurait jamais pu renouveler son armement, mais l'aurait toujours attendu de l'Europe. La domination merina sur Madagascar aurait reposé sur sa dépendance à l'égard des Blancs. L'audace de Radama, c'est d'avoir demandé non des fusils ou des produits manufacturés mais le secret de leur fabrication. En cela, l'acte additionnel du traité de 1820 était pour Madagascar une véritable victoire diplomatique puisque les Européens acceptaient de céder ce qui faisait leur puissance : la civilisation technique.

Ces longues explications n'ont eu qu'un but : montrer que Radama attendait avant tout des instructeurs dans le domaine militaire et dans celui des techniques. Qu'il ait considéré la lecture et l'écriture comme une technique est conforme à sa formation et tient à l'influence des scribes antaimoro qui, depuis Andrianampoinimerina, officiaient à la cour. Les missionnaires furent pour lui des techniciens de l'écriture qui, comme les Arabes et les Antaimoro, tiraient de leur connaissance des signes la prétention de mieux connaître les choses sacrées. En aucun cas, on ne peut dire que Radama songea un instant à christianiser son peuple, bien au contraire. L'un des meilleurs historiens de la période résume ainsi sa politique : "le souverain voulait enrichir son pays, augmenter sa puissance, en imitant l'Europe sur le plan des réalisations matérielles, et secondairement, de certaines conceptions morales, nécessairement religieuses."[30] Ranavalona, qu'il faut ici réhabiliter, était bien son héritière lorsqu'elle exigeait des missionnaires qu'ils enseignent à son peuple à travailler et non à prier. Mais Radama n'aurait sans doute pas eu besoin de persécutions, car il garda sans cesse le contrôle sur les missionnaires, ce que, par ignorance, Ranavalona ne sut faire. La mission de Tananarive fut donc placée sous le contrôle du souverain et, peut-être à ce moment seul, la monarchie merina disposa d'une véritable "église du palais".

Dès les premiers temps, l'autorité de Radama se fit sentir sur la mission et Jones, décrivant ses relations avec le roi, donnait l'impression d'être en liberté surveillée. "Le Roi dit que je ne retournerai pas à Maurice pour un séjour même dans deux ans. Il ne veut pas que je parte à moins d'avoir promis de retourner à nouveau. *Je suis une sorte de prisonnier de l'amitié...*"[31] Cette situation particulière, des missionnaires durant ce règne ne manqua pas d'avoir des effets sur eux. La mission n'était pas un isolat selon l'idéal de certains, mais une composante dans un vaste plan conçu par l'autorité locale. A tel point que Jones apparut à certains moments comme le secrétaire de Radama, au même titre que Robin.[32]

Il ne faudrait pas croire que la volonté civilisatrice de Radama fût *a priori* en contradiction avec les idées des missionnaires. Au niveau de la direction, en tout cas les choses telles qu'elles se présentaient à Antananarivo en 1820, n'étaient pas pour leur déplaire. Quelques années auparavant, les missionnaires de Tahiti avaient obtenu la conversion, au moins formelle, du roi Pomaré. Les lettres du missionnaire Marsden qui annonçaient cette victoire firent une vive impression à Londres et provoquèrent la naissance d'un nouvel idéal de mission, celui de l'état chrétien. Marsden écrivait en 1815 : "il n'est pas possible de former un état sans commerce (...), sans artisan et sans commerce, un état ne sera jamais un état religieux. Là où l'on ne voit pas le commerce, manque l'ardeur au travail. Or c'est précisément l'indolence qui corrompt et dégrade l'homme."[33] Ainsi pouvait-on, sans dévier, placer l'introduction des arts et des techniques avant celle de l'Evangile. D'autre part, le fait que les missionnaires fussent installés dans la capitale, sous les yeux du roi et des grands du royaume, était conforme aux idées de Hardcastle, l'un des fondateurs de la Société. "Face à des sauvages tels que les habitants des îles des Mers du Sud ou ceux de l'Afrique, adonnés à la paresse et au vagabondage, on ne peut espérer rien de sérieux de la seule prédication de l'Evangile. (...) au contraire, le spectacle qu'une famille chrétienne pourrait offrir à ces sauvages (...)

---

30 AYACHE (S.) : *Raombana*, p. 67.
31 *Arch. Maurice*, H B 21, pièces 20 (p. 44-47) Tananarivou, Dec. 20th 1820, Jones to Le Brun. C'est moi qui souligne.
32 *Incom. Letters Mad.*, B1/F3/JB, Tana, March l9th 1822, Jones to Burder : *after breakfast... I write letters in English for His Majesty.*
33 *Incom. Letters Australia*, Box 1, Nov. 7th 1815, Marsden to the Directors.

serait de loin plus efficace que bien des sermons."[34] Hardcastle était mort et l'on ne rangeait plus Madagascar parmi les nations sauvages en 1820, néanmoins beaucoup de ses idées restaient partagées par de nombreux missionnaires dont Jeffreys. Aussi bien, tous les missionnaires présents à Madagascar de 1820 à 1828 nourrirent l'espoir de convertir un jour Radama et de faire de Madagascar un "royaume chrétien".

Cette espérance était pourtant en contradiction avec les convictions congrégationalistes de la majorité des membres de la L.M.S., en Grande-Bretagne comme sur le terrain. On avait bien vu, à Tahiti, que le roi Pomaré, sitôt converti, avait prétendu diriger son église et que la mission des dissidents avait failli accoucher d'une église d'Etat ! La réaction fut brutale et inefficace. En 1820, à la suite des incidents de Tahiti, une règle, formulée par Bogue, enragé républicain, fut diffusée dans toutes les stations missionnaires. "C'est la ferme volonté des Directeurs qu'aucune prééminence de rang, autorité, pouvoir, richesse ou autre distinction civile, puisse conférer quelque droit à une quelconque autorité ou à des privilèges sur le terrain religieux et ecclésiastique. Tout l'exercice de l'autorité et de la discipline sur les personnes, en relation avec leur appartenance à l'église, doit être entre les mains de la seule église, etc."[35] En fait, ce principe fut toujours difficile à appliquer, mais il est sans doute l'une des causes de la réticence qu'eurent les missionnaires à fonder une congrégation. Son respect dépendait de l'autorité du doyen de la mission (*senior missionary*), de la confiance que lui témoignaient les Directeurs et donc de la marge de manœuvre qu'ils lui laissaient, et surtout, des circonstances locales. A Madagascar, l'autorité de Radama était trop forte, le contrôle qu'il exerçait sur les écoles et les activités des missionnaires trop étroit pour que ceux-ci songent, avant sa mort, à constituer une église et à décréter l'autonomie d'un domaine religieux sous leur contrôle en face du pouvoir d'un monarque de droit divin.[36]

---

34 *Letters Home Extra*, London Ap. 21 1796, Hardcastle to the Country Directors.
35 *Board Minutes*, Jan. 24 1820.
36 RAOMBANA : *Histoires 2*, édition AYACHE p. 180, écrit à ce propos : "Si les missionnaires s'étaient donné, un tant soit peu, la peine d'expliquer à Radama les principes fondamentaux de leur Divine religion, ils l'auraient converti au christianisme. Mais le roi intimidait peut-être, ou leur inspirait une certaine crainte, c'est pourquoi, dit-on, ils ne lui parlèrent jamais beaucoup de la religion chrétienne..." Raombana n'a pas vécu à Madagascar sous Radama, mais il faut noter que, lui même, soumis à l'influence des enthousiastes du Réveil, en Angleterre, puis à l'influence des missionnaires, à Tananarive, n'a jamais eu la moindre velléité de se faire chrétien.

L'œil du gouverneur

Radama n'était point seul à tenir les missionnaires sous surveillance. Depuis Maurice, le gouverneur Farquhar exigeait en contrepartie de son assistance, une information minutieuse sur les activités de la mission et un droit de regard sur toutes leurs décisions. Dès 1813, Milne avait averti les Directeurs que tout missionnaire envoyé dans cette partie du monde serait immédiatement sous l'œil du gouvernement.[37] Que ce fut au général Hall, intérimaire, ou à Sir Lowry Cole, successeur de Fraquhar, les missionnaires durent toujours se présenter aux autorités pendant l'escale de Maurice et rendre des comptes durant leur séjour à Madagascar, d'autant plus qu'il n'y eut jamais de transport direct entre l'Europe et Madagascar.[38] Cela était parfaitement normal du point de vue de Farquhar qui, pour reprendre les mots de Grant, cherchait à libérer l'esprit des Malgaches de l'erreur et de la superstition par les méthodes les moins indiscrètes, les moins susceptibles de créer des troubles sociaux ou politiques dans le pays,[39] et devait donc s'assurer de la prudence des missionnaires. C'était aussi conforme à l'esprit humanitariste qui prévalait en Grande-Bretagne et qui avait soutenu la lutte contre le monopole de la Compagnie des Indes : les missions, du fait qu'elles se trouvaient sous la protection de la Couronne britannique, étaient naturellement sous son contrôle et sous celui de ses représentants locaux. Reste à savoir jusqu'à quel point cette dépendance des missions pouvait aller lorsque le pouvoir britannique n'était pas effectivement installé dans le pays de mission, ce qui était le cas de Madagascar.

Dès 1816, Farquhar avait annoncé sa politique dans une lettre à Lord Bathurst. Il se proposait alors d'envoyer Le Brun à Antananarivo pour avoir "des communications constantes avec l'intérieur de Madagascar". Le missionnaire devait être, dans son esprit, une sorte d'agent de liaison, voire de résident britannique.[40] En 1818, lors de leur retour de Tamatave, Jones et Bevan firent au gouverneur un rapport sur la situation politique de l'île, sur ce qu'ils avaient appris des campagnes de Radama et de leur résultat et non point seulement un rapport sur leurs activités missionnaires.[41] De façon symétrique, dans son plan de mission soumis à Farquhar en 1820, Jones définissait son rôle : "je plaiderai auprès de lui (Radama) et de ses ministres en compagnie des autres agents en faveur du Gouvernement Anglais."[42] Il se considérait bien comme un représentant du gouvernement britannique, l'agent religieux de la

---

[37] Mémoire du Rev. Milne", *op. cit.*, p. 27.
[38] Lowry Cole succède à Farquhar au gouvernement de Maurice le 12 juin 1823. Sa politique malgache fut beaucoup plus tiède que celle de son prédécesseur, M. Brown la qualifie de "stupide".
[39] GRANT (C.) : *Observations on the state...*, p. 290-292.
[40] Lettre du 12 sept. 1816, citée par ELLIS : *History*, vol. 2, p. 15.
[41] *Incom. Letters Maur.*, B I/F I/JC, P-L, Oct. 16th 1818, Gov. Hall to L.M.S.
[42] *Incom. Letters Maur.*, BI/FI/JD, P-L, Aug. l9th 1820, Jones to Hankey.

mission diplomatique du gouverneur Farquhar dont Hastie était l'agent politique et militaire. Rendant compte de l'ambassade, Farquhar commençait par louer les qualités de diplomate de David Jones avant même de pouvoir faire état de capacités missionnaires qui n'étaient pas encore prouvées. En 1821, il écrivait à la L.M.S. : "ce fut avec une grande satisfaction que je découvris en M. Jones une personne de caractère aussi modéré et persuasif".[43] C'est pour cela qu'après avoir songé à rappeler Jones à Maurice pour ouvrir un séminaire avec un enseignement sur Madagascar, il préféra le laisser s'installer à Antananarivo, estimant que "sa fonction auprès de Radama à Madagascar était plus importante pour le moment".[44] De ce fait, le gouverneur pouvait écrire aux Directeurs que lui-même était et serait "l'intermédiaire entre Londres et Tananarive pour tout ce qui concernait la mission".[45] Le Brun qui, selon les plans de Milne, aurait dû tenir ce rôle, se trouvait relégué au rang de simple boîte aux lettres. Du point de vue des missionnaires, il ne fait aucun doute qu'ils acceptèrent le statut d'agents du gouvernement britannique sans aucune arrière-pensée et même, pour Jones, avec une certaine satisfaction, confirmant, si besoin était, ce que j'ai dit de l'impérialisme serviteur des minorités de Grande Bretagne. Installé à Tananarive, il se considérait comme le Résident anglais à la cour de Radama, à chaque absence d'Hastie, ce qui l'amenait à être non seulement un agent de liaison mais aussi un agent de renseignements. Dès 1820, Jones fait parvenir une lettre à Farquhar dans laquelle il écrit : "je prends la liberté d'adresser cette lettre à Votre Excellence car je pense qu'il vous plaira de recevoir des nouvelles de ce qui arrive à Tananarive depuis le départ de l'agent britannique, et particulièrement un compte rendu de ce qu'a fait Sa Majesté Radama pour s'assurer de l'exécution dans tous ses états des engagements contenus dans le traité passé entre lui et Votre Excellence. Depuis le départ de M. Hastie, je me suis toujours efforcé d'obtenir toutes les informations relatives aux marchands d'esclaves et à leurs agissements, autant qu'il était compatible avec mon état de missionnaire".[46] En 1822, il décrivait ainsi une partie de son existence à sa belle sœur Jane Darby : "je travaille énormément pour la Mission, et pour le Gouvernement Britannique aussi, à la cour de Radama, pendant l'absence de l'Agent britannique et je n'ai personne pour m'aider".[47] Le gouverneur dut finalement trouver cette situation préjudiciable à la bonne marche de la mission puisqu'il songea, dès 1820, à désigner un véritable agent résident à la capitale.

En décembre de cette année-là, Hastie obtint du roi l'autorisation de construire une résidence pour lui et pour son secrétaire qui s'installerait à

---

43 *Incom. Letters Maur.*, B I/F2/JA, P-L, Jan. 2nd 1821, Farquhar to Burder.
44 *Incom. Letters Maur.*, B1/F2/JA, P-L, March 16th 1821, Farquhar to Hankey.
45 *Incom. Letters Maur.*, B1/F2/JA, Dec. 5th 1821, Farquhar to Hankey.
46 *Archives Maurice*, H.B. 21, pièce 16 (p. 32-36) Tana, Nov. 26th 1820, Jones to Farquhar.
47 *Incom. Letters Mad.*, B1/F3/JC, Tana, March 14th 1822, Jones to Darby.

demeure.[48] Ce secrétaire, Barnsley, monta à Antananarivo le 16 octobre 1821, accompagnant Hastie et les familles Jones et Griffiths.[49] Il est curieux de voir que c'est lui, bien souvent, qui recopia et harmonisa les journaux de Hastie et des missionnaires jusqu'en 1826, ce qui explique d'étranges similitudes de textes et d'écriture entre les journaux de ces différents personnages. Lorsque Hastie était à Antananarivo, il procédait à de véritables inspections suivies d'un rapport adressé au gouverneur. Ainsi, le 14 juin 1822, l'Agent demandait à David Jones pour Farquhar, "un bref détail de l'état de la mission qui a été confiée à votre direction, exposant pleinement jusqu'à quel point vos désirs et espérances ont été réalisés et accomplis (...) Je soumets aussi à votre attention l'intérêt d'une inspection publique de votre école et de celle du Rév. M. Griffiths..."[50] Jones rédigea un rapport sur l'état et les besoins de la mission tandis que Hastie et Jeffreys se chargeaient du rapport d'inspection.[51] A chaque nouvelle initiative, les missionnaires demandaient préalablement son avis à Hastie, que ce fût pour la construction d'une maison, les débuts de la prédication en malgache ou l'heure des services religieux. Mais la collaboration plus étroite entre Hastie et Jeffreys n'allait pas tarder à provoquer des troubles dans le petit groupe des résidents britanniques. Le 17 mars 1823 avait lieu la première altercation entre Jones et Jeffreys à propos de la discipline de la colonie missionnaire. Jones se disposait à réunir ses collègues pour prendre une décision importante à propos de l'envoi d'un missionnaire en poste hors d'Antananarivo et Jeffreys refusa de s'y présenter, arguant de ce qu'il n'avait pas été consulté auparavant.[52] Mais c'est le 22 mars que tout commença à se dégrader lorsque Hastie convoqua Jeffreys, avec lequel il eut toujours quelques affinités, pour l'entretenir de la fixation de l'orthographe malgache. Cette intervention intempestive de l'agent du gouverneur et surtout la façon dont Jeffreys avait systématiquement recours à lui contre ses collègues sont à l'origine d'une crise qui opposa Jones, Griffiths et certains artisans à Jeffreys et à Rowlands. Le 27 mars, au cours d'une réunion, on fit à Jeffreys un véritable procès dont voici le compte rendu établi par les doyens de la mission. "N'êtes-vous pas allé consulter l'agent britannique sur l'extension de la Mission et la formation de l'orthographe, au lieu d'aller chez M. Jones, le consulter d'abord et ensuite si nécessaire lui demander d'aller exposer le problème à l'agent britannique ? M. Jeffreys tenta d'éluder la question en disant 'Si j'ai un ami privé, n'ai je pas le droit d'aller le consulter sur n'importe quel sujet ?' Il fut répondu : 'Vous avez le droit de consulter vos amis privés sur n'importe quel sujet qui vous

---

48 *Archives Maurice*, H.B 21, pièce 20 (p. 44-47) Tana, Déc. 30th 1820, Jones to Farquhar.
49 RABARY : *Ny Daty*, vol. 1, p. 24, La correspondance de Barnsley, conservée aux Archives de Maurice, n'a pas encore fait l'objet d'une étude.
50 *Incom. Letters Mad.*, B1/F3/JC, Tana, June 14th 1822, Hastie to Jones.
51 *Incom. Letters Mad.*, B1/F3/JC, Tana, June 15th 1822, Jones to Hastie, Tana, June 17th 1822. Hastie and Jeffreys to Farquhar.
52 *Journals Madagascar*, Box 1, n° 5, 1823, Jeffreys, January 15 - May 19, p. 9.

concerne vous, en tant qu'individu, mais pour tout ce qui touche aux affaires de la Mission (...) vos instructions vous informent que s'il est nécessaire de consulter l'agent britannique sur ce sujet, il faut que ce soit par l'entremise de M. Jones".[53] S'arrangeant pour éviter tout heurt avec Hastie les missionnaires firent retomber toute la responsabilité sur Jeffreys, accusé d'avoir refusé d'accepter l'autorité de Jones sur la mission. M. et Mme Jeffreys subirent le reproche "d'avoir mis au courant M. Hastie de toutes les affaires relatives à la Mission et d'avoir utilisé, lui et son influence sur le Roi, pour passer par dessus tous nos plans et pour conduire toute chose selon leur bon plaisir contre la majorité."[54]

Cet épisode faillit compromettre la mission puisque Griffiths demanda le rappel des Jeffreys et Jones se déclara démissionnaire.[55] Il montre à quel point était fragile l'équilibre entre les pouvoirs, combien étaient ambiguës les instructions des Directeurs. On attendait du Gouvernement britannique aide, protection et soutien matériel, on lui reconnaissait un certain droit de regard, mais en même temps l'esprit congrégationaliste, hostile à toute intervention du politique dans le religieux, exigeait que l'on tint à distance les représentants du Gouvernement pour tout ce qui concernait les affaires internes de la mission. Les instructions qui prévoyaient que Jones, chef de la mission, serait le seul interlocuteur des autorités britanniques ne pouvaient servir qu'autant que l'autorité du *senior missionary* ne serait point contestée. Or elle le fut à deux reprises et violemment, en 1823 et plus tard, à l'arrivée du missionnaire Freeman. A chaque fois, les missionnaires préférèrent se déchirer et s'exclure mutuellement plutôt que de compromettre leurs bonnes relations avec le gouvernement de Maurice et son représentant, même s'ils se rendaient compte que cela les mettait en position de faiblesse vis-à-vis des autorités malgaches.

En 1826, après la mort de James Hastie, Jones cumula officiellement les fonctions de chef de la mission et de représentant du Gouvernement britannique. "Je vous prie de faire savoir à Son Excellence le Gouverneur que je ferai avec le plus grand plaisir tout ce qui est en mon pouvoir pour seconder les vues du Gouvernement britannique concernant ce pays. Je communiquerai à Son Excellence toute chose intéressante qui me sera connue et j'exposerai aussi avec fidélité toute chose que Son Excellence désirera communiquer à Radama jusqu'à l'arrivée d'un nouvel agent."[56] Pour confirmer encore le caractère officiel de sa mission, Jones reçut du gouverneur "une généreuse récompense".[57]

---

53 *Journals Madagascar*, Box 1/J 6, n° 2, 1823, Griffiths and Jones Aug. 1822, April 1823, p. 51.
54 *Journals Madagascar*, B1/J6, n° 2, idem, p. 55.
55 *Incom. Letters Mad.*, B1/F5/J1 (mal classée), Tana, May 5th 1823, Griffiths and other missionaries to Burder.
56 *Archives Maurice*, H.B. 4, pièce 5, (p. 353-355), Tana, Jan. 9 1827, Jones to Viret. La nomination de Jones comme agent fut notifiée à Radama par Sir Lowry Cole le 4 décembre 1826.
57 *Archives Maurice*, H.B. 4, pièce 165 (p. 380-382), Tana, Oct. 4 1827, Jones to Viret. On ignore le montant de cette récompense.

Toutes ces informations nous permettent de nuancer les affirmations de Saillens, un peu trop hâtivement reprises par Chapus, selon lesquelles, "prétendre que cet homme (Jones) allait à Madagascar soutenu par l'agent du gouvernement anglais est une énormité..."[58] Autre affirmation erronée qu'il faut ici réfuter, celle de Chapus selon lequel "on ne trouve aucune trace dans les rapports des sociétés missionnaires anglaises de subsides reçus du gouvernement."[59] Jones au premier chef, mais dans une moindre mesure les autres missionnaires aussi bien, furent effectivement "dans la mesure où cela était compatible avec leur état", des agents de renseignements du gouvernement de Maurice, agents volontaires certes mais récompensés à l'occasion. Placés sous l'œil des autorités de Maurice, ils furent aussi l'œil de la Grande-Bretagne à Tananarive.

3 - Les responsabilités

On a vu plus haut que les "pays non civilisés" devaient recevoir une majorité d'hommes frustes pleinement encadrés par quelques personnalités aux capacités intellectuelles plus affirmées. En Afrique du Sud comme à Madagascar, deux hommes avaient ouvert la mission, puis, au fil des années, de nouvelles recrues étaient venues compléter les effectifs et permettre un élargissement géographique de l'évangélisation.[60] La réussite même de l'implantation missionnaire y déclencha alors une véritable crise de croissance, nécessitant la mission d'inspection et de remise en ordre de Campbell, en 1830.

Il semble bien que le passage du "duo évangélique" à la "colonie chrétienne" (*christian colony*) se soit partout accompagné de déchirements internes et de grincements de dents. A Madagascar, l'arrivée le 10 juin 1822, d'un troisième couple missionnaire et de quatre artisans amorça une crise qui ne cessa, pour reprendre un peu plus tard, qu'à la suite du départ ou de la mort de certains membres de la colonie missionnaire.

La référence au cas de l'Afrique du Sud prouve qu'il ne s'agissait pas seulement d'une opposition de personnes, mais que la croissance en nombre de missionnaires de deux catégories différentes révélait des contradictions qui tenaient au fondement même de la doctrine missionnaire de la L.M.S. On a vu plus haut combien la fondation de la Société pouvait receler d'ambiguïtés et combien les fondateurs s'étaient appliqués à les écarter en les faisant disparaître derrière un "Principe fondamental". Occultées à Londres, ces ambiguïtés surgissaient

---

58 SAILLENS : *Nos Droits sur Madagascar*, p. 17-29, cité par CHAPUS.
59 CHAPUS : *Quatre-vingt années d'influence...*, p. 117.
60 Je ne tiens pas compte ici de la mission du Pacifique, où ce sont les artisans qui sont partis les premiers, ni, bien sûr, de celle de la Chine ou des pays "civilisés" selon les normes de la L.M.S.

violemment sur le terrain de mission. C'est au sein de la L.M.S. qu'il faut aussi rechercher les contradictions qui paralysèrent souvent son action au début du XIXe siècle. Pour Madagascar, après une alerte en 1820 causée par l'intervention de l'abbé Pastre, les congrégationalistes ne furent gênés ni par les anglicans, totalement absents de la région,, ni même par les méthodistes, avec lesquels pourtant ils auraient dû partager le terrain, mais qui ne purent trouver d'hommes pour Madagascar.[61] La L.M.S. y était véritablement en situation de monopole missionnaire, ce qu'elle considérait comme normal.

La mission de Madagascar réalisa donc durant deux années l'idéal missionnaire de certains fondateurs et directeurs de la L.M.S. : le modèle des temps apostoliques. On a vu plus haut comment certains dirigeants de la Société recherchaient dans les Saintes Ecritures une théorie et une pratique missionnaire et comment Bogue se chargeait de transmettre ce modèle aux futurs missionnaires dans son séminaire de Gosport. "Le Christ, disait-il, avait envoyé ses Apôtres deux par deux, Paul et Simon, Pierre et Jean. Il n'y avait pas d'exemple de missionnaire solitaire dans l'Ecriture, mais des groupes allant jusqu'à cinq, six personnes."[62] Deux exemples récents lui confirmaient la vérité des Evangiles. Celui de Brainerd qui avait accompli son apostolat dans une douloureuse solitude et celui, catastrophique, des 26 artisans (pour 4 missionnaires) envoyés en 1796 à Tahiti. Les émissaires de la L.M.S. devaient être des "spécialistes" de la mission aux capacités intellectuelles solides et à la formation théologique éprouvée. Ils ne devaient jamais être plus de cinq ou six et jamais moins de deux. En fait, le nombre deux était préférable. En outre, les missionnaires devaient, à l'image des Apôtres, être célibataires.[63]

Dès le départ, une première entorse fut faite aux enseignements de Bogue et aux règlements de la direction. Jones et Bevan exigèrent et obtinrent de partir mariés. Au moins étaient-ils deux, pourrait-on dire, mais on a vu que, dès leur premier contact avec Madagascar, ils se séparèrent et Jones refusa de collaborer avec son collègue. Le décès rapide de Bevan évita à la Société de Londres de voir se poser, dès 1819, un problème de coordination, voire de discipline avec ses envoyés de Madagascar. Aussi, pour combler le vide laissé par Bevan et se conformer à leur idéal, les Directeurs dépêchèrent avec diligence David Griffiths qui, lui aussi, obtint de partir avec son épouse. On peut donc dire que la mission de Madagascar fut certes un modèle, du moins à

---

61 Sur les catholiques : LINTINGRE (P.) : "Note sur la rivalité" ; LE FAUCHEUR : "Madagascar et les Spiritains" in *Revue d'Histoire des Missions*, t. V, 3 , 1928 p. 407-437 ; VALETTE (J.) : "Une tentative d'implantation catholique en Imerina en 1820", *B.A.M.,* n. s. t. 43 , 1965, p. 20-23 ; HARDYMAN (J. T.) : "The plans of Jean-Louis Pastre for a mission in Madagascar (1817-1834)", *Nouvelle Revue de Science missionnaire*, (Bekenried, Suisse), XXIII, p. 46-59. Sur les Méthodistes, HARDYMAN (J. T.) : "Methodists' Plan.. ."*, op. cit.*
62 *Missionary Lectures*, n° 19 : The number of Missionaries in one station, et n° 28 : Of Christ's Mission.
63 Sur la question du mariage des missionnaires, voir mon article cité.

ses débuts, car les projets de Jones, conformes à ceux des Directeurs, se concrétisèrent en 1821. Mais c'était déjà un modèle abâtardi dont les fondations ne reposaient pas sur deux missionnaires, mais sur deux familles missionnaires, une colonie chrétienne en miniature. [64]

C'est là qu'apparaît la première ambiguïté. Bogue, malgré son opposition aux partisans d'une mission primitiviste sur le modèle des temps apostoliques, n'était pas radicalement hostile au principe d'une "christian colony" tel que Hardcastle avait tenté de l'appliquer en Sierra Leone. Pour lui, les colonies puritaines d'Amérique offraient la preuve évidente de la réussite d'un tel programme. Mais, affirmait-il, la *christian colony* n'était pas une mission, elle supposait l'inexistence ou la disparition des indigènes païens. A Madagascar, comme en Afrique du Sud ou à Tahiti, les envoyés de la L.M.S. venaient non pour occuper des terres et construire l'île des Saints, mais pour convertir des païens chez lesquels il n'était pas question de s'installer à demeure. Pourtant, la mission civilisatrice, à laquelle Bogue s'intéressait fort peu, était inscrite dans le programme de la Société en même temps que l'évangélisation. Le docteur Bogue avait donc élaboré un compromis pour "les pays non civilisés" dans lesquels seraient envoyés à la fois artisans et missionnaires, étant bien entendu que la primauté et surtout l'autorité devaient revenir aux seconds.

En 1822, lorsqu'arrivèrent un troisième ménage missionnaire et un groupe d'artisans, deux difficultés surgirent. La première fut celle de la délicate cohabitation des artisans et des missionnaires, la seconde, celle de la collaboration entre trois couples missionnaires. Débarqués le 27 novembre 1821 à l'île Maurice, la famille Jeffreys et les quatre artisans (Brooks, Rowlands, Chick et Canham) n'en partirent que le 1er mai 1822. Ces cinq mois avaient suffi à ouvrir la première crise. Le 2 mai 1822, Le Brun s'adressait à Burder pour se plaindre de la conduite des quatre artisans "qui ont dépensé, sans compter l'argent de la mission et exigent encore des fonds". Il affirmait ne plus rien pouvoir faire pour eux et révélait qu'ils s'étaient adressés au gouvernement de Maurice pour obtenir 125 dollars, plus une indemnité de 30 dollars par an chacun, pendant leur séjour à Madagascar.[65] Les exigences des artisans avaient pour la première fois déclenché une intervention directe de l'autorité politique dans les affaires internes de la Société.

C'est bien avant l'arrivée à Maurice qu'apparurent les premières frictions entre Jeffreys et ces mêmes artisans. Elles ne manquent pas d'importance. "Ils commencèrent à manifester un esprit de mécontentement, écrivait Jeffreys, et je suis désolé de dire que cet esprit n'a pas encore disparu chez certains d'entre eux. Ils semblent avoir

---

64 Stephen NEILL relève, dans *A History of Christian Mission* p. 256, que le modèle idéal des missions protestantes du XIXe siècle ne fut qu'exceptionnellement réalisé sur le terrain.
65 *Incom. Letters Maur.*, B1/FA/JA et JB : - a) échange de lettres entre Le Brun et les artisans, April 20th 1822 ; - b) réponse des artisans, April 21st 1822 ; - c) Le Brun à Burder, May 2d 1822. Voir aussi BI/FI/JB, Tamatave, May 8th 1822, the missionary artificers to Rev. Burder.

été mortifiés par la différence du confort offert à moi-même et à Madame Jeffreys. Ils ont même dit qu'il ne devait y avoir aucune différence entre les Ministres et les artisans". Cette différence ne devait pas donner lieu à contestation, pensait-il, elle était naturelle. "Chaque missionnaire devrait être bien conscient de ses droits et de son rang avant de quitter l'Angleterre, et cela, pour éviter des attitudes hostiles (...) ; ne serait-il pas bien qu'il y ait une bonne entente des deux côtés sur les distinctions que les Directeurs jugent convenables de faire ?"[66] Les opinions de Jeffreys étaient si intransigeantes en tout, comme on le verra plus tard, et l'appétit égalitaire des artisans si puissant qu'un climat d'entente ne put jamais naître entre eux et Jeffreys, à l'exception de Rowlands qui avait été son élève lorsqu'il enseignait à la *Sunday School* d'Ellesmere.[67]

A leur arrivée en Imerina, les Jeffreys et les artisans furent logés par le roi. Dès le 9 juin, les Jeffreys reçurent une belle maison que Radama venait d'hériter de son frère.[68] Quant aux artisans, un terrain leur fut fourni par le souverain pour y construire leurs demeures. L'un d'eux, Brooks, atteint de fièvre, décéda le 22 juin 1822. En avril 1824, ils quittaient tous la ville pour trouver dans les villages environnants de meilleures conditions de travail.

Une crise grave n'apparut entre eux qu'en 1827, lorsque Rowlands, à l'exemple de son maître Jeffreys, décida de se séparer de ses collègues dont il désapprouvait les méthodes d'enseignement et la traduction en malgache du catéchisme.[69] Il mourrait prématurément le 27 juillet 1828. Au cours de cette crise, Jones écrivit aux Directeurs qu'il n'avait plus rien à voir avec les artisans qui causaient des tensions et des frictions répétées au sein de la mission.[70]

Cette dernière querelle révèle ce qui avait été la préoccupation première des artisans, se faire admettre à égalité avec les missionnaires ordonnés. Dans la mesure où la seule congrégation existante ne réunissait que la colonie missionnaire et qu'ils n'étaient pas ordonnés, ils ne pouvaient espérer obtenir l'égalité que dans le domaine de l'éducation. C'est pourquoi, parallèlement à leurs activités manuelles, ils se mirent avec avidité à l'apprentissage de la langue malgache et, profitant de leur expérience dans les *Sunday Schools* en Angleterre, à l'enseignement de la lecture, de l'écriture et du catéchisme. Jones et Griffiths les associèrent toujours à toutes les réunions et décisions et trouvèrent avantage dans leur rôle d'éducateur qui permettait de démultiplier la mission, mais ils s'élevèrent toujours contre leurs

---

66 *Incom. Letters Maur.* B1/F3/JC, On board the *Menai*, May 3rd 1822, Jeffreys to Burder.
67 *Candidates'Papers,* Accepted candidates, Box 8, n° 33 et Box 14, n° 25.
68 Mort de la variole selon Hastie, *Journal*, 1823-24, in *B.A.M.* n. s. t. IV, (1918-19).
69 *Committee Minutes,* Box 1, Monday Jan. 28 1828, Monday, February 25 1828 et Monday Aug. 1828.
70 LOVETT : *History*, vol. 2, p. 682.

prétentions dans les domaines linguistiques et théologiques, estimant qu'ils n'avaient pas les compétences nécessaires.

Le seul véritable tort que les artisans causèrent à la mission, entre 1822 et 1827, est en relation avec leur situation matrimoniale. Ils étaient tous célibataires, ce qui, dès leur arrivée, inquiéta les missionnaires ordonnés qui, doutant de la bonne tenue morale de ces jeunes hommes "en un lieu où les tentations étaient constantes", invitèrent les Directeurs à leur envoyer des épouses. Ce fut l'explosion lorsque Rowlands annonça son intention d'épouser une jeune Malgache, et l'on fit tout pour l'en dissuader.[71] Quant aux autres, ils s'astreignirent à la continence en attendant de trouver une "épouse convenable", une veuve de la mission. Ce dernier trait amène à parler du rôle souvent négligé des femmes des missionnaires. Malgré la conviction affirmée des Gallois, le mariage des missionnaires ne présentait pas que des avantages. On a vu plus haut que l'inimitié de Madame Bevan pour Madame Jones était sans doute une des causes de la rupture entre les deux missionnaires. L'hostilité immédiate que la seconde Madame Jones et Madame Griffiths marquèrent à l'égard de Madame Jeffreys est sans aucun doute à l'origine de l'agressivité de John Jeffreys vis à vis de ses collègues. Mais les membres de la mission ne manquèrent pas de souligner eux-mêmes la responsabilité des femmes dans leur désaccord. Tandis que Jeffreys accusait Madame Jones, Rowlands expliquait à Griffiths "qu'un grand changement était intervenu en Jeffreys depuis qu'il s'était marié avec Madame Jeffreys, et qu'il n'était pas responsable de ce qui arrivait parce qu'il était influencé par elle".[72] Plus tard, Cameron, Freeman et Johns incriminèrent eux aussi les dames de la mission avec une extrême sévérité.[73] Ce rôle d'ombres plus ou moins funestes dévolu aux femmes, il faut le noter, se retrouve dans les missions des quatre parties du monde et fait dire à Stephen Neill que, durant la première partie du XIXe siècle, les missions protestantes eurent "plutôt des femmes de missionnaires que des femmes missionnaires", une distinction qui fut de la plus grande importance.[74]

On aurait tort pourtant de croire trop facilement ces missionnaires, prompts à détourner vers les femmes des responsabilités qu'ils étaient loin de leur confier dans la vie courante. La plus grande cause de friction était l'idée qu'ils se faisaient d'eux-mêmes et de leurs rapports mutuels au sein de la mission, idée dans laquelle les femmes n'entraient pour rien. Jones se considérait comme le pionnier, le mieux informé des affaires de Madagascar, le meilleur connaisseur de la langue. Il estimait que son héroïsme à Tamatave et son entêtement à Maurice lui valaient des droits sur la mission de Madagascar. Ces droits lui furent confirmés par la

---

71 Là-dessus, voir mon article : "Le contact missionnaire..."
72 *Incom. Letters Mad.*, B1/F5/J.1, May 5 1823, Griffiths and others missionaries to Burder.
73 CAMERON (J.) : *Recollection*, p. 8, FREEMAN and JOHNS : *A Narrative*, p. 79.
74 NEILL (S.) : *A History*, p. 256.

Direction, mais peut-être les fit-il valoir avec trop de hauteur à ses collègues nouvellement arrivés. Griffiths se rangea toujours de son côté, par conviction peut-être, par solidarité ethnique sûrement. D'autre part, il se considérait lui aussi comme un ancien, un *senior missionary*. Tout autre était la disposition d'esprit de Jeffreys et des artisans. Alors que leurs aînés, dont ils ne pouvaient contester les mérites, avaient été désignés pour Madagascar, ils avaient conscience, quant à eux, d'avoir répondu à un appel divin. Jeffreys, nous dit sa veuve, se sentit appelé vers Madagascar lorsqu'il eut connaissance de l'Assemblée de la Société à Londres en mai 1821 et de la réception du Prince Ratefy, ambassadeur de Radama.[75] Rowlands disait de même, ainsi que les autres artisans.[76] La seule différence entre eux tenait à ce que Jeffreys, ancien cordonnier, avait pu, par un effort sur lui-même, faire les études nécessaires pour devenir ministre du culte et être accepté à Gosport.[77] C'est sans doute en se rappelant leur commune origine que Jeffreys tenait à marquer avec autant de hauteur la différence entre ministres et artisans. C'est en s'appuyant sur ses mérites d'autodidacte qu'il s'estimait aussi qualifié que Jones et Griffiths pour diriger la mission, alors que ces derniers pensaient le contraire. "Mr Jones a parlé de la plus honteuse manière à mon propos, disant en particulier que je ne savais rien sur les langues en général, que je ne savais même rien sur ma propre langue".[78]

Ce problème de langue a été fort bien éclairé par L. Munthe, il avait pour racine les origines ethniques des missionnaires.[79] Jeffreys n'était pas gallois, mais au contraire anglais de souche et il le soulignait volontiers. Il ne pouvait supporter que des Gallois prétendent exporter mieux que lui la civilisation anglaise, il redoutait que ces demi-britanniques ne diminuent l'influence anglaise sur la langue malgache, et ne fassent tout simplement disparaître la langue anglaise de leur enseignement. Comme auparavant la Sierra Leone, Madagascar fut donc le lieu de disputes ethniques renforcées par le fait que les éléments anglais appartenaient à ces "classes non privilégiées" chez lesquelles se développent le plus vivement les préjugés raciaux. Cela explique aussi que Jeffreys ait été l'un des plus hostiles au mariage avec des femmes malgaches. Ces tensions internes eurent pourtant une heureuse conséquence car elles firent éclater la mission qui, à partir de 1824, se démultiplia en Imerina. Mais elles compromirent dangereusement l'idéal congrégationaliste des origines de la L.M.S. en provoquant l'intervention permanente des autorités, anglaise et malgache, dans les affaires internes de la mission.

Ces conflits eurent aussi pour effet de rendre les missionnaires extrêmement réticents à l'idée de voir arriver de nouveaux collègues, au

---

[75] JEFFREYS (K.) : *The Widowed...*, p. 201.
[76] *Candidates' Papers*, Accepted candidates.
[77] *Candidates' Papers*, Accepted candidates, Box 8 n° 330, Imprimé de candidature de décembre 1820.
[78] *Journals Madagascar*, B1/F2 n° 6, Jeffreys, January 15-May 19 1823, f. 12.
[79] MUNTHE (L.) : *La Bible*, p. 47-48.

risque même de freiner l'expansion missionnaire. C'est du moins ce qui apparaît dans une lettre de Griffiths, écrite en 1824. "Nous ne voulons ni ne demandons aucun autre missionnaire pour nous assister en Imerina à présent".[80]

4 - L'évangélisation de l'Imerina 1824-1827

Dès l'ouverture de la première école, en 1821, Jones commença à parler de religion à ses élèves et, chaque dimanche, il leur enseignait aussi le catéchisme.[81] Griffiths fit de même à partir du 3 février 1822, quelque temps après l'ouverture de la seconde école. A son arrivée à Antananarivo, en 1823, Jeffreys participa avec Hastie à l'inspection de ces écoles et signala dans son rapport du 17 juin 1822 que l'on utilisait déjà un manuel de catéchisme en malgache, traduit par Jones. Il n'y eut aucune manifestation chrétienne publique, ni culte, ni cérémonie, jusqu'en janvier 1822, date à laquelle Jones administra le baptême au jeune fils des Griffiths, en présence de Rahova, du grand juge Rahalala, de "quelques artisans français", de quelques Malgaches et des enfants des écoles.[82] L'année 1822 connut quelques cérémonies religieuses dont certaines douloureuses, avec les funérailles d'Elisabeth, jeune Anglaise mariée avec un Malgache en 1821, et la mise en terre de l'artisan Brooks.[83] A ces occasions, beaucoup de Malgaches venaient en badauds et semblaient être affectés par la scène, mais une telle congrégation, ainsi que le soulignait Jones, était composée d'une majorité de païens et de catholiques nominaux, les missionnaires étaient les seuls "chrétiens authentiques". Il en voulait pour preuve l'obligation dans laquelle Griffiths et lui même s'étaient trouvés d'expliquer la nature de ces manifestations "aux Français comme aux Malgaches".[84]

En décembre 1822, missionnaires et artisans décidèrent de se constituer en véritable congrégation, selon le principe fondamental de la Société, c'est-à-dire sans tenir compte des appartenances sectaires des différents membres.[85] Chaque mercredi, ils se retrouvaient entre eux pour une réunion de prière et, chaque dimanche, ils organisaient un office public dans la maison de Griffiths, à Ifidirana, au cours duquel les enfants des écoles chantaient les cantiques qu'on leur avait appris au

---

80 *Incom. Letters Mad.*, B2/FI/JC, Tana, Nov. 11st 1824, Jones and Griffiths to L.M.S.
81 *Incom. Letters Mad.*, BI/F3/JC, Tana March, 14th 1822, Jones to Jane Darby
82 *Incom. Letters Mad.*, BI/F3/JB, Tana, March 29th 1822, Jones to Burder.
83 *Journals Madagascar*, BI/n° 4, Griffiths, July 20th 1822, p. 9 et p 14 sur Elizabeth Stingo, voir mon article : "Le Contact...", *op. cit.*
84 Par "Français", les missionnaires entendaient tous les francophones, parmi lesquels une majorité de créoles de Maurice et de Bourbon.
85 *Incoming Letters Mad.*, BI/F4/JB, Tana, December 16th 1822, Jones to Langton.

cours de la semaine. Le service se faisait en anglais et parfois en français, lorsque des créoles participaient à l'office. Les gens de la ville, attirés par les chants, se pressaient nombreux aux portes et aux fenêtres ce qui décida les missionnaires à aménager une chapelle dans la nouvelle construction qu'ils obtinrent en décembre 1823, à Ambatomiangara. Ils firent construire pour cela un petit balcon intérieur dans la grande salle, en guise de tribune Il faut pourtant dire que, jusqu'à la fin de l'année 1823, l'activité proprement religieuse des missionnaires fut réduite à un spectacle, offert en des occasions exceptionnelles à la population, et à l'enseignement de prières et de chants aux enfants des écoles. Tout cela demeurait, pour l'ensemble des Tananariviens, une curiosité étrangère, des coutumes d'étrangers (*fomba vazaha*) à propos desquelles il leur arrivait de poser des questions mais sans plus. Avant 1824, les missionnaires avaient tout juste réussi à désamorcer la méfiance et l'hostilité qui prévalaient à leur égard en 1822.

Les débuts de la prédication

Après s'être constitués en congrégation, fin 1822, les missionnaires décidèrent de profiter de l'affluence que suscitait leur office du dimanche parmi la population tananarivienne pour commencer à prêcher. Ils s'en ouvrirent, le 31 janvier 1824, à Hastie qui approuva l'initiative et la soumit à l'autorisation de Radama.[86] La réponse n'arriva que le 20 février 1824, Robin venant leur annoncer que "Sa Majesté était heureuse de leur accorder toute liberté pour prêcher l'Evangile à ses sujets".[87] Le dimanche 22 février, Jones et Griffiths mirent en place un double service religieux, le premier en anglais, le second en malgache, c'était, de l'aveu même des missionnaires, le véritable début de leur œuvre d'évangélisation : *a fair commencement has been made to preach the Gospel to the multitude...* concluaient-ils. Le 23 mars 1824 eut lieu le premier baptême en malgache mais administré à un enfant de la mission. Et c'est en décembre 1825 seulement que les missionnaires admirent, chaque mercredi, leurs grands élèves à une réunion de prière tenue en malgache. C'est à l'un des offices du dimanche qu'assista Copalle, le 2 octobre 1825 ; il nous en a laissé une description savoureuse.[88] L'assistance aux offices était considérable et nombreux étaient ceux qui empruntaient leurs recueils de cantiques aux missionnaires pour recopier les chants en malgache. 1824 avait donc été une année particulièrement heureuse pour les missionnaires auxquels la population ne témoignait plus aucune marque d'hostilité et confiait volontairement ses enfants. Antananarivo semblait conquise, ou proche de l'être.

---

86 *Journals Madagascar*, B 1/n° 8, Jones and Griffiths, May 1823-May 1824.
87 *Idem*.
88 "Voyage dans l'intérieur de Madagascar et à la capitale du roi Radama pendant les années 1825 et 1826", *B.A.M.*, VIII, 1910, p. 28.

La décentralisation

En novembre 1822, Jones et Griffiths avaient effectué une tournée dans l'ouest de l'Imerina "dans le but de s'assurer des meilleures stations pour établir des écoles et des chapelles pour l'instruction de la génération montante et pour prêcher l'Evangile".[89] Le 17 mars 1823, Jones convoqua une réunion de tous les membres de la mission pour discuter de "l'utilité pour les missionnaires de cette station de se séparer" car, pensait-il, ils étaient trop nombreux dans ce poste (en fait seulement 3 !)), "que 2 écoles seraient suffisantes ici et que l'un des Missionnaires en conséquence devrait plutôt se retirer dans une région éloignée de l'île."[90] On a vu que ce projet, envenimé par le problème de l'orthographe malgache, entraîna une rupture prolongée entre les missionnaires. Le différend fut réglé le 1er avril 1824, Jeffreys reconnaissant ses torts. Un missionnaire pouvait alors écrire : "c'est une étrange coïncidence que la dispute ait commencé par une opposition à étendre la mission et qu'une réconciliation advienne dans le désir de se rendre utile à une extension de la mission dans beaucoup de districts voisins."[91]

Entre-temps, Jones, Griffiths et Canham avaient parcouru les quatre provinces de l'Imerina (septembre 1823) et soumis à Radama un projet pour la décentralisation des écoles.[92] "Nous souhaitons aussi, expliquaient-ils, et nous nous employons à avoir un certain nombre d'écoliers éduqués dans d'autres branches du savoir que nous possédons. Car nous espérons avoir de nombreux indigènes d'ici quelques années, capables de faire le travail de missionnaire et cela de façon plus effective que des Européens".[93] C'était reconnaître que les missionnaires avaient renoncé à se répandre en Imerina et dans l'île, à cause du refus de Jeffreys et par prudence, estimant leur nombre suffisant et les jeunes Malgaches capables de les relayer rapidement. C'était une adaptation des principes qu'on leur avait inculqués au Séminaire de Gosport. Selon Bogue en effet, les missionnaires devaient faire comme leurs prédécesseurs, les Apôtres, aller de place en place, créer des églises et éveiller des prédicateurs convertis qui, à leur tour, répandraient l'Evangile parmi tout leur peuple et chez les voisins. Mais il était dit aussi que pour multiplier les églises sur un territoire, on devait constituer dans l'église centrale un séminaire pour instruire de futurs prédicateurs locaux. Les deux plans pouvaient être combinés et c'est sans doute à cela que pensa d'abord Jones en 1822. Il serait resté avec Griffiths à Antananarivo tandis que Jeffreys et les missionnaires à venir auraient rayonné dans l'Imerina. L'opposition de Jeffreys n'explique pas

---

89 *Journals Madagascar*, B1/n° 4, Griffiths, Nov. 20th 1822.
90 *Journals Madagascar*, B1/n° 6, Jeffreys, 1823, p. 9.
91 *Journals Madagascar*, B1/n° 8, Jones and Griffiths, 1823-1824.
92 *Journals Madagascar*, B1/n° 7, Jones Griffiths and Canham, Tana with Tour of Villages, 1823.
93 *Journals Madagascar*, B1/n° 9, Griffiths, March 10th 1823.

seule qu'ils aient retardé ce projet, la volonté de Radama, une fois encore, y fut pour beaucoup.

En 1823, existaient trois écoles à Antananarivo entre lesquelles se faisaient une répartition sociologique très accusée. Jones recevait les enfants de la Cour, parents du roi et de ses ministres, Griffiths les enfants des notables de la ville, nobles et roturiers, et Jeffreys le tout venant. Radama prit le temps de réfléchir aux diverses propositions que lui faisaient les missionnaires ou alors il attendit le règlement de leurs disputes. En tout cas, c'est lui qui décida le 10 mars 1824 de réunir les trois écoles en un seul collège situé dans la grande maison de Griffiths à Ambatomiangara. "Radama, avec l'idée de rendre caducs les vieux préjugés parmi les différentes classes de ses sujets, a estimé judicieux que les écoles soient unifiées".[94] Les missionnaires acceptèrent et baptisèrent la nouvelle école : *the Missionary Seminary*. Elle devait être la source d'où découleraient toutes les futures écoles qui se créeraient dans le pays, selon les vœux des missionnaires qui écrivaient : "on peut espérer que les jeunes gens qui ont été instruits et préparés avec tant de soins par les Missionnaires deviendront leurs utiles agents en répandant l'instruction scolaire et la connaissance chrétienne à leurs compatriotes illettrés".[95] Le 1er avril, ayant informé le roi de leur réconciliation, ils lui demandèrent de désigner un village pour servir de station aux Jeffreys. Ambatomanga fut choisi le 5 avril. Mais le roi attendit le 29 avril pour désigner sept autres villages où seraient envoyés les instituteurs, puis le mois de juin pour deux villages supplémentaires.[96] 40 écoliers avancés furent désignés en mai "pour étudier l'anglais et les autres branches de l'éducation" afin de devenir instituteurs. Ces jeunes garçons devaient être quatre par village et enseigner deux par deux par roulement hebdomadaire, tandis que les deux autres allaient suivre des cours auprès des missionnaires au Collège central. Neuf écoliers particulièrement doués avaient été choisis comme instituteurs chefs pour chaque village.[97] Les missionnaires y faisaient des tournées d'inspection, une fois par semaine, sur des chevaux prêtés par le roi et en profitaient pour prêcher. Jones accomplit la première le 20 mars 1824.

Jeffreys ne fut pas le seul à quitter Antananarivo, deux artisans imitèrent bientôt son exemple. Le 23 avril 1824, estimant que les progrès de ses élèves ne lui laissaient plus grand-chose à faire, ayant recopié les

---

[94] *Journals Madagascar,* B1/n° 8, Jones and Griffiths, 1823-1824.
[95] *Journals Madagascar,* B1/ n° 8, Jones and Griffiths, 1823-1824, March 10th 1824.
[96] Les villages sont : Ambohimanga, Ilafy, Namehana, Ambohimanarina, Anosizato, Ankadivoribe et Alasora ; les deux derniers sont : Fenoarivo et Ambohidratrimo - *idem.*
[97] Les jeunes gens sont : Rakoto, Ratsimandisa, Ramaholy, Rasatranabo, Ramaka, Rabohara, Ramaka, Ratsimihara.et Rasoantsiriana.

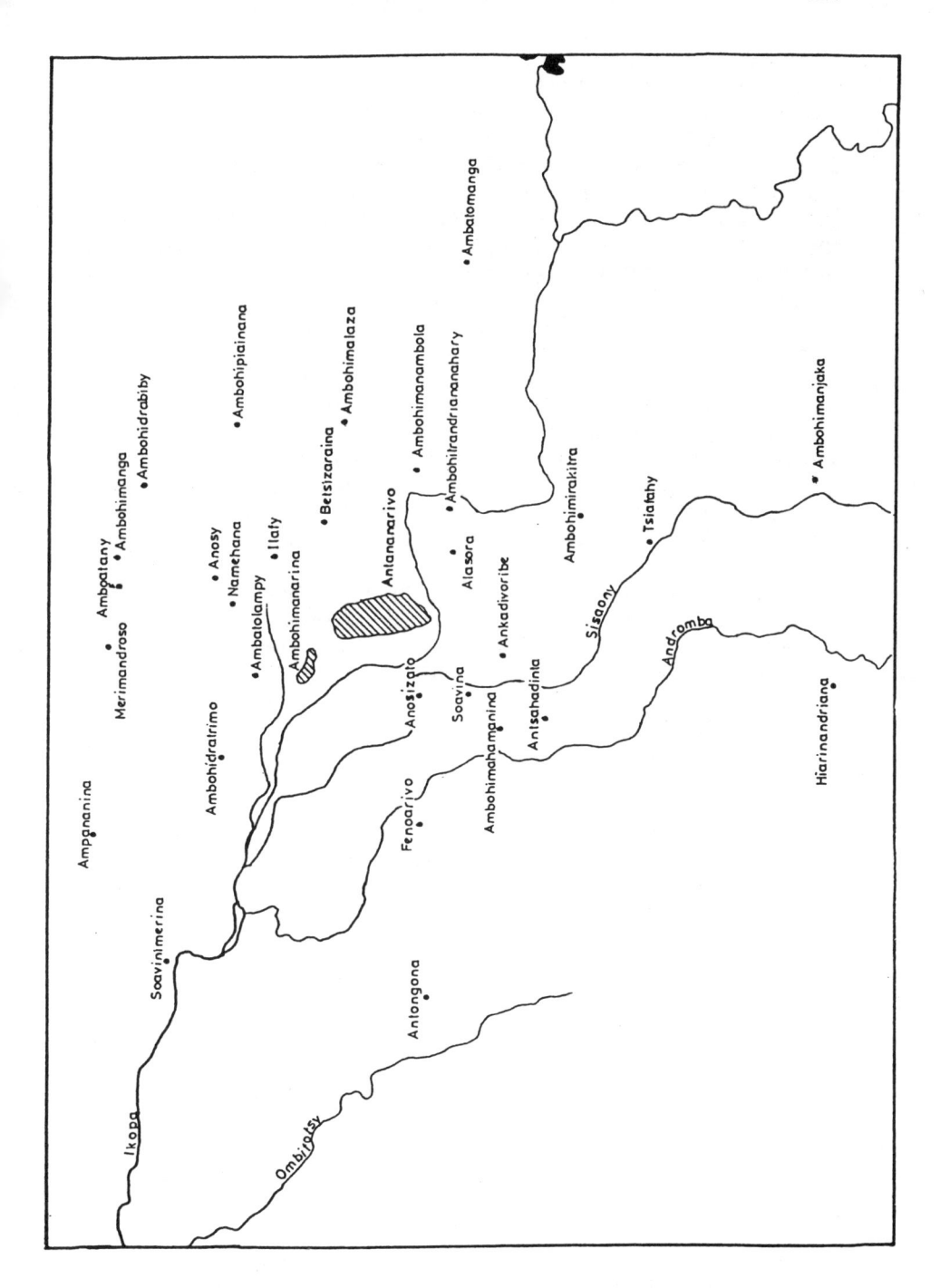

20 - Implantation des écoles en Imerina en 1826.

leçons pour l'école et les vocabulaires de Jones et Griffiths, l'artisan Canham demanda à ses collègues de l'envoyer dans un village pour y ouvrir une école. Après avoir songé à Alasora, il choisit Ambohimandroso, près de Fenoarivo, à la demande de Ramananolona dont c'était le village et par crainte de la traversée de l'Ikopa. Le tisserand Rowlands souffrait lui aussi d'oisiveté, la vitesse de travail de son métier à tisser excédait les possibilités d'approvisionnement en coton, rare et cher alors en Imerina. Il demanda aux missionnaires à venir s'instruire et se former auprès d'eux et, après quelque temps, partit fonder une école à Antsahadinta.[98]

En 1824, les missionnaires pouvaient déclarer qu'il y avait des écoles établies dans chaque province de l'Imerina : l'Avaradrano, le Marovatana, le Vakinisisaony et l'Ambodirano. Les enfants y étaient alphabétisés, catéchisés par des maîtres résidents et la population évangélisée une fois par semaine par le missionnaire en tournée. La mission se répartissait équitablement entre ville (deux missionnaires et un artisan) et campagne (un missionnaire et deux artisans), cela jusqu'en 1825. Mais l'œuvre d'évangélisation était plus intense en ville qu'à la campagne, les deux ministres ordonnés résidant en ville et toutes les cérémonies religieuses s'y déroulant.

Ce déséquilibre en germe ne fit que croître, et de façon irréversible, en 1826, à l'arrivée de nouveaux missionnaires et artisans (Johns, Cameron et Cummins) et au départ du seul missionnaire campagnard, Jeffreys. En 1827, l'arrivée de Freeman à Antananarivo ne fit que confirmer cet état de chose puisque Jones, Griffiths, Johns et Freeman, tous ministres, résidaient en ville, les artisans Cameron, Cummins et Chick eux aussi. Il ne restait hors de la capitale que Rowlands, en fort mauvais termes avec ses collègues. Canham avait quitté l'île en 1824 pour aller se marier en Angleterre et revint en septembre 1827. Dans la crainte de voir chaque station acquérir une certaine indépendance par rapport à la capitale, dans celle plus certaine de perdre l'appui du souverain en quittant son voisinage immédiat, les missionnaires préférèrent confier à leurs élèves le soin de répandre le christianisme, provoquant, dès le départ, un déséquilibre entre Antananarivo et l'Imerina, sans parler de Madagascar. Comme toutes les missions chrétiennes de l'histoire, celle de Madagascar, sitôt qu'elle eut investi la capitale, n'en voulut plus sortir, quitte à délaisser le reste du pays.

Mais il y avait d'autres moyens de décentralisation que le poste missionnaire, l'un d'eux fut inauguré à Madagascar à partir de 1823, c'était l'imprimé. Dès 1821, des manuels pour l'école avaient été envoyés par Telfair, en cadeau du Gouvernement. En 1822, ce furent des livres de lecture. De Grande-Bretagne parvinrent, en 1825, des grammaires, des abécédaires et des catéchismes, toujours en anglais. En 1823, la *British*

---

[98] *Journals Madagascar*, Box 1/ n° 8, Jones and Griffiths 1823-1824, Ramananolo était l'un des généraux en chef de Radama. Voir MANTAUX (Ch. G.) : "Un cousin de Radama Ier dans l'Anosy en 1825 : le Prince Ramananolona...", *B. de M.,* n° 296, 1971, p. 3-29.

and Foreign Bible Society de Londres fit un envoi de 50 Bibles anglaises et de 200 volumes du Nouveau Testament. Ce matériel servit aux missionnaires jusqu'en 1825, date à laquelle ils commencèrent à enseigner en malgache, à l'aide des traductions qu'ils avaient faites de tous ces ouvrages anglais. Tout changea en 1826 lorsque le Décalogue et le Notre Père, imprimés à Maurice en malgache, furent distribués dans toutes les écoles. Certaines personnes sachant lire en reçurent aussi, ainsi que le roi qui, au dire des missionnaires, les dévora.[99] En 1827, Cameron et Jones parvinrent à monter la presse typographique qui avait été apportée l'année précédente et réalisèrent à Ambatonakanga la première impression en malgache à Madagascar. Ils tirèrent sous forme de feuillets les Dix Commandements, l'Exode et des Extraits de la Genèse arrangés en syllabaire (1, 1-23). Cet outil de mission, qui ne fut employé sur une vaste échelle qu'après l'arrivée d'un imprimeur en 1828, permit aux missionnaires de compenser leur insuffisance numérique et de maintenir leur influence sur ceux qui commençaient à quitter l'école pour le service du roi.[100]

Projets avortés

Tandis qu'à l'exception de Jeffreys, les représentants de la L.M.S. à Antananarivo s'estimaient suffisamment nombreux pour l'Imerina, des projets faisant appel à de nouveaux venus s'élaboraient pour le reste de Madagascar. A plusieurs reprises, Radama avait proposé aux chefs qui reconnaissaient son autorité d'assurer l'éducation de leurs enfants. A Maroantsetra, en octobre 1823, au cours d'un grand *kabary* (discours officiel), il avait demandé aux princesses Volamanana et Volonoso et au chef Rotora, d'envoyer à Antananarivo de jeunes nobles pour y être instruits à ses frais.[101] Ces invitations revenaient sans cesse dans ses discours, ainsi en 1823 et encore en 1825, lorsqu'il s'assura l'alliance fragile des Sakalava. Hastie, qui le suivait partout, fit part aux missionnaires de ces allusions constantes du roi aux étrangers blancs qu'il avait dans sa capitale pour enseigner aux enfants et aux gens. "Si vous voulez envoyer vos fils et vos filles là-haut pour apprendre, rapportait l'agent, je les confierai à leurs soins et veillerai à ce qu'on en prenne soin et qu'ils soient bien éduqués" [102] "Griffiths déclara que c'était là le meilleur projet pour la civilisation et le progrès de l'Ile. M. Hastie rajouta : Il (Radama) sera bientôt en mesure d'unifier les peuples des différentes provinces avec leurs chefs rassemblés sous lui comme leur roi et souverain. M. Griffiths observa plus tard qu'aucun plan ne pouvait

---

99 *Incom. Letters Mad.*, B2/F3/JB, Tana, June 14th 1826, Jones and Griffiths to Langton.
100 BELROSE-HUYGHUES (V.) : "Considérations sur l'introduction de l'imprimerie à Madagascar".
101 Journal de Hastie édité dans *B.A.M.*, n. s. T. IV, 1918-1919, p. 143-195.
102 *Journal Madagascar,* Box 1, n° 8, Jones and Griffiths, May 1823- May 1824, f. 2.

plus efficacement promouvoir le but de la Société missionnaire que d'envoyer les enfants des chefs de toutes les parties de l'île recevoir une éducation appropriée et utile à la Capitale, parce qu'ils s'imprégneraient imperceptiblement des principes qui les conduiraient à craindre et à honorer le roi et à être reconnaissants à leur bienfaiteurs et éducateurs et après à devenir peut-être les plus utiles et efficaces dispensateurs de ces mêmes principes à leur propre peuple, dans leurs districts et provinces respectifs, surtout dans ces régions de l'île qui ne sont pas salubres et adaptées pour les Européens, etc."[103] Les écoles de cette époque n'ayant point tenu de listes nominatives de leurs élèves, il est difficile de savoir si ces projets furent réalisés. Des indices dans la correspondance des missionnaires laissent à penser qu'ils eurent effectivement des élèves issus de la côte sud-est, des Anakara ou des Antaimoro vraisemblablement, qui connaissaient déjà l'écriture arabe, ainsi que des princes sakalava de la suite de Rasalimo, épouse du roi.[104]

En 1824, la politique culturelle de Radama changea aussi bien pour l'Imerina que pour l'ensemble de Madagascar. Il signifia cette année-là aux missionnaires de ne plus regrouper à Antananarivo d'élèves issus de la campagne, sauf ceux des villages tout proches.[105] En juillet 1825, Griffiths faisait état d'une proposition de Radama d'ouvrir à Fort-Dauphin une école qui aurait utilisé l'un des secrétaires officiers de l'état-major de Ramananolona, lequel venait de s'emparer de la province. La même année, Radama demanda à Jones d'envoyer un instituteur à Bombetoka. L'affaire n'eut pas de suite mais, en 1830, de nombreux militaires, anciens élèves de la mission, demandaient des imprimés pour ouvrir des écoles sur la côte où ils étaient affectés.[106] Cette politique de décentralisation, élargie géographiquement mais limitée à l'éducation, aurait pu être réalisée par des missionnaires britanniques et servir donc à l'évangélisation si les projets de la *Wesleyan Missionary Society* avaient abouti.

Depuis 1816, les congrégationalistes de la L.M.S. n'étaient plus les seuls protestants intéressés par Madagascar, ils avaient même dû accepter un compromis avec les méthodistes pour se partager le terrain. Ces derniers restèrent paralysés par des problèmes de recrutement jusqu'en 1823, date à laquelle Buchan, un rescapé du naufrage du *Winterton* sur la côte ouest, se porta candidat. Le 31 décembre 1823, le Comité directeur de la Société méthodiste décida l'envoi de deux missionnaires à Madagascar, dans la baie de Saint-Augustin. La L.M.S. fut avertie que MM. Threlfall et Shaw gagneraient leur poste en 1824.

---

103 *Idem*.
104 *Incom. Letters Mad.*, B3, Tana, Sept. 1st, 1830, Baker to the Directors, signale parmi les bénéficiaires de la distribution de Bibles, "6 jeunes gens qui apprennent la langue Arabe" ; cité par MUNTHE : *La Bible*, p. 137. La suite de Rasalimo est décrite par Coppalle : "Voyage...",*op. cit.*
105 *Journals Madagascar*, B 1, n° 9, Jones and Griffiths, March 1825, f. 1-2.
106 *Incoming Letters Mad.*, B2/F2/JB, Tana, July 30th 1825, Griffiths to L.M.S. DAHL (Otto Ch.) : *Les débuts de l'orthographe malgache*.

Une telle entreprise ne pouvait être envisagée sans l'autorisation de Radama, reconnu en Grande-Bretagne comme seul roi de Madagascar. C'est la L.M.S. qui se chargea de l'obtenir en écrivant à ses missionnaires d'Antananarivo en novembre 1823.[107] La lettre ne leur parvint qu'en juin 1824, et Griffiths y répondit ainsi : "cette île est très grande et très étendue et beaucoup de travail peut être fait (...). Nous serons très heureux de voir ces collègues et si l'un d'entre eux vient à passer à Tananarivou, nous le recevrons comme un Frère, l'accueillerons dans nos maisons et l'admettrons à notre pupitre et aussi (...) lui fournirons toutes les informations que nous pourrons."[108] Jeffreys, à qui ses collègues transmirent la lettre des Directeurs le 14 juin, notait dans son journal : "j'ai réfléchi qu'il ne serait pas mauvais de demander aux Directeurs de prendre en considération l'envoi d'un autre missionnaire dans cette station."[109] Il développait ensuite des arguments, qu'il reprit dans une lettre du 19 août 1824, en faveur de l'arrivée prochaine des missionnaires méthodistes, non pas sur la côte ouest, comme c'était leur intention, mais bien dans les villages de l'Imerina. Ce n'était pas du tout l'avis des autres missionnaires qui avaient écrit le 24 juin : "que le roi, lors de la réorganisation en mars des écoles, avait déclaré que l'enseignement devrait se répandre à travers tous ses états mais avait ajouté : 'Je ne connais qu'une seule Société et une secte de missionnaires qui enseignera les mêmes choses de la même manière', et que c'était pour cette raison qu'il avait refusé la demande faite par un missionnaire catholique en 1820, alors que la L.M.S. était déjà installée." Jones estimait d'autre part, qu'après sa propre expérience, une mission sur la côte n'était pas à conseiller. La visite de Jeffreys à Antananarivo, en août-septembre 1825, amena les missionnaires à reconsidérer la question et à la porter devant Radama, d'autant plus que les Directeurs avaient envoyé une seconde lettre leur réclamant plus de précisions. Ils se rendirent chez Radama et lui demandèrent s'il avait une objection à ce que les missionnaires méthodistes s'établissent à la baie de Saint-Augustin. "Il demanda s'ils étaient de la même société. On lui répondit par la négative. Alors il demanda s'il y avait une grande différence entre nous. On répondit que bien qu'il y ait une différence, tous poursuivaient le même but. Bien, dit le Roi à nouveau, prêchez-vous la même Bible, vous et eux ? A quoi il fut répondu, Oui. Bien, dit-il, qu'ils viennent s'établir s'ils le désirent."[110] Les missionnaires avaient donc délibérément écarté la suggestion de Jeffreys, et cela en accord avec leur Direction qui exigeait le monopole. Radama, qui ne contrôlait pas encore le sud-ouest de l'île, n'avait eu, de son côté, aucune peine à délivrer une autorisation. Elle ne pouvait, plus tard, que lui rapporter autant de bénéfice que celle qu'il avait accordée à la L.M.S. en Imerina, étant assuré que ces nouveaux

---

107 Sur tout cela voir HARDYMAN (J. T.) : "Methodists' Plans...", p. 50-54.
108 *Incoming Letters Mad.*, B2/F1/JA, Tana June 4th 1824, Griffiths to Burder.
109 *Journals Madagascar*, Box 1, Jeffreys, May-August 1824, f. 19.
110 *Incoming Letters Mad.*, B2/F1/JC, Tananarivou, Nov. 3rd 1824, Jones to Burder.

missionnaires avaient les mêmes sentiments à l'égard de Madagascar et de sa politique que ceux d'Antananarivo. Les méthodistes, pour des raisons diverses, furent pourtant incapables de jamais envoyer quiconque à Madagascar. Leur seule contribution à la mission fut l'impression d'un catéchisme en malgache, traduit par Jeffreys, que leur remit sa veuve, après son retour en Angleterre en 1826.

CHAPITRE XII

LA MISSION AU JOUR LE JOUR
(1818-1827)

1 - Le Voyage

Les missionnaires et la Direction

Chaque missionnaire en partance recevait la recommandation impérative de garder une correspondance fidèle avec les Directeurs et de les tenir au courant de tous ses faits et gestes. Dans la station, les missionnaires avaient obligation de nommer un secrétaire chargé de tenir en ordre le journal commun, jour après jour, et de noter les activités de chacun et du groupe. Une copie de ce journal, plus souvent de larges extraits, devaient être expédiés périodiquement à Londres.[1]

A Madagascar, les missionnaires se comportèrent en agents scrupuleux et disciplinés de leur société. Dès juillet 1818, Jones et Bevan annonçaient par lettre l'ouverture de leur journal de mission à Madagascar. Leurs successeurs s'appliquèrent aussi bien à tenir la Direction informée de leurs activités, puisque les archives de la Société permettent, aujourd'hui encore, de suivre année par année l'évolution de la mission dans l'île. A partir de 1821, ce fut Griffiths qui se chargea de la tâche du secrétariat. En 1823, Jones prit le relais jusqu'en 1826, remplacé alors par Griffiths. En fait, chaque missionnaire tenait un journal personnel qu'il remettait au secrétaire pour que ce dernier en tire ce qui lui paraissait important. On n'hésitait pas à faire usage du journal de Hastie, bien informé sur les événements politiques. Lorsque le secrétaire avait achevé sa rédaction, il soumettait pour approbation son manuscrit aux autres missionnaires, y compris aux artisans, qui apposaient leur signature. Il est presque certain que les extraits furent recopiés à certains moments par les artisans, notamment par Canham en 1824, ou même par certains de leurs élèves, cela se reconnaît à certaines fautes caractéristiques : phrases recopiées deux fois à une ligne d'intervalle et barrées ensuite, mots sautés, fautes d'orthographe et de grammaire,

---

[1] *Letters South Seas*, 1796, Consels and Instructions.

rajouts dans la marge, etc.[2] Les originaux, à partir de 1821, ont tous disparu à l'exception des autographes de Jeffreys. pour 1823. Ce dernier en effet refusa d'appliquer le règlement de la mission. Il s'opposa à l'envoi aux Directeurs d'une lettre relatant les activités de chaque missionnaire, estimant que ce n'était pas nécessaire.[3] Aussi, de 1822 à 1825, c'est son propre journal, non approuvé par ses collègues, qu'il expédia régulièrement à Londres.

Ces journaux faisaient évidemment silence sur bien des choses sur bien des désaccords, et bien des aspects matériels et des détails quotidiens de la vie des missionnaires nous auraient échappé si nous n'avions pu disposer que de ces seuls documents. Heureusement, la correspondance personnelle qu'ils entretenaient avec un ou deux directeurs de leur choix, en particulier Bogue jusqu'à sa mort en 1825, Burder jusqu'en 1827 et, pour les questions financières, Hankey ou Langton son secrétaire, était abondante et détaillée. Elle consistait souvent en extraits des journaux personnels de leur auteur auxquels étaient ajoutées des considérations diverses, des requêtes ou des protestations.

Le but de ces lettres était très souvent de requérir l'approbation des Directeurs sur des décisions que les missionnaires avaient dû prendre d'urgence, de se justifier de certaines de leurs critiques ou, plus souvent encore, de leur demander du matériel et des fonds. Pour des questions plus importantes, comme la formation de la société des écoles missionnaires ou la construction de bâtiments, ils demandaient des instructions à la Direction avant de décider. Ces lettres et ces journaux continuaient la tradition des *Annual Letters* de Ziegenbalg poursuivie par Carey. Dépouillées et abrégées, elles alimentaient les publications de la Société, notamment les *Missionary Chronicles*, et l'*Evangelical Magazine*, qui étaient envoyées à tous les missionnaires.

Le comportement des Directeurs n'était pas aussi minutieux. Les *Committee Minutes*, qui portent la mention de la date d'envoi, de la date d'arrivée et de la date de lecture des lettres et journaux, prouvent que des semaines parfois pouvaient s'écouler avant que le contenu des lettres fût examiné. En 1821, Hudson, un des secrétaires, écrivait que le désordre dans lequel se trouvaient les papiers de la Société était tel que bien des lettres importantes devaient attendre au moins un mois au mieux et parfois six, avant de faire l'objet d'une réponse.[4] Ces réponses, elles-mêmes, étaient rares puisqu'il a été difficile d'en trouver des traces dans les *Board Minutes* de la Société et que les lettres elles-mêmes ont toutes disparu. Bien souvent, on ne connaît le contenu de la

---

[2] Le fait que des secrétaires malgaches aient recopié les journaux des missionnaires explique leur étrange ressemblance avec la partie des *Tantara ny Andriana* qui concerne Radama 1er et notamment la transcription de ses *kabary*. C'est un problème que n'a pas soulevé André Delivré dans son *Histoire des Rois*.
[3] *Journals Madagascar*, Box 1, n° 2, Griffiths, 1822-23.
[4] *Letters Home*, London, Dec. 4th 1821, Hudson to Hankey.

correspondance des Directeurs que par déduction de ce qu'en dit le courrier envoyé par les missionnaires.

Ces derniers ne cessaient de se plaindre de ne rien recevoir de Londres, de rester sans instruction, surtout durant les années 1818-1821, ou bien faisaient état de confusion dans les réponses données à leurs demandes. Seule la fidélité de certains Directeurs comme Bogue, qui tenait à conserver des liens avec ses anciens élèves, ou Burder, dont l'activité était débordante, sauvait les missionnaires du découragement et d'un sentiment d'abandon, surtout après le départ de Farquhar en 1823. Cela explique pourquoi les missionnaires réclamaient en permanence l'envoi des publications périodiques de la société qui, seules, les maintenaient en contact régulier avec la Grande-Bretagne. La complexité bureaucratique explique largement le manque de correspondance des Directeurs et le fait qu'ils aient finalement adopté entre eux une spécialisation des tâches administrative dont Lovett écrit, peut-être un peu vite, qu'elle était "un modèle". C'est sur Burder, *Foreign Secretary*, que reposait le poids de toute la correspondance venue des stations missionnaires mais bien qu'aidé, à partir de 1819, par des secrétaires salariés, il parvenait difficilement à se tenir à jour.

L'avantage pour les missionnaires de Madagascar fut qu'ils jouirent d'une large autonomie et purent prendre à tout moment les décisions nécessaires, à la seule condition qu'elles fussent acceptées à l'unanimité par leur petit groupe. Ce ne fut pas le cas en 1823; aussi décidèrent-ils d'exclure purement et simplement le récalcitrant Jeffreys, jusqu'à ce que la Direction les rappelle à l'ordre, un an plus tard ! Les missionnaires étaient donc libres de leurs décisions et actions sous la direction de Jones, leur doyen, le *senior missionary*. Pourtant, la décentralisation, conforme à l'esprit congrégationaliste, favorisa l'éclatement de tant de crises dans les stations que les Directeurs décidèrent l'envoi d'une mission d'inspection. Les révérends Tyerman et Bennet, chargés de visiter toutes les stations de la L.M.S., mirent huit ans avant d'atteindre Madagascar, leur dernière étape. Ils parvinrent à Tananarive juste pour les funérailles de Radama, en 1828. Tyerman, épuisé par ses voyages, mourut là peu après. Dans de telles conditions, la "députation" ne put se rendre compte des difficultés et des orages qui s'étaient accumulés sur la petite colonie missionnaire depuis huit ans.

De Londres à Tamatave

Le déplacement des missionnaires sur les routes océanes était la condition *sine qua non* de toute mission. Nous avons vu comment cette nécessité avait conduit la Société Missionnaire de Londres à faire l'acquisition d'un navire, qui aurait dû lui assurer une entière autonomie : le *Duff*. Les conditions politiques de l'époque, c'est-à-dire les guerres napoléoniennes et le monopole de la Compagnie des Indes, réduisirent à néant ces espoirs et contraignirent les Directeurs à compter sur la flotte et les navires marchands britanniques, ce qui n'alla pas sans de grands frais.

Durant toute la période considérée, les missionnaires utilisèrent les navires marchands de la route des îles et de l'Inde pour se rendre à Madagascar. Le cadre de ces déplacements a été décrit avec précision par J.-M. Filliot qui nous aide ici à en comprendre les péripéties. Le voyage s'est toujours effectué en deux fois. Une première étape conduisait les missionnaires à l'île Maurice sur les gros navires de la Compagnie des Indes qui poursuivaient ensuite leur route vers Ceylan. De l'île Maurice, on gagnait ensuite Tamatave sur les goélettes anglaises ou françaises qui reliaient Madagascar aux Mascareignes.

La première partie du voyage, qui amenait les missionnaires à Port-Louis, était relativement confortable, les Directeurs n'hésitant pas à offrir des cabines à leurs envoyés, toujours accompagnés de leurs épouses et parfois d'enfants. Il y avait en moyenne une dizaine de passagers qui ne bénéficiaient pas des avantages d'une cabine mais s'entassaient dans la grande chambre ou la Sainte Barbe.[5] Les repas se prenaient en commun dans la salle à manger des officiers ou dans la grande salle. Le voyage était pénible, long et sans grande sécurité. En 1813, Hooper fit une escale forcée et non prévue de trois semaines au cap de Bonne Espérance.[6] En 1818, Jones et Bevan, à bord du *Swallow*, furent bloqués plusieurs jours dans la Manche. Peu après leur départ de Gravesend, ils durent débarquer à Falmouth où ils participèrent à la vie religieuse locale, animant de nombreuses assemblées.[7] Les tempêtes, au passage du cap de Bonne Espérance, étaient terribles, lorsqu'on n'avait pas appareillé d'Angleterre suffisamment tôt pour doubler le continent africain avant la mi-juillet. Partis de Londres le 25 octobre 1820, en pleine mauvaise saison, les Griffiths en essuyèrent une dans ces parages, le 4 janvier 1821. Une lettre en garde le témoignage : "alors la frayeur prit possession de tous les cœurs et la terreur d'une mort immédiate et d'une tombe liquide s'empara de toutes les âmes. D'entendre les hurlements des dames et des deux petits enfants et de méditer sur la destinée éternelle du pêcheur et de l'impie qui allaient selon toute probabilité rencontrer leur jugement éternel dans un instant, suffisait pour déranger le cerveau le plus tranquille et pour déprimer l'esprit le plus héroïque."[8] Griffiths ne fut pas le seul à souffrir de la tempête, les Jeffreys voyageant avec le prince Ratefy en 1821, puis Hovenden en 1826, en furent aussi victimes. En fait, comme le remarque Filliot, les départs à destination des Mascareignes ne respectaient plus les consignes de prudence du XVIIIe siècle, on partait pour les îles à n'importe quel moment de l'année. La durée moyenne des six départs enregistrés de 1818 à 1826 était de quatre mois, mais on note une progression dans la rapidité des voyages quelle que soit la saison. Ainsi Jones et Bevan, partis dans de bonnes conditions de calendrier, mirent plus de cinq mois à atteindre Maurice en 1818, tandis qu'en 1826,

---

5 FILLIOT (J. M.) : *La Traite des esclaves*, p. 79-100.
6 *Incom. Letters Maur.*, B1/F1/JA, P-L, Sept. 29 1813, Hooper to Burder.
7 *Incom. Letters Maur.*, B1/F1/JC, P-L, July 11th 1818, Jones to Bogue.
8 *Incom. Letters Mad.*, B1/F2/J.A, P-L, Feb. 7 1821, Griffiths to Burder.

Hovenden, qui avait pourtant embarqué en juillet, mit trois mois pour le même trajet. On ne remarque pas la même progression dans l'acheminement du courrier de Port-Louis à Londres. En 1814, une lettre postée par Le Brun le 20 juin, parvenait aux Directeurs le 12 décembre, soit près de sept mois plus tard, mais en 1825, le Journal de Jones et Griffiths daté du 19 mars, n'était reçu que le 19 décembre de la même année. La vitesse des relations était donc variable mais toujours très lente, les Directeurs avaient presque un an de retard sur les événements de Madagascar.

L'appréhension du voyage était très forte chez ces gens de la terre et surtout chez les Gallois, comme en témoigne le passage de la lettre de Griffiths, cité plus haut. Ce qu'ils redoutaient le plus, c'était la tombe liquide, (*the watery grave*), véritable obsession des Gallois comme le confirme ce passage d'une correspondance de Jones. "Le Seigneur bientôt rappela le vent de ses magasins et dressa et écuma la mer de façon terrifiante ce qui nous a fait longtemps redouter une tombe liquide à chaque instant."[9] Madame Bevan, quant à elle, n'hésitait pas a écrire : "juste au début de notre voyage j'étais terriblement contrariée par la peur du naufrage, pensant à chaque coup de gros vent que j'avais raison de prier le Père céleste (...) C'est pourquoi je recommanderai à toute femme missionnaire avant son embarquement de considérer sérieusement si elle peut supporter l'idée d'une tombe liquide".[10] Curieusement, le fait d'être arrivé sain et sauf à Port-Louis constituaient pour ces gens un signe de la protection que leur accordait la Providence et du succès futur de leurs entreprises. "Dieu qui commande au vent et aux vagues les avait épargnés".

Comme du temps de ma jeunesse encore, il n'y avait pas de quai à Port-Louis. Passagers et bagages étaient conduits à terre sur des allèges à rames, tandis que le navire restait à l'ancre dans la rade. Le Brun se chargeait de trouver ces embarcations et d'accueillir ses collègues.

La vie à bord

Lorsqu'ils n'étaient pas malades, les missionnaires s'organisaient à bord une vie de prière et d'étude pour se préparer à leur tâche. "Etant convaincus de l'absolue et vaste importance de la dévotion, nous consacrions une partie de notre temps chaque matin et chaque soir à nous appliquer à la lecture des Saintes Ecritures, à la méditation et au progrès. Après le petit déjeuner, nous avions la prière en famille chaque matin dans notre cabine et nous faisions de même dans la soirée. La prière en famille achevée le matin, nous nous isolions pour lire la Bible en Hébreu et le Septuagésime. (...) Quelques moments étaient chaque jour consacrés au français."[11] Griffiths eut la chance de voyager avec une

---

9 *Incom. Letters Maur.*, B1/F1/JC, P-L, July 11st 1818 Jones to Bogue.
10 *Incom. Letters Maur.*, B1/F1/JC, July 9th 1818, Mary Bevan to Burder.
11 *Incom. Letters Maur.*, B1/F1/JC, P-L, July 9 1818, Bevan to Burder.

dame française qui lui donna des leçons quotidiennement.[12] Les missionnaires espéraient former une congrégation sur le navire même, leurs sollicitations ne rencontraient pas toujours des oreilles favorables et, pour peu qu'il y eut à bord de jeunes créoles fort peu religieux, ils avaient à subir toutes sortes de "persécutions".[13] Le plus souvent, malgré tout, ils parvenaient à réunir les passagers et l'équipage chaque dimanche matin dans la grande chambre (*Round House*) ou sur le pont, lorsque le temps le permettait. "Le service commençait par la lecture d'un passage des Ecritures puis quelqu'un commençait la prière et l'officiant lisait un sermon de sa propre composition ou choisi parmi ceux d'un autre auteur."[14] Le capitaine du navire participait souvent à l'office.

Certains, plus zélés et surtout mieux équipés tels les Jeffreys, faisaient suivre l'office du dimanche d'une distribution de tracts, moraux ou religieux, aux membres de l'équipage. "Puisse certains de ces pauvres marins tirer bénéfice de leur lecture nous nous en réjouirons" écrivait Keturah Jeffreys.[15] D'autres parvenaient vers la fin du voyage à attirer quelques passagers et membres de l'équipage dans leur cabine pour la prière quotidienne et Griffiths avait même pris en charge trois garçons, pour leur apprendre l'écriture et l'arithmétique, durant le trajet.

A part ces pieuses occupations, la vie à bord n'était animée que par les escales de Madère ou Palma des Canaries et du Cap. Tout le monde descendait et faisait du "tourisme", tant il est vrai que cette pratique européenne fut inaugurée par les voyageurs britanniques. Ils en avaient déjà tous les tics et les travers, trouvant les "Portugais très faux dans leur comportement et très sales dans leur tenue (....) pauvres gens complètement dupés par des prêtres intrigants et rusés."[16] Cette curiosité distante, cette pitié supérieure et cette sympathie condescendante qui, aujourd'hui encore, caractérisent pour tout ou partie l'Européen ou l'Etats-unien bien intentionné en voyage, les missionnaires en faisaient aussi bénéficier les "pauvres marins" qui s'offraient quelques instants de divertissement au passage de la ligne : "le 9 mai, avons franchi l'Equinoxe, les gens du bateau se sont mis à suivre la coutume stupide, habituelle chez eux, en se lançant des baquets pleins d'eau les uns sur les autres et sur n'importe qui d'autre qui se trouvait sur leur passage".[17]

Ce n'étaient certes pas des distractions pour nos dignes missionnaires et c'est avec une satisfaction non dissimulée qu'ils voyaient enfin s'approcher la terre de leur débarquement. Le voyage de Maurice à Tamatave était beaucoup plus court et obéissait à un calendrier rigoureux. Jones et Bevan payèrent cher de n'avoir point voulu en tenir compte lors de leur deuxième séjour en 1818-1819. Selon que l'on

---

12 *Incom. Letters Maur.* B1/F1/JD, P-L, Feb. l9th 1821, Griffiths to L.M.S.
13 *Incom. Letters Maur.*, B1/F1/JA, P-L, Sept. 29th 1813, Hooper to Burder.
14 *Incom. Letters Maur.*, B1/F1/JC, P-L, July 9th 1818, Bevan to Burder.
15 JEFFREYS (K.) : *The Widowed*, p. 31.
16 JEFFREYS (K.) : *Idem*, p. 9.
17 *Incoming Letters Maur.*, B1/F1/JC, P-L, July 9th 1818, Bevan to Burder.

passait par Bourbon ou non, le trajet prenait entre deux et dix jours. On en connaît le prix grâce aux comptes des missionnaires, 25 piastres par personnes soit 12,5 livres sterling en 1818.[18]

Les missionnaires se plaignaient de la perte de nombre de leurs colis qui n'étaient pas étiquetés. Ces paquets devaient être défaits et confectionnés à nouveau sous un plus petit volume pour pouvoir être portés à dos d'homme jusqu'à Antananarivo.

De Tamatave à Antananarivo

Cette partie de leur voyage était certainement la plus éprouvante pour les missionnaires, elle était aussi la plus meurtrière. C'est à la suite d'un tel voyage que moururent Brooks, en 1822, et Hovenden, en 1826. Ellis rapporte que c'était de voyager pendant la saison des pluies vers l'intérieur qui causait une telle mortalité.[19] De nombreux voyageurs ont laissé des journaux de route couvrant la période 1816-1827 et décrivant les itinéraires suivis et les difficultés rencontrées.[20] Parmi les missionnaires, Jones pour 1820, et Jeffreys pour 1822, sont ceux qui nous ont laissé le récit le plus détaillé de leur marche à travers les lagunes et les forêts de l'Est malgache, encore que ces deux voyages aient été accomplis en compagnie de Hastie dont on connaît de nombreux journaux entre 1817 et 1826. Le voyage durait en général trois semaines environ. On ne circulait que de jour, s'arrêtant dans les villages pour passer la nuit. Le seul moyen de transport était la pirogue jusqu'à Andevoranto et la chaise à porteur (*filanzana*) ; quelques privilégiés avaient parfois droit au cheval, mais devaient sans cesse mettre pied à terre pour franchir les rivières. Jones affirmait : "Je n'ai jamais vu dans tout le pays de Galles du nord des routes et des montagnes aussi difficiles à traverser aujourd'hui"[21] Malgré les palanquins qu'on devait souvent abandonner en l'absence de piste digne de ce nom, on ne peut qu'admirer le courage et l'endurance physique de ces hommes et de ces femmes qui souffraient sang et eau pour atteindre leur poste de mission.[22]

Le coût de ces expéditions était énorme.[23] Outre la location des pirogues, les cadeaux pour l'hospitalité reçue chaque nuit, il fallait

---

18 A Maurice, en 1818, Jones obtenait 30 *spanish dollars* (piastres) pour 25 livres anglaises, mais en 1827, Lyall obtenait 2.000 piastres avec 400 livres. *Incom. Letters Maur.*, B1/F1/JC, P-L, Nov. 10th 1818, Jones to Waugh.
19 ELLIS (W.) : *History*, vol. 2, p. 156.
20 Voir VALETTE (J.) : "L'Itinéraire Tamatave-Tananarive d'après le Journal du Rév. David Jones, 1820"., p. 81-86 et VALETTE (J.) : "Une lettre d'Hastie...", p. 890.
21 Journal, Mardi 26 sept. 1820, dans VALETTE : *Idem*.
22 Description du voyage de K. Jeffreys dans *The Widowed*, p. 45-100.
23 On ne possède de comptes détaillés, établis par Baker, que pour les années 1830 voir MUNTHE (L.) : *La Bible*, voir aussi VALMY (R.) : "Anciens moyens de transport, porteurs et filanzana" dans *R. de M.*, 1959, n. s. n° 6, p. 35-44 et CLARK : "How we travel in Madagascar", dans *Antananarivo Annual*, t. II, 1884, p.

compter le salaire et l'entretien de plusieurs dizaines de *maromita* (porteurs), soit 10 piastres chacun. Ils n'hésitaient pas à se mettre en grève pour obtenir plus ou à disparaître avec leur colis. En 1820, Jones tira un billet de 100 livres pour sa "visite à Ankova".[24] Au total, l'acheminement d'un missionnaire avec sa femme et ses bagages, depuis Londres jusqu'à Antananarivo, représentait pour la Société une mise de fonds considérable, sans doute plus de 2.000 livres. A cela s'ajoutaient les frais de séjour à l'île Maurice, où la vie était très chère, plus le salaire du missionnaire (200 livres par an). Il est vrai que les missionnaires, à la différence de leurs prédécesseurs catholiques, ne négligeaient pas leur confort, mais au contraire exigeaient un certain nombre de commodités qu'ils estimaient nécessaires à leur santé et à la conduite d'une vie décente, c'est-à-dire à l'européenne.

2 - L'entretien

La question du logement et de la nourriture fut toujours traitée à l'européenne, autant qu'il était possible ; elle pesa toujours lourdement sur les finances de la Société. Tous ses envoyés pour Madagascar avaient exigé de partir mariés, ce n'était pas par hasard. Ils cherchaient plus ou moins consciemment à constituer une cellule de sécurité afin d'affronter les incertitudes et les dangers de l'aventure évangélique. Sécurité matérielle pour l'assurance d'un foyer, d'une vie domestique organisée et donc d'une activité sans contraintes ménagères ni alimentaires. Les missionnaires estimaient que le confort était une condition du bon déroulement de leur apostolat. Ce confort était celui de relations et d'habitudes familiales acquises qu'il s'agissait de transporter intactes, voire renforcées, aux antipodes. Il était la meilleure protection contre les tentations de la débauche et de la luxure qui caractérisaient toute société "barbare". La famille missionnaire, premier lieu de culte, était aussi un centre de rayonnement évangélique, un moyen de conversion par l'exemple. Elle n'était pas seulement un bloc de moralité mais un véritable lieu d'absolu moral où la remise en question des habitudes et des valeurs importées de la métropole n'était pas possible, face aux "sauvages" païens.

340-347. Hastie, en 1820, donne 12 piastres pour le salaire d'un porteur. Pour plus de détails sur le portage, on se reportera à RANTOANDRO (Gabriel) : "Contribution à l'étude d'un groupe social peu connu du XIXesiècle : les *maromita* ", *Omaly sy Anio*, n° 16, 1982, p. 41-60.
24 *Incom. Letters Maur.*, BI/FI/JD, P-L, Aug. 29th 1820, Jones to Hankey.

La maison missionnaire

A cette famille en représentation, il fallait un décor convenable, une demeure ; tous les missionnaires, pour ne pas dire tous les représentants de la Grande-Bretagne à Antananarivo, eurent pour premier soin de se faire construire une résidence. Ce n'était pas du tout l'opinion des Directeurs qui, en 1822, avaient proposé à Jones de réunir missionnaires et artisans dans un seul et même bâtiment pour éviter des frais de construction. Jones leur répondit : "il y a de nombreuses choses qui nous empêchent d'agir ainsi maintenant ; à savoir que M. Griffiths a une maison en construction pour lui même dans la partie nord de la ville, que M. Jeffreys réside dans l'enceinte du Palais dans une maison construite spécialement pour moi par Sa Majesté Radama. Et je dois faire remarquer encore qu'il n'y a pas de terrain dans la capitale, qui conviendrait aux artisans car leurs travaux exigent qu'ils soient à proximité de beaucoup d'eau".[25] Jones ajoutait : "le 22 juin, après le départ du Roi Radama pour la guerre, M. Hastie a pris environ 2.000 hommes de cette ville, pour niveler le sol et préparer les fondations de leurs maisons". Le roi, avant son départ, avait en effet désigné le terrain et autorisé la corvée de terrassement et de construction. En une journée, trois maisons furent construites pour 240 piastres.[26] En 1824, on construisit une maison à deux étages pour la résidence de Jones, celle de Griffiths était alors achevée, pour un coût de 270 piastres et 12 charpentiers fournis par le Roi avaient fait économiser plus de 100 piastres au missionnaire.[27] Jeffreys, après son installation à Ambatomanga le 16 avril 1824, reçut une des plus importantes maisons du village mais, la jugeant inconfortable et froide, entreprit la construction "d'un bâtiment composé d'un petit appartement, d'une vaste salle pour la Chapelle qui devait servir aussi comme école".[28] Cette activité immobilière faisait dire au jardinier Bojer, envoyé par Farquhar à Antananarivo en 1822-1823 : "les artisans et les artistes de tout genre sont les bienvenus chez lui (Radama) et c'est à eux qu'il témoigne le plus de bienveillance. Quand il en arrive un, il obtient un logement, des domestiques et toutes sortes de commodités"[29]. Quoique ni artisans, ni artistes, les missionnaires furent encore plus favorisés par le roi.

On sait à peu près à quoi ressemblaient ces maisons, différentes par l'importance et les proportions des maisons malgaches du temps, mais guère plus luxueuses. Elles étaient faites de madriers et de planches

---

25 *Incoming Letters* Madagascar, BI/F4/JA, Tana, June 24th 1822, Jones to Burder. Peu après, les Jeffreys reçurent la maison de Ratafika, frère de Radama assassiné en 1822, sise à Ambatonakanga.
26 Ce terrain se trouvait à Amparibe, c'est là que Cameron et Cumins s'installèrent en 1826.
27 *Journals Madagascar*, Box 1 n° 8, Jones and Griffiths, 1823-1824, feuillet n° 12, f. 1.
28 *Journals Madagascar*, Box 1 n° 10, Jeffreys 1824 May 3-Aug. 1.
29 VALETTE (J.) : "L'Imerina en 1822-23 d'après les journaux de Bojer et Hilsenberg", dans *Bulletin de Madagascar*, n° 227-228, 1965, p. 297-341.

couvertes de chaume avec un étage rappelant les cottages anglais ou gallois. La construction la plus vaste, sise à Ambatomiangara, servait tout à la fois de chapelle à la congrégation missionnaire et de collège missionnaire, depuis 1824. Une gravure nous en a été conservée par Cousins et Clark qui l'avaient trouvée dans un ouvrage écrit en gallois par D. Johns.[30]

Ce bâtiment, le plus important construit par la mission, était avant tout une maison de réunion, le centre de la vie missionnaire. Bâtiment austère, rectangulaire, bien équilibré malgré sa simplicité. A l'intérieur, sur la plus longue façade, faisant face à l'entrée, se dressait la chaire (the pulpit) recouverte d'un coussin, la seule touche de couleur dans le bâtiment et l'un des rares éléments de luxe. "Le service était conforme au modèle hérité du passé et dont la postérité a hérité. Les prières, les cantiques, la lecture des Ecritures et la prédication du Verbe étaient les ingrédients majeurs et invariables de ces offices incroyablement longs et repris deux fois chaque dimanche".[31] Le charpentier français Le Gros, qui se faisait un devoir de venir y assister avec les Hastie, ne comprenait pas un mot de ce qui se disait là, "aussi lui trouvait-on quelque excuse à être un peu impatient pendant le service et même à régler et à observer le mécanisme de sa montre".[32] Certaines dames avaient le temps d'allaiter leur enfant tandis que le prédicateur, en pleine exaltation, décollait du pupitre.[33]

Missionnaires et artisans se firent un devoir de donner à leurs résidences un air anglais, en plantant des haies, du gazon, des fleurs et des arbres. Dès 1820, Jones recherchait des graines de fleurs et de légumes pour son jardin, situé dans l'enceinte du palais royal.[34] Plus tard, Cameron raconte qu'il se reposait souvent dans le jardin de sa maison d'Amparibe, "son cottage où il avait l'habitude de faire des modèles réduits de moulins à vent et d'autres choses pour montrer aux Malgaches comment ils pouvaient même contraindre le vent à les aider".[35] On ne soulignera jamais assez l'énorme influence qu'ont eu les missionnaires britanniques sur l'architecture domestique et religieuse aussi bien en ville que dans les villages de l'Imerina, au point qu'il faut parler d'un style anglo-merina, et ranger Madagascar, comme l'Afrique du Sud et l'Australie dans les provinces de ce "style impérial" si magnifiquement analysé par Robert Fermor-Hesketh.[36]

---

30 Explications données par CLARK : *Tantaran'ny Fiangonana*, 1887, p. 4, illust. COUSINS (W. E.) : *David Jones*, London (1908), illust. ; le livre de JOHNS : *Hanes am Erligligaeth y Cristionogion yn Madagascar*, parut à Llanelly en 1840.
31 CRAG (G.-R.) : *The Church*, p. 136.
32 CAMERON (J.) : *Recollection*, p. 25.
33 COPPALLE : "Voyage...," p. 28.
34 *Archives Maurice*, H.B. 21 pièce 21 (p. 44-47), Tana, Dec. 12th 1820, Jones to Le Brun.
35 CAMERON (J.) : *Recollection*, p. 5.
36 Dans mon étude sur le *Rova*, p. 190-97, j'ai relevé l'influence créole française sur l'architecture palatiale en bois, mais sitôt que la brique et la pierre ont été utilisées, l'influence de Cameron, artisan de la première génération missionnaire,

Vivre à l'anglaise

La maison était tenue par les épouses qui faisaient régner une propreté éclatante, toujours pour l'exemple. Dès leur arrivée, les familles missionnaires recevaient du souverain deux domestiques, des esclaves que les missionnaires se faisaient un devoir d'affranchir et de payer comme des travailleurs salariés. En 1823 notamment, les Jeffreys reçurent du roi des enfants de 10 à 15 ans, pour s'occuper des nourrissons, selon la coutume malgache.[37] Les dames missionnaires passaient plusieurs mois à leur apprendre les principes du travail ménager à l'anglaise, l'hygiène, la propreté, les manières, les usages du service domestique et, bien entendu, quelques éléments de religion. En 1826, peut-être pour répondre à une requête motivée par des soucis d'économie, Radama fit une proclamation libérant les esclaves employés par les missionnaires.[38] Il soulageait ainsi la conscience de ces anti-esclavagistes et leur permettait d'apporter la dernière touche au rêve domestique de tous les Britanniques outre-mer, "atteindre le style de vie des classes moyennes d'Angleterre en recherchant la domesticité des classes moyennes dans une demeure des classes moyennes".[39] Durant les premières années, Jones, Bevan et Griffiths firent quelques entorses à un mode de vie fraîchement acquis pendant leur séjour à Londres. Par économie, ils se résignèrent à vivre à la façon créole. "Nous avons trouvé très chère la vie ici car notre pension et notre logement reviennent à dix piastres par jour pour nous quatre", écrivaient Jones et Bevan de Maurice. "En plus, il y a le blanchissage et nous sommes obligés de nous conformer aux manières françaises. Si nous devions vivre à la manière

---

a été prépondérante et durable. Sur le "style impérial britannique", les études réunies par Robert FERMOR-HESKETH dans *Architecture of the British Empire*, London, Weidenfeld and Nicolson, 1986, sont capitales pour connaître l'évolution architecturale à Maurice et sur les Hautes Terres de Madagascar.
37 *Incom. Letters*, B1/F4/JB, Tana, June 25th 1822, Jeffreys to Burder.
38 *Incom. Letters Mad.*, B2/F3/JA,. Tana, May 28th 1826, Radama to L.M.S.
39 ALLEN (Charles) : "A Home away from Home", dans FERMOR-HESKETH : *Architecture...*, p. 32-33. "Le phénomène de l'expansion et de l'implantation coloniales britanniques, si souvent décrit comme le fait des prolétaires, est essentiellement l'histoire des classes moyennes en mouvement. (...) Leur principal souci, fondamentalement, était de poursuivre outre mer le style de vie des classes moyennes, pas nécessairement en suivant les occupations des classes moyennes, mais en recherchant la domesticité des classes moyennes dans une demeure des classes moyennes. (...) Ce qu'ils ont apporté aux colonies, tropicales ou tempérées, était essentiellement la foi des classes moyennes dans l'austérité du devoir accompli (*severe duty*), tempérée par un tout aussi caractéristique goût pour le raffinement et les produits de luxe (*Refinement and luxuries*). L'architecture et les aménagements intérieurs de l'outremer britannique reflètent ces deux éléments clés dans des proportions variées. De ces deux impulsions apparemment contradictoires ont émergé ce qu'on pourrait appeler un "style colonial" d'architecture, modifié dans une plus ou moins grande mesure par l'utilisation des matériaux locaux ou par les traditions architecturales indigènes."

anglaise (déchiré), cela reviendrait à plus de 20 piastres chaque jour".[40] Ces privations, aussi bien à Maurice qu'à Antananarivo, ne durèrent guère et, sitôt qu'un certain courant d'échanges commerciaux se fut développé entre Tamatave et la capitale, les missionnaires revinrent à leur mode de vie, aussi dispendieux fut-il. Comme le remarquait Braudel, l'homme ne renonce pas à ses habitudes alimentaires. Cela était particulièrement vrai de ces "Européens vivant hors de leur continent, ne sachant toujours s'assujettir aux coutumes et aux régimes des pays où ils sont nouveaux venus".[41]

Dès l'arrivée de leurs épouses, les missionnaires reconstituèrent une petite colonie anglaise avec du thé et des petits gâteaux. Pour accueillir les Jeffreys à Antananarivo, en 1822, Madame Griffiths organisa un thé et M. Hastie fit préparer un bon dîner, "permettant de jouir de la société et de la bonne humeur de la vieille Angleterre dans la capitale de Madagascar".[42] Ces réceptions étaient fréquentes. Deux lettres assez exceptionnelles de Jeffreys nous permettent d'imaginer les produits et les dépenses qu'exigeait ce mode de vie.[43] Jeffreys ne pouvait se passer de pain et le faisait venir de Maurice. Il n'était pas le seul puisque la demande de cet aliment devint telle qu'un boulanger, formé à Maurice, s'installa rapidement dans la capitale dans les années 1825. Il ne s'agissait évidemment pas d'un besoin religieux puisque la Cène (*Lord'sSuper*) n'était célébrée, au mieux, qu'une fois par mois. Il fallait aussi de la farine pour les petits gâteaux, du sucre, du thé, du café, du sel et, ce qui paraît surprenant chez ces puritains, des vins et des alcools, "en cas de maladie". Pour le reste, l'abondance des riz et des viandes malgaches suffisaient largement. "Nous trouvons que ce que le. pays produit est tolérable ici, mais beaucoup de choses telles que le thé, le sucre, le café, le chocolat, le savon, etc., doivent être obtenues depuis Maurice".[44]

A ces dépenses de bouche s'ajoutaient celles du paraître : mobilier, vaisselle, vêtements et chaussures. Là encore, le rôle des dames de la mission était déterminant. C'étaient elles qui faisaient venir de Maurice, ombrelles et chaussures de Nankin ou qui, au pire, les faisaient fabriquer par les artisans dont la façon n'était pas assez élégante à leur goût. On ne peut qu'être surpris de découvrir qu'en 1822 Madame Jeffreys fit à Maurice l'acquisition d'un piano, le premier introduit à Madagascar, pour la somme de 165 piastres et que MM. Hastie, Telfair et Jeffreys approuvèrent l'achat "l'estimant d'une grande importance à bien des

---

40 *Incom. Letters Mad.*, BI/FI/JC, Port-Louis, July 9th 1818, Bevan and Jones to Burder.
41 BRAUDEL (F.) : *Civilisation matérielle* , p. 133 et p. 67.
42 *Journals Madagascar*, Box 1 n° 5, Jeffreys, May I - June 17 1822.
43 *Incom. Letters Mad.*, B1/FA:JA, Tana, May 24th 1824, Jeffreys to Hankey publiée par VALETTE (J.) : "Notes sur la vie matérielle en Imerina en 1824".
44 *Incom. Letters Mad.*, BI/F2/JB, Tana, July 24th 1822, Jeffreys to Hankey.

égards", alors que les Directeurs ne l'avaient pas jugé utile.[45] En dehors d'une dépense aussi exceptionnelle, Jeffreys estimait qu'une famille missionnaire de 3 à 4 personnes ne pouvait vivre à moins de 1.000 piastres par an, "parce que les Malgaches multipliaient par deux tout ce qu'ils vendaient aux Blancs", ce qui était sûrement vrai, et parce que tous les produits importés étaient lourdement grevés de frais de transport, quand ils n'étaient pas perdus, brisés ou avariés, entre Tamatave et Antananarivo.

Le train de vie de ce petit groupe d'expatriés britanniques nous conduit à examiner quelles étaient les conditions de vie et d'alimentation. des milieux dont ils étaient issus. On constate très vite avec surprise, qu'à la différence des modernes coopérants, assistants techniques et autres experts internationaux, ces missionnaires des années 1820 ne mangeaient ni plus abondamment ni mieux à Madagascar que dans leur province natale et que le déplacement outre-mer ne leur apportait pas nécessairement une promotion dans leur mode de vie. A la fin du XVIIIe siècle, durant l'enfance des missionnaires, le repas traditionnel de John Bull, allégorie de l'Anglais moyen, composé de pain blanc, de bifteck et de bonne bière, avait conquis l'Angleterre et ses marges celtiques. En 1813, dans le Hertforshire et le Bedfordshire, l'ouvrier en plein travail consommait de la viande trois fois par semaine, dont le quart voire le tiers en viande fraîche de bœuf ou de mouton. "Pour l'époque qui commence avec la Révolution française et se termine en 1848, l'interprétation pessimiste qui dominait jusqu'à la première Guerre Mondiale a été remplacée par des observations différentes qui plaident en faveur d'une amélioration sensible de la condition ouvrière du moins jusqu'en 1820. Durant ces années, les informations sont concordantes pour l'ouvrier anglais : pain, galettes, pommes de terre avec du thé sucré, un peu de lait, un peu de viande, quelques œufs, un peu de poisson, du *bacon* constituent l'ordinaire, à quoi s'ajoute le beurre qui se consommait en quantité, malgré sa cherté, en proportion de la quantité de pain".[46]

Un dépouillement attentif de la documentation subsistante permet d'affirmer que les missionnaires étaient moins bien nourris à Madagascar que chez eux. Le pain, en particulier, était moins abondant et le beurre

---

45 *Incom. Letters Mad.*, BI/F2/JB, P.I, Ap., 21th 1822, Jeffreys to Hankey. Enthousiasmé, Radama en commanda un lui aussi. L'existence d'un piano à Tananarive, dès 1822, devrait conduire à réviser les affirmations de Marie-Robert RASON : "Notes de musiques", dans DEVIC : *Tananarive*, Imp. Officielle, 1952, p. 117-141. Sur la musique à l'époque de Radama 1er et de Ranavalona 1ère, ses "Notes" ne sont que la compilation des *Mélodies Malgaches* du R. P. COLIN, Tananarive, Imp. de la Mission catholique, 1899, VIII-68 p. On complètera les pages de sa thèse que Françoise Raison consacre à la musique et à la danse, surtout sous Radama II, par mon "La Musique de l'Histoire" dans *Ambario* (Tananarive), vol. II, n° 1 2, 1980, p. 71-86. RAISON-JOURDE (F.) : *Bible et pouvoir*, p. 240, 249-260 et p. 539.
46 HOBSBAWN (E. J.) : "En Angleterre, Révolution industrielle et vie matérielle des classes populaires."

très rare.[47] C'est pourquoi Jones suggérait, dès 1819, "pour les femmes de missionnaires de faire un stage dans une laiterie et de s'instruire dans le métier de l'industrie laitière".[48] Ce vœu ne fut jamais réalisé, d'autant que les vaches malgaches n'ont jamais donné beaucoup de lait, mais, en compensation, les missionnaires purent manger autant de viande que leurs parents du XVIIIe siècle., alors qu'elle devenait rare et chère pour leurs contemporains restés en Grande-Bretagne. Il semble bien que l'alimentation ne constitua pas un enjeu ni un domaine pédagogique pour ces premiers missionnaires qui s'abstinrent toujours de faire des observations publiques sur l'excessive consommation d'alcools qu'ils observaient à la Cour. En ce domaine, leur comportement relève bien des remarques de Braudel, il en alla différemment des manières de table qu'ils chargèrent, dès le début, d'une fonction éducative et civilisatrice, confirmant les analyses de Norbert Elias évoquées plus haut.

En dehors de leur séjour sur la côte et de leurs voyages, les missionnaires ont toujours mangé à table, couvert mis et assis sur des chaises, ce qui était parfaitement étranger aux Malgaches. Dès 1820, Jones écrivait à propos de Rakotobe, héritier du trône, de sa soeur et de sa cousine qui lui avaient été confiés par Radama, (ils) "mangent avec moi pour apprendre à parler anglais et les manières et la politesse anglaises".[49] Jones et ses collègues avaient toujours à leur table un ou plusieurs enfants auxquels ils faisaient la démonstration de l'anglicité. Hastie et Jeffreys faisaient remarquer que, quoique fort occupés à éduquer les enfants, "M. Jones et sa femme paraissent tout aussi soucieux de donner aux plus avancés en âge quelques idées favorables sur le confort domestique et la vie civilisée, à la fois par des préceptes et par la pratique".[50]

C'est là que vaisselle, argenterie, linge de table et mobilier devenaient indispensables, mais, encore une fois, il n'apparaît pas que ces puritains issus de la campagne se firent, à Tananarive, un cadre plus luxueux que celui qu'ils eussent connu dans un presbytère rural du pays de Galles. A la différence de leurs successeurs de la seconde moitié du XIXe siècle, tels les Sibree, les missionnaires ne dînaient pas en smoking et ne jouaient ni au polo, ni au tennis. Leurs modèles de référence étaient le vicaire aisé et le *squire* de village, pas encore le *gentleman* londonien. Leurs ambitions somptuaires, définie par Jeffreys, se limitaient à vivre sur le même pied que la plus respectable des familles malgaches, ce qui ne les éloignaient guère d'un *landlord* irlandais ou gallois. Mais cette parité de mode de vie se traduisait par un écart de 1 à près de 9 dans les

---

47 Hastie et Jeffreys notaient cependant avec satisfaction qu'ils s'étaient délectés, en 1822, de l'excellent beurre que confectionnait Madame Jones. *Incom. Letters Mad.*, BI/F4/JA, Tana, June I7th 1822, Hastie and Jeffreys to Farquhar. Si le riz pouvait largement compenser le pain, les vitamines du beurre ne se trouvaient nulle part, le seul lipide disponible étant la graisse animale.
48 *Incom. Letters Maur.*, BI/FA/JA, Tamatave, May 3rd 1819, Jones to Burder.
49 *Arch.Maurice*, H.B. 21 pièce 20 (p. 44-47), Tana,. Déc. 30th 1820, to Le Brun.
50 *Incom. Letter. Mad.*, BI/F4/JA, Tana, June 17th 1822, Hastie and Jeyffreys to Farquhar.

dépenses. Une famille malgache vivait "honorablement" avec 120 piastres, tandis que Jeffreys en demandait 1.000. Pour autant, dès 1825, certaines familles, et celle du roi la première, vivaient bien au dessus des missionnaires.[51] Malgré ce léger déclassement les premiers envoyés de la L.M.S. à Madagascar purent réaliser le vœu de l'un de ses fondateurs, Horne, qui écrivait : "les missionnaires devront s'intégrer de plain-pied dans l'aristocratie locale".[52] Ils réalisaient du même coup leur souhait le plus cher, celui d'une promotion dans l'anglicité.

3 - Frais et ressources de la mission

Il n'est pas facile d'évaluer, même approximativement, les dépenses qu'occasionnait, année par année, l'implantation d'une mission. Les chiffres des rapports sont globaux et ne font pas le détail par station.[53]; Ils permettent de comparer les entrées et sorties de la Société en Angleterre même, mais pas sur le terrain. Le seul moyen de connaître la situation à Madagascar consiste à éplucher toute la correspondance adressée par les missionnaires au trésorier de la Société à Londres. Après la mort de Hardcastle en 1817, ce "bel idéal d'un grand marchand de la City" comme écrivait Lovett, la tenue des finances connut plus de souplesse avec son associé dans les affaires et son successeur à la direction, William Alers Hankey, maître des finances de 1816 à 1832.[54]

On découvre vite que les questions d'argent entretenaient une tension permanente entre le trésorier et les missionnaires sur le terrain, les fonds recueillis en faveur des missions étant considérés à Londres comme *sacred money*. On s'y faisait scrupule de n'engager que les dépenses absolument indispensables et un devoir d'économie, tandis que les missionnaires occasionnaient sans cesse des sorties toujours croissantes. Alors qu'ils auraient dû obtenir l'accord préalable des Directeurs ou du trésorier avant d'engager une dépense, ils se contentèrent, à partir de 1818, d'avertir ou de justifier de leurs débours après qu'ils eussent été faits. En dépit des grincements de dents à Londres, les missionnaires jouaient de la distance, de la lenteur des communications et de l'efficacité de l'organisation financière mondiale de leur société.

Ce n'était pas par hasard que Hardcastle avait voulu placer les missions sous la protection du pavillon britannique et à l'ombre des voiles de ses navires marchands. C'est grâce au réseau financier et commercial de l'Empire britannique que s'effectuèrent les transferts de fonds nécessaires aux missions. A leur départ de Londres et ensuite sur le

---

51 *Incom. Letters Mad.*, BI/F2/JA, Tana, May 24th 1824, Jeffreys to Hankey.
52 HORNE : *Letters on Missions*, p. 23.
53 *Financial Reports*, 1817-1827 et *Annual Reports of the Missionary Society*, 1796-1827.
54 LOVETT : *History*, vol. 1, p. 89.

terrain, les missionnaires recevaient une lettre de crédit, sorte de chèque de voyage, contresignée par le trésorier et l'un des administrateurs financiers (*trustees*) de la Société, généralement un grand marchand ou un banquier de la *City*. Une fois arrivés à Maurice, ils présentaient cette lettre à une compagnie commerciale ou bancaire dont le siège était à Londres mais qui avait une filiale ou un commissionnaire à Port-Louis. En somme, c'était le vieux système médiéval de la lettre de change qui, au XIXe siècle encore, prouvait son efficacité. A l'île Maurice, la Compagnie Arnot et Finley ainsi que la firme Wederly et Cie, installées à Port-Louis, furent, à partir de 1816, considérées comme *financial agents* de la Société missionnaire, et c'est à elles que les missionnaires s'adressaient pour le versement de leurs salaires et pour toute sortie de fonds. Ils présentaient leur lettre de crédit et tiraient dessus un billet à ordre (*bill*) dont la contre-valeur était versée en monnaie locale, piastres ou roupies. Les calculs de change sont encore compliqués du fait que les missionnaires donnaient leurs débours indifféremment en livres ou en piastres.[55] Leurs grands postes de dépenses étaient le voyage et le transport de matériel et de livres, puis la construction et l'aménagement de leurs demeures, leur entretien quotidien, les remèdes en cas de maladie et enfin les fournitures diverses pour les écoles. Ces dépenses se répartissaient différemment selon les années et selon les missionnaires. Ainsi l'on constate que l'arrivée de nouveaux membres gonflait considérablement les dépenses d'une année, par le séjour parfois très long à Maurice et par le voyage et l'installation à Antananarivo.

Les envoyés de Londres en étaient conscients puisque, dès 1818, Bevan cherchait à se justifier : "Nous voyons que nous avons été dispendieux mais nous assurons les Directeurs que nous nous efforçons d'être aussi économes que possible. Malgré tout, nous nous permettons d'espérer que nous serons moins coûteux après notre installation à Madagascar."[56] En fait, c'est le contraire qui se produisit. A partir des documents disparates et certainement incomplets que j'ai pu étudier, il se dégage qu'en 1818-1819, la mission de Tamatave coûtait au minimum 460 livres à la Société, y compris le voyage aller et retour à Tamatave, les frais de séjour à Maurice et l'achat de cadeaux. Les missionnaires devaient se procurer des piastres pour 25 livres anglaises. En 1820, l'installation de Jones à Antananarivo ne coûta que 200 livres, mais en 1822, lorsque la mission compta trois missionnaires et leurs familles plus trois artisans, et qu'il fallut payer les funérailles de Brooks, le montant des dépenses s'éleva à près de 790 livres, auxquelles il faut ajouter près de 10.000 piastres données par Farquhar aux artisans à titre d'indemnité de

---

55 Sur l'évolution du rapport entre livre sterling, livre puis franc français et piastre, appelée par les missionnaires "dollar espagnol" voir TOUSSAINT (A.) : *Le Mirage des îles. Le négoce français aux Mascareignes au XVIIIe s.*, Aix en Provence, Edisud, 1977, tableau p. 307. En 1821, la piastre valait 4 s. 4 p. sterling, soit 2 florins argent et 4 pences (sous) de bronze. Sur les monnaies en usage à l'île Maurice voir MAZARD (Jean) : *Histoire monétaire et numismatique des colonies françaises 1670-1952*, Paris, E. Bourgey, 1953.
56 *Incom. Letters Maur.* B1/F1/JC, Nov. 20th 1818, Bevan to Burder.

séjour et pour l'achat de matériel. Les funérailles de Brooks furent heureusement soldées par la vente de ses outils, mais il fallut payer 80 piastres pour les couches de Madame Jones à Maurice. D'après un rapport, les frais de fonctionnement de la mission dépassaient 1.500 livres en 1827, bien que l'artisan Chick ne dépendît plus de la mission, grâce à un contrat passé directement avec le roi.[57] Il ne s'agit là que d'une évaluation, mais elle concorde avec tous les indices qui permettent d'affirmer que, dans la réalité, les sommes dépensées pour Madagascar étaient plus importantes, les subventions du gouverneur de Maurice ayant cessé en 1823.

Cela nous conduit à nous interroger sur l'origine et la nature de l'aide que recevaient les missionnaires à Madagascar. Leur souci constant était de soulager la Société en s'adressant au gouvernement de l'île Maurice, au roi Radama et en trouvant des expédients pour se procurer des liquidités sur place.

L'aide du gouvernement de Maurice fut considérable, mais ne dura que le temps du séjour de Farquhar, c'est-à-dire du 5 juillet 1820 au 12 juin 1823. Pendant l'intérim du général Hall, en 1818-1819, Jones et Bevan n'avaient reçu du Gouvernement que des médicaments, des provisions de riz et deux esclaves interprètes. Entre 1820 et 1823, tous les voyages entre Maurice et Tamatave furent offerts gracieusement par le Gouverneur qui prit en charge les artisans ainsi que leur équipement. A cette aide financière, il convient d'ajouter de nombreux ouvrages envoyés par Telfair et Farquhar au nom de la Société Biblique de l'île Maurice, dont le Gouverneur était le protecteur, des rames de papiers, des crayons et des ardoises et même une presse lithographique toute équipée, en 1822. Pourtant les artisans rappelaient à leurs collègues ministres "qu'ils devaient être entretenus par les Directeurs jusqu'à ce qu'ils soient en mesure de se subvenir à eux-mêmes", qu'ils n'avaient pas grand-chose à eux pour acheter les effets nécessaires à leur santé et à leur confort et "qu'en conséquence, (ils devaient) faire usage aussi bien de l'argent offert par le Gouvernement que de celui tiré sur la Société".[58] Dans un rapport présenté à la Chambre des Communes, le 10 juillet 1828, il apparut que Farquhar et ses successeurs avaient dépensé pour Madagascar, entre 1813 et 1826, la somme de 64.728 livres. Si l'on enlève "l'équivalent" (2.000 livres payées chaque année à Radama entre 1820 et 1826), soit un total de 12.000 livres, il reste 52.000 livres sous forme de fournitures diverses et d'aides dont au moins 2.000 passèrent à coup sûr entre les mains des missionnaires et artisans jusqu'en 1823. Les ministres recevaient en supplément de salaire 30 piastres par an et les artisans touchèrent 20 piastres par mois chacun en 1822-1823. Après le départ de Farquhar, son successeur

---

[57] Les conversions sont obtenues sur la base de 30 piastres pour 25 livres, mais, en 1827, le rapport était de 20 piastres pour 4, la monnaie étant devenue beaucoup plus abondante à Maurice.
[58] *Incom. Letters Mauritius*, B1/F2/JB, P-L, Ap. 22nd 1822, Chick and Rowland to Le Brun.

Cole supprima toute aide financière à la mission et se contenta de respecter le traité de 1820 en versant à Radama "l'équivalent".

Cela ne contraria guère les missionnaires ni les Directeurs qui comptaient surtout, à terme, sur l'aide de Radama. Déjà en 1821, Farquhar expliquait au trésorier Hankey et à Burder qu'il déployait tous ses efforts "pour convaincre Radama de se conformer à tous ce que les missionnaires désirent pour leur succès et leur confort personnel".[59] Jones confirmait cet objectif en 1822 : "le but des missionnaires est de mettre graduellement toutes les charges entre les mains de Radama",[60] mais il constatait que la suppression de la traite avait réduit les recettes royales, tandis que la politique d'expansion militaire et les grands travaux alourdissaient les dépenses.[61] Aussi s'empressait-il de dire : "comme je suis bien conscient par mes relations avec lui, de la difficulté d'obtenir de l'argent de sa trésorerie et plus particulièrement pour aider des missionnaires avant qu'il ait vu plus du bénéfice qui découle de leur travail (...). Je pense que, pour le moment, demander une quelconque aide pécuniaire au Roi pour assister la Société dans l'entretien de ses missionnaires ici sera à coup sûr un faux pas d'où il résultera plus de mal que de bien. Nous ne désespérons pas de trouver d'autres moyens dans l'avenir pour soulager la Société qui supporte la mission, lorsque le Roi et ses sujets seront convaincus des avantages que cette île retirera du travail des Missionnaires".[62] C'est pour convaincre Radama de l'utilité de la mission que Hastie suggéra aux missionnaires d'organiser un examen public en présence du souverain, le 17 juin 1822. Radama fut sollicité d'autres façons et sut se montrer généreux dans la mesure de ses moyens. En 1822 et jusqu'en 1828, il accorda "l'envoi de gens à Tamatave pour convoyer les Missionnaires et leurs bagages sans dépense pour la Société. (...) Il fit aussi beaucoup en fournissant du bois et des terrains pour construire des maisons et bien d'autres choses".[63] A maintes occasions, Radama fit don aux missionnaires de bœufs, de moutons et de volailles, il leur fournit des domestiques et des ouvriers pour leurs constructions. En juin 1822, il proposa que chaque artisan instruise deux de ses jeunes sujets dans sa partie, et qu'en guise de rémunération il leur donnerait un domestique à chacun.[64] A partir de 1824, le roi prêta ses chevaux aux missionnaires pour effectuer leurs tournées d'inspection dans les villages. Ne serait-ce que pour le bois, rare et cher en Imerina, et la main-d'oeuvre, l'aide de Radama fut considérable, mais, au grand regret des missionnaires, elle ne s'exprima jamais sous forme de numéraires.

---

59 *Incom. Letters Maur.*, B1/F2/JA, P-L, Dec. 5th 1822, Farquhar to Hankey and Burder.
60 *Incom. Letters Mad.*, B1/F3/JB, Tana, March 29th 1822, Jones to Burder.
61 *Incom. Letters Mad.*, B1/F3/JC, Tana, June 14th 1822, Hastie to Jones.
62 *Incom. Letters Mad.*, B1/F3/JC, Tana, March, 19 th 1822, Jones to Burder, voir aussi *Incom. Letters Mad.*, Tana, June 15th 1822, Jones to Hastie.
63 *Incom. Letters Mad.*, B1/F3/JB, Tana, March 29th 1822, Jones to Burder.
64 *Incom. Letters Mad.*, B1/F4/JA, Tana, June 30th 1822, Canham to Burder.

Les missionnaires tentèrent également de faire participer la population tananarivienne, malgache et étrangère, au soutien des écoles en utilisant les méthodes éprouvées des *Sunday Schools* anglaises. A la mort de Brooks et de Jeffreys, ils procédèrent à la vente publique de certains de leurs effets. Ils reversèrent plus tard les fonds ainsi recueillis dans les caisses de la Société de l'Ecole Missionnaire qu'ils créèrent sous le patronage du roi, le 15 novembre 1825, pour se procurer des subsides.[65] "Nous avons obtenu d'un bon nombre qu'ils achètent le papier et les ardoises à un prix réduit, écrivaient-ils, mais beaucoup sont trop pauvres pour obtenir un peu plus de monnaie que ce qu'ils mendient aux gens (...). La vente des ardoises reçues d'Angleterre épongera la plupart des dépenses des écoles pour cette année" (...). Les ardoises ont été vendues à 3/4 de piastre et 3/8 pour les plus petites, 414 furent ainsi dispersées en 1825 pour la somme globale de 220 piastres 3/4.[66] Mais "219 piastres furent dépensées la même année pour payer les 'Marmites' (*Maromita*) qui avaient apporté de Tamatave des colis de papier, canifs, crayons et encriers, etc."[67] En fait, l'essentiel des recettes en argent provenaient des dons de l'île Maurice, recueillis par Telfair, et de ceux des Européens qui résidaient ou étaient de passage à Tananarive tels Hastie, le voyageur Coppalle, le jeune Keating et d'autres dont on ne connaît que le nom. Les appels lancés jusqu'en Grande-Bretagne, grâce aux publications périodiques de la Société, commencèrent à rapporter, à partir de 1826, toujours sous forme de dons de matériel pour les école. Mais, comme on l'a vu plus haut, la vente à prix réduits de ces objets, devenue systématique, permettait de faire apparaître des liquidités. En 1826, remerciant les nombreuses *Auxiliary Societies* d'Angleterre qui avaient envoyé différents articles pour la mission de Madagascar, Jones écrivait : "Nous exprimons également notre espoir que ces présents ne sont pas la dernière preuve de leur générosité et bienveillance particulière pour la Mission de Madagascar et les écoles qui lui sont rattachées. Nous sommes des mendiants, mais nous mendions une aide pour diffuser la connaissance du Christianisme

---

65 On trouvera des extraits des statuts dans VALETTE (J.) : *Etudes sur le règne de Radama 1er*, p. 26. Le premier rapport fut rédigé par Jones en 1827, celui de 1828 est l'un des premiers imprimés malgaches.
66 L'ancienne petite monnaie malgache est une monnaie divisionnaire au sens propre. La piastre en argent était découpée au burin en fractions plus ou moins fines allant jusqu'à 1/36. Voir là dessus CHAUVICOURT (J. et S.) : "Les premières monnaies de Madagascar" et "Numismatique malgache", Tana, Imp. officielle, 1968. On notera que les noms donnés pour les subdivisions par Adrien Boudou sur la circulation des monnaies en Imerina au XIXe s. (dans Chauvicourt) diffèrent de ceux retenus par Françoise Raison en Annexe de son *Bible et pouvoir*, p. 829.
67 Premier rapport de la *Madagascar Missionary School Society* in *Journals Madagascar*, Box 1, n° 9, March 19th 1825, Jones and Griffiths. Sur les *Maromita* (porteurs), voir plus haut, note 23.

parmi les ignorants, superstitieux et idolâtres habitants de Madagascar."[68]

Au total, les missionnaires n'eurent pas à se plaindre de leurs différents soutiens ; chaque fois qu'ils exprimèrent un besoin, sollicitèrent une aide, il se trouva toujours des fonds ou un moyen non monétaire pour les satisfaire. Il reste, malgré tout, que l'essentiel, et même la quasi totalité en ce qui concerne le numéraire, des ressources vitales de la mission venait de l'extérieur. Cela confirme une partie des remarques brillantes de Maurice Bloch, développées par Françoise Raison à l'échelle du siècle, qui définissent cette mission, dans ses aspects techniques et scolaires, comme une aide de prestige (*prestige help*) d'où ne pouvait pas naître une économie industrielle parce que les ateliers et les compétences n'étaient utilisés qu'à la production d'objets de luxe pour la Cour et parce qu'ils étaient soutenus et financés de l'extérieur.[69]

---

68 *Incom. Betters Mad.*, B2/F3/JB, Tana, June 14th 1826, Jones and Griffiths.
69 BLOCH (Maurice) : *Placing the Dead. Tombs, Ancestral villages and kinship Organisation in Imerina*, London, Seminar Press, 1971, p. 181-190. A noter que, pour se libérer de cette dépendance, les missionnaires songèrent, dès 1827, à diverses productions, entre autres à fabriquer du papier sur place. *Incom. Letters Mad.*, B2/F4/JA, Tana, Jan. 6th 1827, Griffiths to L.M.S.

CHAPITRE XIII

LES TRAVAUX DES MISSIONNAIRES

On a souvent souligné l'écart énorme des possibilités matérielles, des mœurs et des mentalités qui existait, dès la fin du XVIIIe siècle, entre le monde avancé de l'Europe atlantique et les "univers-îles" à peine effleurés par elle trois siècles après les grandes découvertes. Pourtant, le contact des missionnaires et des Malgaches ne fut pas le choc entre deux humanités étrangères, mais l'infiltration d'une poignée d'hommes et de femmes dans un milieu bien proche, à certains égards, du leur. Quelques chiffres préciseront le point de vue. L'expérience côtière de la mission protestante (Tamatave 1818-1819) parachuta deux familles britanniques de trois personnes au milieu d'un peu plus d'un millier de Malgaches à Tamatave même. Mais les missionnaires n'eurent jamais l'intention d'évangéliser Tamatave, ni en 1818 ni plus tard. Ils s'attaquèrent à des villages d'une vingtaine de maisons au maximum comme Manangareza ou Anjolokefa, c'est-à-dire à une population de moins de cent personnes. Pour l'Imerina, la demi-douzaine de familles missionnaires qui séjournèrent ensemble ou successivement, plus les artisans célibataires, ont représenté au maximum une trentaine de personnes qui vécurent au milieu de dix à douze mille Tananariviens, selon les estimations d'Ellis pour 1820.[1]

Autrement dit, les ministres de l'Evangile ne se trouvèrent jamais dans un rapport numérique plus défavorable que celui qu'ils auraient dû subir dans la banlieue londonienne ou dans les villes des Middlands déchristianisées, au contraire. Il convient même d'ajouter que l'encadrement missionnaire à Antananarivo fut tout compte fait, extrêmement important, avec un pasteur pour 3.000 à 4.000 habitants en 1827, sans compter les artisans missionnaires qui avaient des fonctions de catéchistes.

L'encadrement était donc numériquement aussi bon qu'en Grande-Bretagne et ces hommes et femmes transplantés ne se sont jamais retrouvés au milieu des foules oppressantes que connaissaient leurs collègues en Inde.

Cela est d'autant plus vrai, qu'en dehors des occasions exceptionnelles, les missionnaires ne fréquentaient qu'un groupe

---

[1] Hastie estimait la population tananarivienne à 8.000 âmes, en 1821. VALETTE : "Une lettre...", *op. cit.*, p. 27.

restreint de Malgaches, dans l'entourage de la Cour et toujours chez le roi. S'ils furent souvent reçus chez les notables de la côte est et dans les villages de l'Imerina, il n'apparaît pas qu'ils aient été conviés une seule fois par l'aristocratie tananarivienne, ailleurs qu'au palais. La réciproque est vraie : les seuls Malgaches reçus à la table des missionnaires furent des élèves apparentés au roi, mais jamais leurs parents qui, semble-t-il, se rendaient pourtant chez les Hastie.

La vie quotidienne des missionnaires était réglée comme un spectacle qu'ils se donnaient à eux-mêmes et surtout aux Malgaches. A ces derniers, en dehors des enfants pris en pension, il n'était demandé de participer que comme domestiques ou spectateurs. "Une vie de famille pure et pleine d'affection telle qu'ils la voyaient tenue dans les maisons des missionnaires, a contribué énormément à élever le caractère de la société du pays, à donner une notion plus élevée des liens du mariage, et à conduire les gens à éduquer leurs enfants dans la crainte de Dieu" expliquait beaucoup plus tard le missionnaire Sibree.[2]

Au fil des jours pourtant, les pasteurs réalisaient plutôt leur idéal puritain d'effort, de travail, d'économie et de prière, qui laissait peu de place à la vie familiale, sauf lorsque la maladie frappait leur foyer. Jones nous a laissé un récit de ses journées en 1822. "Sitôt que je suis levé, je m'occupe de l'Ecole jusqu'à 8 h et demie. Après le petit déjeuner, je donne des leçons d'Anglais au Prince Rataffe et à d'autres de la famille Royale, et j'écris des lettres en anglais pour Sa Majesté. A 10 heures, l'école commence à nouveau et ne se termine pas avant 5 heures, moment où je me sens en général très fatigué après les travaux de la journée. Dans la soirée, je reporte dans mon vocabulaire les mots et les phrases que j'ai recueillies dans la journée et prépare le classement alphabétique que j'avais commencé avant de quitter Maurice."[3] Tout ce que l'on peut savoir des activités quotidiennes de ses collègues concorde avec cet emploi du temps exemplaire. La vie des missionnaires se répartissait entre l'enseignement, l'apprentissage de la langue, les traductions et la prédication, mais il y avait une place importante pour ce que j'appellerai l'obligation de mondanité.

1 - L'enseignement

En 1824, alors que la mission était bien installée voici comment les missionnaires occupaient leurs dimanches et leurs semaines. "Chaque jour du Sabbat, de 6 à 8 heures le matin, nous catéchisons les enfants en anglais et en malgache, à 10 heures et demie nous avons le service divin en anglais, français et malgache. A 15 h et demie, les enfants sont appelés et interrogés sur différents sujets (...) Alors un certain nombre de garçons lit chacun son tour environ 10 versets des Saintes Ecritures qui

---

2 SIBREE (J.) : *Madagascar and its People*, p 521.
3 *Incom. Letters Mad.*, Tana. March 29th 1822, Jones to Burder.

sont traduites dans leur propre langue (...), à 16 h 1/2, ils se réunissent de nouveau pour chanter quelques cantiques en malgache et en anglais, nous leur demandons alors ce qu'ils ont retenu du sermon prêché dans leur propre langue dans la matinée (...)" Suivent diverses questions posées par les élèves. "Après avoir chanté ils sont dispersés. Et alors nous avons notre réunion de prière ensuite entre nous chaque dimanche soir et avons généralement une conversation sur quelque sujet intéressant soulevé par un des écoliers et suggéré dans le sermon et le catéchisme. L'arrangement de notre temps est comme suit :

Les heures de classe au collège missionnaire du lundi et mardi sont le matin de 6 heures à 8 heures et demie et l'après-midi de 2 à 4 heures et demie. Le mercredi matin elles sont de 6 h à 8 h 30 mais l'après-midi nous n'avons pas classe mais un cours de chant dans la soirée. Le jeudi et le vendredi sont comme le lundi et mardi et le samedi matin comme le mercredi matin. Nous enseignons au Collège missionnaire royal la lecture et l'écriture de la langue du pays, et sa grammaire, l'arithmétique, la trigonométrie, l'usage des globes (terrestres), la lecture et l'écriture de la langue anglaise, la grammaire anglaise et des exercices et des traductions de l'anglais en malgache et du malgache en anglais. M. Jones dirige le Collège les lundi, mardi et mercredi et M. Griffiths le dirige les jeudi, vendredi et samedi. Et chacun sort une fois par semaine (si tout va bien) pour visiter les autres écoles par roulement, exhorter les enfants et parler et prêcher aux gens. Par cette division du temps chacun a deux jours pleins dans la semaine et les intervalles entre les heures de classe pour s'employer à la traduction de la Bible et à la préparation du dimanche. Dans les écoles de campagne on n'enseigne que la langue du pays."[4]

Durant les quelques semaines qui précédaient leur départ d'Angleterre, les missionnaires, maris et femmes, étaient invités par la Direction à approfondir leurs connaissances de la méthode d'instruction mise au point par Lancaster. Ils étaient confiés à un représentant de la *British and Foreign Bible Society* qui s'assurait à la fin du stage de leurs aptitudes pédagogiques.[5] Cette formation accélérée fut particulièrement utile aux Gallois Jones, Bevan, Griffiths et Johns qui, sortis directement de leurs académies respectives pour venir à Gosport, n'avaient aucune expérience de l'enseignement. En revanche, Jeffreys avait été engagé comme maître d'école dans une *Sundays School* à Ellesmere (Shropshire) alors qu'il était encore cordonnier de son état. Il y avait trouvé un intérêt considérable, écrivait-il, et en aurait toujours si l'occasion se présentait.[6] Son épouse, Keturah Jeffreys née Yarnold, avait fait des études nettement supérieures à celles de son mari dans une *Dame School* de Preston. "Ses connaissances en français, musique, dessin, Géographie et autres talents féminins sont, je crois, au-dessus de la médiocrité, écrivait le ministre de sa paroisse le révérend D.

---

4 *Journals Madagascar*, Box 1 n° 8, Jones and Griffiths, 1823-24.
5 *Board Minutes*, Oct. 20, Dec. 29 1817.
6 *Candidates' papers*, Accepted candidates, Box 8 n° 33.

T. Cameron. Son aptitude à l'enseignement a été prouvée par son succès à conduire certains de ses élèves non seulement à la respectabilité dans le savoir mais au début d'une carrière au service du Christ."[7] L'artisan Rowlands, qui jugea utile en 1824 de se perfectionner auprès de ses collègues missionnaires au Collège central d'Ambatomiangara, avait été l'élève de Jeffreys et avait été engagé, alors qu'il était compagnon tisserand, comme instituteur dans la même Sunday School mais pour une petite classe.[8]

Les principes et méthodes d'éducation qui prévalaient alors en Grande-Bretagne étaient d'origine allemande. C'est à Halle que A. Francke donna, en 1694, le premier exemple d'une éducation offerte aux enfants des pauvres et il fut suivi par son disciple Johann Julius Hecker qui inaugura ce nouveau type d'école à Gottingen en 1737. On les appelait des *Realschulen*. Il est intéressant de remarquer que c'est à cette époque que Jean-Baptiste de la Salle lança en France le mouvement des Frères des Ecoles Chrétiennes, une filiation n'est pas à exclure. Elle est en tout cas certaine, via la Hollande, pour l'apparition du mouvement des *Sunday Schools* lancé en Angleterre par Robert Raikes, en 1780. Nous avons vu plus haut ce qui différenciait fondamentalement les animateurs de ces entreprises des Philosophes français, à l'exception peut être de Rousseau, car *L'Emile* inspira beaucoup Kant dont l'enseignement pédagogique sous-tend les mouvements d'éducation de masse allemand, néerlandais et anglais. Selon Kant, l'élément le plus nécessaire dans l'éducation est la contrainte, qui, par la formation des habitudes et du comportement, prépare les jeunes gens à recevoir comme principe de conduite dans leur vie les lois qui leur ont été imposées, dès le début, de l'extérieur. Pour ces éducateurs, le guide suprême de l'existence était la loi du devoir, laquelle est toujours plus ou moins opposée aux inclinations de l'instinct naturel. C'est ce qu'exprimait dans un anglais confus Jones et Griffiths dans leur rapport sur l'école du 18 avril 1824 : *the attention of the pupils to the regularity then observed might possibly be attributed to feelings originating in the novelty of so great a change from their native and very opposite state.*[9] Ce rappel m'a paru important pour bien poser les principes qui animaient les missionnaires à Madagascar : ils n'étaient pas là pour converser avec leurs élèves ni pour en apprendre quelque chose, si ce n'est du vocabulaire, mais pour leur inculquer, leur imposer des principes de morale et de comportement, préliminaires à leur conversion. Ils leur en faisaient voir les avantages immédiats, par des récompenses, et futurs, par le catéchisme. Ainsi comprise, l'éducation venait bien avant la prédication dans le plan d'évangélisation.

---

7 *Idem*, Preston, May 24th 1821, "recommandation respecting Miss Yarnold by D. T. Cameron".
8 *Candidates' papers*, Accepted candidates, Box 14 n° 25, Shrewsburry, June 9th 1821.
9 *Journals Mad.*, Box 1 n° 8, Jones and Griffiths, May 4th 1824-Dec. 14th 1825.

Les méthodes d'enseignement qu'utilisaient les missionnaires étaient donc celles des écoles populaires anglaises. De 1818 à 1824, date de fondation du Collège Central, la méthode employée, aussi bien à Tamatave qu'à Antananarivo, était celle, devenue anachronique en Grande-Bretagne, de Raikes. Les missionnaires réunissaient les élèves en petit nombre dans leur propre demeure, chaque jour de la semaine et le dimanche encore. Un instituteur ne pouvait prendre en charge que cinq élèves au degré zéro de l'instruction. En 1818, Jones et Bevan en reçurent 10 en tout : "nous ne pouvions en recevoir plus à ce moment" écrivaient-ils.[10] A Tananarive, Jones procéda par étapes : 3 élèves le 8 décembre 1820, 12 à la fin de 1820. Griffiths, lorsqu'il ouvrit sa propre école à Ifidirana le 23 octobre 1821, reçut d'abord 15 élèves dont 4 filles, mais il en avait 33 le 15 janvier 1822. En juin 1822 Jeffreys ouvrit une école à Ambatonakanga avec 12 élèves.[11] Jones avait dû commencer avec un nombre restreint d'élèves en 1821-22 parce qu'il était seul, tandis que ses collègues mariés avaient l'avantage d'utiliser leurs épouses comme institutrices. En fait, lorsqu'il y avait plus d'une dizaine d'élèves, il y avait plusieurs classes, comme en témoigne le rapport des écoles établi par Hastie et Jeffreys en 1822.[12] Sur les cinq classes dirigées par Jones, la première, celle des élèves les plus avancés, comptait sept enfants, la seconde deux, la troisième six et la quatrième quatorze. Dans l'école de Griffiths, il n'y avait que quatre classes de quatorze, cinq, six et huit élèves chacune. Les élèves passaient d'une classe à l'autre sitôt qu'ils prenaient de l'avance sur leurs camarades, sans tenir compte de leur âge. En Angleterre, ce type d'éducation durait deux ou trois ans en moyenne, mais pouvait se prolonger au-delà selon l'assiduité des élèves.

La Société Biblique qui avait formé les missionnaires avait pour usage de diviser l'enseignement en quatre ou cinq classes ou niveaux. Le premier niveau appelé *5th Class* ou *junior* par les missionnaires de Madagascar, était composé, dans les premières années, d'enfants que l'on avait confiés à leurs soins, tous également ignorants. Mais à partir de 1822, la 5ème classe regroupait des enfants d'âge très jeune qui apprenaient à lire l'alphabet et à épeler des monosyllabes dans les *Easy Lessons*, quelques uns commençaient à écrire sur des ardoises. La 4ème classe, en 1824, était composée de jeunes gens plus âgés que dans la 3ème, mais moins avancés dans leurs études, capables de lire et d'écrire le malgache en caractères latins et n'éprouvant aucune difficulté à écrire des phrases dictées par le maître. Cette 4ème classe s'initiait aux premières règles de l'arithmétique. La 3ème classe était composée de jeunes élèves mais plus avancés que ceux de la 4ème. Ils recopiaient chaque jour des leçons sur leur cahier dont on vérifiait la tenue et la propreté. Ils faisaient des lectures commentées dans le Nouveau

---

10 *Incom. Letters. Mad.*, B1/F1/JC, P.-L., Nov. 10th 1818, Jones to Waugh.
11 *Incom. Letters. Mad.*, B1/F4/JA, Tana, June 22nd 1822, Jeffreys to Burder.
12 *Incom. Letters Mad.*, B1/F4/JA, Tana, June 17th 1822, Hastie and Jeffreys to Farquhar.

Testament dont Jones avaient traduit plusieurs Evangiles depuis 1820. La 2ème classe était formée d'élèves sachant lire distinctement et couramment et comprenant ce qu'ils lisaient, en anglais comme en malgache. On les initiait à l'anglais par la lecture d'extraits de l'Ancien et du Nouveau Testament, et par des questions-réponses en anglais sur le catéchisme. Ils devaient acquérir de solides rudiments d'arithmétique. La première classe était composée des éléments les plus brillants, capables de s'exprimer en anglais et en malgache sur les sujets enseignés et notamment le *Catéchisme* de Watts et les Ecritures. Les deux dernières classes (1 et 2) fournissaient les moniteurs qui encadraient les élèves des trois premiers degrés.

La méthode Lancaster, appelée aussi *monitorial system* reposait sur l'utilisation des élèves les plus avancés pour éduquer les nouveaux venus. Au départ, le maître, seul, enseignait à un petit nombre d'enfants, c'est-à-dire qu'il leur montrait des lettres et des syllabes, puis des mots en relation avec des images dessinées par lui, ou imprimées selon le système de l'abécédaire. Sitôt que les élèves étaient capables d'assembler des mots, de les écrire et de les lire, ils pouvaient transmettre eux-mêmes à un groupe de six à huit enfants ce qu'ils venaient d'acquérir tandis que le maître passait avec eux à un niveau supérieur d'étude. Cette démultiplication de l'enseignement faisait rapidement boule de neige et explique la croissance des écoles en Imerina en l'espace de sept ans : 85 élèves en 1822 avec deux écoles, plus de 2.000 élèves dans plus de 30 écoles en 1827.[13]

Un autre aspect de cet enseignement mérite d'être évoqué, celui des travaux féminins. Au départ, en 1818, Jones et Bevan étaient disposés à confier à leurs épouses des tâches d'enseignement, identiques aux leurs, en y ajoutant les travaux d'aiguille. Grâce à ses interprètes, Madame Jones pouvait converser avec les gens de Tamatave et commença à enseigner avant de tomber malade et de mourir en 1819. Mais dès 1821, lorsque Jones et Griffiths se retrouvèrent à Antananarivo mariés,, ils se réservèrent l'apprentissage de la lecture et de l'écriture et attribuèrent à leurs épouses les travaux d'aiguille et de couture qu'elles devaient enseigner, chez elles, aux fillettes de l'école. Leur fonction était double, elles enseignaient la couture et, en même temps elles servaient de couturières et de lingères pour les enfants des écoles que les missionnaires tenaient absolument à vêtir comme les petits Anglais des *Sunday Schools*. "Les parents étaient tout heureux des études de leurs enfants, écrit Rabary, et apportaient des pièces de tissu aux deux femmes, Madame Jones et Madame Griffiths, en leur demandant de coudre des vestes et des pantalons pour leurs garçons et des robes *malabary* pour leurs filles. Les deux femmes blanches acceptèrent

---

[13] *Arch. Maurice.*, H.B. 4, pièce 153, p. 356-360, Tana, Ap. 11th 1827, Jones to Viret. Sur le détail de l'enseignement voir les rapports des écoles in *Journals Mad.*, Box 1 n° 8, Jones and Griffiths, May 4th 1824 - Dec. 14th 1825. Consulter également VALETTE (J.) : "L'état de la scolarisation..." et *Idem* : "Note pour une étude de la scolarisation...".

volontiers, car à l'époque pratiquement tous les enfants allaient aussi nus que des bœufs."[14] Le but était d'inculquer aux enfants "le goût de la propreté et les principes de la pudeur et de la modestie".[15] Comme en Angleterre, il fallait vêtir les enfants, au moins pendant leur séjour à l'école. C'est pourquoi, après la visite de l'école de Jones, Jeffreys notait dans son journal avec ravissement : *it was so pleasing sight the children were all clean, washed and most of them having on white shirts and trousers.* [16]

Les raisons du confinement de la femme missionnaire aux soins de son ménage, à la couture et à l'enseignement du travail de l'aiguille aux jeunes filles des écoles se trouvent dans la nécessité et l'urgence qu'avaient leurs maris d'apprendre la langue malgache et de faire apprendre l'anglais à leurs élèves, pour en faire leurs auxiliaires dans la traduction de la Bible. En outre, les missionnaires envisagèrent très tôt une extension géographique de leur œuvre, ce qui exigeait des tournées fréquentes et prolongées dans l'Imerina. Leurs femmes, prisonnières de leurs enfants et des tâches ménagères qui étaient leur dû, selon leurs maris et les critères du temps, n'avaient ni le temps ni la force, car la maladie les frappa souvent, ni les compétences pour assumer une telle activité.

A ces raisons internes, il faudrait en ajouter une qui n'est pas moindre : la volonté de Radama en cette affaire. Faisant le compte rendu du journal de Hastie pour 1820, Griffiths écrivait *He (Radama) is very anxious of having the females instructed in niddle-work and had faithfully promised his protection to any female missionaries that would come thither.*[17] Les femmes des missionnaires acceptèrent le rôle effacé et confiné à domicile qu'on leur assignait, à l'exception d'une seule : Keturah Jeffreys. Elle ne voulut se consacrer qu'à la tâche la plus noble qui pouvait revenir à une femme supérieurement éduquée : l'enseignement de la lecture et de l'écriture en anglais, la transcription de la langue malgache en collaboration avec son mari et la traduction des Ecritures. Jamais elle n'accepta de n'être qu'une simple maîtresse de couture ni d'être tenue à l'écart, et donc à un rang inférieur, par les missionnaires. Malgré conflits et anathèmes, grâce à l'installation de sa famille à Ambatomanga, le 13 avril 1824, Keturah Jeffreys put réaliser quelque temps, une partie de ses ambitions. "On enseignait aux garçons la lecture, l'écriture et l'arithmétique et en plus de cela, on apprenait aux

---

14 RABARY : *Ny Daty*, vol. 1, p. 24.
15 RABARY : *Idem.* p. 46. Il faut ajouter qu'en vertu du principe de rentabilisation de la mission, les dames couturières épargnaient une dépense de vêtements à la Société par leur travail et celui de leurs élèves. Elles permettaient aussi une entrée de fonds dans leur ménage par le travail à façon pour une clientèle privée. Cela les mit en concurrence avec Mme Hastie, devenue modiste de la Cour avec des prix bien supérieurs. Celle-ci devint, de ce fait, une ennemie supplémentaire de la mission comme le relate Raombana.
16 *Journals Mad.*, Box 1 n° 5, Jeffreys, 1822-1823.
17 *Incom. Letters. Mad.*, B1/F2/JA, P.-L., Feb. 1821, Griffiths to Burder.

filles les travaux d'aiguille".[18] Elle avait enfin pu reléguer les travaux manuels au rang de supplément féminin. Son triomphe fut, hélas, de courte durée, puisque toute la famille Jeffreys prit le chemin de la Grande-Bretagne le 14 juin 1825 et ne revint jamais. Son exemple ne sera suivi qu'à la fin du siècle et, pour l'essentiel, l'action des femmes voulue par les missionnaires se résume dans ces phrases de Freeman et Johns : "durant quinze années d'existence de la mission, l'inestimable labeur des membres féminins de la mission mérite qu'on lui accorde une importante place. A elles, bien des femmes de Madagascar sont profondément redevables, non point tellement pour l'instruction fournie dans les différentes techniques du travail d'aiguille, etc. conformes à leur condition sociale, mais bien plus pour leur conversation et leur exemple, pour la formation religieuse directe et tous ces incalculables et bienveillants efforts pour lesquels de pieuses chrétiennes ont dû s'efforcer de gagner leur propre sexe au partage des grâces pures et exaltantes de la Parole de Jésus-Christ."[19]

2 - Les méthodes d'éducation

Dans ces écoles, aux horaires écrasants, de 7 h à 8 h 30 puis de 10 h à 17 h pour Jones, de 9 h du matin à 14 h pour les Jeffreys, les enfants venaient avec assiduité et demeuraient attentifs. Cette heureuse atmosphère n'était, au départ, qu'obéissance passive aux ordres de Radama, avec des résistances et des refus que l'on étudiera plus loin, mais il semble que l'intérêt soit devenu réel à partir de 1824.

Punitions et récompenses

A Antananarivo, Jones et Griffiths remarquaient que "les gens de la ville conduisent leurs enfants à l'école à présent de leur propre accord sans aucune persuasion de notre part ou contrainte du Roi".[20] La même année, Jeffreys notait pour Ambatomanga : "Quelques enfants étant venus, je commençai l'école. Beaucoup de parents, d'amis, d'esclaves et d'autres liés à ces enfants assistaient, groupés autour, pour les entendre apprendre leur A, B, C. Alors que j'énonçais les noms des lettres, les parents suivaient aussi avec leurs enfants. Des vieillards, hommes et femmes viennent aussi et avec étonnement voient pour la première fois du papier et des lettres. Je souhaite qu'ils viennent voir et entendre et soient convaincus qu'il n'y a rien de malfaisant, ce qui semble être en effet le résultat car, en partant, ils me remercient beaucoup et disent que c'est très bien."[21] On a vu comment Jones, à Manangareza, utilisait les

---

18 JEFFREYS (K.) : *The Widowed*, p. 178.
19 FREEMANN and JOHNS : *The Narrative...*, p. 79.
20 *Journals Mad.*, Box 1, Jones and Griffiths, 1824.
21 *Journals Mad.*, Box I, Jeffreys, May 3rd 1824.

petits cadeaux et la musique pour distraire et récompenser ses élèves. Tous les missionnaires agirent de même à Antananarivo et firent des cantiques, dont les Malgaches se montrèrent immédiatement friands, un moyen de relâcher la tension à divers moments de la journée. Lors du baptême du jeune Griffiths, chaque élève reçut des missionnaires une petite somme d'argent, en récompense de sa bonne conduite. C'était exceptionnel, car les présents offerts consistaient essentiellement en pièces de tissus que les élèves allaient faire tailler par les dames missionnaires et leurs élèves. A partir de 1825, on fit des distributions de pièces de mercerie et de passementerie aux élèves les plus méritants.[22] Pénétrant dans l'une des classes de Jones, à 7 heures du matin, Jeffreys notait qu'à cette heure matinale, les élèves répétaient un cantique avec le moniteur. Jones lui-même entrait peu après dans la classe, faisait chanter, commençait un cours de catéchisme en malgache, puis passait dans une autre classe, abandonnant les élèves à leur moniteur pour un cours de lecture, d'écriture ou d'arithmétique. Malgré le soutien des parents, l'intérêt spontané des élèves et les astuces pédagogiques des missionnaires, il arrivait que les maîtres fussent obligés de sévir. Après la réprimande, la plus grande punition était l'exclusion pour dissipation et mauvaise tenue. Le 3 mai 1824, Griffiths raconte avoir expulsé quatre élèves pour mauvais langage entre eux. Il expliqua aux parents "qu'ils devaient apprendre aux enfants à se tenir, à éviter les mauvaises expressions mais à faire le bien et parler avec gentillesse à tous les hommes, surtout leurs camarades d'école."[23] Cette insistance sur la correction du langage et l'interdiction de jurer le nom de Dieu était l'application stricte des deux premiers commandements de la Bible,[24] l'observation rigoureuse du Décalogue n'était-elle pas le premier signe d'une vie chrétienne pour les puritains ? C'était donc à cette loi fondamentale qu'ils s'appliquaient à soumettre les élèves. "Les enfants sachant qu'il est contraire à la volonté et à la parole de Dieu de jurer et qu'aussi bien nous les catéchisons et leur parlons chaque jour contre les jureurs, se réunirent et nous dirent que les Malgaches ne devraient plus jurer mais dire la vérité et la vérité seule comme nous."[25] S'il est sûr que cette exigence des missionnaires frappa les élèves et même Radama qui, à la suite de cette affaire, prit un décret interdisant de jurer son nom et celui de sa mère, il est tout aussi certain qu'elle ne les convainquit point. Une tradition orale, recueillie par Lars Vig à la fin du XIXe siècle à Ambohimanambola, fait état de ce que disaient les élèves de leur pasteur. Un missionnaire artisan y avait établi une école dès 1824 : "Quand ils conversaient aussi ils se donnaient des conseils ! 'Cessez désormais de jurer (...). Et abandonnez votre habitude de jurer l'inceste et de mentir et tenez-vous-en à ce qui est vrai'. Ayant dit cela, ils se pâmaient de rire et l'un disait : Toi là, jurerais-tu devant Dieu que c'est vrai

---

22 *Journals Mad.*, Box 1 n° 9, Jones and Griffiths, March 1825.
23 *Journals Mad.*, Box 1 n° 8, Griffiths, May 12th 1822.
24 *Deutéronome*, 5, 8-11.
25 *Journals Mad.*, Box 1 n° 60, Griffiths, May 17th 1822.

? Après cela, d'autres disaient : "N'avez-vous pas entendu ce qu'a dit l'instituteur qui nous éduqua : Honorez-vous les uns les autres et cessez de vous montrer orgueilleux et de vous déshonorer mutuellement".[26] Comme pour les vêtements qu'on les obligeait à porter et qui leur étaient souvent offerts, les élèves revêtaient, le temps de l'école, une tenue morale conforme aux exigences des missionnaires, quitte à s'en débarrasser une fois rentrés chez eux. Mais tout système éducatif ne produit-il pas les mêmes effets et, ce faisant, n'apprend-il pas à relativiser les comportements et à classifier les temps et les espaces sociaux, permettant ainsi d'acquérir l'indispensable faculté d'adaptation sociale ?

Les missionnaires firent participer Radama lui-même au système de récompenses en intégrant au cadre des écoles, la pratique des concours et des primes inaugurée par Andrianampoinimerina. Se rendirent-ils comptent qu'ils offraient de nouvelles techniques à un état de type asiatique dans lequel un corps de mandarins ne demandait qu'à s'épanouir ? En 1822, Madame Griffiths accompagnait ses élèves au Palais pour offrir au roi les prémices de leurs travaux, pratique éminemment malgache, et Griffiths notait à ce propos : "C'est une coutume parmi ce peuple lorsque quelque chose de nouveau est fait ou inventé que la première chose faite ou inventée soit présentée au Roi, pour savoir si elle sera approuvée ou non par lui ; car cette approbation est un grand stimulant pour des progrès et des efforts plus grands."[27] Le Roi prodigua effectivement des encouragements aux petites filles et leur offrit à chacune un *kirobo* (1/4 de piastre en argent) en guise de récompense. Cette utilisation de l'argent, entre Malgaches et à cette occasion, était sans doute une nouveauté qui témoigne de l'évolution sociale du royaume et d'une nouvelle conception de la valeur du travail dont l'introduction du salaire pour les ouvriers est un autre exemple. Il faut y reconnaître l'influence de Radama qui, ayant renoncé à la traite, songeait avec Farquhar à la mise sur pied d'un système d'engagement pour la remplacer et avait par ailleurs compris ce qu'était la monnaie pour un état, comme en témoigne son essai de frappe monétaire en 1826.[28] On ne négligera pas non plus le poids de l'idéologie "capitaliste" des congrégationalistes pour lesquels toute peine, tout travail dégage un profit terrestre, matérialisé par l'argent, bien qu'il ne soit en rien utile au salut dans l'au-delà, à la différence de la conception catholique des œuvres. Les missionnaires ne séparaient point le bonheur en ce monde de celui dans l'autre : "ils devaient apprendre (aux Malgaches) les choses qui les rendraient heureux dans ce monde et dans celui à venir."[29] Jugeant insuffisantes les récompenses en nature (fruits, volailles, bœufs) que le roi offrait aux élèves après chaque examen subi en sa présence, les missionnaires lui proposèrent en 1822 "de faire savoir à son peuple

---

[26] Manuscrits anciens, découverts, traduits et présentés par DOMENICHINI (J.-P.) : *Histoire des Palladium d'Imerina*, p. 87.
[27] *Journals Mad.*, Box 1 n° 4, Griffiths, 1822, Feb. 22th 1822.
[28] CHAUVICOURT (J. et S.) : "Les Premières monnaies de Madagascar", *op. cit.*.
[29] *Incom. Letters Mad.*, BI/F4/JA, Tana, June 24th 1822, Jones to Burder.

qu'aucun n'entrerait à son service civil ou militaire après une période limitée et bien définie s'il n'était pas trouvé capable d'écrire, ce qui créerait un esprit d'émulation parmi beaucoup et que les élèves les plus avancés devaient recevoir un brevet d'honneur."[30] Mais les missionnaires, qui assuraient leur propre promotion sociale par l'école, ne pouvaient deviner que l'entrée au service du Roi deviendrait, dès 1825, une forme de corvée. C'est en effet parmi les élèves des écoles que le roi recruta désormais officiers et secrétaires, non rémunérés, pour les nouvelles et lointaines provinces de son royaume.[31]

Pour leur compte, les missionnaires s'arrangèrent très vite pour accorder, sous forme de gratification en tissus et pièces de mercerie, un véritable salaire aux instituteurs des écoles de l'Imerina. "Comme ces gens sont pauvres et n'ont pas d'argent qui entre dans le pays depuis l'arrêt du commerce des esclaves et comme nous avons plusieurs garçons et filles qui nous rendent de grands services comme instituteurs et moniteurs et que dans l'espace de deux ans, nous en aurons un grand nombre capables de nous aider dans l'enseignement. En conséquence, quelques objets à titre de rémunération sont nécessaires pour être envoyés annuellement aux méritants et aux bons, aux actifs et obéissants, du tissu fourni chaque année pour confectionner un costume pour les instituteurs coûterait très peu en .Angleterre, mais ici coûterait une grosse somme d'argent (...) Rien ne pourrait satisfaire plus les parents que de voir leurs enfants encouragés par nous et honorés par le Roi dans leur travail d'éducation des autres. Nous ne pouvons demander au Roi aucune aide pour eux car ses revenus ne sont pas suffisants pour entretenir convenablement son armée." Suivait une liste d'étoffes et de tissus pour les chemises, les cols, les pantalons des garçons, les mouchoirs de gorge et les robes des filles.[32]

---

30 *Journals Mad*, Box 1 n° 8, Jones and Griffiths 1823-24, Ap. 17th 1824.
31 Premier recrutement le 7 mars 1825. *Journals Mad.*, Box 1 n° 9, Jones and Griffiths, March 1825. En octobre 1825, Coppalle note que le secrétaire de Radama est désormais Ravao, un ancien élève des missionnaires, et que l'Ecole du Palais, fondée par Robin dans l'enceinte du Rova, est dirigée par d'anciens élèves de Robin et de Jones.
32 *Journals Mad.*, Box 1 n° 10, Jones and Griffiths, Dec. 14th 1825.

Les outils d'éducation

En Europe comme à Madagascar, l'évangélisme protestant visait, au XIXe siècle, un public non alphabétisé qu'il fallait d'abord instruire, public composé la plupart du temps d'enfants à l'outillage mental plus sensoriel que conceptuel. L'imprimerie répondait merveilleusement à ce double projet : instruire pour évangéliser Il est évident qu'à Tamatave, en 1818-1819, comme en Imerina, de 1820 à 1824, les envoyés de la L.M.S. ne se consacrèrent qu'à l'œuvre d'alphabétisation, attendant des circonstances favorables pour lancer la véritable prédication. Mais pour ce faire, il leur aurait fallu disposer de nombreux imprimés. Leurs bagages à l'arrivée étaient certes bourrés de livres et des ouvrages leur étaient envoyés de Maurice et d'Angleterre en quantité notable, mais vu le nombre croissant d'écoliers, c'était insuffisant ; il leur aurait fallu pouvoir imprimer sur place. C'est ce qu'écrivait Jones aux Directeurs en 1818 : "nous travaillons dans des conditions désavantageuses et difficiles car nous n'avons ni petits livres adaptés pour les débutants, ni assortiment de leçons de Lancaster, ni ardoises, ni crayons d'ardoise, ni tableau..."[33] De retour à Tamatave, en 1819, Jones réclamait déjà une presse : "j'aurai bientôt besoin d'une petite presse d'imprimerie(...), car je composerai des leçons en malgache pour que les enfants comprennent ce qu'ils lisent."[34] Monté à Tananarive en 1820, rejoint par Griffiths en 1821, Jones réitérait sa demande à l'île Maurice par l'intermédiaire de Charles Telfair : "M. Jones demande à la L.M.S. d'envoyer des missionnaires qui sont instruits dans l'art de l'imprimerie et pourvus de caractères anglais et arabes ainsi que de papier (...) La presse devrait être établie à la capitale de Ova sous les yeux de M. Jones."[35] On a vu que cette presse ne parvint à Antananarivo qu'en 1826 et ne commença à fonctionner qu'en 1827. Notons toutefois que les missionnaire reçurent de Farquhar une presse lithographique, avec cinq pierres de rechange, dès 1822.[36] Il semble bien, qu'avant 1832, les missionnaires n'en aient fait aucun usage, n'en connaissant pas la manipulation.

Avec la presse, les missionnaires désiraient reproduire à de multiples exemplaires les petits imprimés utilisés dans les écoles populaires en Grande-Bretagne et dont ils avaient emporté ou s'étaient fait envoyer des exemplaires. Le premier de ces ouvrages était un abécédaire illustré qui évitait au maître la peine de dessiner les images correspondant aux lettres et aux mots qu'il enseignait. Le prototype de ce qui fut utilisé en Imerina pendant toute cette période est le *Reading Made Completely Easy*, composé par William Paley en 1790 et constamment réédité jusqu'en 1855. Ce manuel, qui associait étroitement catéchisme et apprentissage de la lecture, était distribué ou vendu par la *British and*

---

33 *Incom.Letters Mauritius*, B1/F1/JC, P.-L., Nov. l0th 1818, Jones to . Waugh.
34 *Incom. Letters Mauritius*, B1/F2/JA, Tamatave, May 3rd 1819, Jones to Burder.
35 *Idem.*, B1/F2/J.A, P.-L., 1821, Telfair to Burder.
36 *Idem.*, Mad. B2/F3/JB, Tana, June 14th 1826, Jones et Griffiths to Burder.

Foreign School Society dont Burder était l'un des présidents nationaux. Jusqu'en 1822, ce type d'ouvrage fut seul utilisé car les élèves étaient peu nombreux et l'enseignement se faisait en anglais.[37] Il commençait par une partie "Alphabet" (16% du nombre total de pages) dans laquelle un mot et une image, en regard à gauche, étaient présentés pour inculquer la valeur de chaque lettre imprimée à droite. Ensuite, venait une partie "Syllabaire", composée d'extraits des Ecritures, disposés pour une lecture mot à mot, par ordre de difficulté croissante, les phrases formées de monosyllabes venant d'abord (entre 23 et 46% du total). C'est cette partie de l'ouvrage que les missionnaires traduisirent et adaptèrent, à partir de 1824, sous le titre de *Famakian-teny*.[38] Venaient ensuite des illustrations xylographiques de la vie des Apôtres (pour le *Reading Easy*) ou des petits exercices sous forme de jeu appelés *Miscellaneous*. Le Notre Père, le Credo et diverses questions et réponses de catéchisme s'y trouvaient aussi inclus (entre 20 et 30%). En dernière partie, suivant les auteurs, on trouvait soit des leçons de bonne conduite (46% dans le *Reading Easy*), soit des "Histoires", soit encore des extraits plus difficiles de la Bible.[39] Ces différentes parties des manuels correspondaient aux différents niveaux ou classes d'enseignement évoqués plus haut.

Dès 1818, Jones s'était attaqué à la traduction des premières leçons de lecture, mais, jusqu'en 1822, l'enseignement ne se fit qu'en anglais à partir des manuels disponibles. Les débutants apprenaient à reconnaître la forme des lettres anglaises, majuscules et minuscules, en caractères d'imprimerie, sur les feuilles qui leur étaient présentées.[40] Ils apprenaient ensuite à les reproduire sur du sable, à Tamatave, ou sur des planchettes enduites de graisse et de cendre, à Antananarivo. "Sur ces ardoises improvisées, les lettres et les chiffres étaient formés avec un stylet de bois, comme un crayon ordinaire ; les corrections étaient faites ou les additions reportées simplement en gommant avec un racloir ou avec le doigt, et l'on recommençait, avec autant de satisfaction que si aucun moyen plus propre et meilleur n'avait jamais été découvert."[41] On passait ensuite aux caractères d'écriture et "les écoliers pouvaient écrire tout en observant la forme des lettres avec exactitude..." C'est ensuite seulement, pour les élèves les plus avancés, et, surtout lors des examens, que l'on distribuait du papier, des plumes et de l'encre, pour écrire des syllabes. A ce niveau, le syllabaire était utilisé pour épeler et reconnaître les lettres et les mots, même si les élèves n'en comprenaient pas le sens.

---

37 Deux autres ouvrages sont signalés par les missionnaires : MURRAY (Lindley) : *English Grammar adapted to different classes of learners*, York, 1ère éd. 1795 et RUSSEL (Robert) : *A little book for children and youth*, 1ère éd. 1696.
38 Littéralement "Syllabaire"
39 LAQUEUR (Thomas) : *Religion and Respectability*, p. 113-119 et 206-214.
40 *Incom.Letters Mauritius*, B1/F1/JC, P.-L., Nov. l0th 1818, Jones to Waugh.
41 CAMERON (J.) : *Recollection*, p.50.

Les premiers tirages, effectués en 1827 par Cameron et Jones sur la presse d'Ambatonakanga, correspondent exactement aux différentes parties d'un manuel de lecture de type *Reading Easy*, traduit en malgache. *Ny Anarana ny ABIDY Malagasy*, daté *Alakarabo 26, 1827*, correspond à l'Abécédaire, l'extrait de la Genèse, *Ny Genejisy 1, 16 1 natao famakian-teny* est l'équivalent des *Spelling Lessons*, les Dix Commandements (*Exode*, **20**, 3-17).[42] Les extraits de l'*Exode* (le "Chant de victoire", **15**, 1-12, plus une partie du verset 13) composent les *Miscellaneous*.[43] On peut, sans risque d'erreur, affirmer que la première tâche assignée à l'imprimerie par les missionnaires a été de leur fournir des manuels scolaires d'un type éprouvé en Grande-Bretagne, qui rendaient superflue l'impression de catéchismes et familiarisaient les élèves avec les textes de la Bible.[44]

Jusqu'en 1822, les missionnaires utilisèrent des imprimés anglais fournis, soit par le gouvernement de l'île Maurice (envoi de Telfair en 1821), soit par la *British and Foreign Bible Society* (envoi de 50 Bibles anglaises et de 200 Nouveaux Testaments en 1823), soit par les *Auxiliary Societies* de la L.M.S. en Grande-Bretagne (lot d'imprimés en 1825). Les ouvrages anglais furent surtout destinés aux élèves avancés et aux moniteurs, jusqu'en 1825, et, ensuite, aux quarante grands élèves qui devaient recevoir une éducation plus poussée pour relayer les missionnaires. Mais à partir du moment où l'enseignement se fit partiellement en malgache, après 1822 à Antananarivo, ou entièrement dans cette langue, dans les écoles de campagne à partir de 1825, les missionnaires abandonnèrent les livres élémentaires en anglais. En 1824, Jones et Griffiths notaient dans le rapport sur les écoles de cette année-là : "La persévérance et l'application des deux Missionnaires leur permet maintenant de donner des leçons de religion et de morale avec aisance et de compiler des cantiques qui, avec les catéchismes et les leçons de lecture tirés des Ecritures Saintes, constituent l'enseignement usuel des Ecoles du Dimanche."[45] Ces trois éléments de l'enseignement, traduits par leurs soins en malgache, étaient recopiés

---

42 *Alakarabo*, mot d'origine arabe, est un mois de l'ancien calendrier malgache. Là dessus voir DELVAL (Raymond) : "Enigmes et anomalies du calendrier malgache au temps de Radama II", *B.A.M.*, n. s., t. XLII-2, 1964, p. 38-51.
43 SIBREE (J.) : *Bibliography of Madagascar,* Antananarivo, 1897. Verset 13 : "Ta grâce a conduit ce peuple que tu as racheté. Le Chant de victoire est le premier et le plus célèbre "cantique" que la liturgie chrétienne emprunte à l'Ancien Testament, car il traite du thème du salut miraculeux par le puissance de Yahvé.
44 *Incom. Letters Mad.*, B1/FE/JC, June 15th 1822, Jones to Hastie : *the most necessary and desirable thing to be obtained (...) will be a good printing press that we may be able to print catechisms, lessons, a collection of hymns...*
45 *Journals Mad.*, Box 1 n° 8, 1823-24, Jones and Griffiths, Ap. 9,1824. Traduction : La connaissance du seul vrai Dieu et de Jésus Christ qu'il a envoyé, par la lecture de leçons écrites tirées des Ecritures saintes et par le catéchisme par la dictée est largement répandue parmi les Païens en péril. (...) Mais nous luttons contre le feu et l'eau dans la diffusion du savoir, faute de disposer d'une presse.

sous la dictée par les instituteurs et les moniteurs auxquels on fournissait des cahiers à cet effet. La copie remplaçait la presse qui tardait à venir. Aussi, les missionnaires pouvaient-ils dire en 1825 : *The knowledge of the only true God & Jesus Christ whom he has sent, by reading written lessons from the sacred scriptures and by catechising by dictation is widely diffused among the perishing Heathen. (...) But we fight against fire and water in diffusion of knowledge, through the want of a printer.*[46] En 1826, la Société Biblique de l'île Maurice leur faisait une expédition gratuite des premiers abécédaires imprimés malgaches.

3 - L'imprégnation religieuse des enfants

L'alphabétisation et l'évangélisation furent, pour les missionnaires, deux aspects d'une même entreprise, elles utilisèrent toutes deux l'écrit et, quand ce fut possible, l'imprimé. Dans tous les cas, c'est aux enfants que s'attaquèrent d'abord les envoyés de la L.M.S.

Le catéchisme

Le premier catéchisme en malgache fut imprimé en 1826, en Angleterre et par les méthodistes, à partir d'une traduction d'un manuel de John Brown établie par J. Jeffreys, mais on ne sait si cet ouvrage fut distribué à Madagascar.[47] Il n'y eut pas de catéchisme imprimé à Madagascar avant 1828, mais il y en eut beaucoup de traduits et dictés par les missionnaires.

C'est à partir de 1824 que ces derniers composèrent de véritables leçons de catéchismes, distinctes des manuels de lectures, qui, nous l'avons vu, comportaient des questions et réponses d'instruction religieuse. C'est pourtant le catéchisme qui fut, dès 1821, la première forme d'enseignement livresque donnée en malgache. A cette date, Jones se servait du *Shorter Catechism of the Church of England*, mis au point au début du XVIIe siècle. Bien que réservé aux anglicans, Jones en fit usage d'abord parce qu'il était utilisé au Pays de Galles et parce qu'il ressemblait par son contenu aux divers catéchismes que les lazaristes avaient traduits en malgache. En s'inspirant des précédents catholiques il devait lui être plus facile à transposer en malgache,[48] mais il le préféra également parce qu'il était plus concis et plus simple que celui

---

46 *Idem.*, n° 9, Jones and Griffiths, 1825.
47 *Incom. Letters Mad.*, B2/Fl/JC, Tana, Nov. 4th 1824, Griffiths to Burder. John Brown était un pasteur wesleyen de Bradford, où il lança une *Sunday School*, dès avant 1781. Il mit au point un certain nombre de petits manuels scolaires, dont un catéchisme (1781), qui fut édité par la *Sunday School Union* dont il fut l'un des fondateurs en 1803. L'édition malgache de 1826 s'intitule *Catechism any ankizy madinika*.
48 *Journals Mad.*, Jeffreys 1822 : *The catechism has been drawn chiefly by himself* (Jones) *after the method of Wales.*

qu'utilisaient les dissidents en Grande-Bretagne. Leur *Standard Presbyterian catechism*, composé en 1648 et utilisé dans sa version abrégée sous le nom de *Shorter Assembly's Catechism* comportait deux grandes parties divisées en 107 questions qui, de l'aveu même des pasteurs et éducateurs dissidents, étaient impossibles à mémoriser et, bien souvent, à comprendre pour les jeunes Anglais.

La première partie du catéchisme anglican comportait les Dix Commandements et le Notre Père, exactement comme le *Petit Catéchisme* de Flacourt (1657, en malgache) ou le *Catéchisme abrégé* du père Caulier (1785) que Jones et Griffiths utilisèrent à Maurice. Les Jeffreys consultèrent, en 1822, le *Catéchisme abrégé à l'usage des Madécasses* de l'abbé Flageollet, ce qui influença peut-être leurs idées sur la transcription du malgache, mais Jones ne pouvait pas en ignorer l'existence.[49] Sitôt arrivé à Tananarive, Griffiths, certainement en accord avec Jones, se lança dans la traduction du *Shorter Catechisn of the Church of England*. Le 3 février 1822, il écrivait : "J'ai composé un catéchisme dans la langue malgache sur le même plan que celui de M. Jones."[50] En 1824, il réalisait la traduction du catéchisme de John Brown auquel il ajoutait "des questions et réponses sur la création, la loi morale et le Sauveur et le sort futur".[51] Enfin, en 1825, le même Griffiths, traduisait le *Shorter Assembly's* sous le titre *Fanadinana ny Tenin'Andriamanitra* qui, une fois imprimé en 1828, ne faisait pas moins de 31 pages.[52]

Ces ouvrages relativement volumineux n'étaient utilisés que le dimanche. Pour les cours quotidiens, les missionnaires préféraient les questions et réponses contenues dans les manuels de lectures qui permettaient un enseignement purement oral et fondé sur la mémorisation par la répétition ou la dictée. De toute façon, les textes de lecture étaient tous à caractère religieux, la plupart du temps tirés de la Bible. L'imprégnation du christianisme se faisait ainsi à tout moment et à toute occasion, ce qui dispensait d'avoir recours à des ouvrages spécialisés et volumineux. Néanmoins, on sait par l'enseignement de Bogue et les listes de livres envoyés par Le Brun à Londres, que les missionnaires avaient également à leur disposition le *Premier et Deuxième Catéchisme* de Watts, et le *Rise and Progress of Religion in the Soul* de Philip Doddridge, abrégé par Burder. En 1824, Griffiths signale qu'il a traduit et donné en copie aux élèves avancés un *Essay* de Watts intitulé *Anarana sy fomban'ny olona masina nataon'i Dr Walts*. C'est le prototype des nombreux tracts qui seront imprimés et distribués à Antananarivo après la mise en marche de la presse. Mais, dès le début,

---

49 TOUSSAINT (A.) : "Notes de Bibliographie malgache", *Mémoire de l'Académie Malgache*, hors-série, 1948, p. 39-42 ; JEFFREYS (K.) : *The Widowed*, p. 22-25.
50 *Journals Madagascar*, Box 1, n° 4, Griffiths 1822.
51 *Journals Madagascar*, Box 1, n° 8, Griffiths 1824.
52 *Journals Madagascar*, Box 1, n° 9, 1825, Griffiths and Jones, dans ce journal Griffiths et Jones annonçaient qu'ils avaient "tout prêt un autre catéchisme presqu'aussi important que celui-là".

les missionnaires ont donné la préférence à ce qui semblait le plus intéresser les Malgaches : les cantiques.

Les chants religieux

Les cantiques (*hymns*) tinrent une place prééminente dans l'outillage de l'évangélisation depuis ses débuts catholiques au XVIIe siècle. Au XIXe, catholiques ou protestants, ils furent l'élément le plus attirant de la panoplie chrétienne, le plus vite adopté aussi. C'est ainsi que, dès avant 1831, 75 chorals, psaumes ou antiennes avaient été adaptés ou composés à Madagascar. Dès 1821, Jones signalait avec fierté que ses élèves connaissaient les cantiques anglais par cœur et que le roi prenait plaisir à les écouter.[53] Le programme des écoles, tel que le donnaient Griffiths et Jones en 1824, comportait chaque mercredi, une *singing school*, une classe de chant dans laquelle missionnaires et moniteurs apprenaient des cantiques à leurs élèves. Deux facteurs ont concouru à donner au chant religieux une importance exceptionnelle à Madagascar : les dispositions culturelles et le goût des Malgaches pour le chant choral d'une part, la technique d'enseignement et de conversion des missionnaires et leur propre arrière-plan culturel et religieux d'autre part.

Les cantiques constituaient une partie prééminente des offices religieux non-conformistes, et les congrégations mettaient un point d'honneur à faire apprendre, et à entonner, aussi bien dans les écoles qu'au temple, les cantiques du fameux *Hymnbook*, auquel Isaac Watts (1674-1748) et surtout Charles Wesley, frère de John Wesley le fondateur du méthodisme, avaient donné un contenu neuf et différent. Auparavant, on chantait des Psaumes arrangés en vers (chorals) et des versets des textes bibliques (antiennes) d'une façon assez raide et monotone, lointaine héritière de la manière du plain-chant médiéval. Les cantiques de Watts et de Wesley, plus libres, à la mélodie plus riche et plus variée, parfois empruntée au fonds populaire profane, confirmaient insensiblement la foi de ceux qui les chantaient et "faisaient un joyeux vacarme devant le Seigneur" écrivait un pasteur anonyme des Galles.

Dans le domaine missionnaire, il avait été reconnu aussi bien en Europe qu'en Amérique ou qu'en Asie que la musique et les cantiques étaient un des charmes les plus puissants pour attirer les païens *The singing precedes the preacher (...) the hymn goes before the sermon.*[54] Les cantiques étaient considérés comme les plus puissants alliés de la prédication, en tout cas pour cette génération d'évangélisateurs.

Dans leur journal, à la date du dimanche 29 février 1824, Jones et Griffiths racontent comment, après avoir prêché et chanté en malgache dans les nouveaux bâtiments de l'école à Ambatomiangara, ils remarquèrent de nombreuses personnes, soldats et officiers, qui attendaient dans la cour. *They were very much taken up by the singing*

---

53 *Incom. Letters Mad.*, B1/F2/JA, Tana, May 3rd, 1821, Jones to Burder.
54 JUKES : *Country Work*, p. 40-41, cité par HARDYMAN (J. T.) : *The Principles...*, p. 138.

and therefore borrowed our hymn books to copy the hymns composed and written in their own language. Le 19 avril 1824, lors de l'inspection des écoles, ils firent chanter par les élèves devant Radama "des extraits de plusieurs cantiques dans la langue de Madagascar, composés par MM. Jones et Griffiths et qui forment une partie du service le jour du Seigneur depuis que ces Messieurs ont commencé à prêcher dans la langue du pays."[55] Ce recueil de cantiques fut un des premiers imprimés malgaches, puisqu'on en fit un tirage de 800 exemplaires dès 1827 sous le titre : *Fihirana natao ny hiderana an' Andriamanitra*.

A partir de ce que dit le journal des deux pasteurs on peut comprendre qu'il s'agit de textes malgaches adaptés à la musique des chants anglais dont ils respectaient le sens. Certains de ces cantiques, encore chantés dans mon enfance dans les églises luthériennes et calvinistes de Madagascar, constituent, avec quelques adjonctions de Freeman, Johns et Canham, en 1833, et de Ratany, Rasoanaivo et Rabary, entre 1835 et 1897, le fonds même de la musique religieuse malgache et sont en tout cas ressentis comme tels par tous ceux qui ont grandi à Madagascar. Or la musique, dominée par les rythmes ternaires et la tonalité mineure, en est manifestement anglaise et "georgienne".[56] On sait que Jones jouait de la flûte et n'hésitait pas à utiliser ses talents pour distraire ses élèves et même le roi qui adorait cet instrument, mais on peut être sûr que ni lui ni Griffiths n'ont composé d'airs nouveaux ni adaptés des mélodies malgaches. Il leur aurait fallu maîtriser un système de notation musicale pour pouvoir retenir et transmettre des airs qu'ils ne connaissaient pas par cœur, ce dont, à cette époque, le peintre Coppalle fut seul capable à Madagascar.[57] L'unique membre de la mission qui savait lire et écrire la musique était Keturah Jeffreys, mais elle ne fut pas sollicitée pour l'élaboration du recueil. D'autre part, le système de notation "solfa", encore aujourd'hui couramment utilisé dans les publications protestantes malgaches, ne fut codifié qu'en 1842 par James Curwen et introduit à Madagascar, par Richardson, en 1870

---

55 *Journals Mad.*, Box 1 n° 8, Jones and Griffiths, 1823-24. Traduction : Ils étaient complètement charmés par le chant et en conséquence empruntèrent notre livre de chant pour copier les cantiques composés et écrits dans leur propre langue.
56 Au sens de l'époque du règne des souverains britanniques de la dynastie de Hanovre, prénommés Georges. Georges III (1760-1810) et son fils Georges IV (1810-1830) sont les deux premiers Hanovre véritablement anglais et promoteurs d'une "civilisation de cour" anglaise. C'est cependant Georges II qui accueillit Haendel (entre 1730 et 1759) dont l'influence sur la musique profane et religieuse fut considérable dans tous les milieux.
57 Coppalle fut le premier, en 1825, à prendre en dictée musicale les chants qu'il entendait chaque soir exécuter pour Radama, il ne fut suivi que par Pasfield Oliver et le père Colin. Pour la transcription de Coppalle et une réflexion sur l'importance de la musique comme source et problématique de l'histoire malgache on se reportera à mon "La musique de l'histoire" dans *Ambario* vol. II, n° 1-2, spécial 'La musique dans la tradition malgache', p. 71-86 et p.29 (Coppalle).

seulement.[58] Cela n'enlève rien aux mérites des missionnaires, car il fallait un certain talent et une bonne mémoire musicale pour adapter des paroles dans une langue étrangère à une musique que l'on ne connaissait que par ses paroles anglaises et non par les notes. Il est vrai que les Gallois, traditionnellement doués pour l'improvisation chorale avec leurs bardes, étaient habitués, dès l'enfance, à passer d'une langue et d'une musique à l'autre. On reste malgré tout admiratif devant une telle performance réalisée sans connaissances théoriques, mais dont nombre de Malgaches, écoutant la radio ou un simple concert, sont aujourd'hui encore fort capables.

Ce petit exploit des missionnaires avait pourtant un côté négatif dont la musique religieuse protestante malgache subit encore les conséquences. En essayant de faire coller au texte original leur traduction malgache Jones et Griffiths ont introduit quantité de néologismes et de notions nouvelles pour leurs auditeurs et leurs chanteurs et se sont éloignés ainsi de la tradition chorale malgache relativement libre vis à vis des paroles. En outre, l'association de la musique européenne avec le chant religieux en faisait quelque chose de totalement étranger qui, après plus de 150 ans d'assimilation, est resté définitivement "autre", intouchable et donc parfaitement figé.[59] Françoise Raison a relevé dans sa thèse, la difficulté qu'ont eu les missionnaires de la seconde génération à introduire de nouveaux cantiques, ces premiers chants ayant été doublement sacralisés par les martyrs et par leurs introducteurs devenus, comme on l'a vu, des héros mythiques.

Ce n'est pas que les missionnaires aient rejeté systématiquement la musique malgache, en tout cas pas ceux de cette première période : Jones, Griffiths et Canham l'appréciaient et prenaient le temps d'écouter les *mpilalao* lors de leurs tournées en Imerina ou lors des grandes fêtes à Antananarivo.[60] Ces baladins devaient leur rappeler les bardes gallois et même les *musical bands* qui animaient les grands rassemblements du Réveil évangélique. Mais ils ne possédaient pas les moyens techniques, solfège et contrepoint, pour noter la musique malgache et la retravailler à leur convenance. Par dessus tout, ils avaient le défaut, véritable incapacité culturelle dont nous reparlerons plus loin, de ne pouvoir saisir et retenir autre chose que le langage. Les mots, parlés, chantés ou écrits, les mots seuls pouvaient être appréhendés et utilisés par eux. Ils étaient véritablement prisonniers du verbe et le disaient eux-mêmes. A Mananjara, en Imerina, où ils s'étaient arrêtés en 1823 pour passer la nuit, ils eurent droit à une aubade donnée par les chanteuses d'une petite

---

58 RANJEVA-RABETAFIKA (Y.) : "L'influence anglaise sur les cantiques protestants malgaches".
59 RAFRANSOA (Ambatolampy) : "Ny Hira ao amin'ny Fotoampivavahana", *Mpamafy* (Tananarive), n° 8, août 1949, p. 115-118 et ANONYME : "Ny hiram pivavahana tiana indrindra", *Ny Mpanolo-tsaina* (Tananarive), n° 216, 1957, p. 75. Voir aussi RAVELOJAONA : article "Hira" de son *Firaketana*.
60 *Journals Mad.*, Box 1 n° 8, Griffiths and Jones, "Copy of a journal kept during a tour round Tananarivou", Sept. 1823.

princesse de leurs élèves. "En conséquence de son invitation nous avons assisté et porté une attention particulière à leurs paroles dont nous trouvâmes certaines très expressives."[61] Pour retenir le chant on peut s'aider, selon ses dons, soit des paroles, soit de la musique, il leur aurait donc fallu mémoriser ce qui captait leur attention. Or ces paroles, précisément, loin de les accepter il les soumettaient à un tri pour en séparer les traits "profanes" (*i. e.* indécents) ou "superstitieux". Insensibles au déroulement du chant, il leur était tout simplement impossible d'en retenir la mélodie.

C'est donc la musique des offices religieux congrégationalistes anglais qui s'implanta à Madagascar, celle du *Hymnbook* de Watts, car, malheureusement, les missionnaires gallois de cette époque semblent avoir ignoré les œuvres de Charles Wesley. La qualité, aussi bien mélodique que rythmique, en est souvent médiocre, malgré la "ferveur évangélique" que Sibree leur trouvait.[62]

Il faut avouer que l'adaptation ne fut pas toujours réussie. Les missionnaires, peut-être déformés par leur enseignement, accordèrent une attention excessive au nombre de syllabes par ligne et cherchèrent même parfois à faire des vers rimés, mais ils ne prêtèrent aucune attention à l'accentuation. C'était un compromis un peu bancal entre les habitudes européennes de scansion et le goût malgache pour une succession de phrases harmonieuses. Mais chaque langue a sa musique propre et son rythme particulier, de la sorte, les cantiques malgaches, composés par les missionnaires, sont de bons morceaux de poésie et de belles pièces de littérature malgache lorsqu'on les lit ou les récite, mais, une fois chantés, ils résonnent souvent de bien étrange façon. La langue malgache, aux rythmes multiples et variés, forcée dans le cadre de la mesure binaire ou ternaire de la musique du XVIIIe siècle européen, a tendance à vouloir s'en échapper par toutes sortes de distorsions de la mélodie que les missionnaires combattaient vigoureusement au détriment de la prononciation et du sens.

Plus grave est sans doute la façon de chanter que les missionnaires ont imposée à Madagascar. Alors que, dès le XVIIIe siècle, beaucoup de sectes protestantes en Amérique, aux Antilles et même en Angleterre laissaient le corps exulter dans l'expression musicale, comme on le voit encore dans les paroisses américaines ou antillaises (et pas seulement chez les descendants d'Africains comme certains aiment à le faire croire), les congrégationalistes, dans un double souci d'éducation (la pédagogie du contrôle du corps, du maintien, héritée de Kant) et d'intégration sociale (la respectabilité qui est d'abord une attitude à l'opposé des

---

61 *Journals Mad.*, Box 1 n° 8, Jones and Griffiths, 1823. Voir la carte de restitution en illustration.
62 SIBREE (J.) : "Malagasy hymnology and its connection with christian life (...) in Madagascar", *Antananarivo Annual*, tome III, 1886, p. 187-199. Notons que trois cantiques de David Jones sont encore aujourd'hui imprimés et étaient encore couramment chantés dans les années 1970. Cf. l'édition de 1923 du *Fihirana hiderana an'Andriamanitra* (Cantiques à la louange du Seigneur) des églises calvinistes malgaches.

gesticulations du Sauvage), s'étaient imposés à eux-mêmes le chant immobile et statique. C'est pourquoi, à Madagascar, les missionnaires s'appliquèrent à tuer toute spontanéité physique, tout mouvement du corps. Le balancement, le claquement des mains, le battement des pieds ou la frappe du livret de cantiques furent systématiquement combattus pour tenter de donner aux chanteurs une attitude raide et figée qui nuit à la qualité des voix et donne une musique lancinante et amorphe, le contraire de ce que l'on entendait dans les chapelles méthodistes du monde atlantique à la même époque. J. Hardyman note fort justement que cette attitude négative à l'égard de la danse, que les missionnaires croyaient voir poindre derrière les mouvements des chanteurs, tua dès l'origine l'élément festif qui aurait dû constituer l'essentiel d'un office religieux. Il pense qu'elle renforça chez les Malgaches l'impression que le christianisme n'impliquait pas d'action de la part du croyant, mais une acceptation passive du message divin.[63]

---

63 HARDYMAN (J. T.) : *The Principles and Methods.*

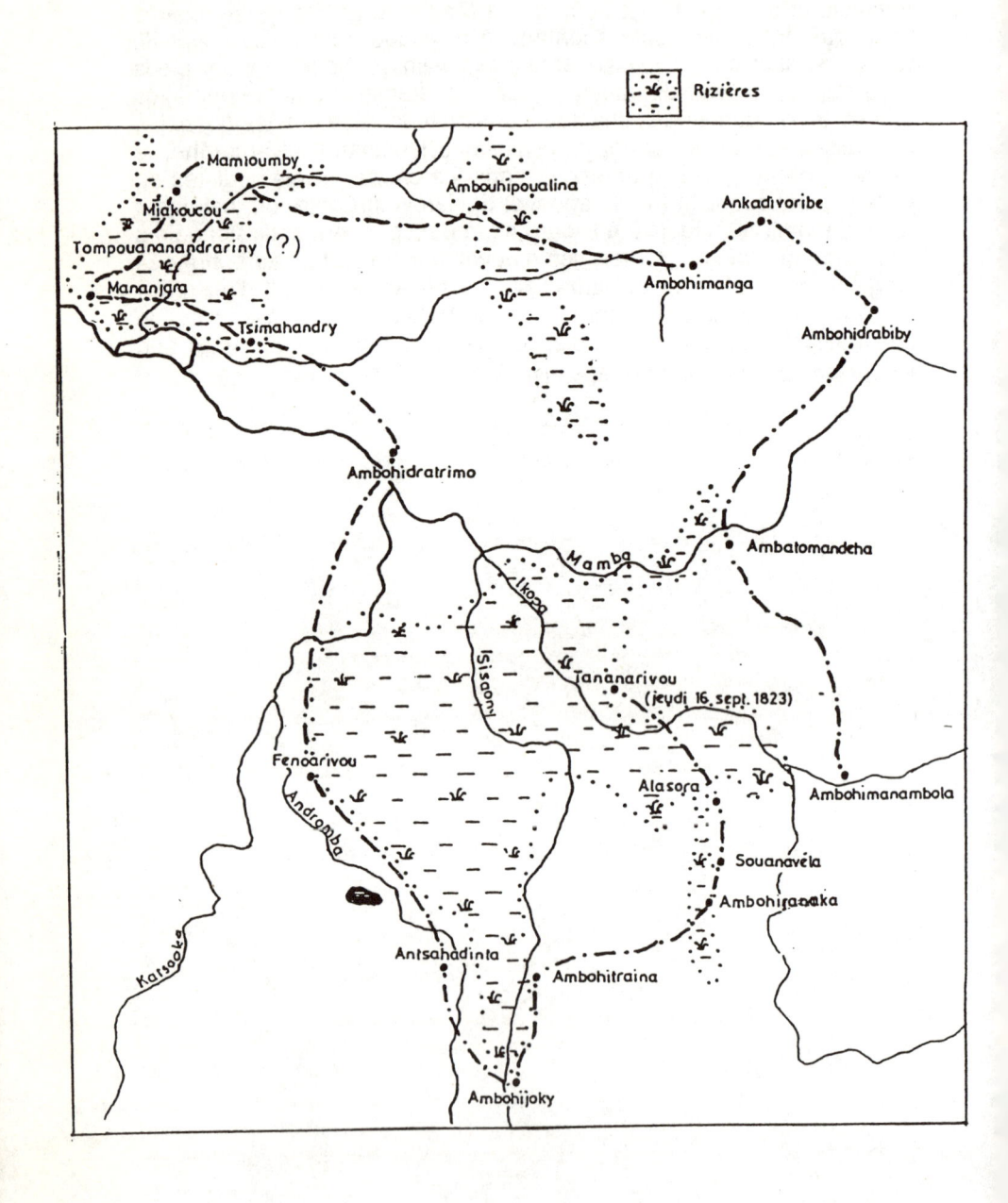

21 - Voyage effectué autour de Tananarive en septembre 1823
par D. Jones, D. Griffiths et Canham.

L'étude de la langue

Catéchisme, enseignement et chant supposaient de la part des missionnaires une connaissance parfaite de la langue de Madagascar, sans laquelle ils n'auraient pu mener à bien les traductions et nous avons vu plus haut que l'étude de la langue était de toute façon posée comme un préalable à toute mission dans l'île.

Les émissaires de la L.M.S. eurent le mérite non seulement d'apprendre rapidement et profondément la langue de l'Imerina, mais aussi celui de la transcrire en caractères latins, d'en fixer l'orthographe et la grammaire et même d'en enrichir le lexique. Il me paraît difficile d'ajouter quelque chose aux études magistrales de O. C. Dahl et de L. Munthe sur ce sujet. Rappelons que les missionnaires, formés au Séminaire missionnaire de Gosport par David Bogue, étaient munis d'un bagage linguistique et même d'un programme qui a orienté et permis leur action. Par la conversation et par l'enseignement, ils devaient acquérir rapidement une connaissance élémentaire de la langue. Il leur fallait ensuite constituer des vocabulaires, classés alphabétiquement et enrichis constamment de mots nouveaux. Ils devaient enfin s'attaquer à l'élaboration d'une grammaire et d'un dictionnaire.[64]

Depuis 1811, les Directeurs avaient défini le profil du missionnaire en fonction de ces impératifs de langue. "Il est tout à fait faux de penser qu'un homme médiocrement doué sera adapté pour faire un missionnaire. L'expérience démontre en vérité qu'il doit avoir une forte intelligence et une bonne mémoire, de façon à pouvoir, non seulement apprendre les langues déjà codifiées, mais aussi celles pour lesquelles il n'existe encore ni de grammaire, ni de dictionnaire."[65] Il est certain que tous les missionnaires ordonnés présents à Madagascar avant 1827, à l'exception sans doute de Jeffreys, possédaient les qualités requises.[66] On a vu comment ils avaient organisé leur emploi du temps pour pouvoir se consacrer à l'étude de la langue et aux traductions. Il faudrait peut-être ajouter aux informations contenues dans les travaux de Dahl et de Munthe, le fait que Jones, Griffiths et Jeffreys ont d'abord commencé par apprendre le français. Milne, en 1813, avait déjà écrit que la connaissance de cette langue était indispensable pour approcher Madagascar par la côte est. Bogue maîtrisait lui-même parfaitement le français et en avait enseigné des rudiments aux missionnaires destinés à Madagascar. Il les avaient munis de dictionnaires et de grammaires qu'ils utilisèrent durant leur voyage et leur séjour à l'île Maurice. Ce détail permet de comprendre l'usage qu'ils purent faire des manuscrits de Froberville et de ceux de l'abbé Flageollet, tous rédigés en français. C'est la connaissance du français qui permit à Jones et Bevan de commencer leur travail sur la côte est en 1818-1819, car ils se servaient d'interprètes

---

64 *Missionary Lectures*, 20 : Employment of a Missionary.
65 *Folios*, Nov. 11th 1811, sans doute rédigé par Burder.
66 DAHL (O. C) : *Les débuts de l'Orthographe Malgache*, p. 12 ss.

qui parlaient français ou français-créole et malgache.[67] C'est elle qui permit à Jones de faire des sermons compréhensibles à son auditoire et de converser, dans les débuts, avec Radama à Antananarivo.

Grâce à leur formation, grâce à la documentation disponible à Maurice, les missionnaires entreprirent, dès 1820, les traductions de la Bible. En 1825, ils avaient traduit le Nouveau Testament et un grand nombre de livres de l'Ancien.[68] En fait, leur acharnement à traduire la Bible est peut-être la clé pour comprendre leur refus d'étendre la présence missionnaire sur le terrain. Ils comptaient sur la Bible et les ouvrages imprimés pour diffuser le christianisme sur un grand espace et sur la démultiplication des instituteurs dans les campagnes et les provinces pour former les gens à la lecture. En outre, ils voulaient se réserver la gloire d'avoir été les premiers à traduire la Bible en malgache.[69] De fait, Jones et Griffiths sont bien les premiers traducteurs de la Bible ; Johns, à son arrivée, ne fit que réviser ; quant à Jeffreys, il fut proprement exclu.

Selon le programme de Bogue, les missionnaires auraient dû constituer un dictionnaire et une grammaire avant de traduire la Bible ; en fait, c'est le contraire qui se passa. Les grammaires et les vocabulaires que se constituèrent, aussi bien Jones et Griffiths que Jeffreys, Canham, Chick et Rowlands, demeurèrent leur propriété personnelle et un simple outil d'enseignement de l'écriture et de la lecture dans les écoles. Ils faisaient d'ailleurs participer leurs élèves à des exercices de traduction qui enrichissaient leurs propres connaissances, bien avant qu'en 1825 le roi leur confie douze assistants. Jones semble avoir été celui qui, par son ancienneté dans le pays et ses aptitudes intellectuelles, a rassemblé le plus de vocabulaire : 13.000 mots, écrivait-il dans une lettre du 24 juin 1824. Pourtant, la constitution d'un véritable dictionnaire fut freinée par la traduction de la Bible entre 1824 et 1827 et il revint à deux autres missionnaires, dans la période suivante, de réaliser le premier dictionnaire anglais-malgache.[70] Que les grammaires et les dictionnaires n'aient pas été imprimés ni même diffusés aussi largement que les cantiques, les catéchismes et les livres d'école, n'enlève rien à leur importance dans la stratégie missionnaire en matière de langue. Comme l'a montré Françoise Raison, grammaires et dictionnaires étaient les armes que les missionnaires se constituaient pour figer la langue malgache dans les règles de l'écrit. Cette prééminence du verbe, dont on vient de parler à propos des chants, était en fait une vénération absolue de l'écrit. "Pour les missionnaires, le triomphe du christianisme comme religion et plus subtilement comme idéologie, le triomphe de

---

67 *Incom. Letters Mauritius*, BI/FI/JC, Mauritius, Nov. l0th 1818, Jones to Waugh.
68 *Journals Mad.*, Box 1 n° 9, Jones and Griffiths, 1825.
69 MUNTHE (L.) : *La Bible*, p. 450.
70 Voir RAISON (F.) : "L'échange inégal de la langue - La pénétration des techniques linguistiques au sein d'une civilisation de l'oral", et les amples parties de sa Thèse qu'elle consacre à ce problème de transfert de techniques : *Blible et pouvoir, op. cit.*

l'écrit comme mode d'expression et de transmission, sont des évidences qui s'imposent", pour eux il n'existait de culture qu'écrite.[71] Le résultat du travail missionnaire sur la langue fut d'abord la réunion entre leurs mains d'un important matériel linguistique, ethnographique et historique dont les différents journaux envoyés à Londres portent témoignage. Au cours de leur tournée dans l'Imamo en 1823, Jones et Griffiths discutaient avec les habitants de leurs traditions superstitieuses,[72] ils firent de même en 1824 lorsqu'ils explorèrent les quatre districts de l'Imerina et, en 1825, lorsque Jeffreys emmena ses élèves dans l'est.[73] Partout, ils relèvent des légendes, recherchent des explications sur les mythes, interrogent les habitants sur leurs coutumes, leur mode de vie, leurs croyances et leurs productions. Ils s'intéressent aux tombeaux comme aux forgerons, au travail du riz comme aux métiers à tisser et prennent des notes. Il en résulte quatre volumes de manuscrits, qui seront utilisés par Johns, puis Freeman, en 1829, quand ce dernier rédigera la première version de l'*Histoire de la Mission à Madagascar*[74] et par Jones, dans son brouillon d'*Histoire des rois d'Imerina* [75] commencé en 1836. Les projets de Johns et Freeman furent repris par W. Ellis qui n'avait jamais posé les pieds à Madagascar, mais qui mit en forme le manuscrit de 1.100 pages de ces deux missionnaires, le compléta d'extraits des publications de la Société et le publia sous le titre d'*History of Madagascar* en 1832. Le *corpus* fut, semble-t-il, détruit ou perdu à la fois en Angleterre et à Tananarive où pourtant, dès 1822, les missionnaires avaient commencé à constituer une *Missionary and School Library* où furent déposés notamment tous les papiers et livres de Jeffreys après son départ en 1825.[76] C'est en tout cas ce qui ressort de l'étude des archives qu'a réalisée F. Raison.[77]

Si les manuscrits sont perdus, il reste malgré tout quelque chose aujourd'hui du travail linguistique des missionnaires à Madagascar : leur apport à la langue malgache. Le jour de février 1822 où il se lança dans la catéchèse en malgache, Griffiths ressentit la difficulté de trouver des mots pour parler de morale et de religion à ses élèves, "Nous pouvons parler avec les Malgaches sur des sujets profanes avec aisance et sur certains thèmes divins avec effet, bien que nous trouvions chaque jour quelque chose de nouveau..." écrivait-il dans son journal, mais il ajoutait : "la pauvreté de la langue pour des mots abstraits et des termes

---

71 RAISON-JOURDE (F.) : *Bible et pouvoir* et "Le travail missionnaire sur les formes..."
72 *Journals Mad.*, 1822-1823, Jones and Griffiths.
73 *Idem*, 1824, "Copy of...", Griffiths and Jones ; Jeffreys, Journals, 1825.
74 *Incom. Letters Mad.*, B3/F2/JA, D. Jones & J. Freeman, July 25th 1829, dans "Extracts from the Minutes of the Madagascar mission for 1829", reproduit dans AYACHE (S.) : *Raombana*, p. 470-473.
75 "Ancestry of the Kings of Imerina", manuscrit de 12 p. reproduit dans AYACHE (S.), *Raombana*, p.475-477.
76 *Incom. Letters Mad.*, B1/F3/JB, Tana, 29th March 1822, Jones to Burder.
77 Sur tout cela voir RAISON (Françoise) : "Le travail missionnaire sur les formes...", plus largement développé dans sa Thèse, *Bible et pouvoir*.

théologiques rend difficile de nous expliquer sur tous les points avec une parfaite satisfaction (...). Dans beaucoup de cas, nous sommes obligés d'utiliser des périphrases en anglais pour des mots malgaches et aussi bien en malgache pour des mots anglais."[78] On ne peut que remarquer leur prudence puisque, suivant les leçons de Ziegenbalg reprises par Bogue, ils ne se contentaient pas de juger tout de suite une langue comme pauvre et limitée pour leur usage, mais cherchaient en profondeur des expressions capables de leur servir avant d'imposer un mot étranger. Dans un seul cas, ils avaient instruction de ne pas transiger avec la langue des naturels si elle présentait des incertitudes, celui de la traduction du nom de Dieu. Si aucun terme désignant un dieu unique et céleste n'existait mais des noms de divinités multiples et d'idoles, ils devaient utiliser le mot *Jehovah*.[79] Les premiers à l'œuvre ne le firent pas, adoptant *Zangahar* puis *Andriamanitra*, mais leurs successeurs, plus sourcilleux, introduisirent le vocable du monothéisme intransigeant, notamment dans les catéchismes et les cantiques.

Malgré ce souci de traduction exacte, les missionnaires ne purent s'empêcher de malgachiser des mots anglais. Ce vocabulaire nouveau se rapporte comme il se doit à l'école et au matériel scolaire, à la musique, à la médecine et à la religion. Jacques Dez, en y incluant le vocabulaire militaire et technique introduit à la même époque, l'évalue à 200 mots, ce qui est fort limité.[80] En fait, les missionnaires se saisirent de certains mots malgaches dont ils rétrécirent l'extension et approfondirent le sens, pour leurs besoins. L'exemple le plus frappant apparaît dans l'oraison dominicale, prière fondamentale pour tous les chrétiens. Raymond Delord en comparant sept versions en divers dialectes étalées de 1650 à 1924 aboutit à la conclusion que Jones et Griffiths ont "osé" utiliser l'appellation *Ray* en le faisant précéder de l'article *ny* ce qui donne *Ny Ray* comme les Anglais disent *The Lord*. C'est un pur mot à mot et non une traduction, car, selon une tradition, le terme *ray*, était strictement réservé à l'intimité familiale et les Malgaches n'auraient pas imaginé qu'il pût s'appliquer à la divinité.[81] D'une autre manière *Fandraisana*, mot qui désignait l'acte ou la manière de recevoir quelque chose, prit, avec une lettre majuscule, le sens de Communion, de Sainte Cène. Le verbe *mitandrina* signifiait prendre soin de quelque chose, sauf dans le cas des cérémonies d'Ambohimanga, où la femme qui ouvrait la porte de la maison de bois (*Trano manara*) des tombeaux s'appelait *mpitandrina*.

---

78 *Journals Mad.*, Box 1 n° 4, Griffiths 1822, Feb.3rd, voir aussi Jones in *Evangelical Magazine*, 1821, p. 531-532.
79 *Missionary Lectures*, n° I.
80 DEZ (J.) : "La malgachisation des emprunts aux langues européennes".
81 DELORD (Raymond) : "Le textes les plus anciens de l'oraison dominicale ou *Fivavahana nampianarin'ny Tompo* dans quelques dialectes de Madagascar", *Bulletin de l'Académie malgache*, t. 54, n° 1-2, 1976 (1978) p. 1-5. La démonstration de R. Delord est loin d'être convaincante sur ce point car elle ne repose que sur un témoignage contredit par le qualificatif "Ray amin'dreny" appliqué à l'autorité suprême. En outre il est bien clair, qu'avant la prédication chrétienne, les Malgaches ne considéraient pas l'Etre suprême comme un père.

C'est ce sens particulier et déjà religieux que les missionnaires gardèrent pour désigner le ministre du culte, celui qui prend soin de la congrégation religieuse, qui ouvre la porte du temple. Dans d'autres cas, les missionnaires attribuèrent un sens religieux à un mot profane qui continuait à garder ses deux acceptions selon le contexte ; ainsi en fut-il de *fanahy*, faculté d'apprécier, de juger, caractère d'une personne, qui désigna dès lors, en relation avec la religion, l'âme et même l'Esprit Saint, *Ny Fanahy Masina*.[82] Des mots furent aussi construits selon les règles de la grammaire malgache, à partir de racines existantes : ainsi *Fiainana* (la vie), fut construit à partir d'un mot que les missionnaires avaient noté en 1825 : *Ody aina*, le secret ou la quintessence de la vie. Autre exemple encore, *fahasoavana*, le pouvoir de faire le bien, la Grâce, fut formé à partir de *soa*, le bien, le beau. Ces constructions grammaticales se sont si bien fondues dans la langue qu'il est impossible de les repérer à moins de posséder les premières traductions de la Bible et les corrections de ces traductions entreprises en 1886 par Cousins.[83] Bien souvent, les mots créés ou adaptés par les premiers missionnaires furent éliminés plus tard de la Bible, non pas parce qu'ils étaient incorrects ou incompréhensibles mais parce que, selon les correcteurs, ils étaient au contraire trop malgaches et pouvaient évoquer des croyances ou des coutumes de la vie païenne. Un exemple, le mot *fivoadiana* avait été choisi pour désigner l'autel, ce qu'il désigne en malgache, mais avec le sens d'endroit où l'on dépose une offrande promise par un vœu, un *ex-voto*. Les correcteurs supprimèrent le terme et le remplacèrent par *alitara* (de l'anglais *altar*).

Ces quelques exemples prouvent combien l'action sur la langue malgache des premiers missionnaires fut peu agressive et bien éloignée d'un quelconque "impérialisme" ! . Mais c'est l'ensemble de leur action qui eut des conséquences plus graves. L'enseignement qu'ils ont dispensé entre 1820 et 1827 se ressent de leur vénération de l'écrit, comme leur comportement, donné en exemple, traduit la hiérarchie qu'ils avaient instaurée entre missionnaires lettrés et artisans manuels. L'éducation véritable, selon eux, était celle qui était reçue par la parole écrite et qui donnait à ceux qui la recevaient la possibilité d'écrire et d'enseigner l'écriture. Elle sous-entendait un mépris pour l'éducation technique, même si l'abstraction du travail-valeur, qui n'existait pas dans la société merina du XIXe siècle naissant, était survalorisée. Mais la dévalorisation de l'activité manuelle s'y développa d'autant plus rapidement que la fraction de population de l'Imerina qui fut alors scolarisée était issue de l'élite sociale et politique, à de rares exceptions près, et avait vocation à se constituer en classe oisive, bénéficiaire du travail de ses esclaves et de ses dépendants.

---

82 RAJAONARIVELO (J.) : "Le Fanahy".
83 COUSINS (W. E.) : "Bible revision work in Madagascar", *Antananarivo Annual*, tome III, 1886, p. 209-215. et SIBREE (J.) : "Reminiscence of Bible Revision", *Antananarivo Annual*, tome VI, 1897, p. 117-119.

Cette éducation incluait un grand nombre de connaissances et de concepts, qui n'appartenaient ni à l'environnement naturel des enfants ni à leur univers mental, et qui n'étaient pas toujours reliés aux intérêts de la communauté. D'autre part, ce qu'on leur apportait d'étranger, à part la géographie, n'appartenait même pas aux réalités concrètes et quotidiennes du monde Atlantique, mais relevait du domaine étroit d'une certaine vie intellectuelle et littéraire des cités préindustrielles. Le reproche justifié qui a été fait aux *Sunday Schools* et aux *Charity Schools* anglaises, dès le XVIIIe siècle, s'applique, inversé, aux écoles missionnaires malgaches du XIXe siècle. Dans les écoles anglaises, on s'efforçait de limiter au maximum les prétentions intellectuelles des élèves, de leur donner le goût du travail honnête et de leur inculquer la résignation à leur futur état de prolétaires, ainsi que le respect de la morale et de l'ordre établi.[84] Aux antipodes, les premières écoles d'Imerina visaient à faire de leurs élèves de bons et loyaux sujets du roi Radama, mais en firent aussi des sortes de clercs médiévaux ou plus exactement de mandarins, habitués à la copie, à la mémorisation et à la récitation mécaniques. Les missionnaires demandaient aux élèves d'ingurgiter et de restituer ce qu'ils leur dictaient, ils leur laissaient peu d'initiative, si ce n'est dans le domaine du vocabulaire et ne faisaient en aucun cas appel à leur imagination ou à leur créativité.[85] Même s'ils leur demandaient de raisonner à l'occasion des interrogations qu'ils organisaient régulièrement, c'était toujours à propos du sermon précédent ou de la leçon de catéchisme, l'univers concret était banni. Cette faveur réservée par les éducateurs britanniques à la recherche des termes et au raisonnement abstrait sur des thèmes moraux ou doctrinaux renforça le goût du *kabary* (harangue) et les aptitudes pour l'éloquence de leurs élèves. Elle aurait pu dessécher la langue religieuse et la couper définitivement de la langue vivante du peuple, comme le prétend F. Raison, alors que toute la vie politique, depuis l'épisode colonial français jusqu'à la course à l'abîme socialiste, témoigne de la suprématie d'une rhétorique de type religieux sans cesse renouvelée. C'est que les missionnaires gallois étaient aussi les héritiers des *hot gospellers* et savaient se montrer chaleureux et même enflammés dans une prédication qui touchait alors à la poésie au lyrisme dramatique. C'est pourquoi, la seule conséquence de leur enseignement qu'on peut leur reprocher est d'avoir formé de redoutables prédicateurs, ratiocineurs et même sophistes, dont beaucoup surent leur tenir tête plus tard.

---

84 JONES (M. G.) : *The Charity School Movement. A study of Eighteenth century Puritanism in Action*, London, 1938, p. 321.
85 L'apprentissage de la couture par les filles ne change rien à cette appréciation, elle faisait partie de l'éducation "supérieure" donnée aux jeunes filles dans les *Dame schools*.

CHAPITRE XIV

UN BILAN AMER

1 - Les difficultés de l'évangélisation

On a vu qu'en toute occasion et qu'en tout lieu, les missionnaires se faisaient un devoir de parler de religion aux gens qui les entouraient. Chaque fois qu'il leur était possible de réunir quelques auditeurs, ils développaient un sermon sur un thème que la situation leur inspirait. A bord d'un navire qui l'emmenait vers Maurice, après une rude tempête dont le navire était sorti indemne, un Griffiths jugeait utile de prendre prétexte de la péripétie pour rappeler aux marins et à l'équipage "l'intervention de la Divine Providence" dans leur sauvegarde. Le dimanche suivant, il développait sur ce thème une phrase de l'apôtre Paul "sur les périls des eaux" en un long sermon plein de conseils de morale et d'appels à la réforme des âmes.[1] On pourrait multiplier de tels exemples entre 1818 et 1827, ils ne feraient que nous confirmer la place prééminente que les missionnaires attribuaient à la prédication.

La Prédication

Le devoir de prêcher l'Evangile, de répandre la parole de Dieu, d'appeler à la conversion est, à n'en pas douter, la composante fondamentale de tous les mouvements de conversion, de tous les "réveils" à l'intérieur du Christianisme. Les mouvements évangéliques ont polarisé leur action sur le déclenchement de la conversion, se sont organisés et outillés dans cet unique but. L'appel à la foule, à la contagion du nombre et à la sensibilité hypertrophiée qui se manifestent dans les grands rassemblements, la manipulation par la parole ont été parmi les procédés les plus efficaces employés en Grande-Bretagne. Ces techniques exigeaient des dons naturels, la voix, mais aussi un apprentissage fondé sur des "trucs" de métier.

Pour ce qui est des dons, les Gallois tout particulièrement étaient loin d'en manquer par la robuste constitution de leurs représentants à Madagascar. Habitués dès l'enfance à hurler en plein air dans leurs montagnes natales, ils avaient acquis naturellement et le coffre et le

---

[1] *Incom. Letters Maur.*, B1/F1/JD, P-L, Feb. 19th 1821, Griffiths to L.M.S.

souffle modulés par le chant. Quant à ceux qui se destinaient au ministère du culte, ils s'entraînaient très jeunes à débattre de religion devant leurs camarades et c'était pour tous les garçons un devoir, après la confirmation, que de prendre part aux offices de la congrégation par quelques sermons bien venus. Il y avait une pépinière de *Hot Gospellers* dans chaque paroisse du Pays de Galles et cette chaleur des orateurs gallois était quasiment proverbiale en Grande-Bretagne.

C'est pourquoi Jones et Bevan furent fort surpris et déçus de trouver à Maurice un compatriote, le révérend Jones, aumônier de la colonie, qui, trop anglicisé, "n'avait hélas rien du feu gallois en lui" lorsqu'il prêchait.[2]

Même lorsque certains candidats n'avaient pas naturellement cette flamme, le docteur. Bogue se chargeait de la leur communiquer par un entraînement intensif à Gosport. Pendant les deux ans de leur séjour au séminaire, les dimanches étaient consacrés à des exercices de prédication. Malgré les récriminations de certains étudiants, Bogue les envoyait prêcher dans les paroisses voisines et même souvent dans les rues et sur les places de Gosport. Aucune timidité ne résistait à un tel régime.[3] Pour s'aider, les prédicateurs disposaient de recueils ou d'aide-mémoire sur des thèmes variés qui constituaient l'armature sur laquelle ils pouvaient broder. Les *Essays* de Doddridge et de Bogue ainsi que les *Sermons* de W. Jay étaient particulièrement utilisés, puisque ces titres reviennent souvent dans la correspondance des missionnaires.[4]

Aucun sermon de cette époque ne nous a été conservé, mais on peut malgré tout en connaître deux composantes, les thèmes préférés des missionnaires de Madagascar et le ton, sinon le style, grâce à leurs journaux et correspondances envoyés à Londres. Lorsqu'ils narraient leurs occupations scolaires ou dominicales, les missionnaires notaient tous le thème du sermon et le verset de la Bible qu'ils avaient commenté.

Lorsqu'ils commencèrent à prêcher en malgache, le 22 février 1824, Jones prit son texte dans le premier chapitre de la *Genèse* : "l'histoire des trois premiers jours de la création", puis Griffiths dans le 20ème chapitre de l'*Exode*, avec un commentaire du premier commandement".[5] De la même façon, les premiers textes bibliques lus et commentés dans les écoles et les premiers imprimés furent tirés de ces deux livres de l'Ancien Testament. Au départ, les deux pionniers de Tananarive semblent avoir utilisé plus rarement les textes du Nouveau Testament, notamment l'Evangile de Mathieu qu'ils avaient pourtant traduit dès 1822, que Jeffreys, qui faisait au contraire peu de lectures, mais insistait sur les définitions et le dogme : l'âme, la Rédemption, la vie éternelle, en faisant des références assez abstraites à la Création et à la Providence pour appuyer ses démonstrations. Nous verrons que ces différences étaient

---

2 *Incom. Letters Maur.*, B1/F1/JC, P-L, July 9th 1818, Bevan to Burder.
3 TURTAS : *L'Attivitá*, p. 176.
4 Par exemple, Jeffreys en 1822 dans VALETTE : *B.A.M.* t. XL, p. 266.
5 Ce choix des textes bibliques était conditionné par la répartition des travaux de traduction : à Jones revenait la *Genèse* et *Mathieu*, à Griffiths l'*Exode* et *Luc*. Voir MUNTHE (L.) : *La Bible*, p. 73. *Exode* **20** : le Décalogue.

de grande importance, mais, pour l'ensemble de la période, tous les envoyés de la L.M.S. témoignèrent d'une affection toute particulière pour le Nouveau Testament, "la Parole du Christ" comme ils disaient, ainsi que pour les passages normatifs ou cosmologiques de l'Ancien Testament. Si l'on considère le déroulement des traductions faites par les missionnaires, on constate qu'ils firent un choix délibéré de ce qu'ils estimaient être les textes prioritaires. Ils prirent les premiers Livres des deux Testaments (Pentateuque, Mathieu) dans leur ordre biblique, puis choisirent un Livre de caractère historique et un autre de caractère liturgique dans l'Ancien Testament (Genèse et Ecclésiaste) et certains épîtres du Nouveau. En gros, il y eut seulement cinq Livres de l'Ancien pour huit du Nouveau Testament qui retinrent leur attention dans la période qui nous occupe. La traduction complète du Nouveau Testament fut réalisée dès 1824, tandis que celle de l'Ancien n'était achevée qu'en 1827.

Dans les prônes qui faisaient partie de l'office du dimanche, il y avait en général un commentaire de l'Ancien Testament pour deux du Nouveau. Pour la prédication proprement dite, le recueil de sermons imprimés par les missionnaires entre 1828 et 1835, à partir de textes qu'ils utilisaient depuis 1824, révèle une proportion d'un thème choisi dans l'Ancien Testament pour deux tirés du Nouveau. Ce déséquilibre était sans doute plus accusé dans la pratique des années 1824-1827 durant lesquelles le Nouveau Testament semble avoir prévalu de façon écrasante, alors que les sujets de prédication tirés de l'Ancien provenaient de deux ou trois de ses Livres seulement.[6]

Le style

On peut s'en faire une idée en lisant les journaux des prédicateurs, puisqu'ils rédigeaient leurs sermons de la même façon et souvent en même temps. Des exclamations, des interrogations, un usage abondant des qualificatifs et des adverbes, une musique des mots assez abstraite, qui devait toucher le cœur et l'esprit et non l'imagination. L'éloquence missionnaire n'était pas faite d'images mais d'adjectifs. F. Raison a relevé avec finesse la fonction d'outil symbolique universel joué par le langage de la première génération, mais l'analyse qu'elle fait de la rhétorique missionnaire semble contredire ce que nous avons constaté plus haut. Selon elle, la Bible n'était pas le seul outil de référence des missionnaires, car leur phraséologie avait aussi été modelée par les rigueurs de l'éloquence puritaine, forgée au XVIIe siècle et soumise à l'expérience du *Call for Prayer* dans la pastorale et la scolarisation des milieux populaires illettrés du XVIIIe siècle. "Dépouillement du discours, qui s'efface devant la citation de la parole de Dieu, laquelle porte en elle-même sa propre évidence, méfiance à l'égard de l'imagination poussant l'auditeur des prédicateurs vers une rêveuse dérive, en raison des images, des symboles, des allégories qu'elle déploie quand le seul but

---

6 RAKOTOARISOA : *The Old Testament in the Malagasy Church.*

de la causerie religieuse est d'affirmer le discernement du bien et du mal et de pousser à agir."[7] Tout cela est globalement juste à l'aune du siècle, mais doit être fortement nuancé pour la période qui nous occupe en fonction de l'origine sociale et surtout ethnique des missionnaires. La nuance sociale montre que le seul Anglais, Jeffreys, était loin d'être un intellectuel et qu'il s'était formé dans l'enthousiasme du méthodisme. La dimension ethnique, systématiquement occultée par l'historiographie européenne, révèle que les Gallois échappaient complètement à la tradition abstraite du puritanisme anglais, comme en témoignent leurs autobiographies et leurs écrits. La langue des premiers missionnaires se voulait, peut-être, totalement détachée du sensible mais elle ne refusait ni les paraboles, ni les métaphores largement utilisées par le Christ lui-même et dont témoigne le texte des journaux et des lettres envoyés à Londres. Bien plus importante que la tradition puritaine était certainement la pratique "évangélique" du XVIIIe siècle, commune à toutes les dénominations et que Grant, l'un des maîtres à penser de la Secte de Clapham, résumait par cette formule : "la communication de la connaissance salvatrice aux millions d'êtres plongés dans les ténèbres ne pouvait être accomplie que par la prédication du verbe parmi eux dans un assaut direct sur leur esprit."[8] Pour réussir cet assaut fondamental, il fallait faire table rase de tout ce qui pouvait rappeler leur environnement physique et moral, matrice de leurs superstitions et de leur attardement. En cela seulement on peut dire que la prédication des premiers missionnaires s'éloignait du sensible. Mais il existait plusieurs possibilités pour le faire, plusieurs tons dans le discours.

Un succès de curiosité

Jusqu'en 1827, "il n'y avait pas de congrégation qui s'assemblait à période fixe, pour entendre prêcher l'Evangile. Le Dimanche, il y avait un prône deux fois dans la journée, mais les principaux auditeurs étaient les élèves les plus avancés, quelques instituteurs qui se trouvaient par hasard en ville, et quelques domestiques des Européens. Un petit nombre de gens de la ville et d'étrangers de la campagne, apparaissaient aux fenêtres pour regarder et écouter, mais très peu vraiment prenaient leur place, comme auditeurs assidus. Au vrai, ce n'est pas avant la mort de Radama que les congrégations régulières commencèrent à être formées."[9] Ce tableau, assez peu flatteur, de l'état de la prédication à Antananarivo vers 1826-1827 par un missionnaire arrivé en 1826, nous oblige à reconsidérer le succès de la prédication en Imerina dans la période qui nous occupe. Après cinq ans d'efforts, les missionnaires n'avaient pas réussi à intéresser suffisamment les Malgaches à leur "spectacle" et à leurs discours, pour être assurés d'une audience conséquente et régulière.

---

7 RAISON (F.) : "Le travail missionnaire".
8 GRANT (C.) : *Observations on the state of Society*, p. 70.
9 CAMERON (J.) : *Recollection*, p. 6.

Il serait facile de déclarer que les Malgaches étaient rebutés par ces palabres interminables, qu'il leur était difficile de se tenir debout des heures durant, immobiles et attentifs, que ce qui était dit ne les intéressaient pas. Ce serait se tromper lourdement. Tout ce qui se faisait dans la maison des missionnaires suscitait la curiosité des Tananariviens, et tout ce qui s'y disait retenait leur attention. Lorsque Jones se lança pour la première fois dans la prédication en malgache, le 22 février 1824, "quelques naturels assistaient et ne furent pas peu étonnés d'entendre un blanc leur déclarer avec aisance la merveilleuse œuvre de Dieu, dans leur propre langue". Ce fut un succès et chaque dimanche, il y eut affluence d'auditeurs dans la maison de Griffiths transformée en chapelle. Les cantiques qui faisait les délices des missionnaires leur garantissaient aussi une nombreuse assistance. L'exaltation véhémente du discours des Gallois, aussi bien à l'intérieur d'un bâtiment comme à Antananarivo, qu'en plein air dans les campagnes, était appréciée à sa juste valeur par des Malgaches qui cultivaient les talents oratoires et qui étaient habitués aux interminables proclamations royales et aux longues prières des cérémonies religieuses traditionnelles à Antananarivo et à Ambohimanga. Par comparaison avec les longs offices du culte congrégationaliste, les proclamations qui se tenaient à Andohalo ou à Mahamasina, se trouvaient, elles aussi, entrecoupées de chants, pouvaient réunir 8.000 personnes et durer plus de six heures.[10]

Pourtant, après une année de succès, les effectifs réunis par la prédication missionnaire se mirent à décroître, en 1825-1826, pour se stabiliser au niveau décrit par Cameron en 1827. Griffiths et Jones se rendaient compte de ce manque d'impact de leurs démonstrations publiques lorsqu'ils écrivaient : "la connaissance est diffusée, mais nous devons chercher pour la bénédiction de Dieu à produire une impression durable sur les esprits et à changer les cœurs."[11] A la même époque, Jeffreys avait réussi à dresser plus de la moitié du village contre lui et, peu avant son départ, ne trouvait plus guère que ses élèves pour l'écouter. Quant à Johns, il ne commença pas à prêcher avant la fin de 1827. De l'aveu même des missionnaires, la prédication semblait avoir échoué en Imerina, bien avant la mort de Radama, car, disaient-ils, ils n'avaient pas su trouver le "ton juste".

A l'intersection de deux traditions

Il est vrai que la gamme sur laquelle ils pouvaient jouer était peu étendue. Les missionnaires de la L.M.S. avaient acquis des techniques de conversion, on pourrait aussi bien dire de propagande, dans leur milieu d'origine et à la suite d'une formation au séminaire de Gosport. C'est dire qu'ils étaient les héritiers de deux grandes écoles de

---

10 Par exemple le grand *kabary* du 21 avril 1822 à Ambohimanga, *Journals Mad.*, Box 1, n° 4, Griffiths, 1822.
11 *Incom. letters Mad.*, B2/F2/JA, Jones and Griffiths to Burder, May 30 1827, Tananarivou.

prédication missionnaire, celle déjà ancienne des Allemands de l'Inde et celle toute récente du *Call for Prayer*, ce mouvement de croisade du XVIIIe siècle finissant. En 1707, Ziegenbalg avait défini cinq principes pour établir une mission. Le troisième notifiait que la prédication de l'Evangile devait être fondée sur une connaissance exacte de l'esprit des peuples, sur leurs croyances et coutumes religieuses. Ce principe avait été repris et appliqué par William Carey en 1793, lorsqu'il partit pour l'Inde. Grâce à quoi Ziegenbalg et Ward, un collègue de Carey, purent rédiger des ouvrages remarquables sur la religion, les mœurs et coutumes de l'Inde, et c'est bien ce qu'avaient entrepris Jones, Griffiths et Johns pour Madagascar, nous l'avons vu. Malheureusement, cette ouverture sur les Gentils, qui n'était pas sans rappeler celle de saint François vers l'Islam, se heurtait au front de refus des nouveaux croisés du protestantisme. L'esprit évangélique, populaire dans le *Call for Prayer* ou bourgeois dans la Secte de Clapham, se raidissait devant tout compromis avec le démon. Lorsque Ziegenbalg envoya en Angleterre, à la S.P.C.K., le résultat de ses recherches pour le faire imprimer, il reçut en réponse un rappel à l'ordre mordant : sa tâche était de déraciner l'hindouisme en Inde, et non de propager des superstitions païennes en Europe. Ce n'est qu'en 1867 que l'on découvrit à Halle l'un de ses manuscrits et que fut enfin publiée sa *Généalogie des Dieux Malabars*.[12] Il en fut de même pour le livre de Ward, *Manners and Customs of the Hindus*, dont l'auteur dut assurer lui-même la publication en 1806, au milieu des pires attaques des soutiens de la Mission baptiste en Angleterre. On a vu comment les manuscrits de Jones, Griffiths, Johns et Freeman disparurent après qu'Ellis en ait tiré ce qui paraissait "convenable", c'est à dire compatible avec l'esprit des soutiens de la L.M.S. en Grande-Bretagne. Cet esprit de croisade, inculte et sûr de la vérité qu'il trouve dans les Ecritures, est celui qu'on voit refleurir un peu partout aujourd'hui dans tous les fondamentalismes et intégrismes chrétiens. Il exige que l'on fasse oublier aux païens et aux impies leur propre culture, associée à leur souillure. Dans le *Call for Prayer*, la renaissance à la vie du Christ devait se faire par le sacrifice de l'identité païenne, la création d'un vide intérieur total que remplirait la grâce du Seigneur. Il est évident que ce type de missions, plus encore que les vieilles missions catholiques, s'attaquait avant tout aux enfants, plus "neufs", plus malléables, d'autant qu'avec l'alphabétisation on pouvait avoir sur eux une emprise presque constante. Mais à Madagascar, l'école ne put fournir un terrain propice à ce type de conversion car les missionnaires ne parvinrent jamais à "enfermer" (sic) les enfants, à les couper suffisamment longtemps de leurs familles et de leurs traditions.[13]

Restaient les adultes sur lesquels la prédication, tournée vers une perspective eschatologique, avait si bien réussie en Europe du Nord, au

---

12 ZIEGENBALG : *Genealogie der Malabarischen Götten*, Texte établi avec une introduction par William GERMANN, Madras, 1867.
13 Le terme "enfermer" est celui qu'emploient les missionnaires. CAMERON (J.) : *Recollection*, p. 8.

XVIIIe siècle, et dans les années 1820, au Pays de Galles. L'appel au repentir devant l'imminence du jugement de Dieu, résonnait dans les âmes angoissées des déracinés de toutes les révolutions européennes, il ne pouvait manquer d'être entendu par des âmes misérables, "plongées dans les ténèbres et qui mourraient de l'ignorance de la parole de Dieu."

Le ton de l'approche

Tout fut essayé par les missionnaires, sans qu'ils sachent jamais discerner clairement le registre qu'il fallait employer, sans qu'ils se départissent jamais d'un mélange confus entre les tons de leur appel. Cherchant à s'informer, selon la méthode de Ziegenbalg et de Carey, les missionnaires s'engagèrent souvent dans de longues discussions avec leurs auditoires ruraux, sur la nature de Dieu, l'immortalité et le sort futur de l'âme. Jones et Griffiths restaient prudents et se contentaient d'enregistrer les informations données, puis de proposer leur explication, puis, lorsqu'on leur demandait d'où ils tenaient leur science, ils déclaraient posséder la parole de Dieu et exhibaient leur Bible. Ils improvisaient alors sur un thème et se mettaient à prêcher. Dans ces cas-là, le talent particulier des Gallois et leur bonne connaissance de la langue malgache leur assuraient un succès immédiat mais éphémère. L'auditoire était étonné et ravi d'entendre des mots et des expressions nouvelles ou dotées d'un sens étrange, mais il n'était nullement convaincu, car sa logique n'était pas celle des missionnaires. Tout en considérant le passage de ces hommes étranges comme une distraction de choix, le public malgache se gardait de pénétrer dans le discours qu'ils tenaient et d'en accepter la substance.([14]

Plus agressive et plus dangereuse était la méthode de Jeffreys. Le 1er janvier 1825, il fit son premier sermon en malgache à Ambatomanga. Le thème en était "la valeur de l'âme", sujet aride pour les vingt paysans qui l'écoutaient et qui ne manifestèrent point leur sentiment. Dans l'après-midi, il renouvela son prêche pour les habitants d'un petit village voisin, certains lui posèrent des questions et un vieillard vint lui demander l'aumône. En bon puritain, il lui donna une pièce contre l'attention à une leçon de catéchisme. Où irait son âme à sa mort lui demanda le missionnaire ? Elle sera enterrée lui répondit l'autre en riant de toutes ses dents. Et Jeffreys d'écrire : "cela était plutôt choquant de voir un frère immortel ployant sous les décrépitudes de l'âge aussi ignorant et (illisible...) Je parlais avec beaucoup de chaleur et de sentiment car je sentais mon coeur bondir en moi devant une aussi grossière ignorance." [15] De plus en plus indigné au fil des jours, Jeffreys multiplia les attaques contre cette ignorance, violant les interdits locaux, cherchant à prouver l'imposture ou à ridiculiser les croyances des villageois. Une délégation alla se plaindre au roi qui la désavoua, mais le

---

14 *Incom. Letters Mauritius*, B2/FI/JB, Tana, sept. 25, Griffiths to Le Brun.
15 *Journals Mad.*, Box 1, n° 11, Jeffreys, 1824-1825.

missionnaire ne put jamais dissiper l'hostilité qu'il avait créée. Plus grave, en traitant par le ridicule les croyances de ses interlocuteurs, ce missionnaire les avait convaincus, si besoin était, que pour les *Vazaha*, missionnaires ou non, il n'y avait rien de sacré, puisqu'ils n'étaient même pas capables d'admettre qu'eux, Malgaches, puissent considérer certaines choses comme sacrées. Pour Jeffreys, le combat était perdu dès le premier engagement.

Reste que Jones, Griffiths et Canham, pendant leurs tournées dans l'Imerina ne surent pas mieux mesurer leur hostilité aux croyances malgaches. En 1822, dans l'Imamo, ils débattirent avec les habitants de leurs "traditions superstitieuses concernant un héros, demi-dieu : Rapeto". Sa tombe, censée receler un trésor, était vénérée. Dès le lendemain, accompagnés de leurs élèves, ils gagnèrent la tombe et la violèrent. "Nous dispersâmes les pierres et jetâmes à terre l'autel mais hélas nous ne vîmes pas d'argent."[16] Plusieurs épisodes de ce genre se reproduisirent. En 1824, entre Tompoananandrariny et Miakotso, dans l'Andringitra, ils firent prendre par deux élèves des pierres et des branches d'arbre sacré qui se trouvaient sur une tombe *vazimba*, lieu de dévotion traditionnel, cela en présence des villageois. Arrivés au village, ils centrèrent la conversation sur les pierres et les branches, demandant à un vieillard de les prendre dans ses mains, ce qu'il refusa de faire. Et les missionnaires d'expliquer la fausseté des idées des habitants qui n'osaient faire ce que des enfants faisaient sans hésitation. Il leur fut répondu que les enfants connaissaient le livre et étaient sous la protection des étrangers blancs. "Le Vazimba n'a pas le pouvoir d'atteindre ces Blancs ni ceux qui les suivent". Ils ne réussirent à convaincre personne mais choquèrent certainement celui qui leur demanda : "Pourquoi me pressez-vous pour rompre avec les coutumes de mes ancêtres ?"[17] Plus loin, au sommet de l'Andringitra, les élèves détruisirent les autels de Ranakandriana, une divinité matérialisée par un écho et tous s'en allèrent fort satisfaits prêcher dans le village voisin.[18]

Le résultat de ces expéditions et de leur prédication à Antananarivo fut une série de plaintes adressées au roi qui, le 2 janvier 1825, adressa une lettre de mise en garde à Jones "disant que nous étions trop actifs et zélés et que si nous continuons à instruire son peuple avec la même vitesse nous mettrons le monde sens dessus dessous, car son peuple est si attaché à ses vieilles coutumes qu'il ne peut supporter d'entendre parler d'aucun dieu supérieur à ses propres idoles, ni d'aucune religion que celle de ses ancêtres auxquels il est extrêmement attaché." Et les missionnaires de répondre "qu'ils n'avaient jamais contraint les gens à

---

16 *Journals Mad.*, Box 1 n° 4, Griffiths 1822-1823. Johns se rendit à son tour dans le Vonizongo en 1827.
17 *Idem*, Box 1 n° 7, Griffiths, Jones and Canham, 1823.
18 Il ne faut peut être pas chercher ailleurs que dans ces expéditions iconoclastes de jeunes aristocrates, conduits en toute impunité par des étrangers "civilisateurs", l'origine des *menanaso* de Radama II et les pratiques "scandaleuses" de son Académie dans les années 1850-1860.

rejeter leurs idoles ni commandé de prier le vrai Dieu."[19] Le roi épongea l'affaire et leur renouvela son soutien de principe, mais les missionnaires savaient désormais à quoi s'en tenir.

Il leur restait néanmoins deux manières de prêcher : la bonne vieille méthode de recours à la peur, et l'autorité. S'appuyer sur l'angoisse existentielle, sur la crainte du châtiment et de la souffrance, c'était déjà ce que faisaient les missionnaires catholiques lorsqu'ils appliquaient leur "Evangile de la peur". Ce thème fut peut développé à Madagascar, parce que les missionnaires tardèrent ou se refusèrent à comprendre la conception malgache de la mort, radicalement différente de la leur. Les catholiques, lorsqu'ils l'ont voulu, ont toujours pu intégrer le "culte des morts" et la vénération des ancêtres, aussi bien dans la théologie par la Communion des Saints, que dans la pratique, avec le culte des saints et les divers rites et sacrements funéraires. Le fidèle protestant est plus démunis devant un au-delà désertique, et l'on peut jouer sur son angoisse à l'idée de cette solitaire confrontation avec Dieu et Lui seul. On ne peut faire craindre l'Enfer et souhaiter le Salut qu'à ceux pour lesquels la mort est une solitude étrangère. Les Malgaches étaient organisés pour que les morts, devenus ancêtres, les laissent en paix et leur apportent des bénédictions. C'est ce qu'avait fait comprendre Hastie au jeune Keating, lorsqu'il notait dans son journal : "j'imagine plutôt que ce sont les maux présents et les punitions en ce bas monde dont ils sont effrayés, (...) Avec cette apathie à l'égard des choses de l'autre vie il n'y a pas de doute qu'il est impossible de faire naître en eux un quelconque intérêt pour la religion Chrétienne."[20] Les missionnaires dissidents n'avaient pas de place à offrir à ces ancêtres dans leur conception du monde d'ici et d'au-delà. A leur égard, ils ne pouvaient proposer aux vivants que l'abandon à l'autre monde voire l'oubli, en quelque sorte un rejet et une trahison. Ils ne surent d'ailleurs pas tirer parti des diverses funérailles qu'ils organisèrent pendant cette période, dans le cimetière qui leur avait été assigné par Radama, pour faire la démonstration de l'existence et de la vénération des morts chez les Blancs aussi.

Par ailleurs, jouer sur la mort était extrêmement dangereux, comme les missionnaires purent s'en apercevoir dès 1823, lorsque des élèves allèrent raconter à leurs parents que "le Dieu des Blancs pouvait punir après la mort bien plus gravement que ne pouvait faire le Roi." C'était contester directement l'ordre politique et Radama rappela immédiatement les missionnaires à plus de circonspection.

Restait l'argument d'autorité. Dans la situation, il allait presque de soi. Les missionnaires avaient été appelés par le Roi, soutenus par lui, c'est lui qui avait rempli les écoles et désigné les villages où elles étaient ouvertes, il pouvait donc aussi imposer une nouvelle croyance. Malheureusement pour eux, Radama ne songea jamais à se convertir,

---

19 *Journals Mad.*, Box 2 n° 12, Jones and Griffiths, May-June 1825.
20 KEATING (Henry S.) : *Narrative of his journey to Tananarivou*, July 1825, manuscrit Ms ENG Mis. C 29, Bodleian Library, Oxford. J'en ai offert le microfilm au Musée d'Art et d'Archéologie de l'Université à Isoraka, Antananarivo.

mais au contraire, devint de plus en plus soupçonneux à l'égard de leurs activités proprement religieuses, au fur et à mesure que croissait l'hostilité à leur message dans toutes les couches de la société. Les missionnaires ne purent jouer que de l'autorité dont ils étaient investis par délégation du roi et de celle qu'ils dégageaient par leur rayonnement personnel. Les portraits que nous en avons parlent d'eux même : raides du col, toujours soignés dans leur tenue, les missionnaires se faisaient une attitude d'autorité destinée à neutraliser le doute ou la contradiction. C'est en ne transigeant sur aucun de leurs principes, dans les moindres détails de l'existence, en parlant toujours avec assurance et certitude, en affirmant tout ce qu'ils disaient sans laisser place au doute qu'ils pensèrent pouvoir réussir le mieux. Au catéchisme comme au culte, la parole de Dieu était dictée, imposée, mémorisée, des explications venaient ensuite mais jamais de discussions et encore moins de débats.

Par de tels procédés, on peut affirmer, qu'avant 1828 et même bien après, les missionnaires n'avaient converti (au sens étroit du réveil évangélique) aucun Malgache, alors qu'ils en avaient éduqués 4.000. C'est en tout cas ce qu'écrivait une génération plus tard Raombana, le plus illustre produit malgache de l'humanitarisme britannique :

"Entre 1820 et 1827 plusieurs missionnaires et artisans anglais s'étaient installés à Antananarivo. (...) Pour leur honneur et pour l'honneur du peuple anglais qui les avait envoyés, ces missionnaires accomplirent effectivement tout leur possible au service de la propagation, parmi les Hova, de la religion chrétienne. Ils montrèrent beaucoup de zèle à enseigner la lecture et l'écriture aux enfants, dont les études, grâce à leurs leçons progressèrent très vite. Ils firent apprendre l'anglais à une douzaine de leurs élèves, qui purent acquérir une certaine maîtrise de cette langue."[21]

---

21 Extrait de RAOMBANA : *Histoires 2*, traduction AYACHE, p. 995. Le non dit du texte est plus fort qu'une longue plaidoirie : l'honneur (et non la bénédiction) de répandre l'Evangile revient aux Britanniques car il sont seuls concernés. Mais seul leur zèle dans l'éducation a produit un résultat et leur vaut, sinon la reconnaissance, du moins la considération malgache.

2 - Les ambiguïtés de la mission

La formation d'auxiliaires

Bogue, dans ses leçons de pastorale missionnaire, déclarait à ses élèves que le missionnaire devait éviter de se rendre indispensable et préparer sa propre succession, aussi bien dans le ministère que dans l'administration. Cela supposait, dans son esprit, la conversion préalable d'un certain nombre de non chrétiens parmi lesquels le missionnaire aurait choisi les individus les plus doués et les plus zélés et les aurait fait accéder au ministère par l'imposition des mains. Mais il prenait soin de rappeler aux futurs missionnaires qu'une longue formation était nécessaire avant que les convertis du paganisme fussent en mesure d'exercer le saint ministère, car le charisme des temps apostoliques avait disparu et devait être remplacé par l'éducation.[22]

Sur le terrain, les missionnaires allèrent plus loin et firent de l'éducation un préalable non seulement au ministère mais à la conversion elle-même. De ce fait, les quarante élèves avancés qu'ils formèrent au Collège Central ou *Missionary Seminary* d'Ambatomiangara n'étaient, dans leur esprit, que des auxiliaires scolarisés, des instituteurs destinés à ne les remplacer que dans l'œuvre d'alphabétisation. Pourtant, l'éducation ne se séparait point de l'évangélisation, puisqu'aussi bien dans les manuels que dans l'enseignement du catéchisme et du chant, c'était d'une instruction religieuse qu'il s'agissait. On peut donc dire qu'à partir de 1824, Jones et Griffiths inaugurèrent la formation d'un type d'homme encore aujourd'hui caractéristique des campagnes malgaches et que les catholiques ont récupéré : le catéchiste. C'est à la fois un instituteur et un évangéliste (prédicateur itinérant), même s'il n'est pas consacré ni même baptisé. Cette petite cohorte d'élèves avancés était pour les missionnaires une avant-garde de leur conquête à deux points de vue. Dans un premier temps, les instituteurs faisaient pénétrer la lecture et la curiosité pour cette religion nouvelle, ce qui permettrait ensuite aux missionnaires de pénétrer en force avec la Bible traduite et imprimée par leurs soins. Dans une perspective moins proche, ils caressaient l'espoir de faire de ces jeunes gens, formés et endoctrinés par leurs soins, les premiers convertis de Madagascar, des convertis "sûrs" dont on n'aurait à craindre ensuite aucune déviation doctrinale ou morale, aucune trahison du christianisme et, sans doute, aucune velléité d'autonomie.

Malheureusement, les catéchistes échappèrent de deux façons au contrôle, à l'autorité et surtout à la pression psychologique des missionnaires. Par l'éloignement d'abord, malgré leurs stages d'approfondissement à Antananarivo et les visites hebdomadaires des deux missionnaires. Ces jeunes gens qui n'avaient point subi le choc de la conversion et qui ne résidaient point chez eux, durent composer avec

---

22 *Missionary Lectures*, n° 21.

le milieu pour se faire admettre et parfois nourrir, surtout pour mener une existence qui ne fût point, comme celle des Jeffreys à Ambatomanga, une succession de conflits. D'une autre façon, les catéchistes échappaient aux missionnaires dès qu'ils étaient affectés dans un village. Leur nomination était faite par le roi et pour son service et c'étaient les *Vadintany* (délégués ou procureurs du roi) qui les introduisaient et qui faisaient construire l'école. Quel que fût le contenu de leur enseignement, les instituteurs de 1825 étaient au service de l'Etat et non de la religion chrétienne. La preuve en est qu'ils pouvaient à tout moment être rappelés par le roi pour être affectés ailleurs, le plus souvent dans l'armée, ce qui se produisit dès le mois de janvier 1825.[23] Les missionnaires n'auraient pas dû en être surpris puisque l'un des arguments qu'ils avaient soufflés à Radama pour convaincre ses sujets de la bienfaisance de l'école était le recrutement à son service.[24] Ce qu'ils n'avaient pas prévu, parce qu'à l'opposé de leur propre démarche de promotion par le service public, c'est que le service du roi pût être une lourde pénalité.

Pourtant le roi ne retira jamais aux missionnaires les "Douze", ces assistants et auxiliaires qu'il leur avait confiés, en 1825, pour les aider à la traduction de la Bible. En fait, dès 1824, les meilleurs élèves qui étudiaient l'anglais leur servaient d'assistants et traduisaient chaque dimanche dix versets des Ecritures.[25] Le programme des grandes classes au Séminaire Missionnaire comportait des exercices de traduction de la Bible, comme on l'a vu plus haut. Mais, plus que de simples aides, les "Douze" furent de véritables traducteurs, choisis expressément pour cela par le roi lui-même. En 1827, ces jeunes gens avaient commencé l'étude du grec et du latin pour pouvoir lire directement dans les textes sans passer par l'anglais.[26] Bien que leur formation se soit prolongée au-delà de 1829, ils furent très vite utiles puisque le rapport de 1828 les désigne sous le nom de *Transcribers* et donne leurs noms. Trois parmi ces douze furent baptisés en 1831, réalisant en partie les espoirs des missionnaires, en qualité sinon en quantité.

---

23 *Journals Madagascar*, Box 1 n° 9, Griffiths and Jones 1825.
24 Outre les lettres et journaux des missionnaires, la tradition des *Tantara* évoqués plus haut, on retiendra le témoignage de Raombana : *Histoires 2*, traduction AYACHE, p. 995 : "Radama se rendait souvent à l'école d'Ambodinandohalo, afin d'encourager les élèves à étudier avec ardeur, leur promettant que, s'ils se montraient appliqués, il les prendrait en affection et ferait d'eux, dans l'avenir, de grands personnages. Le roi confia aux missionnaires son unique neveu, Rakotobe, fils de sa soeur Rabodosahondra et ses trois nièces, Rasoananahary, Ramangamaso, et Ramanjakaraibe, pour leur apprendre la lecture et l'écriture : ainsi les parents, voyant les proches du roi étudier dans cette école, exhorteraient leurs enfants à bien travailler aussi."
25 *Journals Madagascar*, Box 1 n° 9, Jones and Griffiths 1825-May 1824.
26 MUNTHE (L.) : *La Bible*, p. 77-79. Dès octobre 1826, les "Douze" recevaient de la mission un salaire fixe mensuel, plus des dons en vêtements.

Les missionnaires « bras droit » de Radama

Dès leur arrivée à Maurice, les missionnaires furent étroitement associés à la vie politique de Madagascar et c'est en tant qu'ambassadeur officieux que Jones monta à Antananarivo en 1820. Nous avons vu plus haut qu'ils se prêtèrent volontiers à ce jeu d'agents de la Grande-Bretagne auprès de Radama. Plus surprenant est le rôle qu'ils acceptèrent de jouer auprès d'un souverain "éclairé" certes, mais étranger et païen. En 1821, Jones fut installé au *Rova*, l'enceinte du palais, au même titre que l'agent anglais Hastie, dans l'ancienne maison du roi *Bevato* appelée aussi *l'ancienne Tranovola*. Jones ne pouvait imaginer que cette situation fût sans conséquence, dans son esprit il était à la disposition de Radama et de la Cour. En conséquence, il fut intimement lié à la vie politique et diplomatique de l'Imerina durant les années 1820-1822, faisant office de traducteur, voire de secrétaire du roi comme il l'avoue lui-même.[27] Il est certain qu'il joua un rôle dans le refus de Radama de laisser pénétrer le missionnaire catholique Pastre à Madagascar, comme en témoigne une lettre de Le Brun.[28] Cependant, malgré les nombreuses publications qu'a suscitées cet épisode, il ne me paraît pas possible de trancher sur la question ; Radama décida seul en véritable souverain et se contenta de demander son avis à Jones, comme il le fit plus tard à propos des méthodistes.

Jusqu'en 1823, les missionnaires furent les invités de Radama qui leur fournit tout ce qui était en son pouvoir de leur donner du point de vue matériel. En contrepartie, il les présenta à son peuple comme ses assistants et conseillers et les utilisa aussi souvent comme tels. Les missionnaires étaient conviés au Palais pour toutes les occasions officielles. A leur arrivée, Jones et Griffiths furent reçus à dîner par le roi ; à l'arrivée de Ratefy en 1822, il en fut de même. Ils étaient régulièrement conviés au *Rova* pour le *Fandroana*, le Nouvel An malgache, et partageaient avec la famille royale le *jaka* rituel (viande de boeuf boucanée).[29] Lors des pèlerinages à Ambohimanga, la ville sainte, les missionnaires Jones et Griffiths furent de toutes les cérémonies. Le roi désirait véritablement faire d'eux ses "parents", se les attacher, et faire savoir au peuple quels étaient ses sentiments à leur égard. Rien n'en témoigne mieux que la place d'honneur, sur l'estrade à ses côtés, qu'il leur accorda lors du grand *kabary* de Sahafa, dans la plaine d'Ambohimanga, le 21 avril 1822. Ils furent ensuite invités par lui à la revue des troupes et dînèrent dans sa tente.[30] Il en fut de même lors des grands discours donnés à Andohalo de 1821 à 1823. Radama montrait au peuple "ses Blancs", ces étrangers qu'il avait fait monter à

---

27 *Incom. Letters Mad.*, Bl/F3/JC, Tana, March 29th 1822, Jones to Burder.
28 *Incom. Letters Mauritius*, B1/F2/JA, P-L, Janv. 16th 1821, Le Brun to Burder.
29 *Journals Mad.*, Box 1 n° 7, Griffiths and Jones, 1823, 8 juin 1823. Depuis l'époque de l'influence française sous Radama II, le mot est traduit littéralement par "Fête du bain" ce qui ne signifie pas grand-chose.
30 *Idem*, Box 1 n° 4, Griffiths, 1822.

Antananarivo et pris à son service afin qu'ils révèlent leurs secrets au peuple malgache, afin qu'ils introduisent l'enseignement, forment un corps de secrétaires et apprennent "la Prière".[31]

La version malgache du discours de Sahafa, telle qu'elle fut transcrite par le père Callet, est conforme sinon identique à celle des missionnaires. Radama était le maître d'une politique dont ces derniers n'étaient que les instruments consentants. Les rapports français de la fin du règne et l'historiographie coloniale ont tout fait pour accréditer le mythe d'un roi demi-sauvage manipulé par les "Anglais" présents à Antananarivo. Rien n'est plus faux. Au moment où les missionnaires semblaient le mieux introduits, où leur influence, a-t-on écrit, était prépondérante, ils n'étaient rien sans le bon vouloir du roi et le savaient parfaitement. Jeffreys écrivait en 1822 : "l'autorité et le patronage des Rois, vous le savez, doivent être d'une grande importance dans une Mission comme celle-ci où il y a beaucoup de préventions à affronter (...) Mais cette protection royale n'est pas suffisante et nous devons être extrêmement prudents."[32] Pour conserver ce soutien royal, pour éviter toute erreur, mais aussi par conviction, les missionnaires se coulèrent entièrement dans les vues politiques du souverain. Ils acceptèrent de former les futurs secrétaires de l'Etat malgache en leur enseignant "à bien faire, à craindre Dieu et à honorer leur roi", comme en témoignait Carayon en 1826.[33] Ils approuvèrent et soutinrent le travail d'unification de l'île entrepris par Radama, en élaborant une langue écrite, codifiée et diffusée par les écoles aussi loin qu'il leur fut possible. "Nous espérons que lorsque toute l'île sera unifiée sous un seul chef puissant, que les communications seront établies à travers toute l'île, et qu'ainsi l'accès sera donné aux différentes tribus habitant le nord et le sud, toutes parlant la même langue à travers différents dialectes."[34]

La collaboration des missionnaires allait beaucoup plus loin encore, puisqu'ils approuvaient la politique d'unification militaire, souvent brutale, qui était celle du roi Radama. Au lendemain du grand discours de Sahafa, en 1822, Griffiths n'hésitait pas à écrire dans son journal : "quoique la préparation de la guerre soit aussi répugnante pour nos sentiments personnels que pour les principes que nous professons nous ne pouvons qu'admirer Sa Majesté qui a procédé à la levée d'une aussi puissante armée, depuis novembre dernier plus de 11.000 jeunes volontaires bien disciplinés (....) Nous parlons ainsi parce que nous sommes pleinement persuadés que c'est le seul moyen de mettre fin, aux petites guerres intestines et aux révoltes et d'abolir la traite des

---

31 *Tantara ny Andriana*, traduction CHAPUS et RATSIMBA, tome V, (p. l074 de l'original en malgache). On doit constater que ce passage des *Tantara* n'est que la traduction du Journal de Griffiths.
32 *Incom. Letters Mad.*, B1/F4/JA, Tana, June 22nd 1822, Jeffreys to Burder.
33 Cité par LA VAISSIERE : *Madagascar, ses habitants, ses missionnaires*, vol. 1.
34 *Journals Mad.*, Box 1 n° 6, Jeffreys 1823, 21st January 1823.

esclaves et que c'est un préliminaire à la civilisation de ces gens."[35] Pour aider Radama à mener à bien sa politique, les missionnaires faisaient en outre appel à la Direction de la L.M.S. pour qu'elle envoyât d'autres artisans, alors que, par ailleurs, nous l'avons vu, ils estimaient leur nombre suffisant. Il ne s'agissait point d'augmenter le nombre de ceux qui devaient "donner la démonstration de l'industrie et de la moralité" (*i. e.* les ministres ordonnés), mais bien de fournir au roi les moyens matériels de ses entreprises. "Un bon tailleur pour faire des costumes aux officiers de l'armée de Radama, un sellier pour utiliser le cuir préparé par M. Canham et confectionner des selles, des harnais, des guides pour les chevaux, un ébéniste pour meubler la cour, etc.", voilà quelle était l'assistance que les missionnaires sollicitaient pour Radama.[36] En attendant, on utilisa les compétences disponibles. Canham se mit à faire des chaussures et des bottes qu'il vendit aux officiers, Rowlands para de ses cotonnades les dames de la cour et Chicks, à la différence de son confrère trop confiant Le Gros, se fit payer à l'avance tous les travaux de ferronnerie qu'il exécuta pour les palais royaux, passant un véritable contrat avec Radama.[37] Ces arrangements commerciaux, qui ont été critiqués sans fondement par Bonar Gow, qui aurait sans doute préféré des missionnaires angéliques,[38] étaient pourtant conformes aux instructions que ces artisans avaient reçues des Directeurs. Leur devoir était en effet de se rendre le plus rapidement possible autonomes sur le plan financier et de n'être plus à la charge de la Société par un travail justement rémunéré. S'ils le pouvaient, ils devaient même permettre à la mission tout entière de se passer de subsides extérieurs. Les rapports des missionnaires font état, avec une satisfaction qui prouve leur bonne conscience, de ces "marchés" obtenus à Antananarivo par les artisans et dont le coût pour la caisse royale était toujours inférieur, parfois de moitié, aux prix pratiqués à Maurice, pour les articles habituellement importés, ou à ceux de la capitale, fixés par les artisans créoles ou français. Cela permettait à Radama de stimuler l'ardeur au travail et au progrès technique de ses sujets en leur montrant le bénéfice que l'on pouvait en tirer. C'est ce qu'il fit dans un *kabary* à Andohalo, en 1824. Désignant l'un des élèves de Rowlands, le tisserand, il déclara à ses sujets : "Vous dites que vous ne pouvez pas apprendre ni faire quoi que ce soit comme les Blancs parce que vous ne possédez pas les mêmes pouvoirs et habileté qu'eux. Mais je dis, vous pouvez étudier et progresser et vous n'avez aucune excuse pour ne pas vous améliorer puisque vous avez tous les moyens pour le faire."[39] Mais, comme pour l'école, les missionnaires issus d'une société dans laquelle l'Etat garantissait la rémunération du capital et du travail, ne pouvaient concevoir la confiscation du savoir faire

---

35 *Journals Mad.*, Box 1 n° 7, Griffiths 1822.
36 *Incom. Letters Mad.*, B1/F4/JA, Tana, July 20th 1822, Jones to Burder.
37 *Committee Minutes*, Box n° 1, "Lecture de deux lettres de Chick du 16 novembre 1823 et du 20 octobre 1826".
38 GOW (B.) : *The British Protestant*, vol. 1, p. 26.
39 *Journals Mad.*, Box 1, n° 8 Jones and Griffiths, 1824, 11 janvier 1824.

au profit du travail d'Etat non rémunéré. Plus la qualité du travail s'améliorait et plus la situation du travailleur malgache empirait, sans qu'il lui soit permis d'en rendre l'Etat responsable. Dès lors les missionnaires et artisans, techniciens de l'Etat merina, devenaient les seuls coupables (tacitement autorisés) de la dégradation des conditions de vie des sujets de Radama. Raombana, une fois encore, dresse le chef d'accusation : "l'introduction de différents métiers par ces artisans représenta le pire fléau pour le peuple d'Imerina, dans la mesure où, par eux, les corvées féodales imposées aux gens s'accrurent au maximum, alors qu'auparavant elles étaient modérées : mais aujourd'hui elles atteignent un poids presque intolérable, si bien que les Hova maudissent les Européens avec une extrême violence et se disent que chaque Européen arrivant à Antananarivo vient pour alourdir leur joug et le rendre insupportable ; or c'est la vérité car les prestations que les Malgaches sont contraints de fournir dans l'exercice des métiers introduits d'Europe ne sont pas rémunérées, ce qui les plonge dans la misère. (...) C'est donc un fait incontestable : rien de ce que les Européens introduisirent en Imerina par leur enseignement n'eut de résultat favorable et bénéfique pour la masse du peuple hova ; tout, bien au contraire, attira sur lui oppression et tyrannie, à un niveau inégalé."[40]

La mise en suspicion

C'est également en 1824-1825 que les missionnaires ordonnés furent, comme beaucoup d'étrangers, éloignés de la Cour, tandis que les artisans se dispersaient dans la basse ville ou les villages avoisinants. Jones, qui résidait jusqu'alors au Palais, reçut une demeure à distance, Griffiths, qui attendait depuis près de trois ans au pied du *Rova*, fut installé à Ambatomiangara et Jeffreys gagna Ambatomanga. Il est intéressant de découvrir sur la carte du "Tananarive politique" dressée par Jones pour montrer le chemin parcouru par les processions royales en 1829, la sectorisation de la capitale et la constitution du *Rova* en espace séparé des étrangers, à un moment où Ambohimanga leur devient interdit. En 1824, les missionnaires ne furent plus invités officiellement aux proclamations royales mais y assistèrent en simples spectateurs. Cette année-là ils n'allèrent point à Ambohimanga. Dans leur journal, ils font valoir qu'ils restent souvent plusieurs mois sans avoir de nouvelles du roi et que, lorsqu'ils en ont, elles leur parviennent sous forme de messages délivrés par ses généraux ou par Robin. Dans les années 1825-1826, les relations entre les missionnaires et le roi, qui avaient été directes et fréquentes auparavant, devinrent distantes et espacées. Fin 1825, le roi mit plus d'un mois à se décider à autoriser la Société des Ecoles Missionnaires, dont la fondation avait été proposée par Jones et Griffiths, et ce n'est que sur l'intervention de Hastie que ses promoteurs obtinrent le droit de la fonder.[41]

---

40 RAOMBANA : *Histoires 2*, traduction AYACHE, p. 995.
41 COPPALLE : "Voyage...", 13 novembre, 18 novembre, *B.A.M.*, 1910, p. 34.

C'est à partir de la fin de l'année 1824 que la situation des missionnaires devint beaucoup moins sûre. L'attitude du roi les inquiétait tout particulièrement, car c'est de lui que dépendait leur réussite et leur sécurité. Cela leur faisait écrire : "à partir de petits indices nous avons des raisons d'avancer que lui et son peuple semblent nous surveiller avec des yeux méfiants. Cela nous a mis sur nos gardes et remis à l'esprit de nous tenir à l'écart de toute affaire politique."[42] Durant l'année 1825, Radama appuya fortement l'extension des écoles dans les districts de l'Imerina, et soutint les missionnaires jusque dans leur prédication dominicale. Puis vint la mort de Hastie "ce fut une grande perte pour la mission à bien des égards et ce fut aussi un coup pour l'influence britannique."[43]

Mais Radama ne laissa rien paraître aux missionnaires et peu de temps après avoir exprimé sa méfiance à leur égard au capitaine Duhaut-Cilly, qu'il avait rencontré à Tamatave, il renouvelait son soutien à Jones, inquiet et venu s'informer.[44] Radama estimait avoir encore besoin de leurs services et de ceux des artisans. Il comptait notamment sur la presse pour lancer une publication hebdomadaire ou mensuelle qui aurait sans doute été le premier journal officiel malgache. Ses conquêtes lui causaient un besoin accru de secrétaires et de comptables pour l'intendance et la douane, alors que les instituteurs malgaches n'étaient pas assez nombreux. Il préféra, jusqu'à sa mort, faire des concessions à la "Prière" des Britanniques pour conserver leurs services d'éducateurs. En 1827 cependant, les missionnaires en étaient venus à craindre pour leur vie et à se demander s'ils pourraient quitter le pays vivants pour regagner Maurice, en emportant tous leurs bagages.

Ainsi, de 1820 à 1827, la position des missionnaires connut une évolution inverse de celle que l'on trouve habituellement décrite. Parents et bras droits du souverain, jusqu'en 1823, ils ne furent plus ensuite que des assistants techniques dont le roi surveillait de très près les agissements et surtout les dires. Radama avait senti que les secrets des Blancs, s'ils n'étaient point manipulés avec précaution, pouvaient être aussi dangereux qu'utiles à son propre pouvoir.

---

42 *Journals Mad.*, Box 1, n° 9, Jones and Griffiths, March 1825, 9 novembre 1824.
43 LOVETT : *History*, tome 1, p. 680.
44 VALETTE (J) : "Notes sur le séjour à Tamatave du capitaine Duhaut-Cilly (1827)" ; *Archives Maurice*, H.B. 4, pièces 169, p. 392-394, Tana, Dec. 12 1827, Jones to Viret.

A SKETCH OF THE ROYAL COURTYARDS AND
HOUSES THEREIN AS THEY WERE IN 1829

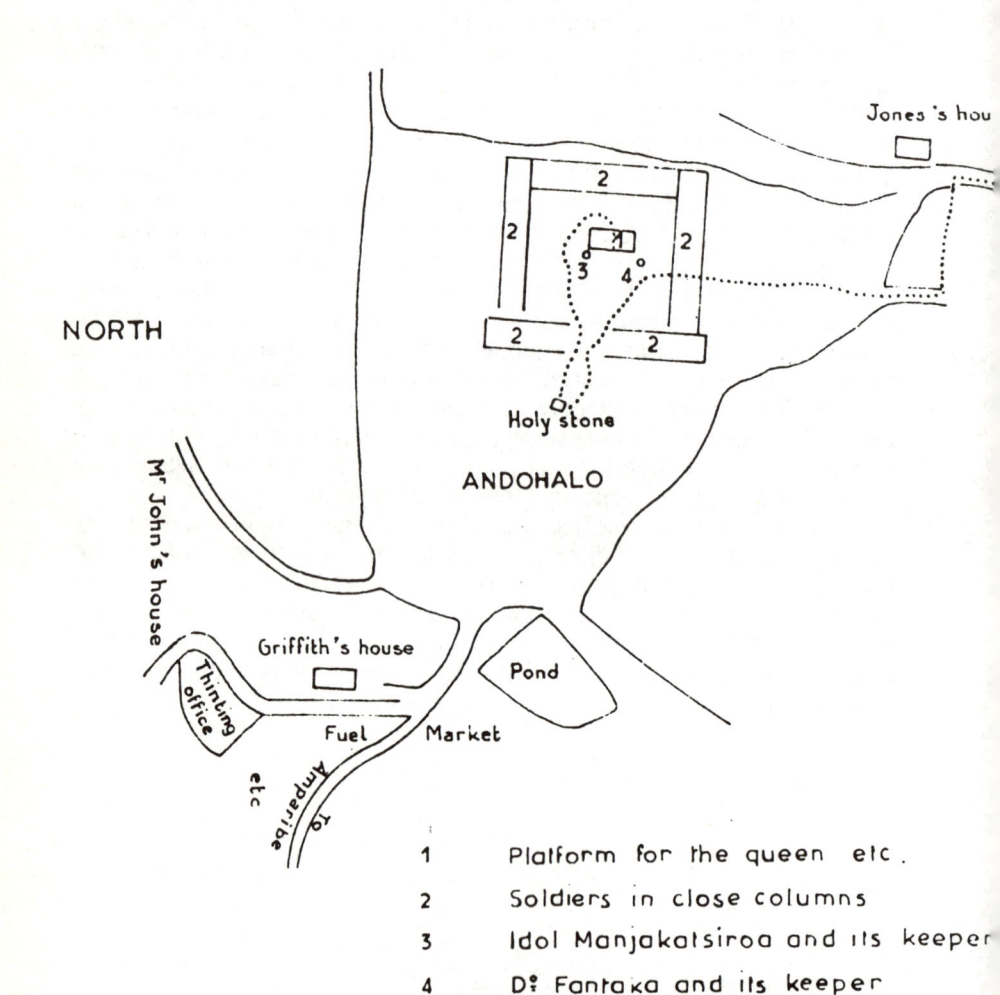

1 Platform for the queen etc.
2 Soldiers in close columns
3 Idol Manjakatsiroa and its keeper
4 D° Fantaka and its keeper
   The dotted line shows the way of
   the procession from the palace

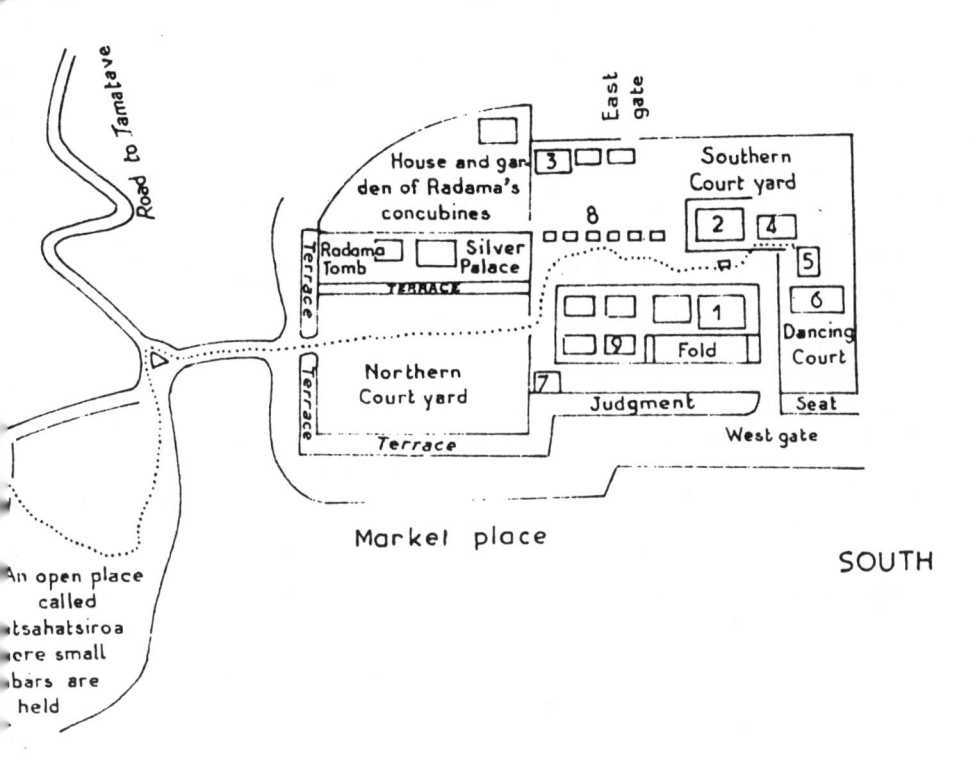

1	Besakana - the 1st house of the kingdom
2	Masoandro - 2d house D°. West of it is the holy stone
3	Mahitsy - 3rd house D°, where sikidy is worked.
4	Fohiloha - the queen's dwelling house
5	Radama's daughter's house
6	Her mother's house - Rasalimo
7	Radama's house where he slept generally
8	Tomb of Andriamasinavalona; on the north and south of it are tombs of is family
9	Radama's kitchen - The others, were the houses of his wives.

22 - Un plan d'Antananarivo dressé par David Jones en 1829, (Archives L.M.S., transcription communiquée par J. T. Hardyman).

L'influence de Robin

Peut-on soutenir comme le font les historiographies aussi bien anglophone que francophone, que le déclin des missionnaires est un aspect de la baisse d'influence des Britanniques confrontée à un retour des Français ? Lovett n'hésite pas à dire, qu'après la mort de Hastie, Robin prit une grande influence sur le roi et le monta contre les Britanniques, plus particulièrement contre les missionnaires. Une telle affirmation paraît bien primaire et nous ramène à un type d'histoire fondée sur les équilibres diplomatiques, les intrigues et les complots dont la partialité n'est plus à démontrer. C'est surtout accorder beaucoup d'importance à un personnage qui ne fut lui aussi qu'un instrument au service de Radama.

La gloire de Robin lui vient sans doute des tendances paranoïaques de David Jones, qui, après s'être cru persécuté à Tamatave par Bragg, s'imagina que Robin, qu'il trouva à Antananarivo à son arrivée, était un agent français qui avait juré sa perte. En 1822, il conseillait aux Directeurs de ne plus écrire à Radama en français car ce prince ignorait cette langue et se faisait traduire les lettres par Robin "qui au lieu d'être favorable, était très hostile aux missions" et aurait déformé la traduction.[45] Jeffreys confiait à son journal qu'à son arrivée à Antananarivo, Jones lui avait présenté Robin "comme un homme très dangereux et l'un de ceux qui pouvait faire le plus de mal à la mission s'il demeurait ici et qu'il avait écrit cela à des personnages de haut rang à Maurice".[46] Pourtant, c'est à Robin que Jones s'ouvrit en 1823 de la querelle qui déchirait les missionnaires, introduisant le loup (si loup il y avait) dans la bergerie. C'est Robin qui guide Jones et Rowlands à la recherche d'un terrain propre à la culture des cotonniers en 1824. Par ailleurs, Robin apparaît plus souvent comme un messager de Radama apportant de bonnes nouvelles, que comme un ennemi à la solde de la France dans les journaux des missionnaires de cette époque, et même dans ceux contresignés par Jones. Rappelons que Robin, loin d'être un agent français, était considéré par le gouverneur de l'île Bourbon comme un traître et que ce n'est qu'en 1824 que Carayon suggéra qu'on pût jouer de ses sentiments patriotiques pour l'utiliser au profit de l'influence française.

Il n'en reste pas moins vrai que Robin fut, dans l'esprit et la politique de Radama, un contrepoids à l'influence des missionnaires et qu'il servit à limiter leur emprise sur les Malgaches, comme les artisans créoles servirent à contrebalancer ceux de la L.M.S. Lorsque, en 1824, les missionnaires demandèrent la création d'un Collège central où seraient regroupées les trois écoles existantes, Radama attendit plusieurs semaines avant de donner sa réponse. Entre-temps, il avait chargé Robin de créer dans l'enceinte du Palais une école pour les femmes et filles des officiers que le même Robin avait formé, en concurrence avec Brady,

---

[45] *Incom. Letters Mad.*, BI/F3/JB, March 28th 1822, Jones to Burder.
[46] *Journals Mad.*, Box 1 n° 7, Jones and Griffiths, 1823-1824.

dans l'Académie militaire royale.[47] Tandis que les missionnaires installaient leur collège ou séminaire à Ambatomiangara, Robin édifiait un bâtiment pour recevoir comme élèves les soldats à leur retour de campagne. Dan Segre, qui a minutieusement étudié le problème de l'assistance technique au XIXe siècle, déclare que Radama "ne voulait pas permettre aux missionnaires d'avoir seuls le contrôle de la nouvelle organisation scolaire",[48] de la même façon qu'il n'avait pas voulu confier aux seuls instructeurs envoyés par Farquhar la formation de son armée. Robin, qui avait été le second maître d'écriture de Radama après les Antaimoro de son père, fut chargé de préserver l'autonomie des réformes de Radama, voire de malgachiser celles qu'avaient introduites les étrangers.[49] Alors même qu'il avait accepté la réforme de l'orthographe proposée par Hastie et les missionnaires, le souverain déclara à Jeffreys que l'enseignement à l'Ecole du Palais continuait selon la transcription de Robin, c'est-à-dire à la française.[50] Il faudrait également prendre en compte le retour de faveur que Radama manifeste à ce moment à l'égard des anciens conseillers et scribes Antaimoro de son père, ses premiers maîtres.[51]

Cette concurrence, voulue par le roi, fut insupportable à Jones et à Griffiths, aussi, lorsque le roi leur demanda de prêter des manuels à Robin pour son école, ils refusèrent "vexés que Sa Majesté ne les ait pas nommés pour diriger" (cette école).[52] De la même façon, ils ne comprirent pas pourquoi le roi conserva ses faveurs à Jeffreys et à sa femme alors qu'eux-mêmes les avaient exclus. Ils tentèrent de tenir Jeffreys éloigné de toutes les décisions importantes, de toutes les rencontres avec Radama, mais ce dernier, jouant habilement de leurs divisions, soutint Jeffreys par l'intermédiaire de Hastie. Cet exclusivisme, cette jalousie du couple pionnier formé par Jones et Griffiths, dont souffrit Jeffreys, cette volonté d'être les seuls instructeurs des Malgaches, à un moment où leur grand protecteur Farquhar se retirait de la scène, furent sans doute pour beaucoup dans le retournement d'attitude qui s'opéra chez Radama en 1823-1824. En voulant tout avoir,

---

47 *Journals Mad.*, Box 1 n° 10, Jeffreys 1823.
48 SEGRE (Dan A.) : *Madagascar : an example of indigenous modernization..*
49 Robin est l'auteur du commandement en malgache de l'armée, alors que Brady et Hastie avaient toujours commandé en anglais. Cf. Duhaut-Cilly in VALETTE (J.) : "Note sur le séjour...", p. 385. Mais on se rappellera qu'en 1825, lors de la visite de Coppalle, Radama avait malgachisé son secrétariat et l'Ecole du Palais, confiés à d'anciens élèves de Robin et des missionnaires.
50 *Journals Mad.*, Box 1 n° 6, Jeffreys 1823.
51 KASANGA (Fernand) : *Tantaran'ny Antemoro Anakara teto Imerina tamin'ny andron'Andrianampoinimerina sy Ilaidama*, Tananarive, 1956. Leur rôle sous Radama et leur élimination sous Ranavalona n'ont curieusement pas été considérés par F. Raison, alors que la tradition merina s'en souvient. Cf. RAHARIJAONA et RAVELOSON : "Andriamahazonoro, prince Antaimoro de Vohipeno", *B.A.M.*, n. s. t. XXXII, 1954, p. 31-36 et les nombreuses études de J.-P. et B. DOMENICHINI.
52 *Idem.*

les missionnaires faillirent tout perdre, sans que Robin ait eu une part quelconque à cela.

3 - Les résistances à la pénétration missionnaire

Durant huit années, les missionnaires exercèrent une pression constante sur les Malgaches de l'Imerina pour les amener à se conformer à leurs croyances, à leur comportement et même à leur habillement. Malgré l'appui du pouvoir des réactions de rejet se manifestèrent très rapidement dans la population et finirent par créer une résistance au niveau du pouvoir lui-même.

Le refus de l'européanisation

Toutes les sources s'accordent pour témoigner des énormes résistances que Radama dut abattre entre 1816 et 1820 pour faire admettre la présence permanente de Blancs en Imerina. Tant que ceux-ci ne faisaient que passer pour commercer et emmener des esclaves, la population ne trouvait rien à redire ; mais lorsque Radama décida d'installer auprès de lui des *Vazaha fotsy hoditra* (étrangers à peu blanche) et d'adopter certaines de leurs mœurs, des révoltes éclatèrent. La première frappa les esprits des Européens aussi bien que des Malgaches qui en conservèrent le souvenir.

Le récit le plus détaillé de la révolte des femmes d'Ambatoroka, à l'est d'Antananarivo, se trouve dans le journal de Griffiths, présent alors dans la capitale. Jeffreys, qui se trouvait à Tamatave, n'en parle que par ouï dire, Bojer et Hilsenberg ont maladroitement recopié les journaux de Hastie et de Griffiths. Quant au récit du *Tantaran'ny Andriana* qui présente deux versions de l'affaire, il est encore une fois curieusement proche, dans sa deuxième version, du journal de Griffiths.[53] "Le 15 février 1822, le roi fut informé d'une mutinerie de femmes, dans un district du Nord, qui se dressaient contre lui et les blancs dans la ville". Radama en fit rassembler 2.000 par sa troupe dans la cour du palais et leur tint un discours sur la fidélité due au roi qui sembla les calmer. Mais le lendemain, plus de 4.000 femmes s'assemblaient à Ambatoroka et envoyaient une délégation au roi pour l'informer de leur désapprobation de la conduite du roi. Celui-ci fit demander quels étaient leurs griefs. "Les chefs du mouvement vinrent alors et dirent qu'elles étaient venues manifester leur mécontentement de la façon de faire de Sa Majesté et demander qu'il change sa conduite et mette fin à l'autorisation de séjour en ville des blancs.". Radama les interrogea longuement puis donna

---

[53] *Journals Mad.*, Box 1 n° 4, Griffiths 1822, Feb. 15th 1822, Box 1 n° 5 ; Bojer et Hilsenberg, édition VALETTE (J.) : "L'Imerina en 1822 d'après les journaux de...." *Tantara ny Andriana*, trad. Ratsimba, tome 5, p. 29-32 (p. 1079-1080 de l'éd. Callet).

l'ordre de séparer quatre des meneuses et de les mettre à mort à la pointe des sagaies. Radama convoqua alors les missionnaires et les artisans et leur fit un compte rendu de l'affaire disant : "Ces femmes étaient mécontentes parce qu'elles veulent que *nous restions pour toujours dans l'ignorance*, soyons comme des bêtes et parce que je voulais qu'elles soient instruites et deviennent sages *comme des Européens* - parce qu'elles étaient fâchées qu'il ait fait couper ses cheveux sans les consulter et aussi adopté des coutumes européennes et disant qu'il en avait fait mettre à mort quatre des principales et que nous n'avions plus aucun mal à craindre à ce sujet."[54]

Il est curieux de constater que le récit des *Tantara*, recueilli par un missionnaire catholique blanc, a gommé la raison majeure de la révolte : la présence et l'influence de ses congénères blancs en Imerina. Radama l'avait pourtant fournie lui-même en expliquant les faits aux missionnaires protestants. Dans le journal de Griffiths et surtout dans ce que rapporte le père Callet, la coupe de cheveux de Radama semble être une cause déterminante de la révolte. S'il est vrai que ce ne fut pas là l'origine fondamentale du mécontentement de ces femmes, on aurait tort de croire que cette initiative du roi n'eût pas d'importance pour elles, ni pour les missionnaires. Dans son journal, Jeffreys fait d'ailleurs une remarque inspirée à ce propos : "lorsqu'on sut à Tamatave que le Prince Ratefy avait coupé les cheveux du roi à la manière anglaise et que ses troupes avaient fait de même, le prince Rafarla se fit couper ainsi que ses serviteurs et se rasa la barbe. C'est pour moi un événement que je considère de grande importance, surtout depuis que je crois que le port de longs cheveux coiffés à leur façon fantastique est en quelque mesure en relation avec leurs pratiques religieuses."[55] Pour lui, la coupe de cheveux signifiait que les Malgaches abandonnaient leur préjugés contre les Européens ; c'était vite dit, mais il n'avait pas entièrement tort. L'entourage de Radama, la cour et les grandes familles avaient accepté le costume européen comme ils en acceptèrent l'enseignement, mais ils n'avaient aucune intention de se faire européens pour autant, ce que ne pouvait pas comprendre le peuple.[56]

Pourtant, l'adoption du costume européen, de l'architecture, du mobilier, des mœurs de table, et de toute cette mise en scène avec

---

54 *Journals Mad.*, B 1, n° 4, Griffiths 1822, Feb. 15th 1822, B 1 n° 5, souligné dans le texte.
55 *Journals Mad.*, Box I, n° 5, Jeffreys, 1822.
56 En revanche, le peuple comprenait qu'en se taillant les cheveux, le souverain se privait d'une partie de sa puissance et affaiblissait le royaume. Sans recourir aux universaux, on ne pourra manquer de se référer à la Bible, comme auraient dû le faire les missionnaires, pour comparer la situation de Radama avec celle de Samson. Comme tout ce qui se meut (croissance rapide et *post mortem*) et tout ce qui sert à se mouvoir (articulations) les cheveux font partie des reliques royales. Ils sont en outre directement ou par image (cf. les sens multiples de *volo*) au cœur de tous les rites de vie et de mort à Madagascar. Voir l'interprétation que donne F. Raison de cette révolte dans *Bible et pouvoir*, p. 121-22.

laquelle le Blanc en mission de civilisation s'est souvent confondu, mettait l'aristocratie malgache en situation embarrassée à l'égard des étrangers. Tel est le pouvoir des signes en matière d'identification sociale qu'elle avait l'impression d'avoir obtenu des Blancs un outil de pouvoir, en leur cédant quelque chose d'elle-même, quelque chose d'aussi intime que la chevelure. On pardonna plus facilement aux missionnaires d'enseigner la lecture et l'écriture, rapidement malgachisées, qu'aux tailleurs, couturiers et artisans d'avoir introduit des objets, certes utiles, mais qui restaient étrangers. On n'admit jamais la pression constante qu'exerça Hastie sur Radama et sur les grands pour transformer leur comportement. Il s'ensuivit cette agressivité non voilée et constante à l'égard des Blancs, que ressentit Coppalle, en 1825-1826, chez ceux qui les côtoyaient le plus fréquemment, alors que le peuple semblait avoir pris son parti de leur présence.[57] Il est vrai qu'en 1825 Radama dut manifester à ses sujets la distance hiérarchique qu'il entendait restaurer entre sa personne et les étrangers. Désormais l'enceinte du *Rova* n'héberge plus de *Vazaha* qui n'y sont admis, y compris Hastie, que pour de courtes visites. Cette constitution d'une petite "cité interdite" à la malgache frappe Coppalle qui note que "M. Hastie n'habite plus au palais mais à 2 milles environ du Rova". Il remarque également que l'Ecole du Palais "est sous la surveillance étroite du prince" et que Robin n'en a plus la direction.

Une grande partie de l'aristocratie ne se résigna jamais à accepter la présence des missionnaires et attendit impatiemment son heure pour les expulser. Il n'est pas exclu qu'en 1822, les femmes révoltés aient eu des appuis dans l'entourage du roi. En 1821, le fils d'un grand personnage de la cour d'Andrianampoinimerina avait tenté de supprimer Hastie ; envoyé en exil à Maurice par Radama à l'instigation de Hastie et de Farquhar, il fut exécuté à Port-Louis sous prétexte d'une tentative de révolte qui semble bien n'avoir été qu'une machination pour le faire disparaître.[58] Son père, Andriamambavola, avait contribué à l'unité du pays sous Andrianampoinimerina mais avait été écarté de l'armée par Radama, dès l'arrivée de Robin et de Brady. Peu après, un autre de ses fils, Razakarivony, fut assassiné dans sa demeure à Antananarivo sur l'ordre de Radama dont il critiquait la politique.[59] Radama, pour essayer de neutraliser le père dont l'hostilité aux Européens avait été exacerbée par la mort de ses deux fils, "fit de lui un grand juge et le nomma conseiller du royaume à la capitale". Il fut certainement le chef de cette opposition aux missionnaires qui regroupait les anciens compagnons d'Andrianampoinimerina, ceux qui tiraient naguère leurs revenus du commerce des esclaves, ceux qui avaient vu partir leurs fils pour la corvée de l'école et tous ceux qui n'approuvaient pas la présence et les

---

57 COPPALLE : "Voyage...", *B.A.M.*, 1910, p. 38-39.
58 MANTAUX (Ch. G.) : "Ratsitatanina, prince merina exilé à l'île Maurice en 1821 - Son exécution en 1822", *B.A.M.*, tome 48/1-2, 1970 (1972), p. 115-181 ; MANTAUX (Ch. G.) : "Andriamamba", *B. de M.*, n° 283, 1969, p. 1035-1036.
59 COPPALLE : *Op.cit.*, p. 40.

agissements des Blancs en Imerina.[60] C'est certainement à ce personnage que fait allusion le journal des missionnaires pour 1824 : "En décembre, M. Griffiths fut informé qu'une certaine personne de haut rang avait été très active pour créer le mécontentement dans l'esprit du peuple à propos des écoles et de ce qui est enseigné le lundi et attribuait aux écoles et à la nouvelle religion introduite parmi eux la cause de certains accidents."[61] En 1825, à la veille de l'inspection des écoles, Radama dut faire garder par ses soldats la demeure de Hastie.[62]

L'école, plus que la prédication, devient à cette date la cause de tous les mécontentements parce qu'à la suite des projets d'extension et de démultiplication elle n'est plus l'affaire des "parents du roi" et de l'élite de l'Imerina mais une obligation pour tous les sujets libres. Rien ne vaut le témoignage de Raombana pour s'en convaincre. "Grâce à l'action des missionnaires, des écoles furent ouvertes dans les six districts de l'Imerina ; mais dans chacun de ces districts, un certain nombre d'enfants furent obligés d'y aller, pour apprendre, comme une sorte de corvée féodale. Ainsi ces élèves reçurent leur instruction sous la contrainte, alors que la plupart d'entre eux n'en voulaient pas, de sorte qu'on les rendit malheureux. Les jeunes gens sortis de ces écoles étaient mis à la disposition des officiers de l'armée, comme aides de camp ou comme secrétaires pour tenir à jour les dénombrements des soldats et rédiger d'autres documents importants, soit à Antananarivo, soit au cours des campagnes ; un grand nombre d'entre eux furent aussi affectés dans les postes militaires, au secrétariat des officiers qui y résidaient. De même, Radama en recruta deux ou trois à son service, pour sa correspondance avec ses officiers de garnison, etc."[63] Les parents malgaches ont toujours eu le plus grand mal à se séparer de leurs enfants, à moins d'en voir le bénéfice immédiat pour leurs enfants mais aussi pour eux mêmes. L'école n'apportait que des charges, la privation d'une aide précieuse dans les travaux agricoles et la perspective d'une mort en terre étrangère du fait de la maladie ou de la guerre. Les journaux des missionnaires comme la tradition orale rapportent que bien des parents cachaient leurs enfants dans des silos à riz lors du dénombrement par les *vadintany* pour échapper à la "corvée de l'école".

Ainsi, dans le peuple aussi bien que dans l'aristocratie, une forte résistance à l'européanisation et même à la simple présence des Blancs, se manifesta de façon croissante en Imerina. A ce parti traditionaliste très puissant, Radama dut sans cesse et de plus en plus souvent donner des gages de sa fidélité aux coutumes ancestrales.

---

60 *Incom.Letters Mad.*, B1/F2/JB, Tana, Déc. 16th 1822, Jones to Burder.
61 *Journals Mad.*, Box 1 n° 9, Jones and Griffiths, 1824-1825.
62 *Idem.*
63 RAOMBANA: *Histoires 2*, traduction AYACHE, p. 995.

Les résistances de Radama

Rien ne résume mieux la politique culturelle de Radama que le texte des *Tantara ny Andriana* : "Sous Laidama, après l'arrivée des Blancs, on abandonna les palladiums (*sampy*) ; mais on ne put pas délaisser le culte de Manjakatsiroa. La population n'adhéra pas en grand nombre, mais ceux qui voulurent pratiquer un culte le firent que ce fût celui des amulettes ou celui que venaient d'introduire les Blancs".[64] L'attachement de Radama aux palladiums, sincère ou manifesté à son peuple, est attesté par une autre tradition merina, recueillie à peu près à la même époque que celle des *Tantara*. "Quand il désirait quelque chose c'était à divin Imanjakatsiroa dont il avait fait le remplaçant de ses parents qu'il se plaignait et disait ce qui lui manquait. (...) Par suite, quand Lehidama I prenait la parole, il préférait avant tout que ce fut pour prier et implorer..." [65] Les deux traditions, avec une concordance qui donne à réfléchir, attribuent à ce palladium et à ses gardiens le conseil donné à Radama d'introduire les Blancs. En outre celle que présente J.-P. Domenichini, raconte en filigrane toutes les étapes des relations de Radama avec les Européens, bien que la chronologie en soit parfois bouleversée. Ainsi, l'épisode de la rencontre de Radama avec le capitaine Moorson et son voyage à bord d'un navire anglais, qui eurent lieu en 1823, se trouvent confondus avec une première descente du roi à Tamatave, en 1817 qui n'eut jamais lieu. Ce qui est intéressant à retenir, c'est que le souverain y est présenté comme ayant été capable d'empêcher les Blancs de s'approprier la terre malgache, grâce au pouvoir du palladium. Le *sampy* faisait de lui un demi-dieu et lui permettait d'accueillir les Européens comme des inférieurs et donc d'avoir de bonnes relations avec eux. "Nous avons là l'origine des bonnes relations qui s'établirent avec les Européens et la manifestation de la puissance de divin Imanjakatsiroa, ainsi qu'il a déjà été dit. Radama monta en Emyrne après qu'on eût établi de bonnes relations avec les Européens ; quant à ceux-ci, ils attendirent deux mois avant de monter en Emyrne. Et quant les Européens arrivèrent, Imanjakatsiroa déclara : Ayez de bonnes relations avec les Européens, ô Lehidama, pour qu'ils vous conseillent".[66] Selon ces traditions, c'est grâce à la puissance tutélaire du *sampy* Manjakatsiroa, dont le nom même signale la fonction, que Radama put contraindre les Blancs, à révéler leurs secrets et à l'aider à agrandir le royaume.

Si l'on prend les témoignages missionnaires pour faire la contre-épreuve de l'authenticité de cette tradition, on constate que les agents

---

[64] CALLET (R. P.) : *Tantara ny Andriana*, vol. 2, p.1104. Manjakatsiroa peut être traduit par "on ne règne pas à deux", "le pouvoir ne se partage pas" ou encore "il n'y a qu'un seul souverain".
[65] DOMENICHINI (J.-P.) : *Histoire des Palladiums d'Imerina*, p. 223-233.
[66] *Idem*, p. 231. C'est J.-P. Domenichini, suivant inconsciemment une tradition coloniale, qui traduit *Vazaha* par "Européens", alors que le terme pouvait s'appliquer à tout étranger considéré comme puissant et donc dangereux.

du christianisme européen qui se trouvaient à Madagascar sont extrêmement discrets sur le sujet. Autant on les trouve prolixes sur les pratiques et les croyances religieuses populaires, autant celles qui touchent au roi et au pouvoir d'Etat les laissent silencieux. Lorsqu'ils font allusion aux invocations et bénédictions royales qui accompagnent les discours et les proclamations, ils ne disent jamais qui est invoqué, jamais au nom de qui le souverain bénit son peuple. La seule indication que l'on trouve concerne l'évolution de l'importance et de la fréquence des cérémonies religieuses royales au fil des années. En 1822, à Sahafa, Griffiths signale, sans insister, la prière faite par Radama aux dieux et aux ancêtres, rappelant sans détail le *kabary* de novembre 1821. En mai 1822, Jones et Griffiths signalent qu'ils ont été convoqués à la fête du Bain (*Fandroana*) qui a lieu à *Besakana*, maison située dans l'enceinte du Palais et décrivent la cérémonie, sans en tirer de réflexions.[67] En 1823, au retour de son expédition dans le nord-est, le roi prononça plusieurs allocutions dont les missionnaires n'ont retenu que ce qui les concernait, l'exhortation au progrès. Pour le *Fandroana* du 7 juin 1823, ils donnent très peu de détails. Pour le 11 janvier 1824, ils signalent un grand *kabary* rassemblant une foule beaucoup plus considérable que précédemment mais dont les prières ne retiennent pas leur attention. Le 27 mai 1824, ils notent : "Ce jour est la fête annuelle de ces gens, les cérémonies usuelles ont eu lieu", mais le 7 novembre 1824, ils ajoutent : "plus de cérémonies et de manifestations religieuses ont eu lieu à ce kabar (sic) qu'aux précédents, parce que le peuple est mécontent de la nouvelle religion introduite par les Blancs. Le roi est soucieux de plaire à tous aussi loin que cela n'entrave pas son agrandissement."[68] Cette remarque devient plus intéressante si on la rapproche du commentaire qu'avaient fait les missionnaires des cérémonies du *Fandroana* de 1823 : "cette fête a été célébrée cette année avec moins de cérémonie que la précédente."[69]

Radama s'était d'abord appuyé fortement sur l'autorité quasi-religieuse de ses ancêtres et des palladiums d'Imerina, pour faire accepter par son peuple la présence des Européens et son programme de réforme. Il y réussit à la fin de l'année 1822. Mais au cours de l'année 1823, il se laissa entraîner par Hastie à supprimer certains interdits, notamment sur les chèvres et les porcs dans les villes royales, à l'exception toutefois d'Ambohimanga et d'Ambohimanambola, villes réputées saintes. Après bien des discussions, il donna l'exemple dans sa famille du renoncement à l'abandon des enfants nés sous un signe astrologique néfaste, entama une réforme pour la suppression de l'ordalie par le tanguin[70] et délaissa les pratiques religieuses ancestrales.

---

67 *Journals Mad.*, Box 1, n° 4, Griffiths, 1822, p. 46-47.
68 *Idem*, n° 9, Jones and Griffiths, 1824-1825.
69 *Idem*, Jones and Griffiths, 1823-1824.
70 De *tangena*, nom de la variété malgache du vomiquier qui porte la noix vomique (*Tanghinia venenifera Madagascariensis*, Linné). *Misotro tangena*, lit. boire le tanguin, consistait à absorber la râpure de deux de ces amendes amères

C'est alors que, tandis qu'il s'absentait pour soumettre les Sakalava sur les conseils de Hastie, un vaste mouvement de frustration et de mécontentement se développa en Imerina. Il contestait directement l'autorité du roi dans la mesure où, ne se conformant plus à la tradition, il ne protégeait plus le royaume par son *hasina* (puissance surnaturelle, mana) mais au contraire le menaçait. Radama, fin politique, fit aussitôt machine arrière dans le domaine religieux et symbolique tout en poursuivant les réformes techniques.

Diverses causes permettent d'expliquer ce brusque coup de frein du roi. En 1822, puis en 1823, les missionnaires effectuent des tournées d'exploration dans l'Imerina en vue de localiser les meilleurs endroits pour de futures écoles. Ils en profitent, nous l'avons vu, pour converser avec les gens et pour tenter de les intéresser à la religion qu'ils propagent. En 1823 également, connaissant suffisamment la langue, Jones et Griffiths commencent à endoctriner les élèves et les gens de la cour. Deux sujets particulièrement sensibles sont alors abordés avec une évidente maladresse, la sacralité du roi et le pouvoir des palladiums.

La royauté divine

C'est en écoutant des chants à Manajara d'Imerina que leur vint l'idée d'interroger les gens sur le sens qu'ils donnaient à *Mietsika Andriananahary*.[71] "Ce mot est utilisé par vous pour Dieu, qu'entendez-vous par lui ? Ils répondirent «Le Roi bouge puisqu'il est parti à la guerre». Est-ce que Andriamanjaka et Andriananahary (ce qui est le Roi et Dieu) sont identiques ? Oui, mais l'un est dans les cieux et l'autre sur la Terre". "Et dire que cette idée superstitieuse prévaut parmi ce peuple dans tous les lieux", s'indignent ces congrégationalistes républicains. Et de demander aux gens : "qui est le plus grand ? Andriamanitry-Andriananahary est le plus grand. En quoi est-il plus grand ? Parce qu'il dispose de toute chose au-dessus tandis que le roi ne peut que disposer des choses d'en bas." Les missionnaires s'appliquaient alors à leur prouver l'absurdité de leurs idées et à leur enseigner le vrai Dieu. Les villageois ne répliquèrent rien mais leurs réactions parvinrent aux oreilles du roi, dès son retour en 1824, comme on l'a vu plus haut. Plus grave est l'entreprise de dévalorisation des croyances ancestrales à laquelle les missionnaires se livrèrent peu après, à Ambohimanambola. Dans ce village résidait le gardien du palladium Kelimalaza. "Qui est Kelimalaza ? demandèrent-ils, - c'est une chose qui a vie, et qui est conservée par le Roi pour lui donner le pouvoir de prendre n'importe quel village

---

(*voan-tangena*), riches en strychnine, lorsqu'on était accusé. Si l'on vomissait on était déclaré innocent. CHAPUS (G. S.) et MONDAIN (G.) : "Le Tanguin", *B.A.M.*, n. s. t. XXVII, 1946, p. 157-188.
71 Lit. "Le Seigneur se meut, se déplace" - *Journals Mad.*, Box 1, n° 7, Jones and Griffiths, 1823. Sur le sens d'Andriananahary et surtout d'Andriamanitra, nom adopté par les christianismes pour désigner Dieu en malgache, voir RAISON-JOURDE (F.) : *Bible et pouvoir*, p. 78-79.

fortifié."[72] A toutes les autres questions des missionnaires, les villageois répondaient : "Nous ne savons pas, le Roi seul sait, mais nous considérons tous ce *sampy* comme particulièrement sacré." Les gens ne leur donnèrent de réponses que sur les interdits du palladium, en leur faisant remarquer que les cochons, qui étaient admis partout ailleurs par décret royal, y demeuraient tabous. Les villageois leur firent savoir qu'il existait d'autres "choses", similaires à celle-là : "Ramanjakatsiroa qui bénit le Roi et lui donne le pouvoir d'étendre son territoire" leur paraissait la plus importante, parce que la seule, avec Kelimalaza, à être directement associées au roi. Ainsi, dans leur lutte contre la superstition les missionnaires en étaient arrivés à toucher directement au roi ou du moins aux fondements sacrés de son autorité.

Tant que les missionnaires s'attaquaient aux pierres et aux arbres des tombes *vazimba*, aux formes les plus répandues de la religion populaire, qui freinaient souvent, comme on verra, la scolarisation, ils pouvaient compter sur l'appui du roi[73]. Mais ils ne devaient espérer que des désagréments d'une atteinte sacrilège aux formes et aux fondements de la religion politique. C'était le souverain qui réglementait tout ce qui concernait les *sampy*, il prenait ou rejetait celui ou ceux qui lui convenaient, mais il lui fallait toujours l'un ou l'autre pour assurer son pouvoir. Radama s'en remit d'abord à Rakelimalaza et négligea les autres jusqu'au jour où il décida de remettre en honneur Ramahavaly.[74] Dans une étude fort subtile, J. Dez a montré le jeu de balancier qui existait entre la protection accordée par le *sampy* au roi et à son peuple et la puissance du souverain. Il a expliqué aussi les pièges de la traduction dans lesquels se sont enferrés les missionnaires, en prenant les *sampy* pour des idoles et en comprenant, par référence à l'Empire romain et à l'Ancien Régime européen, que le roi Radama était dieu, se prenait pour un dieu.[75] Entraînés par leurs catégories mentales sur la séparation des pouvoirs et des ordres, les missionnaires ont cru voir de l'idolâtrie, de la superstition, là où il n'y avait que des pratiques politiques, des formes symboliques de la reconnaissance d'une autorité temporelle, et d'une puissance numineuse dynastique, celle des *sampy*.

---

72 *Journals Mad.*, Box 1 n° 7, Jones and Griffiths, 1823.
73 *Vazimba* : terme appliqué à un peuple ou à des esprits mythiques depuis le XIXe siècle. Auparavant, comme ici, il désignait les mânes sacrés des princes antérieurs à la dynastie merina. RAISON-JOURDE (F.) : *Bible et pouvoir*, p. 59-66.
74 CALLET (R. P.) : *Tantara ny Andriana*, tome 5, p. 61-62 (1104).
75 DEZ (J.) : "La force des croyances chez les anciens".

La primauté du politique

L'usage que faisaient les rois malgaches des *sampy* était un peu identique à celui qu'ils faisaient des constructions (*lapa*) dans leurs palais[76] ; d'ailleurs, chaque palladium était associé à une demeure qui portait son nom. Les palladiums étaient un outil de pouvoir manipulé par le souverain lorsqu'il était puissant, utilisé contre lui lorsqu'il faiblissait ou trahissait. Ces fondements et limites traditionnels de la monarchie, étaient une véritable constitution vivante, elle protégeaient les divers corps sociaux contre la puissance toujours menaçante car jamais stabilisée du pouvoir royal. "Il y avait les bons *sampy* et les mauvais," écrit J. Dez. J'ajouterai que les "bons" servaient le roi dans l'intérêt du peuple et les "mauvais" le tournaient contre le peuple. Radama avait choisi Manjakatsiroa comme un symbole, c'était en même temps un vœu. Le mot lui-même, par sa signification littérale résume le programme politique de Radama. Madagascar est un seul royaume, unifié, qui ne peut être ni divisé entre d'autres puissances ni cédé aux Européens. Mais il se dégage un autre sens du mot, "il ne peut y avoir deux puissances souveraines à Madagascar", une puissance spirituelle autonome et une puissance politique, celle du roi. Tandis que Radama mettait aux pas les gardiens d'idoles, domestiquait les devins, nationalisait les cultes patrilocaux, il lui était insupportable de voir des étrangers introduire une puissance prétendue supérieure à la sienne dont eux, les étrangers, étaient les gardiens indépendants. Il ne semble pas qu'aucun missionnaire, même au temps de la persécution, ait seulement entrevu cette conséquence de l'introduction d'un christianisme "républicain", tant la distinction du politique et du religieux était pour eux un fait d'évidence.

Reste que Radama n'interdit pas le prêche du dimanche, ni le catéchisme, se contentant de surveiller étroitement les missionnaires, de les mettre périodiquement en garde et de raviver les manifestations du culte politique. C'est qu'il avait été frappé par l'utilité de l'enseignement moral que les missionnaires mettaient en avant, il constituait une idéologie de l'obéissance aux commandements et du respect de l'autorité, fondée sur la crainte de Dieu, qui ne pouvait que le satisfaire. Pour le reste, il affecta systématiquement de ne pas comprendre ce que les missionnaires voulaient dire à propos de leur Dieu.[77]

Une dernière cause explique le revirement de 1824 : la météorologie. La période 1823-1825 a coïncidé avec une vague de calamités naturelles que les Merina n'avaient pas connues depuis longtemps et qui furent attribuées par le peuple et certains grands à l'introduction des écoles et de la religion des Blancs. L'hiver 1823 fut glacial, 10° le matin, 13° à midi et 11°67 le soir en juin.[78] Au mois d'avril, la grêle ravagea toutes les récoltes et, peu après, une invasion de sauterelles détruisit

---

76 Là-dessus voir mon article : "Le Rova de Tananarive".
77 *Journals Mad.*, Box 1 n° 9, Jones and Griffiths, 1824-1825.
78 *Journals Mad.*, Box 1 n° 7, Jones and Griffiths, 1823-1824.

tout ce qui avait résisté.[79] En septembre, une épidémie de rougeole fit des ravages parmi les enfants et emporta le petit Griffiths le 23 novembre.[80] A son retour d'expédition à Majunga, le 2 novembre 1824, Radama, épuisé, tomba malade et ne réchappa d'une congestion pulmonaire que grâce aux soins de Hastie. Les devins et les ennemis des Blancs ne manquèrent pas de mettre le fait en relation avec sa fréquentation des étrangers et l'abandon des coutumes de ses pères.[81] Ensuite, ce fut une sécheresse terrible qui brûla tout jusqu'au début de l'année 1825. "Il se maintient depuis longtemps un temps sec, cette année, qui fait que le peuple est alarmé. Tout nous semble desséché. Les gens commencent à se plaindre disant que les écoles sont la cause de tout cela."[82] C'est pour apaiser les esprits, sans doute, que Radama se rendit à Ambohimanga le 21 janvier et pria sur la tombe de son père. En 1827, après la mort de Hastie, sa méfiance à l'égard des missionnaires était à son comble, comme en témoigne le rapport du capitaine Duhaut-Cilly que l'on ne peut mettre en doute puisqu'il est corroboré par les lettres de Jones de la même époque.[83]

Confronté à une telle reconstitution du passé, on ne peut que se dire que la mort de Radama, bien loin de porter atteinte à la mission, a prolongé d'au moins trois ans l'activité des missionnaires. Sans l'ignorance de Ranavalona, moins politique et moins méfiante à leur égard que son prédécesseur, ils n'auraient jamais pu commencer à baptiser à Ambatonakanga en 1830, ni fonder à Andohalo une congrégation malgache de vingt membres, le 29 mai 1831. Il faut souligner que ce n'est pas à cette époque que naît dans l'esprit des dirigeants malgaches l'idée que les missionnaires veulent constituer un parti avec leurs élèves, mais dès 1825. A propos de la constitution d'une Société des Ecoles Missionnaires demandée par Jones et Griffiths, Coppalle écrit dans son journal, en date du 13 novembre : "le Roi, naturellement méfiant, n'a pas pris aussi promptement une détermination. Il a d'abord ajourné une réunion des sociétaires pour aller lui même s'instruire du véritable but de la société ; puis le jour indiqué, au lieu de se rendre à la salle des séances, il a envoyé deux de ses officiers pour ordonner aux membres de se séparer." Radama, qui avait longtemps hésité à autoriser la formation de la *Missionary School Society*, n'aurait sans doute jamais accepté une innovation ouvertement religieuse.[84]

---

79 *Idem*, n° 6, Jeffreys, 1823.
80 *Idem*, n° 8, Jones and Griffiths, 1823-1824.
81 *Idem*, n° 9, Jones and Griffiths,1824-1825.
82 *Idem*.
83 Lettres à Viret, 1827, traduites et éditées par VALETTE (J.) dans *B. de M.*, 1968.
84 A noter que le mot *Society*, transposé en malgache sous la forme *Asosay aty* litt. "introduisez ici "(le gouvernement des étrangers), avait donc suscité l'inquiétude de Radama bien avant celle de Ranavalona, contrairement à ce qu'affirme Rabary (*Daty malaza*, I, p. 65-66). En suivant la tradition mythique malgache, F. Raison en conclut que ce n'est qu'en 1831 que "le christianisme

4 - Education ou évangélisation ?

Au terme de près de dix ans de résidence épisodique ou prolongée, les missionnaires avaient appliqué presqu'à la lettre le programme d'action mis au point par les missions protestantes depuis le XVIIIe siècle. Ils avaient fondé des écoles sur le modèle des *Realschulen* ou des *Charity Schools*, pour préparer les futurs chrétiens à la lecture de la Bible. Ils avaient traduit dans la langue du pays les Ecritures, de nombreux catéchismes et des cantiques. Ils possédaient désormais des dictionnaires et des grammaires de cette langue et la maîtrisaient suffisamment pour pouvoir prêcher. Ils avaient cherché, malgré quelques maladresses, à s'enquérir des croyances et des coutumes du peuple malgache, et s'étaient constitués en congrégation dès qu'ils avaient été assez nombreux. Ils y avaient associé les Malgaches, mais en tant que simples spectateurs. Tout cela répondait parfaitement au programme piétiste appliqué à Tranquebar par Ziegenbalg et Plutschau à partir de 1706, mais était assez éloigné des objectifs de Carey et de ses successeurs. Pour le fondateur des missions baptistes, le premier objectif du missionnaire était "la prédication sur une vaste échelle par toutes les méthodes possibles. Ensuite venait l'aide à la prédication par la distribution de Bibles dans la langue du pays, puis l'établissement aussi tôt que possible d'une église, une étude approfondie de la culture et de la pensée du peuple non chrétien et enfin la formation le plus tôt possible d'un clergé indigène".[85] Le programme de Carey, inspirateur direct de celui de la L.M.S. à sa fondation, négligeait complètement l'école et donnait à la lecture de la Bible une valeur secondaire, l'essentiel étant de prêcher et de fonder des églises autonomes dans le plus court délai. La différence fondamentale entre les deux traditions réside dans leur appréciation du temps nécessaire, et surtout disponible (dans une perspective millénariste) pour accomplir la conversion des peuples païens. La tradition allemande vivait encore le temps long de l'Europe classique, sa missiologie était encore "catholique". La conversion du monde était un devoir pour les chrétiens et une nécessité pour le bonheur du monde, mais il fallait l'obtenir par un effort prolongé d'éducation et s'assurer de son enracinement par la distribution et la lecture du Livre. Cette démarche supposait la stabilité du temps et des hommes, l'harmonie du monde préindustriel, cette mission-là avait en quelque sorte l'éternité pour elle. Tout autre est la tradition des "Réveils" missionnaires de la fin du siècle pour lesquels "le temps est proche", l'éternité urgente et la mission une course contre le compte à rebours de l'Apocalypse. Carey invitait à prêcher le Verbe, à provoquer par la parole l'étincelle de la foi, à laisser agir le feu de la grâce sans attendre le long éveil de la connaissance livresque qui viendrait d'elle-même, par surcroît,

---

acquiert aux yeux des milieux dirigeants une dimension politique" ce qui est sous-estimer la clairvoyance de Radama. (*Bible et pouvoir*, p. 132).
85 NEILL (S.) : *A History*, p. 229-231 et 263-265.

si le temps lui était donné. Tout traumatisme social et culturel, dans le monde chrétien, provoque des réveils eschatologiques et toute angoisse eschatologique se libère dans l'action primitiviste, dans un retour aux origines militantes du christianisme. Les Apôtres n'avaient pas eu de livre, les missionnaires du Réveil pouvaient s'en passer.

Cette hésitation sur le temps fut au cœur des incertitudes missionnaires à Madagascar. Choisir l'école, c'était croire au temps long tandis que privilégier la prédication et hâter la constitution de congrégations en leur laissant des Bibles traduites et imprimées dans la langue du pays, relevait d'une préoccupation millénariste. En réalité, rien ne fut aussi clair, ni dans l'esprit des Directeurs, ni dans la pratique des missionnaires. La hantise eschatologique, à supposer que les Gallois d'origine rurale, non touchés par le *Call for Prayer*, l'aient partagée avec leur maître Bogue, dut disparaître dans l'éloignement des perturbations de l'Europe, remplacée par l'espérance précautionneuse de l'accoucheur devant une naissance difficile, celle de la "civilisation" à Madagascar.[86]

Lorsque, en 1821, le prince Andriantsimisetra demanda à Griffiths, alors en transit à Maurice, combien de temps Jones et lui comptaient séjourner à Madagascar, celui-ci répondit : "si lui et ses compatriotes voulaient être complaisants avec eux et recevoir (leur) instruction - dix ans - à cela il fut stupéfait (...) mais il en fut heureux".[87] Il faut noter au passage que c'était donc les missionnaires eux-mêmes qui avaient fixé la durée de leur séjour à Madagascar et que la fameuse "loi de dix ans" invoquée plus tard sous Ranavalona Ière, fut, si elle a vraiment été promulguée, inspirée par eux. Dix ans, c'eût été une période fort longue si les missionnaires avaient été des millénaristes primaires, mais c'était paradoxalement une période fort brève au regard des conceptions de Bogue. Remarquons toutefois que son enseignement portait en lui-même beaucoup de contradictions dont les déchirements des missionnaires sur le terrain ne furent peut-être que la conséquence. D'un côté, Bogue caressait un certain rêve primitiviste d'une conversion par la parole, fondée sur cette théologie arminienne de la prédication qu'il avait esquissée dans son *Essay* de 1796, largement diffusé par les missionnaires. Bennet, son biographe, a retrouvé parmi ses papiers non datés une exégèse en latin sur ce point de doctrine et une homélie sur le thème *Extent of Christ's Death*.[88]

Ces textes expriment sa conviction que "la valeur de la mort du Christ est telle qu'elle assure, par elle même, le salut du monde entier, qu'il est mort <u>également</u> pour les pêcheurs et les élus, car tous les hommes portent en eux une parcelle de Rédemption dont il suffit de leur faire prendre conscience par la prédication, la grâce divine intervenant ensuite

---

86 Mais cette hâte tenaillait Jeffreys, comme en témoigne le choix de ses textes de prédication tirés des *Sermons on the Millenium* de Bogue, *Journals Mad.*, Box 1 n° 5, Jeffreys, 1822, 12 May.
87 *Journals Mad.*, Box 1 n° 3, Griffiths 1821, 11 April.
88 MORISON (J.) : *The Fathers and Founders of the L.M.S.*, vol.1, p. 465.

pour les conduire au salut par le respect des commandements de Dieu." Point de hâte à convertir dans cette optique, puisque l'enseignement du Christ a inscrit parmi les desseins de la Providence la conversion de tous les hommes. Mais il faut aussi prendre en compte que Bogue avait subi, en Ecosse et dans la fréquentation des frères Haldane, l'influence du *Great awakening* américain. Il était tenaillé par une hâte millénariste qui lui faisait rechercher tous les moyens d'accélérer la diffusion de l'Evangile, même si cette diffusion n'était que formelle, matérielle, par les distributions de livres et d'imprimés. J. Bennet, ancien élève de Gosport, écrivait à ce propos : *If the pecularities of a certain school in theology were ever recommended at Gosport, they were those of the American Divines and especially of Brainerd and Edwards in whose almost all that is valuable in the transatlantic divinity for the greatest part of David Bogue's time embodied.*[89] On a vu que la doctrine missionnaire des théologiens américains d'origine écossaise, reposait essentiellement sur la certitude de la fin prochaine du monde, fixée par certains à 1866. Pour précipiter la venue du règne millénaire du Christ, il fallait hâter la diffusion de l'Evangile et faire en sorte qu'elle fût réalisée dans les cinquante années à venir, pour que la fin du monde correspondît à cette date de 1866.

En 1820, les missionnaires disposaient donc de moins de cinquante ans pour évangéliser Madagascar avant la fin du monde, alors qu'ils s'étaient donné dix ans pour engager le processus de la conversion. Si l'on songe que le premier baptême et la formation de la première congrégation malgache eurent lieu en 1831, on peut dire qu'ils ne s'étaient pas trompés de beaucoup en affirmant à leur arrivée à Madagascar que dix ans leur étaient nécessaires et suffisants. Pourtant, sitôt menacés, les missionnaires et leurs soutiens en Grande-Bretagne estimèrent qu'ils n'avaient pas encore pu accomplir ce qu'ils estimaient être leur tâche primordiale à Madagascar, c'est à dire provoquer des conversions par leur prédication. Dans le rapport sur les écoles de 1828, Jones écrivait que "le travail qui avait, durant huit ans fait les meilleurs progrès (...) était l'éducation des jeunes gens".[90] Pour lui, ce travail ne constituait qu'une base de l'évangélisation, et non l'évangélisation elle-même. Griffiths avait la même opinion lorsqu'il faisait dire à Radama par Hastie : "pour ouvrir la porte à la diffusion de la connaissance du Christianisme nous souhaitons avoir des écoles dans chaque village. Et en visitant et en supervisant ces écoles, nous avons l'intention par la même occasion de prêcher l'Evangile aux villageois et de converser avec eux sur des sujets moraux et religieux et, de cette façon, la traduction des Saintes Ecritures serait lue et expliquée à des centaines de gens

---

89 BENNET (J.) : *Memoirs of the life of the Rev. David Bogue*, p. 124. Traduction : S'il y a eu à Gosport des recommandations particulières en matière de théologie ce sont celles de l'école des théologiens américains et particulièrement de Brainerd et d'Edwards chez lesquels se trouve presque tout ce qu'il y a de précieux dans la théologie missionnaire transatlantique et que David Bogue a incarné pendant la plus grande partie de sa vie.

90 *Second Report of the Madagascar Missionary School Society for 1828*, printed at the Mis. Press, Tananarivou, 4 p.

partout ; sans avoir ce grand objectif en vue, nous ne nous serions jamais préoccupés d'établir et de diriger des écoles et n'aurions pas perdu notre temps à enseigner en vain la seule connaissance des lettres, etc."[91] En 1822, Jones et Griffiths avaient jugés qu'il ne pourraient rien faire dans le domaine de la prédication et de la diffusion d'imprimés tant qu'un nombre conséquent d'enfants ne serait pas en mesure de lire et d'écrire sa propre langue.[92] Ce n'était pas l'avis de Jeffreys qui affirmait que la seule tâche du missionnaire était de prêcher l'Evangile, de traduire les Ecritures et de les distribuer imprimées aux habitants. Indiscutablement, Jeffreys s'appuyait sur l'enseignement de leur maître commun David Bogue, pour lequel l'essentiel, le point central de toute l'activité missionnaire devait être la propagation du *Verbe*, à l'imitation des Apôtres, premiers et seuls véritables missionnaires de tous les temps. La prédication, selon Bogue, était "une institution divine", à laquelle tout devait être subordonné : discussions, conversations, catéchisme, livres, écoles, n'étaient que des préparations ou des adjuvants. Le plus surprenant est que Bogue plaçait la diffusion des livres religieux et, parmi eux, la Bible, en dernier lieu dans l'ordre prioritaire des tâches du missionnaire. Dans la leçon n° 9, il déclarait en effet que, si le missionnaire devait avoir une connaissance parfaite de la Bible et posséder dans sa bibliothèque les meilleurs commentaires, il devait considérer la diffusion de l'Evangile dans le texte, la lecture et l'impression de ce texte comme les aspects les moins importants de la prédication.[93]

Le vénérable docteur n'était pas avare de contradictions puisque Griffiths et Jones purent opposer à Jeffreys un souvenir de Gosport, selon lequel "le Révérend Dr. avait sévèrement réprimandé l'un des étudiants missionnaires pour avoir dit qu'il ne voulait pas s'embarrasser avec des écoles lorsqu'il partirait et le Rév. Dr. lui avait déclaré que s'il ne considérait pas l'établissement et le soin des écoles comme constituant une part importante des devoirs d'un Missionnaire et s'il ne s'efforçait pas par tous les moyens en son pouvoir de les développer, il devait abandonner l'idée de partir comme missionnaire."[94]

En réalité, sur le fond, le point de vue de Jones et de Griffiths n'était pas si éloigné de celui de Jeffreys, mais dans la pratique, les doyens avaient eu le temps de prendre conscience de la situation du terrain, ils connaissaient mieux les intentions de Radama et savaient qu'ils devaient en tenir compte. Lorsque le souverain s'adressait à eux, il leur demandait "d'apprendre à ses sujets à lire et à écrire dans leur propre langue".[95] En réponse, les missionnaires lui faisaient savoir "qu'ils n'avaient pas quitté leur pays natal et gagné Madagascar pour se promener et gaspiller leur temps, mais dans le but d'apprendre à son peuple à bien faire et

---

91 *Journals Mad.*, B 1 n° 7, Jones and Griffiths 1824, Ap. 24th 1824.
92 *Idem.*, n° 2, Griffiths 1823.
93 *Missionary Lectures*, n° 9, 10, 25.
94 *Journals Mad.*, Box 1 n° 7, Jones and Griffiths, 1823-1824.
95 *Idem*, n° 6, Griffiths, 1822-1823, June 23rd 1823.

comment être heureux pour toujours".[96] L'ambiguïté était manifeste et dura jusqu'à la mort du roi, c'est pourquoi ce dernier se faisait expliquer sans cesse les buts de la Société et les intentions réelles de ses envoyés. Lesquels, au lieu de lever le doute sur leur objectif final, restaient délibérément dans le vague. Convoqués par Radama le 8 mai 1824, Jones et Griffiths durent lui expliquer "les principes sur lesquels la société missionnaire était fondée et le grand objectif que ses directeurs et ses soutiens en Grande-Bretagne et ses missionnaires et amis au dehors avaient en vue. Et nous ajoutâmes que c'est simplement ceci : à savoir, apprendre à toutes les nations à craindre Dieu, honorer le roi et aimer leurs frères et leurs semblables et de dire à tous la façon d'être heureux ici et dans l'au-delà".[97] La façon d'être heureux pouvait fort bien convenir au souverain à condition qu'elle fut clairement exposée. Cela ne devait pas être le cas puisque Radama confiait souvent à ses généraux et même à Hastie : "Il y a du bon dans ce que les missionnaires prêchent mais je ne comprends pas très bien leur but et leur dessein."[98]

Plutôt que de recourir au prêt à expliquer d'aujourd'hui, d'invoquer l'imperméabilité des cultures, l'inégalité des champs de communication et bien sûr des échanges, soulignons ici que ce sont les missionnaires eux-mêmes qui entretinrent volontairement l'ambiguïté et donc la méfiance de leur hôte car si, au fond, l'école servait mieux que la prédication les objectifs de l'évangélisation, elle flattait beaucoup moins leur vanité de nouveaux apôtres. Chacun des partenaires avait intérêt à maintenir le vague sur la finalité des écoles. Le roi, par la conscription, y trouvait la formation des secrétaires de son armée et de son administration, il faisait donc pression pour augmenter les effectifs. De leur côté les missionnaires exploitaient la chance inespérée qui leur était offerte de rassembler des adolescents "à l'esprit non encore obscurci par les superstitions", de les isoler des années durant dans un milieu clos, loin de leurs parents, à l'écart de leur coutumes et de leurs croyances, du moins dans toute la mesure qui leur était permise. L'école était pour eux le moyen de reconstituer un petit isolat de futurs chrétiens, puisqu'une quarantaine géographique et politique était impossible. L'école fut donc en Imerina un avatar imparfait de la vieille méthode missionnaire de la "réduction" rendue célèbre par les jésuites, ou de la *christian colony* protestante, telle que les envoyés de la L.M.S. l'expérimentaient au même moment en Afrique du Sud ou aux Antilles. Dans cet univers entre parenthèses de la salle de classe, les missionnaires se servirent de l'autorité exclusive qu'ils y exerçaient pour tenter de faire table rase de l'univers païen dans l'esprit des élèves. Là seulement ils pouvaient appliquer à la lettre les préceptes de Charles Grant et, cela admis, il faut en déduire que les missionnaires firent de l'école le lieu même de la prédication, de l'instruction religieuse, au total de l'évangélisation. La chrétienté malgache à naître ne pouvait être qu'une congrégation de

---

[96] *Journals Mad.*, Box 1 n° 8, Jones and Griffiths, 1824.
[97] *Idem*, n° 9, Jones and Griffiths, 1825.
[98] CHAPUS (G. S.) : "80 années d'influence européenne...".

lettrés vénérant l'écrit par dessus tout, puisque c'était l'école qui ferait les chrétiens. Il n'y eut donc pas de véritable contradiction entre l'éducation et l'évangélisation dans la pratique des missionnaires, parce qu'en se dégageant des incertitudes de leur formation et de la situation du terrain, ils essayèrent d'adopter une attitude pragmatique d'efficience et de rentabilité à long terme qui prouve, par déduction, leur absence de toute angoisse millénariste.

CONCLUSION

Dans l'ensemble de l'historiographie, l'étude la plus solide et la plus complète sur l'activité des missionnaires de la L.M.S. à Madagascar durant la période pionnière (1818-1828) était sans conteste celle de Chapus lorsqu'à été entreprise cette recherche. L'auteur qui s'était documenté à partir d'ouvrages de seconde main avait bien utilisé les journaux de Hastie et de Lyall qu'il a contribué à faire connaître et à éditer, mais il était resté prisonnier des mythes que les historiens missionnaires par lui compilés avaient créés. Pourtant Chapus avait su donner à l'histoire de l'évangélisation de Madagascar une dimension qui dépassait le seul domaine religieux.

Car l'indépendance des domaine religieux et politique est une illusion que dissipe l'étude directe des documents. L'indifférenciation ne concerne pas seulement le partenaire malgache, mais l'ensemble de la stratégie et la pratique quotidienne des missionnaires. Voulue et préparée en grande partie par un homme politique, agent d'une puissance qui prétendait alors à une suprématie mondiale, la mission de Madagascar fut non seulement soutenue et contrôlée par le gouverneur Farquhar, mais encore employée par lui. Véritable phare de l'Europe atlantique dans la plus grande île de l'océan Indien, la mission de la L.M.S. fut au service de l'impérialisme britannique, lequel était, il faut encore le souligner, de nature religieuse voire messianique.

Il convient aussitôt d'ajouter que la mission fut également au service du plus grand souverain malgache, le roi Radama. Les missionnaires ne furent qu'un temps les conseillers de ce monarque, mais il les considéra toujours comme ses assistants et ses techniciens, particulièrement durant les huit dernières années de son règne. Les envoyés de la L.M.S. approuvèrent et appuyèrent de tous leurs efforts la politique d'expansion et d'unification du royaume merina, lui fournissant des moyens techniques renouvelables, par le savoir faire des artisans, des administrateurs lettrés, par l'œuvre considérable d'éducation démultipliée, enfin une idéologie selon laquelle le pouvoir et la prépondérance sociale reviennent à ceux qui se consacrent à "bien faire" et à obéir à leur souverain.

Les missionnaires ont donc inscrit l'évangélisation dans la dépendance du pouvoir politique, qu'il fut britannique ou malgache. Disons pour être juste que ces congrégationalistes qui auraient dû être de farouches républicains ne purent imaginer la conversion des Malgaches sans l'appui conjoint des autorités de leur pays d'origine et de celles de leur terrain de mission. Malgré les inconvénients d'une telle alliance, ils préférèrent toujours ménager leurs protecteurs au détriment de certains de leurs membres et cela explique leur inquiétude lorsqu'en 1827 ils crurent avoir perdu le soutien de Radama, après avoir dû se passer de celui du gouverneur de Maurice. Cela fait comprendre aussi qu'ils aient délibérément oublié les régions où les pouvoirs qui les soutenaient n'étaient pas présents, les côtes et plus particulièrement Tamatave et Saint-Augustin.

La seconde idée reçue, qu'il faut désormais abandonner, est celle d'un "génie" particulier de la mission protestante. Dans la réalité de ce début du XIXe siècle, cette mission de Madagascar se déroula sensiblement de la même façon que les missions catholiques, celle du XVIIIe siècle, sur la côte est, ou celle du second XIXe siècle, sur les Hautes Terres. On peut même suggérer que le succès diplomatique et culturel que représenta pour la Grande-Bretagne l'installation d'un résident et d'une mission religieuse à Antananarivo est dû en partie à la leçon des expériences catholiques passées et surtout au legs des Mascareignes, ce capital d'informations de tous ordres amassé au XVIIIe siècle, dont Farquhar et ses collaborateurs se sont servi pour fixer leur politique malgache et dont ils firent profiter la L.M.S. et ses envoyés. Cette dette n'enlève rien aux mérites réels des missionnaires. Sans leurs aptitudes linguistiques et sans la formation qu'ils avaient reçue, ils n'auraient sans doute pas lancé et réalisé leur programme d'éducation scolaire en langue malgache qui, lui seul, désigne l'originalité des entreprises protestantes par rapport à leurs aînées catholiques. Mais reconnaître la part des choses, rendre à Farquhar et à Radama ce qui leur revient en propre dans ces événements, au docteur Bogue, aux *Sunday Schools* et même aux pédagogues dissidents perdus dans leurs académies des montagnes galloises ce qu'ils ont donné de techniques d'évangélisation aux émissaires du protestantisme, à Froberville et à ses prédécesseurs ce qu'ils ont accumulé de richesse documentaire, ce n'est pas réduire la valeur de David Jones ni celle de ses compagnons. C'est plutôt leur assurer une véritable dimension historique, les traiter en hommes d'exception et non pas en héros mythiques.

Il faut reconnaître une certaine habileté et peut-être même l'action de l'Esprit à ces hommes qui surent naviguer entre des intérêts parfois contradictoires, en tout cas jamais clairement exprimés. Mais leur mérite est encore plus grand d'avoir réussi à créer en plein cœur d'un pays païen une communauté chrétienne. Il est vrai que la déviation puritaine du modèle congrégationaliste qu'ils installèrent faisait d'eux les élus d'un cercle supérieur et rejetait les catéchumènes malgaches, auxquels ils ne proposèrent point l'intégration du baptême, dans le cercle extérieur des simples priants. Mais ils avaient construit un bâtiment cultuel, fait la démonstration de toutes les cérémonies chrétiennes, expliqué leur sens et leur finalité, formé des auxiliaires destinés à les remplacer. Il ne manquait peut-être plus que leur départ, dont on leur avait enseigné qu'il devait être rapide, pour que ceux des Malgaches qui avaient subi leur influence s'aperçoivent qu'ils étaient de fait chrétiens.

De la crise de 1827, de l'inquiétude des missionnaires, de l'échec apparent de l'évangélisation, peut-on déduire que l'église protestante était encore à venir en Imerina ? Beaucoup d'auteurs n'hésitent pas à l'affirmer, contestant même la réalité de l'évangélisation. H. Deschamps écrivait que "le christianisme n'avait alors qu'un succès de curiosité" et B. Gow estime, qu'avant 1862, la christianisation fut un échec.[1]

Pour tous ces historiens, la césure se place en 1828, et même 1829, lors de l'accession au trône de Ranavalona 1ère. Tous cherchent à faire valoir le contraste entre l'attitude de Radama, qui avait encouragé les missionnaires et celle de Ranavalona, hostile au christianisme, qui les expulsa.[2] Or, entre 1828 et 1835, les missionnaires ont joui de plus de liberté que durant tout le règne de Radama et un seul d'entre eux, Atkinson, fut effectivement chassé.

Bien mieux, dans les rangs des missionnaires, le règne de Radama connut plus de victimes que celui de Ranavalona. Bevan et sa famille, décédés à Tamatave y sont encore enterrés. Le charpentier Brooks, mort en 1822, l'imprimeur Hovenden et le tisserand Rowlands, disparus en 1826 et 1828, sans compter les enfants de Jones et Griffiths, reposent à Tananarive, dans le cimetière d'Ambatonakanga. A tous ces décès il faut ajouter celui de Jeffreys, survenu en mer, lors de son retour en 1825, et celui de sa fille Elisabeth. Mais ce que les missionnaires ressentirent en 1828, et qui les marqua, compte autant que ce qui se passa en réalité. Déjà menacés, ils se crurent condamnés. Leur crainte venait surtout de l'avenir qu'une souveraine "inculte" réserverait à leur œuvre d'enseignement, alors que la diffusion, réussie, de l'instruction était considérée par eux comme le préalable à toute évangélisation.

Toutefois, c'est la nature de cette évangélisation qui faisait problème. Les missionnaires hésitèrent entre la constitution d'une *christian colony*, d'une congrégation d'élèves et de catéchumènes regroupée sous leur autorité, isolée du reste du peuple malgache, et la création d'un Etat chrétien. Dans un cas comme dans l'autre, il leur fallait gagner l'appui du souverain merina, étant tacitement reconnu par eux qu'il n'aurait pu accepter qu'existait à Madagascar un pouvoir supérieur au sien, celui du Dieu des missionnaires. Ce soutien, ils en bénéficièrent au-delà de leurs espérances, puisqu'il faut constater que Radama légua à Ranavalona la tolérance de l'instruction religieuse qui accompagnait l'éducation des enfants. De son vivant, même après le décès de James Hastie sur qui les missionnaires se reposaient pour exercer leur influence à la cour,[3] n'avait-il pas autorisé la prédication publique dominicale ?

Les envoyés de la L.M.S. n'eurent pourtant jamais de véritable prise sur Radama qui les maintint toujours en liberté surveillée. Il ne fut jamais un monarque selon leurs espérances, bien qu'ils aient toujours reconnu que, sans son assistance et son autorité, ils n'auraient pratiquement rien pu faire. Même après sa disparition, l'historiographie le prouve, les missionnaires aimaient à croire que ce roi intelligent et "éclairé" qui les

---

[1] DESCHAMPS (H.) : *Histoire...*, p. 160 et GOW (Bonar) : *The British Protestant...*, vol. 1.
[2] Examens de ces divers points de vue dans AYACHE (S.) : "Esquisse..."
[3] BROWN (M.) : "Ranavalona I and the missionaries".

avait appelés aurait fini par comprendre que "la supériorité des races blanches se trouvait associée dans une large mesure à leurs croyances religieuses" et que cette conviction l'aurait amené, sinon à se convertir lui même, du moins "à désirer l'introduction du christianisme dans son royaume".[4] Conçue et organisée comme elle l'était, la mission de la L.M.S. ne pouvait s'implanter dans un pays sans l'appui d'un pouvoir fort. La défaillance de ce pouvoir, manifeste dès 1827, ne pouvait qu'inquiéter les pasteurs britanniques qui sentaient autour d'eux monter des forces hostiles. Sur le moment, la mort du souverain leur fut presque comme un soulagement puisque, croyaient-ils, son successeur serait le jeune prince Rakotobe, héritier désigné, qui avait été leur élève et leur serait sans doute tout acquis.[5] La mort de Radama ne changea donc rien à la situation qui s'était créée en 1827, mais, au contraire, apporta peut-être aux missionnaires un répit de sept années supplémentaires. En outre, si Jones et ses compagnons craignirent pour leur entreprise et même pour leur vie, à aucun moment ils ne semblent avoir eu d'inquiétudes pour leurs élèves ni pour les auxiliaires qu'ils avaient formés.[6]

A l'échelle du demi-siècle, cette crise de 1827 doit être interprétée comme un avertissement donné aux missionnaires de ne pas avoir à se mêler d'affaires politiques, de ne pas outrepasser leur rôle d'éducateurs. A cette époque, l'activité de Jones et du nouvel arrivé, Freeman, était ouvertement celle d'agents britanniques. Un curieux mémoire français résume assez bien l'image qu'ils donnaient alors de leur rôle : "Radama attira des missionnaires pour instruire la jeunesse Hova et leur faire former de bons ouvriers dont quelques-uns allèrent se perfectionner en Angleterre ; mais tout en chassant les devins il eut soin d'éluder la demande des missionnaires qui lui demandaient une réforme religieuse complète. Radama comprit leur caractère et leur rôle. Les missionnaires avaient aussi pour ennemis ses principaux officiers, ses ministres, ses parents, mais ils se firent des partisans parmi leurs élèves et leurs néophytes et ils sont accusés d'avoir pris part au complot qui a détruit la famille royale et mis le pouvoir entre les mains du parti populaire ce qui a peu retardé leur bannissement."[7]

Malgré ses accusations erronées, il faut retenir du témoignage de ce traitant français qui recoupe certains bruits rapportés par Lyall dans son Journal, combien les missionnaires assiégeaient le pouvoir royal, comment ils se servaient de leurs élèves pour constituer un groupe de pression, comment ils leur ont donné la tentation du pouvoir et de

---

4 CHAPUS (G. S.) : "80 ans d'influence...", chap. IX.
5 ELLIS (W.) : *History*, , volume 2, p. 407-409.
6 AYACHE (S.) : *Raombana*, p. 89. Ils purent craindre, à tort, en août 1828 pour les deux jumeaux, Raombana et Rahaniraka, dont la reine avait ordonné le retour d'Angleterre et, pensaient-ils, l'assassinat.
7 "Notes de Monsieur Cartier sur Madagascar en 1839-1840 et après", manuscrit de 16 p. des *Archives historiques de l'Archevêché* d'Antananarivo.

l'utilisation de la religion chrétienne à des fins politiques, tout ce dont saura se souvenir leur disciple indirect, le premier ministre Rainilaiarivony.

Cette tentation du pouvoir était inscrite au cœur de l'élan missionnaire britannique du XVIIIe siècle, et l'un des fondateurs de la Société avait lancé un avertissement prophétique dès 1794 : "que les futurs missionnaires évitent l'usurpation du pouvoir séculier (...) l'état de ces îles (il pensait au Pacifique) peut inciter des hommes d'action, sous le prétexte spécieux de la civilisation, à s'avancer plus loin qu'ils ne doivent sans se soucier des conséquences. (...) Aussi, qu'ils s'en souviennent, ceux qui réussiront dans leur œuvre, auront un plus grand goût de l'autorité alors qu'ils n'auront peut-être plus leur piété et qu'en même temps ils seront dans une situation plus favorable à l'usurpation du pouvoir temporel..."[8] Dès 1824, peut-être emportés par les événements, les missionnaires de l'Imerina oublièrent cette terrible mise en garde et l'on peut penser, comme le traitant Cartier, que la mort de Radama ne leur apporta qu'un sursis.

Mais pour qu'ils aient pu se laisser griser par l'usurpation du pouvoir temporel, il fallait bien que, malgré leurs doutes, ils aient en quelque façon réussi dans leur œuvre. Par l'éducation, ils avaient pu profiter durant sept ans de l'autorité du roi Radama, triomphant ainsi de toutes les résistances. Ils avaient pu exercer sur de jeunes esprits, représentant 5 à 6% de la population de l'Imerina, une influence sans doute moins totale et quotidienne qu'on l'affirme, mais qui leur assurait une emprise importante sinon irréversible sur la future élite du Royaume de Madagascar.[9]

Dès 1827, cette jeunesse formée à l'anglaise et imprégnée de catéchisme prenait la relève des missionnaires. C'est invités et conduits par l'un de leurs catéchumènes que les missionnaires Jones et Griffiths allèrent en tournée dans le Vonizongo en 1827. L'année suivante, Jones accompagnait le prince Corroller pour visiter les six petits postes d'éducation et d'évangélisation qui avaient été fondés dans cette province.[10] C'est pratiquement sous l'impulsion de leurs élèves, que les missionnaires élargissaient désormais hors d'Imerina le champ de la christianisation.

D'autre part, c'est au mois de décembre 1827 que les missionnaires utilisèrent pour la première fois la presse d'imprimerie qu'ils réclamaient depuis plusieurs années. Ils purent associer, dès le début, les meilleurs de leurs disciples aux travaux typographiques et ce succès technique contribua à les remettre temporairement bien en cour.[11] Mais cela aussi tourna contre eux, car plus que le sort de la mission religieuse et éducatrice, c'était leur présence et certains aspects de leur activité qui se trouvaient remis en cause en 1827. L'intermède des années 1828 à

---

8 HORNE (M.) : *Letters on Mission*, p. 54.
9 RAISON (F.) : "L'échange inégal", à nuancer par les souvenirs de CAMERON : *Recollection.*.
10 ELLIS (W.) : *History,* vol. 2, p. 383.
11 BELROSE-HUYGHUES (V.) : "Considérations".

1835 ne peut donc être compris que dans la poursuite des ambiguïtés et dans l'aggravation des erreurs passées par de nouveaux venus, tel Freeman, avec des moyens beaucoup plus puissants. Le conflit entre le pouvoir royal et les missionnaires qui éclatera en 1835 et s'achèvera par leur départ n'avait sans doute été évité en 1828 que par la mort de Radama. L'évaluation des choix de celui-ci, de ses demandes, des modulations qu'il a toujours apportées aux propositions d'assistance comme à leur application en fonction de ses possibilités et de ses objectifs, permettent d'affirmer qu'il n'y a pas rupture mais continuité entre son règne et le suivant.

Cette constatation amène à envisager le sort des élèves et des néophytes des missionnaires. Le fait qu'il n'y ait eu aucun baptisé en 1827 prouve-t-il l'échec de l'évangélisation ? La pratique des missionnaires ainsi que l'évolution de l'élite qu'ils formèrent permettent de répondre par la négative. Paralysés par leurs rivalités, divisés sur la conception qu'ils avaient d'une église fondée en terre païenne, ils étaient trop habitués à des rapports d'autorité pour pouvoir faire confiance très tôt à leurs néophytes et sans doute trop attachés à cette autorité pour envisager de la céder. Les missionnaires ne suivirent pas les préceptes de Bogue qui leur enjoignait de fonder au plus vite une congrégation en baptisant les convertis et de remettre l'autorité aux plus capables parmi les baptisés, en évitant de se rendre indispensables.

S'il n'y eut pas de baptisés c'est que les missionnaires refusèrent le baptême aux Malgaches. Cela ne signifie nullement qu'il n'y eût point alors en Imerina de gens dignes de le recevoir. La plupart de leurs élèves, nourris des Ecritures, éduqués selon la morale rigide de la petite bourgeoisie anglaise étaient bien supérieurs à la plupart des écolier anglais des *Sunday Schools* auxquels on n'aurait jamais songé à refuser le baptême, ni même la confirmation. D'autre part, les missionnaires avaient mis entre les mains de leurs grands élèves ce qui, selon leurs propres conceptions, fondait le christianisme : les Ecritures. Avant même que l'imprimerie commence à diffuser largement la Bible en malgache, ils avaient apporté l'alphabétisation et le catéchisme, offert à tous ceux qu'on leur confiait, les moyens de connaître et de comprendre le Verbe du Dieu chrétien.

Potentiellement l'Eglise était fondée en Imerina, mais les missionnaires n'avaient pas su ou pas voulu fournir aux Malgaches l'occasion des premières conversions. Il appartenait à leurs catéchumènes seuls de provoquer la formation de la première congrégation, de pousser les missionnaires à baptiser à la hâte avant de se retirer en 1835, et d'enraciner le christianisme en terre malgache par leurs larmes et par leur sang.

Tout compte fait, le mythe fondateur du protestantisme à Madagascar, s'il est contredit par l'événement, s'ancre, au-delà, dans une autre réalité historique vécue en profondeur. Si les missionnaires ont apporté les pierres et les matériaux, ce sont bien les Malgaches qui ont bâti l'église.

SOURCES ET BIBLIOGRAPHIE

1. DOCUMENTS ET OUVRAGES GENERAUX

Archives, manuscrits et imprimés

1 - Archives de la *London Missionary Society*,
(déposées à la Bibliothèque de la School of Oriental and African Studies, Université de Londres).
- CRAIG (Rev. C. Stuart) : *The Archives of the Council for World Mission incorporating the London Missionary Society : an outline guide*, London, School of Oriental and African Studies, The Library, 1973, 21 p. non numérotées.

Organisation générale : les documents sont classés par boîtes (*Box*), cartons (*Folder*) et chemises (*Jacket*) à l'intérieur des grandes divisions suivantes :
Board Minutes : 1785-1828, Boxes 1 à 19,
Committee of Examination Minutes, 1799-1821.
Candidates papers, 1796-1899 (par ordre alphabétique), *Accepted candidates*, Boxes 1 à 14.
Incoming Letters Home, 1795-1821, Boxes 1 et 2.
Incoming Letters Home, Extra, 1764-1839, Boxes 1 et 2.
Odds 6 : Founders of L.M.S., "book of letters, portraits, memorials".

Premières missions.

Committee Minutes, Africa and Madagascar, 1826-1833, Box 1.
Incoming Letters South Seas, (mission de Tahiti) 1796-1820, Boxes 1 et 2.
Incoming Letters South Africa, 1798-1817, Box 1.
Journals South Africa, 1797-1821, Boxes 1 à 3.
Personal Africa 4 , papiers de R. Moffat contenant les *Missionary Lectures*, transcription manuscrite d'une partie des cours du docteur David Bogue à Gosport, 1817.
Odds Africa 8 : papiers de Théodorus Vanderkemp.
Outgoing Letters South Africa and Madagascar, 1822-1830, Box 1.

Maurice et Madagascar.

Incoming Letters Mauritius, 1813-1824, Box 1. (jusqu'en 1820, les correspondances en provenance de Maurice et de Madagascar sont classées ensemble).
Incoming Letters Madagascar, 1820-1828, Boxes 2 et 3.
Journals Madagascar-Mauritius, 1816-1824, Box 1, (les journaux de Jones et Bevan pour 1818-1819 ont disparu).
Journals Madagascar, 1824-1829, Box 2.
Odds Madagascar 1 : divers papiers et lettres, 1818-1837, concernant Jones, Bevan et Hastie.

2 - Archives de la *Wesleyan Methodist Missionary Society.*

Board Minutes, 17.
Home Correspondance, 1795-1825.
Incoming Letters from South Africa.

3 - Archives de la *British Library* (British Museum), fonds des *Additional Manuscripts* (Add. Mss.).
Fonds Froberville, Add. Mss. 18117 à 18132.
Fonds Farquhar, Add. Mss. 18133 à 18140, (documents imprimés).

4 - Archives du Public Record Office (P.R.O.).

Fonds du Colonial Office (C.O.) : Correspondance avec l'île Maurice, 1810-1828, C.O. 167/47, (documents imprimés).

5 - Archives de l'île Maurice.

Fonds Madagascar, 1810-1828, Série H.B. (sources imprimées)

6 - Archives de la République Malgache.

Série H.H., Cultes 1 : quelques lettres des missionnaires 1821-1828 (voir en particulier la première lettre en malgache de D. Jones à Radama, 13 octobre 1821, ill.).

7 - Archives Historiques de l'Archevêché d'Antananarivo.
Série C : Renseignements communiqués par M. Cartier, C11b, 2 ;
Sur l'histoire des Hova jusqu'en 1840, C11k : sur Jean René.

8 - Bodleyan Library, Université d'Oxford.
Copie dactylographiée (fin XIXe) du manuscrit de Henry Keating, *Narrative*, 1826.

Sources imprimées, ouvrages et périodiques

1 - Sources concernant la London Missionary Society.

- BOGUE (D.) : *Reasons for seeking a repeal of the Corporation and Test Acts submitted to the consideration of the Candid and Impartial*, London, Bukland and Dilly, 1790 .
- BOGUE (D.) and BENNET (J.) : *History of the Dissenters from the Revolution in 1688 to the year 1808* , 4 vol , London, Williams and Smith, 1808-1812.
- BOGUE (D.) : *Discourses on the Millenium*, London, Hamilton, 1818.
- BENNET (J.) : *Memoirs of the life of the Rev. David Bogue*, London, F. Westley and A. H. Davis, 1827.
- BURDER (H. F.) : *Memoir of the Rev. George Burder*, London, F. Westley and A. H. Davis, 1833.
- *Catechisme*, (de Caulier), Rome, S. Borgia, (Imp. de la Propagande), 1775.
- CAMPBELL (J.) : *Maritime Discoveries and Christian Missions*, London, J. Snow, 1840.
- CAMPBELL (J.) : *Travels in South Africa undertaken at the Request of the London Missionary Society : being a Narrative of a Second Journey in the interior of that Country* , 2 vol., London, 1822 .
- CAREY (W.) : *An Inquiry into the Obligations of Christians to use means for the Conversion of the Heathen*, Leicester (Ireland), 1792.
- ELLIS (William) : *The History of the London Missionary Society*, 2 vol., London, J. Snow, 1844.
- GRIFFIN (J.) : *A retrospect of the proceedings of the L.M.S.*, Oortsea, S. Griffin, 1827.
- HAY (J.) and BELFRAGE (H.) : *Memoir of Alexander Waugh*, 1830.
- HAWEIS (T.) : *Letters, being the Report of Correspondence of Rev. Thomas Haweis*, London, Maggs Brothers, 1935.
- HORNE (C. S.) : *The Story of the L.M.S., 1795-1895*, London, John Snow and Co, 1894.
- HORNE (S.) : *Letters on Mission adressed to the protestant Ministers of the British Churches*, Bristol, Bulgin and Rosser, 1794.
- LOVETT (R.) : *The history of the London Missionary Society*, 2 vol. London, H. Frowde, 1899.
- *Madagascar Vocabulaire*, 1813, bought by W. Milne for the missionaries who might go to Madagascar.
- MARSHMAN (J. C.) : *The life and times of Carey, Marshman and Ward embracing the history of the Serempore Mission*, 2 Vol., London, Longmans, 1859.
- *Memoir of Joseph Hardcastle*, London, A. Mackintosh, 1860.
- MORRISON (R.) : *Memoirs of the Rev. William Milne*, 1824.
- MORISON (John) : *The Fathers and Founders of the London Missionary Society*, London, Fisher, 1839, 2 vol.
- OWEN (J.) : *Register of Missionaries*, 1877.
- *Report of the Madagascar School Society for 1828*.

- SIBREE (James) : *Register of Missionaries*, 1923.
- *Sermons kept at the Fondation of the Missionary Society in 1795*, London, Mis. Society, 1796.

Périodiques de la *London Missionary Society*.

- *Annual Reports of the L.M.S.*, 1820-1828.
- *Evangelical Magazine*, 1793-1827.
- *Financial Reports of the .L.M.S.*, 1796-1828.
- *Folios* (recueil de tracs et de circulaires).
- *Missionary Chronicle* (ajouté à l'*Evangelical Magazine* à partir de 1813).
- *Missionary sketches*, 1819-1821.
- *Quaterly Chronicle of the London Missionary Society*, 2 vol. 1816-1824, 2 vol. 1825-1832.
- *Reports of the Directors of the Missionnry Society*, 1795-1820.
- *Sermons kept at the General Meetings of the Missionary Society*, l796-1820.

Fonds des Imprimés de la *British Library*.

- *Blue Book, Report on the State of Education in Wales*, Parliamentary Papers, London, 1847.
- GRANT (Charles) : *Observations on the State of Society among the Asiatic subjects of Great Britain*, Parliamentary Papers, London, 1812.
- *Memoirs of the Late Major General Andrew Burn of the Royal Mariners. Collected from his Journals*, London, 1815, 2 vol., 2de édition, 1 vol., London, 1816, with a portrait.

Périodiques de la *British Library*.

- *The Gentleman's Magazine*, 1734-1810.

2. Sources imprimées concernant Madagascar.

- "Documents pour servir à l'histoire des relations entre la Grande-Bretagne et Madagascar sous Radama I", *R. de M.*, n. s. n° 24-26, 1963-1964.
- BOJER (Wenceslaus) et HILSENBERG (Karl Theodorus), Journaux, publiés et annotés par VALETTE (J.) : "L'Imerina en 1822-23 d'après les journaux de...", *B. de M.*, 1965, n° 227-228, p 297-341.
- CALLET (Rév. P.) : *Tantara ny Andriana teto Madagascar*, Tananarive, Impr. Officielle, 1908, 2 vol., 1-483, 484-1243 p.
- CAMERON (James) : *Recollection of Mission life in Madagascar (1826-1874)*, Antananarivo, A. Kingdom Mission printer, 1874, 28 p.
- CARAYON (Louis) : *Correspondance* éditée par VALETTE (J.) : "Carayon et la situation de Madagascar en 1824", *B. de M.*, n° 257, 1967, p. 796-803.

- CARAYON (L.) : *Histoire des établissement français de Madagascar pendant la Restauration*, Paris, 1845.
- CARPENTIN : *Rapport* édité par VALETTE : "La mission de Carpentin sur la côte est en Mai-Juin 1828", *B. de M.*, n° 268, 1968, p. 769-784.
- CHAPUS (G. S.) et RATSIMBA (E.) : *Histoire des Rois, traduction du Tantaran' ny Andriana*, Tananarive, Académie Malgache, 1953-1977, 5 vol.
- CHARDENOUX : *Journal* éd. VALETTE (J.) : "La mission de Chardenoux auprès de Radama Ier (1816)", *B. de M.*, n° 207-9, 1963, p. 657-702.
- CLARK (H.) : *Tantaran'ny Fiangonana eto Madagasikara*, Antananarivo, F.F.M.A. Press, 1887.
- COPLAND (Samuel) : *A History of the island of Madagascar*, London, 1822.
- COPPALLE (A.) : "Voyage dans l'intérieur de Madagascar à la capitale du roi Radama 1825-1826", publié dans *B.A.M.*, 1909, t. 7, p. 17-46, 1910, t. 8, p. 24-45.
- DUHAUT-CILLY (M.) : *Notice sur le Royaume d'Emirne* (1825), éd. VALETTE (J) : "Deux documents français sur Madagascar en 1825", dans *B.A.M.*, t. XLV, 2, 1967 (1968), p. 71-86.
- DUHAUT-CILLY (M.) : *Rapport de Mer*, 1828, éd. VALETTE (J.) : "Note sur le séjour à Tamatave du capitaine Duhaut-Cilly (1827)", *B. de M.*, n° 251-252, 1967, p. 380-386.
- ELLIS (W.) : *The Martyr Church, a narration of the introduction, progress, and triumph of Christianity in Madagascar with notices of Personal intercourse and travel in that island*, London, Snow and Co, 1870.
- ELLIS (W.) : *Three visits to Madagascar, during the years 1853, 1853-1854, 1856, including a journey to the capital with notices of the Natural History of the country and the present civilization of the people*, London, J. Murray, 1858.
- ELLIS (William) : *History of Madagascar*, London, Fisher son and C°, 1838, 2 Vol.
- FARQUHAR (R. T.) : *Correspondance* éditée par VALETTE (J.) : "Les instructions de sir R. T. Farquhar à James Hastie du 30 Av. 1822", dans *B. de M.*, n° 270, 1968, p. 1007-1016 ; *Idem* : "Les débuts de la correspondance entre Farquhar et Radama (1817)", dans *B. de M.*, n° 273, 1969, p. 209-212 ; *Idem* : "Madagascar et les théories de sir R. T. Farquhar en 1812", dans *B. de M.*, n° 287, p. 348-359.
- FARQUHAR (sir Robert Towsend) : "La Correspondance entre Jean René et Farquhar", éditée par VALETTE (J.) dans *B.A.M.*, T. XLV, fasc. 2, 1967 (1968), p. 71-86.
- FREEMAN (S.) and JOHNS (D.) : *Narrative of the Persecutions of the Christians in Madagascar*, London, 1840.
- FROBERVILLE (Barthelemy HUET de) : *Le Grand Dictionnaire de Madagascar* édité en partie par RANAIVO (Flavien) et VALETTE (Jean) dans *B. de M.*, n° 200 et suivants, 1963-74.

- GRANT (Charles) : *The History of Mauritius or the Isle of France and the neighbouring island from their discovery to the present time, composed principally from the papers and memoirs of Baron Grant who resided 20 years in the island*, London, 1802.
- HASTIE (J.) : *Correspondance* conservée aux Archives de la L.M.S., éd. par VALETTE (J.), trad. Sylvette André : "Une lettre d'Hastie à Griffiths du 18 Fev. 1821", dans *B. de M.*, n° 293-294, 1970, p. 867-893.
- HASTIE (J.) : *Lettres et journaux* (1816-1826) conservés aux Archives de l'Ile Maurice, éd. et trad. par SIBREE (J.) et JULY (A) dans *B.A.M.*, T II, (1903)), p. 91-114 et p. 241-269, T. III (1904) p. 17-36 ; éd. par CHAPUS (G. S.) et AUJAS (L.) : *idem.*, n. s. T. IV (1918-1919), p. 147-195 ; éd. par VALETTE (J.) : "Etude sur les journaux d'Hastie", dans *B. de M.*, n° 259, 1967, p. 977-986, n° 264, 1968, p. 472-474 ; *Idem* : "Le Journal d'Hastie 6 Mai - 4 Août 1822", *B. de M.*, n° 316-317, 1972, p. 651-694 ; *Idem* : "Le Journal d'Hastie 14 Nov. 1824 - 7 Mai 1825", *B.A.M.*, n. s. T. XLI, 1, 1965, p. 58-66.
- HASTIE (James) : *Journal* (extrait 1817) éd. VALETTE (J.) : "Note sur les itinéraires de la côte est à Tananarive au XIXe siècle. Le 1er voyage de J. Hastie (1817)", in *M.R.G.*, n° 13, 1968, p. 173-180.
- HASTIE et JEFFREYS : *Rapport* (de juin 1822), éd. VALETTE (J.) : "L'état de la scolarisation à Tananarive en Juin 1822", *B. de M.*, n° 285, 1970, p. 182-186.
- *Histoire des Palladiums d'Imerina*, manuscrit édité, traduit et annoté par DOMENICHINI (Jean-Pierre) : *Les dieux au service des rois. Histoire orale des sampin'andriana ou palladium royaux de Madagascar*, Paris, C.N.R.S., 1985.
- JEAN RENE : *Correspondance*, éditée par VALETTE (J.) : "Etude de la correspondance de Jean René à Sir R.T. Farquhar conservée aux Archives. de l'île Maurice", *B.A.M.*, n. s. XLV, 2, 1967, p. 71 ss.
- JEFFREYS (J.) : *Journal* (1822), édité par VALETTE (J.) : *B.A.M.*, n. s. t. XL.
- JEFFREYS (J.) : *Journal*, (1823), édité. par VALETTE (J.) : *B.A.M.*, n. s. t. XLV, 2, 1967, p. 37-52.
- JEFFREYS (John) : *Correspondance* (1824), extraits publiés par VALETTE (J.) : "Notes sur la vie matérielle en Imerina en 1824", *B. de M.*, n° 273, 1969, p. 213-215. - *Idem* : "L'état de la scolarisation à Tanarive en Juin 1822", *B de M*, n° 285, 1970, p. 82-186. - *Idem* : "Note pour une étude de la scolarisation en Imerina en 1826", *B. de M.*, n° 274, 1969, p. 295-302.
- JEFFREYS (Keturah) : *The Widowed Missionary's Journal*, Southampton, 1827.
- JEFFREYS et GRIFFITHS : *Rapport* (de 1826), édité.par VALETTE (J.) : "Note pour une étude de la scolarisation en Imerina en 1826", *B. de M.*, n° 274, 1969, p. 295-302.
- JONES (D.) : *Journal*, 1820, éd. par VALETTE (J.) : "L'itinéraire Tamatave-Tananarive d'après le Journal du Rév. David Jones (1820)", *M.R.G.*, n° 15, 1969, p. 81-86.

- JONES (D.) et FREEMAN (J.) : "Prospectus of the History of the Protestant Mission to Madagascar, July 25th 1829" publié. dans AYACHE (S.) : *Raombana l'historien*, p. 470-473.
- JONES (David) : "Lettres à F. E. Viret, 1827", pub. par VALETTE : *B. de M.*, n° 271, 1968, p. 1117-1129 - *Idem*, *B.A.M.*, n. s. t. XLVI/2, 1968-1970, p. 285-289.
- *La Feuille hebdomadaire de l'île Bourbon* (1819-1842), extraits concernant Madagascar édités. par VALETTE (J.) : *B.A.M.*, t. XLII/2, 1965 (1967), p. 35 ss.
- LEMINIER ((N.) : "Note sur une excursion faite dans l'intérieur de l'île de Madagascar en 1825", éditée par MANTAUX (Christian) : "L'Imerina en 1825", *B. de M.*, n° 292 1970, p. 794-798. (Témoignage d'un membre de l'expédition organisée en l'honneur de Henry Keating).
- LESAGE (ou Le SAGE) : *Journal*, édité par VALETTE (J.) : "La mission de Lesage auprès de Radama_Ier (1816-1817)", *B. de M.*, n° 277-278, 1969, p. 305-539.
- LESCALLIER (Baron Daniel.) : "Mémoire sur Madagascar", (traduit en anglais), *Monthly Magazine* (London), t. XIX, Av.-Jul. 1805 et publié par VALETTE (J.) : "Lescallier et Madagascar (1792)", *B. de M.*, n° 244, 1966, p. 877.
- LISLET-GEOFFROY : *Memoirs and notice explanatory of a chart of Madagascar and the north eastern Archipelago of Mauritius drown up according to the latest observations under the auspices and goverment of H.E. Robert Townsend Farquhar governor etc.*, London, 1819.
- MACKAU (Baron de) : *Rapport* (1818), édité par VALETTE (J.) : "Sainte Marie et la côte est de Madagascar en 1818", *B. de M.*, n° 191, 1962, p. 301-324.
- *Mémoires de la Congrégation de la Mission de St Lazare*, Tome IX, (Madagascar), Cambrais, 1866.
- MILNE (Adrien) : *Result of some inquiries made at Mauritius relative to Madagascar with a view of establishing a united mission in that island and in Mauritius & Bourbon*, April 1813, édité par VALETTE (J.) : "Le mémoire du Rév. Milnes de 1813", *B.A.M.*, n. s. 10, 1, 1972, p. 13-27.
- PYE : *Correspondance*, 1817, éditée par VALETTE (Jean) : "Pye et les événements de Tamatave du 6 juin 20, 14 juillet 1817", *B. de M.*, n° 245, 1966, p. 978-980.
- RAOMBANA : *Histoires*, édition et traduction française par AYACHE (Simon), Fianarantsoa, Ambozontany, vol. 1, 1980, vol. 2, 1994.
- ROCHON (Abbé Alexis) : *An Abridgement of a voyage to Madagascar, etc. with a subjoined sketch of the transactions of the London Missionary Sty. with Madagascar*, London, 1821.
- RONDEAUX : *Rapports* (1807-1810), extraits édités par VALETTE (J.) : "Une source de l'histoire malgache au début du XIXe siècle, Rondeaux", *B. de M.*, n° 219, 1964, p. 603-618, et du même : "Un mémoire sur Madagascar de 1809", *B.A.M.*, n. s. LXIV, II, 1966, p. 113-129.
- ROUX (Sylvain) : "Rapport au Commandant pour le Roi à l'isle de Bourbon, St Denis 20 janv. 1819", publié et annoté par Valette (J) :

"Sainte-Marie et la Côte est de Madagascar en 1818", Tananarive, 1962, p. 15.
- SIBREE (J.) : *Madagascar Miscellanies*, (mainly collected by J. Sibree), sans lieu ni date, 18 volumes de coupures, dessins, gravures d'époque.
- SIBREE (James) : *Madagascar and its People Notes of a Four Years Residence*, London, 1870.
- SONNERAT : *Voyage aux Indes Orientales et à la Chine fait par ordre du Roi depuis 1774 jusqu'en 1781*, Paris, 1782, extraits concernant Madagascar édités par VALETTE (J.) : "Sonnerat et Madagascar", *B. de M.*, n° 226, 1950, p. 195-243.
- *Traité d'oct. 1817*, édité en *fac simile* par VALETTE (J.) : "Le traité anglo-merina du 23 octobre 1817", *B. de M.*, n° 222, 1964, p. 909-918.
- *Traité de fév 1817*, édité par VALETTE (J.) : "Le traité conclu entre Radama 1er et Lesage le 4 févr. 1817", *R.F.O.M.*, n° 225, 1974, p. 572-578.
- TYERMAN et BENNET : *Journaux*, édités par VÉRIN (P.) : "Le voyage des Révérends Tyerman et Bennet à Madagascar en 1828", *B.A.M.*, n. s., t. XLIII-1, 1965, p. 52-76.

Périodiques malgaches (archives familiales, Ankadiaivo).
- *Fiainana* (depuis 1870)
- *Mpamafy* (depuis 1900)
- *Mpamangy* (depuis 1882)
- *Ny Mpanolo-tsaina*,(1877-1960)
- *Teny Soa* (depuis 1866)

Bibliographies

- *Bibliographie de la Sociologie du Protestantisme*, Paris, 1972, Centre de Soc. du Protestantisme, Fac. de Théologie de Strasbourg.
- *Bibliographie française sur l'Afrique*, CARDAN, Paris, Ecole des Hautes Etudes en Sciences sociales, vol. 1 à 8.
- *The British National Bibliography*, London, The British Library, 1911.
- *Bulletin Signalétique 527*, "Sciences Religieuses", Paris, C.N.R.S., vol. I-, 1971-
- *The Cambridge Bibliography of English Literature*, London, Cambridge University Press, 1971, 3 vol., vol. II "1660-1800", par George Watson.
- GRANDIDIER (Guillaume) : *Bibliographie de Madagascar*, Paris 1905, 1935, 3 tomes dont le premier en 2 volumes.
- JULIEN (Gustave) : "Bibliographie de Madagascar", : *Notes Reconnaissances et Explorations*, Tana, vol. 5, livraison n° 27, sept. 1899.
- NUCE (M. de) et RATSIMANDRAVA (Juliette) : *Bibliographie Annuelle de Madagascar*, Tana, 1966-1969, 3 vol.
- RAISON (Françoise) : "Bibliographie des publications sur l'histoire et l'anthropologie de Madagascar (1974-1978)", *ASEMI*, IX, 1-2, 1978, p. 71-98.

- SIBREE (James) : *A Madagascar Bibliography*, Antananarivo, F.F.M.A. Press, 1885 .et *Bibliography of Madagascar*, Antananarivo, 1897.
- TOUSSAINT (Auguste) et ADOLPHE (H.) : *Bibliography of Mauritius (1520-1954) Covering the printed record, manuscripts, archival and cartographic material*, Port-Louis, 1956.
- VALETTE (J.) : "Catalogue du Fonds Malgache du British Museum", *Bulletin de Madagascar*, n° 253, juin 1967, p. 399-454.
- VALETTE (J.) : *Guide des sources de l'histoire religieuse antérieure à 1896 Inventaire de la série H H (Cultes)*, Tana, Service des Archives et de la Documentation, 1962, 31 p.
- VALETTE (J.) : "Bibliographie des études relatives aux Sciences humaines. Index des articles parus dans *Antananarivo Annual* (1876-1900) - *Notes, Reconnaissances et Explorations - Bulletin de l'Académie Malgache* (1902-1959)", *Bulletin de Madagascar*, n° 208, oct. 1963, p. 739-788.

Encyclopédies, Dictionnaires, Atlas, Cartographie

- ABINAL et MALZAC (RR. PP.) : *Dictionnaire Malgache-Français*, Tananarive, Mission catholique, 1955.
- *ATLAS de Madagascar*, Tananarive, ORSTOM, 1969.
- *Atlas of Great Britain*, London, Clarendon Press-O.U.P, 1970.
- BELROSE-HUYGHUES (V.) : *Cartes anciennes et cartographie moderne*, catalogue de l'Exposition du Musée d'Art et Archéologie, Tananarive, F.T.M., 1981.
- *Chambers Encyclopedia*, Londres.
- *Encyclopedia Britannica*, Londres, 24 vol.
- GRANDIDIER (Guillaume) : *Histoire de la Géographie de Madagascar*, Paris, Imp. Nat., 1872, 2è édit. 1885, 1 vol. de texte 350 p., 1 vol. de cartes, 47 planches. Réédité en 1942 dans l'*Histoire politique et coloniale de Madagascar*, vol. V, 1-2.
- Guide Bleu, "Iles Britanniques".
- Guide Bleu, "Madagascar".
- NEILL (S.), GERALD (H.), ANDERSON (S.), GOODWIN (J.) : *Concise Dictionary of the Christian World Mission*, London, 1964.
- RAJEMISA RAOLISON : *Dictionnaire historique et géographique de Madagascar*, Fianarantsoa, 1966, 384 p.
- RAVELOJAONA (Rév.) : *Firaketana ny Zavatra. sy ny Teny Malagasy*, Antananarivo, 1937, Lettres A à M (inachevé) ; *(Boky) Firaketana ny Fiteny sy ny Zavatra Malagasy*, Tananarive, Imprimerie industrielle,1945, Lettres A à P (inachevé). Dictionnaire encyclopédique malgache.
- *The Encyclopedia of Missions descriptive, historical, biographical, statistical*, New York-London, 1904.
- TOUSSAINT (A.) éd. : *Dictionnaire de Biographie Mauricienne*, Port-Louis, Société de l'histoire de l'Ile Maurice, 1941-1952.
- VALETTE (J.) : "Cartographie ancienne de Madagascar", *Bulletin de Madagascar*, n° 194, 1962, p. 281-324.

Périodiques

- *Annales de l'Université de Madagascar*, Série Lettres et Sciences Humaines, Tananarive.
- *Antananarivo Annual*, Tana.(Ant. An.).
- *Bulletin de l'Académie Malgache* (B.A.M.).
- *Bulletin de Madagascar*, Tana (B. de M.).
- *Madagascar, Revue de Géographie*, Tananarive (M.R.G.).
- *Mémoires de l'Académie Malgache* (M.A.M.).
- *Nouvelle Revue de Science Missionnaire*, Fribourg (N.R.S.M.).
- *Omaly sy Anio*, Tana (O. sy A.).
- *Revue d'Histoire des Missions*, Paris, 1920-1939.
- *Revue de Madagascar*, Tana (R. de M.).
- *Revue française d'Histoire d'Outre-mer*, Paris, ex *Revue d'Histoire des colonies* (R.F.H.O.M.).
- *The International Review of Missions*, London.

Méthodologie

- ALLIER (R.) : *La Psychologie de la Conversion chez les Peuples non-civilisés*, Paris, Payot, 1925, 2 vol.
- ALPHANDERY (P.) et DUPRONT (A.) : *La chrétienté et l'idée de Croisade : les premières croisades*, Paris, A. Michel, 1954.
- BASTIDE (R.) : *Le prochain et le lointain*, Paris, Cujas, 1970.
- BASTIDE (R.) : "Sociologie des missions protestantes" dans *Archives de Sciences Sociales des Religions*, n° spécial, 8, 1959, p. 47-51.
- BELROSE-HUYGHUES (V.) : "L'histoire des religions pré-islamiques et pré-chrétiennes à Madagascar. Introduction à une méthodologie", *Tsiokantimo-Vent du Sud*, (Tuléar), n° 3-4, 1978, p. 129-138.
- BERTRAND (C. S.) : *Le Méthodisme*, Paris, A. Colin, 1971.
- BRAUDEL (F.) : *Ecrits sur l'Histoire*, Paris, Flammarion, 1969.
- CHAUNU (P.) : *Histoire, Science sociale*, Paris, SEDES, 1974.
- DESROCHE (H.) : *L'homme et ses Religions, Sciences humaines et expériences religieuses*, Paris, Cerf, 1972.
- DESROCHE (H.) : *Dieux d'Hommes. Dictionnaire des Messianismes et Millénarismes de l'ère chrétienne*, Paris, Mouton, 1969.
- DESROCHE (H.) : *Sociologie Religieuse*, Paris, P.U.F., 1968.
- DESROCHE (H.) et SEGUY (J.) : *Symposium. Introduction aux Sciences Humaines des Religions*, Paris, Cujas, 1969.
- DUPRONT (A.) : "Problèmes et méthodes d'une histoire de la psychologie collective", *Annales Economie Sociétés Civilisations*, 1961, p. 3-11.
- DURKHEIM (E.) : *Les Formes élémentaires de la vie religieuse*, Paris, P.U.F., 1968.
- ELIADE (M.) : *Mythes, rêves et mystères*, Paris, Gallimard, 1957.
- ELIADE (M.) : *Traité d'Histoire des religions*, Paris, Payot, 1959.
- ELIADE (M.) : *Le sacré et le profane*, Paris, Gallimard, 1965.

- GOETZ (J.) : "La Religion des Primitifs" dans BERGOUNIOUX (F. M.) et GOETZ (J.) : *La Religions des Préhistoriques et des Primitifs*, Paris, A. Fayard, 1958.
- GOODY (J.) : *Technology,Tradition and the state in Africa*, London, O.U.P.-Institut internat. africain, 1971.
- *GRAMSCI dans le texte*, édité et traduit sous la diretion de RICCI (F.) et BRAMAN (J.), Paris, éd..Sociales, 1975.
- *II° Colloque : les Missions Protestantes et l'Histoire*, Université Paul Valery, Montpellier, 1971.
- LECLERC (G.) : *Anthropologie et colonialisme*, Paris, Fayard, 1972.
- MANDROU (R.) : *Introduction à la France Moderne 1500-1660*, Paris, A. Michel, 1974.
- MANNONI (Octave) : *Psychologie de la Colonisation*, Paris, 1948.
- MEHL (R.) : *La Rencontre d'autrui. Remarques sur le problème de la communication*, Neuchâtel, 1955.
- MENSCHING (G.) : *Sociologie religieuse*, Paris, Payot, 1951.
- NEILL (St.) : *Christian faith and other faiths, the Christian Dialogue with other Religion*, London, C.D.U. Press, 1970.
- SAMARAN (Ch.) : *L'histoire et ses méthodes*, Paris, Gallimard, 1961.
- SELIGNAN et JOHNSON éd. : *Encyclopedia of the Social Sciences*, New York, London, (4è éd.), Mac Millan, 1965, 8 vol.
- SERVIER (J.) : *Histoire de l'Utopie*, Paris, Gallimard,1967.
- TAWNEY (R. H.) : *Religion and the Rise of Capitalism*, Pelican, Harmondsworth, 1975.
- WEBER (Max) : *L'Ethique protestante et l'esprit du capitalisme*, trad. CHAVY (J.), Paris, Plon, 1964.
- WEBER (M.) : *The Sociology of the Religion*, London, Methuen, 1965.

2. OUVRAGES SUR L'EUROPE ET SES RELATIONS AVEC MADAGASCAR

Témoignages européens anciens.

- HAMILTON (Capt. A.) : "An account of the maritime Countries and Islands of the east coast of Africa" dans : *A new account of the East Indies*, 1727.
- OGILBY (J.) : *An accurate description of Africa*, 1669.
- OVINGTON (J.) : *Description de Madagascar et de l'île d'Anjouan*, 1670, traduit et édité dans *COAM*.
- BANKS (Rev. T) : *A New and Authentic Universal Geography*, London, 1787.
- BENYOWSKY (M. A.) : "An account of the French Settlement he was appointed to form upon the island of Madagascar", traduit dans *Memoirs and Travels*, Londres, 1790.
- BERNARDIN de SAINT PIERRE (J. H.) : *A Voyage to the Island of Mauritius and to the Cape of Good Hope, 1775-1780*, translated from the French of 1772 by John Parish.

- BOOTHBY (R.) : *A brief discovery or description of the most famous island of Madagascar or St Lawrence in Asia neer into East India*, London, 1646.
- BORY de St VINCENT (G. J. B.) : *Voyage dans les quatre principales îles des mers d'Afrique* (1801-1802), Paris, 1804.
- BOUGAINVILLE (L. A. comte de) : *A voyage around the World* translated by George Reinholdt Forster, London, 1772.
- BUCHAN (G.) : *A narrative of the loss of the Winterton* (1792), Edinburgh, 1820.
- CAUCHE (F.) : "A voyage to Madagascar" dans STEVEN (J.) : *A collection of...*, 1710, translated from French of 1651.
- CHURCHIL (J.) : *Collection of voyages and travels*; London, 1732, (Madagascar p. 625-63).
- DARLYMPLE : *Journal of a voyage to the East Indies in the "Grenville", 1775-1779*.
- DAVENANT (sir W.) : *Madagascar with other poems written to the most illustrious Prince Rupert*, London, 1648.
- DEFOE (D.) : *A General History of the Pyrates*, edit by SCHONHORN (M.), London, J. M. Dent and Sons, 1972.
- DEFOE (D.) : *The king of the pirates, being an account of the famous enterprise of Captain Avery*, London, 1719.
- DELLON (Dr) : *Voyage to the East Indies giving an account of the islands of Madagascar and Mascareigne*, translated from the French, London, 1698.
- DRURY : *Madagascar of Robert Drury's journal during Fifteen Years captivity on that island*, (1ère édition 1719), London 1729.
- DUNNS : *A New Directory for the East Indies*, London 1780, p. 356-364, recueil d'instructions nautiques.
- EVERARD (R.) : "A Relation of Three Years Suffering upon the Coast of Assada (Nosy Be) near Madagascar, 1693", dans CHURCHIL : *A Collection of voyages and travels*, p. 257-82.
- FLACOURT (Et. de) : *Histoire de la Grande isle de Madagascar*, Paris, 1661.
- FLINDERS (M.) : *Voyage to Terra Australis*, London, 1814, 2 volumes.
- GRANDIDIER (A. et G.) : *Collection des Ouvrages anciens concernant Madagascar* (C.O.A.M.), Tomes I à IX, Paris, 1903-1920.
- HAMOND (W.) : *Madagascar, the richest and most fruitfull island in the word. Dedicated to the honourable John Bond*, London, 1643.
- HAMOND (W.) *A Paradox proving the inhabitants of ihe island called Madagascar or St Lawrence to be the happiest people in the world*, London, 1640, réédit. in *Harleian Miscellany*, London, 1808.
- IVES (E.) : *A voyage from England to Indies, 1754, also a journey from Persia to England by unusual route*, traduit et édité dans *COAM*.
- JAMES (S.) : *A Narrative of a voyage to Arabia, India*, London 1797, (St Augustine's bay in 1783, p. 140-174).
- LEGUAT (Fr.) : *A description of the Cape of Good Hope and of the islands of St Helens and Mauritus* dans *A new voyage to the East Indies*, 1707.

- MORDEN (R.) : *Geography rectified*, London, 1793, 3è éd. London, (Madagascar p. 538).
- RAYNAL (Abbé Guillaume Thomas François) : *Histoire philosophique et politique des établissements et du commerce des Européens dans les deux Indes*, Amsterdam, 1773, Edinburgh, 1776, 1777, 1782, 1788.
- ROCHON (Abbé Alexis) : *A voyage to Madagascar and the East Indies*, translated from the French by J. Trapp, London, Robinson, 1792.
- SMART (J.) : "Lettres à Thomas Kynnnaston" in *C.O.A.M.*, Tome V,.Paris, 1907, p. 514.
- WALDEGRAVE (P.) : *An answer to Mr Boothby's book of the description of Madagcascar*, London, 1650.

Etudes sur l'Europe et sur ses relations outre-mer.

- ARMSTRONG (W. A.) : "La Population de l'Angleterre et du Pays de Galles (1789-1815)", dans *Annales de Démographie Historique*, 1965, p. 135-189.
- BELROSE-HUYGHUES (V.) : "At the Origin of British Evangelization : the Dream of Madagascar", dans KENT (R.) éd. : *Madagascar in History, Essays from the 1970's*, Berkeley, The Foundation for Malagasy Studies, 1979, p. 254-268.
- BOLTON (G.) : *Britain's Legacy Overseas*, London, Oxford University Press, 1973.
- BRAUDEL (F.) : *Civilisation matérielle et Capitalisme, XVe-XVIIIe s.*, Paris, A. Colin, 1967.
- BROWN (F. K.) : *Fathers of the Victorians*, Cambridge, 1961.
- BROWN (M.) : "Quelques aspects des relations entre l'Angleterre et Madagascar du XVIe au XVIIIe siècle", *B.A.M.*, LIV, 1976, p. 81-85.
- CARUS WILSON (E. M.) : *Essays in Economic History*, London, 1954.
- CHAUNU (P.) : *La Civilisation de l'Europe des Lumières*, Paris, Arthaud, 1971.
- COUPLAND (R.) : *Welsh and Scottish Nationalism*, London, 1954.
- CROUZET (Fr.) : "Bilan de l'économie britannique pendant les guerres de la Révolution et de l'Empire", dans *Revue Historique,* 1960.
- CURTIN (Ph. D.) : *The Image of Africa. British Ideas and Action 1780-1850*, London, University of Wisconsin Press, 1973, 2 vol.
- DEVEZE (M.) : *L'Europe et le Monde à la fin du XVIIIe s.*, Paris, A. Michel, rééd. 1970.
- ELIAS (N.) : *La Civilisation des Mœurs*, Paris, Calman-Levy, 1975.
- FIELD HOUSE (D.) : *Les Empires coloniaux à partir du XVIIIe siècle*, Paris, Bordas, 1973.
- GRAHAM (G. S) : *Great Britain in the Indian Ocean, A study of Maritime Enterprise, 1810-1850*, Oxford, Clarendon Press, 1967.
- HALEVY (E.) : *History of the English people in the Nineteenth Century*, London, 1948, Vol. 1.
- HAMPSOM (N.) : *Le siecle des Lumieres, Histoire de la pensée européenne*, Paris, Seuil, 1972.
- HANHAM (H. J) : *Scottish Nationalism*, London, 1969.

- HECHTER (M.) : *Internal Colonialism : the Celtic Fringe in British National Development*, London, Routledge and Kegan Paul, 1975.
- HILL (Ch.) : *Reformation to Industrial Revolution. A social and economic History*, London, 1967.
- HOBSBAWN (E. J.) : "En Angleterre, révolution industrielle et vie matérielle des classes populaires", dans *Annales E.S.C.*, 1962, n° 3, p. 1047-1061.
- HOBSBAWN (E. J.) : "Les classes ouvrières anglaises et la culture depuis les débuts de la Révolution industrielle", dans *Colloque de St-Cloud, Mai 1966, Niveaux de culture et groupes sociaux*, Paris, Mouton, 1971, p. 189-199.
- JEANNIN (P.) : *L'Europe du Nord-Ouest et du Nord aux XVIIe et XVIIIè siècles*, Paris, P.U.F., 1969.
- MARSHALL (D.) : *English People in the Eighteenth century*, London, Longmans, 1969.
- MAURO (F.) : *L'Expansion européenne (1600-1870)*, Paris, P.U.F., 1967.
- MEYER (J.) : *Les Européens et les autres de Cortès à Washington*, Paris, A. Colin, 1975.
- NETTEL (R.) : *Seven centuries of popular Songs. A social History of urban Ditties*, London, Phoenix House, 1956
- PARREAUX (A.) : *La Société anglaise de 1760 à 1810*, Paris, P.U.F., 1966.
- PHILIPSON (N. T.) and NITCHISON (R.) : *Scotland in the Age of Improvement*, Edinburgh, 1970.
- PLUMB (J. H.) : *England in the Eighteenth Century (1714-1815)*, Harmondworth, Penguin Books, 1969.
- READ (D.) : *The English Province 1760-1960, A study in influence*, London, E. Arnold, 1964.
- REES (A. D.) : *Life in a Welsh Countryside*, Cardiff, 1967.
- SHYLLON (F. O) : *Black Slaves in Britain*, London, Oxford Univ. Press, 1974.
- STONE (L.) : "Literacy and Education in England, 1640-1900", *Past and Present*, n° 42, 1969, p. 103-122.
- THOMAS (P. D. G.) : "La vie politique en Grande Bretagne vers la fin du XVIIIe siècle", dans *Revue Historique*, t. CCXXXVII, 2, p. 415-432.
- TREVELYAN (G. M) : *Illustrated English Social History*, vol. 3, Harmondworth, Penguin Books, 1966.
- VERLINDEN (Ch.) : *Les Origines de la Civilisation Atlantique*, Paris, A. Michel, 1966.

Histoire missionnaire.

- BELROSE-HUYGHUES (V.) : "Aux origines de l'arrivée du protestantisme à Madagascar : du nouveau sur la L.M.S."., compte-rendu de TURTAS : 'l'Attività e la politica della London Missionary Society, 1795-1820', *Omaly sy Anio*, n° 7-8, juil.-déc. 1979, p. 177-188.

- BELROSE-HUYGHUES (V.) : "La pénétration protestante à Madagascar jusqu'en 1827 : du non-conformisme atlantique à la première mission de Tananarive", *Bulletin de la Société de l'Histoire du Protestantisme français*, t. CXXVII, juil.-sept. 1981, p. 349-361.
- CAMPBELL (G.) : *The Making of a Missionary. A study of the Origin of the L.M.S. Missionaries (1810-1910)*, University of Birmingham, M. Soc. Sciences, Dept. of African Studies, 1977.
- CANTON (W.) : *History of the British and Foreign Bible Society*, London, J. Murray, 1904-1910, 5 vol.
- CARPENTER (S.) : *Church and People 1789-1869*, London, S.P.C.K., 1959, 3 vol.
- CRAGG (G.) : *The Church and the Age of Reason (1648-1789)*, Harmondworth, Penguin Books, 1970.
- DELACROIX (Mgr S.) : *Histoire Universelle des Missions catholiques*, Vol. III, Les Missions Contemporaines (1800-1957), Paris, Grund, 1958.
- DELUMEAU (J.) : *Le Catholicisme entre Luther et Voltaire*, Paris, P.U.F., 1971.
- GROVES (C. P) : *The Planting of Christianity in Africa*, London, Lutterworth Press, 4 vol. 2è édition, 1958, 4 vol.
- LAQUEUR (Th.) : *Religion and Respectability. Sunday Schools and Working class culture, 1780-1850*, London, Yale University Press, 1976.
- LATOURETTE (K. S.) : *A History of the Expansion of Christianity*, London, Pater Noster Press, 1937-1945, 7 vol., rééd. London, Pater Noster Press, 1976, 7 vol.
- LEONARD (E. G) : *Histoire Générale du Protestantisme*, Paris, P.U.F., 1964, 3 vol.
- LEWIS (H. E.) : *Non Conformism in Wales*, London, 1904.
- MARTIN (R. H.) : "The Place of the London Missionary Society in the Ecumenial movement", *The Journal of Ecclesiastical History*, vol. 31, n° 3, 1980, p. 283-300.
- MOODY (J.) : *Independency in Warwickshire*, London, 1855.
- NEIL (S.) : *A History of Christian Missions*, The Pelican History of the Church 6, Penguin books, rééd. 1975.
- NEWBURY (C. W.) : "La conception européenne du Pacifique au XVIIIè siècle et la Société des Missions de Londres", dans *Le Monde non chrétien*, n° 227, 1953, p. 305-312.
- PIOLET (J. B) : *Les Missions Catholiques au XIXe siècle*, Rome, 1951, 6 vol.
- PUECH (Ch.) : *Histoire des Religions*, Parsis, Gallimard, 3 vol.
- STOKES (E.) : *The English Unitarians and India*, Oxford, Clarendon Press, 1959.
- TURTAS (R. s.j.) : *L'Attività e la Politica missionaria della Direzione della London Missionary Society (1795-1820)* with an English *résumé*, Roma, Università Gregoriana Editrice, 1971.
- VIDLER (A.) : *The Church in an Age of Revolution*, Penguin History of the Church 5, Harmondsworth, Penguin Books, rééd 1974.
- WILLIAM (D.), *A History of Modern Wales*, London, 1950.

- WILLIAMS (C. P.) : "Not quite Gentlemen" : an examination of "Middling Class" Protestant Missionaries from Britain, c. 1850-1900", *The Journal of Ecclesiastical History*, vol. 31, n° 3, 1980, p. 301-315.

3. OUVRAGES ET ÉTUDES CONCERNANT MADAGASCAR

Histoire générale.

- BOITEAU (Pierre) : *Madagascar. Contribution à l'étude de la Nation Malgache*, Paris, éd. Sociales, 1958.
- BROWN (Mervyn) : *Madagascar rediscovered. A history from early times to independence*, London, Damien Tunnacliffe, 1978.
- CHAPUS (G. S.) et DANDOUAU (A.) : *Histoire des populations de Madagascar*, Paris, Larose, 1952.
- DESCHAMPS (Hubert) : *Histoire de Madagascar*, Paris, Berger-Levrault, 1965.
- GRANDIDIER (Guillaume) : *Histoire politique et coloniale de Madagascar*, Tananarive, Imp. officielle, 1942, 1957, 1958, 3 tomes.
- HATZFELD (Olivier) : *Madagascar*, Paris, 1952.
- HESELTINE (Nigel) : *Madagascar*, London, Pall Mall Press, 1970.
- HOWE (Sonia) : *Europe et Madagascar*, trad. Fillonneau, Paris, Berger-Levrault, 1936.
- KENT (Raymond) : *Early Kingdoms in Madagascar 1500-1700*, London, Holt, Rinehart and Winston, 1970.
- MALZAC (R. P. s. j.) : *Histoire du royaume Hova depuis ses origines jusqu'à sa fin*, Tananarive, Imp. Miss. Catholique, 1912.
- MUTIBWA (Paul) : *The Malagasy and the Europeans. Madagascar's Foreign relations*, London-Ibadan, Longman, 1974.
- OBERLE (Philippe) : *Tananarive et l'Imerina, description historique et touristique*, Tananarive, par l'auteur, 1976.
- OLIVER (Capt. S. Pasfield) : *Madagascar and the Malagasy*, London, Day and Son, 1865.
- RAINITOVO : *Antananarivo Fahizay na Fomba na toetra amampanaon'ireo olona tety tamin'izany*, Tana., Imp. F.F.M.A., 1928.
- SEGRÉ (Dan Avni) : "Madagascar : an exemple of indigenous modernization of a traditional society in the 19th century", in *St-Antony's Papers*, n° 21, African Affairs, London, O.U.P., 1969, p. 67-91.
- SEGRÉ (Dan Avni) : *The Impact of European influence on precolonial Madagascar (1817-1857). Techniques of transfert of technical knowledge by European missionaies and adventurers*, Thesis PH. D. History, Oxford, 1970.
- TOUSSAINT (Adolphe) : *Histoire de l'océan Indien*, Paris, Berger-Levrault, 1961.

Etudes particulières.

- AYACHE (Simon) : "Esquisse pour le portrait d'une reine Ranavalona Ière", *O. sy A.*, n° 1-2, 1975, p. 251-270.
- AYACHE (Simon) : "La destinée du Prince Ratefy", *B. de M.*, n° 258, 1967, p. 874-881.
- AYACHE (Simon) : *Raombana l'Historien (1809-1855) Introduction critique à son œuvre*, Fianarantsoa, Ambozontany, 1976.

- BELROSE-HUYGHUES (V.) : "Imprimeries et Académies dans l'océan Indien", *Ambario* (Tana), vol I, n° 4, 1979, p. 392-400.
- BELROSE-HUYGHUES (V.) : "La musique de l'histoire", *Ambario*, vol. II, n° 1-2, 1980, p. 71-86.
- BELROSE-HUYGHUES (V.) : "Religion et esclavage aux Mascareignes sous le gouvernement de Faquhar", *Le mouvement des idées dans l'océan Indien occidental, Actes de la table ronde de St-Denis de la Réunion*, Saint-Denis, A.A.I.O., 1982, p 317-330.
- BELROSE-HUYGHUES (V.) : "Structure et symbolique de l'espace royal en Imerina", dans RAISON (F.) éd. : *Les souverains de Madagascar*, Paris, Karthala, 1983, p. 125-141.
- BELROSE-HUYGHUES (V.) : "Une nouvelle histoire de Madagascar en langue anglaise", compte-rendu de BROWN (M) : 'Madagascar rediscovered', *Omaly sy Anio*, juil.-déc. 1979, n° 10, p. 175-182.
- BELROSE-HUYGHUES (Vincent) : "Un exemple de syncrétisme esthétique au XIXe siècle . Le Rova de Tananarive d'Andrianjaka à Radama 1er", *O. sy A* , n° I-2, 1975, p. 173-207.
- BLOCH (Maurice) : *Placing the dead. Tombs, Ancestral Villaqes and Kinship organization in Madagascar*, London, Seminar Press, 1972.
- CHAPUS (G. S) : "Quatre vingt années d'influence européenne en Imerina", *B.A.M.*, t. VIII, 1925, p. 1-345.
- CHAUVICOURT (J. et S.) : "Les premières monnaies de Madagascar" *B. de M.*, n° 261, 1968, p. 146-172.
- CHAUVIN (Jean) : *Le vieux Tamatave (1700-1936)*, Tamatave, éd. F. Sourd, s. d.
- DELIVRÉ (Alain) : "Recherche sur les anciens Merina", *Civilisation Malgache*, n° 2, 1968, p. 287-294.
- DELIVRÉ (Alain) : *L'Histoire des rois d'Imerina. Interprétation d'une tradition orale*, Paris, Klincksieck, 1974.
- DELORD (Raymond) : "L'énigme de la grammaire "Madécasse", *B.A.M.* , t. 48/1-2, 1970. p. 9-15.
- DEZ (Jacques) : "La force des croyances chez les anciens", *B. de M.*, n° 289, 1970. p. 512-521.
- DEZ (Jacques) : "La malgachisation des emprunts aux langues européennes", *Annales de l'Université de Madagascar*, Lettres, n° 3, 1964, p. 19-46.
- FILLIOT (Jean-Marie.) : *La traite des Esclaves vers les Mascareignes au XVIIIè siècle*, Paris, éd. ORSTOM, 1974.
- HOWE (Sonia) : "Le rôle de sir R. Farquhar gouverneur de l'île Maurice dans l'histoire de Madagascar", in *R.F.H.O.M.*, 3è trim. 1935, p. 157-204.
- LINTINGRE (Pierre) : "Notes sur la rivalité franco-britannique à Madagascar (1820)", *B. de M.*, n° 257. p. 767-792.
- MILLE (Adrien) : "Le tombeau de Jean René", *B. de M.* n° 312-313, 1972. p. 505-510.
- MOLET (Louis) : "Les étapes de l'orthographe malgache, *B. de M.*, n° 256, 1967. p. 712-14.

- MUNTHE, RAVOAJAHAHARY, AYACHE : "Radama 1er et les Anglais. Les négociations de 1817 d'après les sources malgaches", *O. sy. A.*, n° 3-49, 1976, p. 9-104.
- RASOANARIVELO (Jean) : "Le Fanahy", *Civilisation Malgache*, n° 2, série Sces humaines, 1968, p. 11-39.
- RASON (Marie Robert) : "Notes de musique", dans DEVIC éd. : *Tananarive*, Tananarive, Imp. officielle, 1952, p. 117-141.
- TOUSSAINT (Adolphe) : *La Route des Iles. Contribution à l'Histoire maritime des Mascareignes*, Paris, SEVPEN, 1967.
- VALETTE (Jean) : "Aux origines de l'administration malgache. La naissance des bureaux sous Radama Ier", *B.A.M.*, t. LIV, 1976, p. 31-38.
- VALETTE (J.) : "Deux livres anglais sur Madagascar parus en 1821-1822", *B. de M.*, n° 251-252, 1967, p. 344-348.
- VALETTE (J.) : "L'assistance technique au temps de Radama I", *Perspectives d'outre-mer*, n° 40, 1961, p. 60-69.
- VALETTE (J.) : "Notes sur Robin", *B. de M.*, n° 263, 1968,.p. 345-361, *B. de M.*, n° 268, 1968, p. 772-784.
- VALETTE (J.) : *Etudes sur le règne de Radama Ier*, Tananarive, Impr. nationale, 1962.
- VALMY (Robert) : "Les idées mercantiles de l'Abbé Raynal au XVIII° siècle (à propos de Madagascar)", *B. de M.*, n° 150, 1958. p. 964-968.

Histoire du christianisme.

- ANDERSON (J. F) : *Esquisse de l'histoire du Protestantisme à l'Ile Maurice et aux îles Mascareignes (1505-1903)*, Diplôme de la Faculté de Théologie de Paris, 1903.
- ANDRIAMANANA (G.) : *Le christianisme à Madagascar au XIX° s. Son expansion, son influence, ses problèmes*, Thèse Univ. de Strasbourg, 1966, dact.
- BELROSE-HUYGHUES (V.) : "Missions catholiques et missions protestantes à la baie de Saint-Augustin", *Omaly sy Anio*, janv.-déc. 1981, n° 13-14, p. 235-245.
- BELROSE-HUYGHUES (V.) : "Considérations sur l'introduction de l'imprimerie à Madagascar", *O. sy A.*, n° 5-6, 1977, p. 89-105.
- BELROSE-HUYGHUES (V.) : "Le contact missionnaire au féminin, Madagascar et la L.M.S. 1795-1835, *O. sy A.*, n° 7-8, 1978, p. 83-131.
- BIANQUIS (J.) : *L'œuvre des Missions Protestantes à Madagascar*, Paris, 1907.
- BLOT (Bernard) : "Une période peu connue de l'histoire religieuse de Madagascar", *L'Ami du Clergé Malgache*, Tana, t. VIII, N° 7, p. 198-200.
- BROWN (Mervyn) : "Ranavalona and the Missionaries (1828-1840)", *O. sy A.*, n° 5-6, 1977, p. 107-140.
- COUSINS (W. E.) : *David Jones the pioneer of protestant missions in Madagascar*, London, L.M.S., (1918 ?).
- COUSINS (W. E.) : *Madagascar of to day. A Sketch of the Island, with chapters on its past history and present prospect*, London, The Religious Tract Sty, 1895.

- DAHL (Otto Ch.) : *Les débuts de l'orthographe malgache*, Oslo, 1966.
- DAMANTSOA : *Ny Niandohan'ny Fivavahana teto Antananarivo, Tantara sy Dinika*, Tananarive, Ny Antsiva, 1948.
- DURAND (Y.) : *Protestants et Catholiques en Imerina des origines à la mort de Radama II*, Mémoire de Maîtrise, Tananarive, 1963, dact.
- ESOAVELOMANDROSO (Manassé) : "L'évangélisation du pays Betsimisaraka à la fin du XIX° siècle", in *O. sy A.*, n° 7-8, janv.-déc. 1978, p. 7-42.
- ESOAVELOMANDROSO (Manassé) : "Les "Créoles malgaches" de Tamatave au XIXe siècle", *Diogène*, n° 11, juil.-sept. 1980, p. 55-69.
- GOW (Bonar) : *The British Protestant Missions in Madagascar 1818-1895*, Thesis of Ph. D., Dalhousie University, 1975, 2 vol. dact.
- GOW (Bonar) : *Madagascar and the protestant impact. The work of the British Missions, 1818-1895*, London, Longman & Dalhousie U. P., 1976.
- GRIEVE (A. J) : *Madagascar a century of adventure*, London, L.M.S.,1920.
- HARDYMAN (J. T) : *The Principles and Methods of Missionary Work illustrated by the work of the London Missionary Society in Madagascar to 1920*, Thesis for the degree of Bachelor of Divinity at the University of Oxford, June 1952, dact.
- HARDYMAN (J. T.) : "The plans of Jean Louis Pastre", *N.R.S.M.*, XXIII, 1967, p. 46-59.
- HARDYMAN (J. T.) : "Dr. Phillips' dream of Madagascar", *Bulletin of the Society for African Church History*. vol. 29, n° 3, 1967, p. 200-223.
- HARDYMAN (J. T.) : "Methodists'plans for a mission in Madagascar 1816-1828", *N.R.S.M.*, XXV, 1969. p. 174-263.
- HARDYMAN (J. T.) : "Malalagasy refugees to Britain, 1838-1841", *O. sy A.*, n° 5-6, 1977, p. 141-190.
- HARDYMAN (J. T.) : "L.M.S. Plans for Madagascar, 1795-1818. Part I : 1795-1811", *O. sy A.*, n° 7-8, 1978, p.43-82.
- KECK (D.) : *Histoire des origines du christianisme à Madagascar*, Paris, Missions Evangeliques, 1898.
- LA VAISSIERE (R. P. de) : *Histoire de Madagascar, ses habitants et ses missionnaires*, Paris, Lecoffre, 1884, 2 vol.
- MELON (P.) : *Les Missions protestantes à Madagascar*, Dôle, 1896.
- MOLET (Louis) : *La conception malgache du monde, du surnaturel et de l'homme en Imerina*, Paris, L'Harmattan, 1979, 2 vol.
- MONDAIN (G.) : *Un siècle de Mission protestante à Madagascar*, Paris, Société des Missions Evangéliques, 1920.
- MUNTHE (Ludvig) : *Ny Kolejy Loterana Malagasy Nandritra ny 100 taona*, Antananarivo, Trano Printy Loterana, 1971.
- MUNTHE (L.) : *La Bible à Madagascar. Les deux premières traductions du Nouveau Testament malgache*, Oslo, Egède Institulted, 1969.
- RABARY (Rév.) : *Ny Daty Malaza na ny Dian'i Jesosy teto Madagasikara*, Antananarivo, L.M.S., 1921-1930, 2 volumes.

- RABARY : *Ny Maritiora Malagasy. Tantaran'ny fanenjehana mangidy niaretan'ny Kristiana teto Madagasikara tamin'ny "Tany maizina"*, Tananarive, Imp. F.F.M.A., 1913.
- RAISON (Françoise), "Spiritualité et ecclésiologie protestantes en Imerina sous la colonisation", *Revue d'Histoire de la Spiritualité*, t. 49, 2, n° 194, 1973. p. 156-197.
- RAISON (F.) : "L'acculturation par l'Ecriture Sainte à Madagascar. Une religion de l'écriture dans une civilisation de l'oral", *Histoire du texte. Recherches sur la place du livre dans le christianisme*, La Bussière, 1974, p. 72-82.
- RAISON (F.) : "L'échange inégal de la langue, la pénétration des techniques linguistiques au sein d'une civilisation de l'oral (Imerina début du XIX° siècle)", *A.E.S.C.*, 1977, n° 32-4, p. 639-669.
- RAISON (F.) : "Ethnographie missionnaire et fait religieux au XIXe siècle. Le cas de Madagascar", *Revue française de Sociologie*, t. XIX, 1978, p. 525-549.
- RAISON-JOURDE (Françoise) : "Le travail missionnaire sur les formes de la culture orale à Madagascar entre 1820 et 1836", *O. sy A.*, n° 15, 1982, p. 33-53.
- RAISON-JOURDE (F.) : *Bible et pouvoir à Madagascar au XIXe siècle. Invention d'une identité chrétienne et construction de l'Etat*, Paris, Karthala, 1991.
- RAJOELISOLO (R. L.) : *L'Isan-Enim-Bolana, Assemblée semestrielle des églises de l'Imerina jusqu'en 1873*, Thèse de la Fac. de Théologie protestante de Paris, juin 1970.
- RAKOTOARISOA (Rév.) : *The Old Testament in the Malagasy church.*, s.l.n.d., 19 p. dact, (Bibliothèque de J. T. Hardyman).
- RANJEVA-RABETAFIKA (Yvette) : "L'influence anglaise sur les cantiques protestants malgaches, *Annales Univ. Mad.*, serie Lettres, n° 12,. 1971, p. 9-25.
- RATIANIVELO (A.) : *Eglise et Société à Madagascar*, Thèse de théologie, Université de Strasbourg, 1966, dact.
- RAVELOMANANA : *Ny sekolin'ny Protestanta sy ny fampianarana samy hafa nataony teto Madagasikara*, Tana, Impr. Saholy, 1966.
- TOWNSEND (W.) : *Madagascar, its Missionaries and Martyrs*, London, Partridge and Co (1889 ?).
- TOY (R.) : "The late M. James Cameron : His life and his labours", *Ant. An.*,1875, p. 50-57.
- VALETTE (Jean) : "The Widowed Missionary's journal de Keturah Jeffrey", *B. de M.*, n° 260, 1968. p. 37-52.
- VALETTE (J.) : "Aux origines de l'évangélisation de Madagascar : les débuts de l'apostolat de Jones (1818-1819)", *R.F.H.O.M.*, t. LXIV, 1977, n° 236, p. 376-392.

DICTIONNAIRE

- **BEVAN (Thomas)** : 1795-1819. Né dans un hameau près de Neuaddlwyd, au Pays de Galles dans une famille de tenanciers libres très pauvres. Il est placé comme valet de ferme et se trouve employé à Neuaddlwyd à l'âge de 13 ans. Il apprend plus ou moins seul à lire jusqu'à ce que David Jones l'aide, lui enseigne des rudiments d'anglais et l'introduise auprès du Dr Phillips. En 1810, il entre comme élève à l'académie tenue par ce ministre. Entre au séminaire de Gosport en 1816. S'embarque avec Jones pour l'île Maurice en février 1818 et arrive en juillet. Fait un séjour à Tamatave en août-septembre 1818 puis un autre en janvier 1819. Il meurt avec toute sa famille à Tamatave.

- **BOGUE (David)** : 1750-1829. Un des directeurs fondateurs de la L.M.S., fondateur du séminaire missionnaire de Gosport. Né à Dowlau, paroisse de Coldingham dans le Berwickshire, Ecosse. Son père, John, avait acquis un domaine de modeste étendue à Hollydown et vivait de ses terres. Presbytérien (église dissidente d'Ecosse), il envoie ses fils à la *Grammar school* de Dunse puis à l'Université d'Edimbourg. David y entre en 1762 pour étudier le grec, le latin, l'hébreu les mathématiques, la philosophie et la théologie pendant neuf ans et en sort avec le titre de Maître es Arts en mars 1771. Il rejoint Londres en 1771 et s'intègre aussitôt à la colonie écossaise. On lui trouve rapidement un emploi d'enseignant dans un pensionnat pour jeunes garçons et de vicaire des ministres de Silver Street et de Camberwell. En 1776, il se rend en Hollande à l'invitation de la congrégation presbytérienne écossaise d'Amsterdam qui lui offre un emploi de pasteur mais après réflexion décline l'offre. Il reviendra en Hollande quarante ans plus tard pour répondre à une autre invitation. Las des querelles qui opposent presbytériens et indépendants, il choisit de rejoindre ces derniers à son retour en Angleterre. Un an après il accepte un poste de ministre congrégationaliste à Gosport, un port situé sur la Manche, sur la rive ouest de Portsmouth, la base de la *Navy*. C'est ainsi qu'il entre en contact avec diverses familles d'officiers de la marine et entre autres celle de Lord Duncan, un Ecossais. Avec les neveux de Duncan, les frères Haldane, il visite le continent en 1784 et refuse un poste d'enseignant à l'Université d'Edimbourg pour demeurer à Gosport. Il s'intéresse néanmoins à l'Ecosse puisque c'est en 1792, devant la *Society for Promoting Christian Knowledge in the Highlands and Islands of Scotland* qu'il y prêche et y fait éditer un discours mémorable sur l'urgence millénariste de la mission devant les tragiques événements de France et d'Europe. Ses ennemis en retiendront surtout qu'il approuve les révolutions et qu'il n'est qu'un "démocrate aigri et quelque peu révolutionnaire". Il ouvre alors à Gosport un séminaire de théologie pour les étudiants non-conformistes et songe à partir évangéliser aux Indes. En 1796 l'autorisation de s'y rendre lui est refusée par la Compagnie des Indes. Il se tourne alors vers les prisonniers français en collaborant à la *Religious Tract Society* et envisage même une mission en France en 1800. C'est alors qu'il transforme son séminaire en école préparatoire à la mission avec des recrues de Jersey puis de la périphérie celtique et, à partir de 1816, sur recommandation de la L.M.S. Jusqu'à sa retraite qui précède de peu sa mort, il dirige ce séminaire qui a formé tous les missionnaires de la première période malgache.

- **BRADY** : ? - 1835 . Créole non blanc de la Jamaïque, il parvient à Tananarive le 21 décembre 1816, avec l'ambassade Le Sage. Sergent de l'armée des Indes, il est retenu comme instructeur puis promu capitaine par Radama, dès 1817. En 1818, à l'arrivée du général Hall à Maurice et malgré la rupture du traité avec la Grande-Bretagne, il demeure auprès de Radama qui le nomme général et lui donne Robin pour lieutenant. En 1820, il était parvenu à constituer un corps d'élite bien entraîné et discipliné. Dès lors, en tant que commandant en chef, son rôle demeura toujours purement militaire et l'on peut le considérer comme le père de cette armée malgache avec laquelle Radama a conquis les trois quarts de l'île. On sait qu'il était déjà marié à une Malgache de l'aristocratie en 1823, sans autre précision. Il conduit une expédition dans le Sud-Est en 1827 et soumet les Antaifasy et les Antaisaka. En 1828, intégré à la plus haute caste et nommé maréchal, il craint pour sa position et même pour sa vie à l'avènement de Ranavalona. Confirmé dans ses rangs et prérogatives au début de 1829, il préfère se retirer sur le fief qui lui avait été attribué, à distance de la capitale. Il y meurt en 1835. Il semble avoir soigneusement évité de rencontrer les missionnaires de la L.M.S., ses compatriotes britanniques, et ces derniers gardent un silence total à son sujet.

- **BRAGG (John)** : on ne connaît cet Anglais que par les mentions qu'en font divers visiteurs français et britanniques à Tamatave (Le Sage, Chardenoux, Roux, Petit de La Rhodière, Bréon, Hastie, Jones et Bevan). Loin d'être un traitant, comme on l'affirmait à Maurice, c'était un planteur de coton, installé peut être depuis 1811, en tout cas présent avant 1816, sur les bords du Manangareza, à un peu plus de deux kilomètres au sud de Tamatave. Il dissuade Jones et Bevan de se rendre en Imerina en 1818 et leur sert de guide sur la côte est.

- **BROOKS (Thomas)** : ? - 1822. Artisans missionnaire recruté comme charpentier par Burder dont il est le paroissien. Ancien entrepreneur à Fetter Lane, Londres, il meurt de la fièvre à son arrivée à Tananarive en 1822. Inhumé à Ambatonakanga

- **BURDER (George)** : vers 1752-1832. Né à Londres à une date peu précise, d'un père diacre de la paroisse de Fetter-Lane et d'une mère convertie par la secte de Whitfield, il abandonne les affaires, sans doute le commerce, pour devenir pasteur d'une église de Lancaster. En 1783, on lui offre un poste de ministre à Coventry et il part s'y installer. C'est l'un des fondateurs de la *Warwickshire Association*, qui relaie en province la L.M.S., aussi devient-il secrétaire lorsque cette société prend son essor en 1810 et revient-il à Londres. Il se retire de la L.M.S. en 1827.

- **CAMERON (James)** : 1800-1875. Né à Little Dunkeld dans le Perthshire, Ecosse, c'est un artisan missionnaire, recruté en 1824 comme charpentier à Leeds, Angleterre, pour remplacer Brooks décédés en 1822. Pur produit du non-conformisme britannique c'est un autodidacte de meilleur aloi que Laborde. Se forme par la lecture à la physique, à la chimie, aux mathématiques, à l'architecture et à l'astronomie. Durant un an il fait un stage de mécanicien dans une filature de Manchester en vue de la manufacture de cotonnades projetée pour Tananarive. Installé à Amparibe, il trouve en Imerina de nombreux charpentiers et ébénistes déjà formés par Louis Gros, arrivé de Maurice en 1819 et se consacre aux machines. C'est ainsi qu'après le décès de l'imprimeur Hovenden il fait fonctionner la presse d'imprimerie, arrivée fin 1826. Avec D. Jones il réalise le premier imprimé malgache en 1827. De tous les missionnaires, il fera la plus longue carrière en Imerina, d'abord comme artisan puis comme missionnaire enfin comme entrepreneur indépendant associé par contrat avec la reine Ranavalona. Il finit par se retirer en Afrique du Sud où il écrit se mémoires.

- **CANHAM (John)** : artisan missionnaire recruté comme tanneur et corroyeur. Faute de pouvoir trouver des produits tannant il s'installe à Fenoarivo comme maître d'école et fabricant de chaussures pour les dames de la Mission et de la Cour, avec des cuirs importés de Maurice. Après un temps au service de la L.M.S. (1822-1826), la fabrication et/ou l'importation de la côte ouest de chaux, en 1825, lui permettent de passer un contrat de sept ans avec Radama (confirmé par Ranavalona) pour la fabrication de cuirs et la formation de tanneurs et de bottiers tout en continuant à chausser la Cour, les officiers et sa clientèle privée (1827-1834). Il se rend quelques mois en Angleterre (1826-1827) pour trouver une épouse à Stowmarket dans le Ward. Soucieux de promotion, il étudie et se fait ordonner. En 1831 il est appointé comme missionnaire par la L.M.S. mais n'en poursuit pas moins quatre ans encore ses activités lucratives dans le cuir, à la demande de la reine. Installé à Cape Town, il y dirige une école malgache pour le Dr John Philip (1835-1837). Il prend sa retraite en 1838 et émigre en Australie du Sud.

- **CHICK (George)** : artisan missionnaire arrivé en 1822 comme forgeron. Introducteur des ornements de fer forgé dans l'architecture malgache lorsqu'il signe, en 1825, un contrat avec Radama pour la fourniture du palais de Soanierana. S'installe en 1824 à Ambohimandroso et s'y emploie aussi comme maître d'école entre 1824 et 1835, disparaît ensuite en Angleterre.

- **CONGREGATIONALISME** : au XIXe siècle, synonyme de dissidence (*Dissent*) ou d'indépendance (*Independency*) ou de non-conformisme vis à vis de l'anglicanisme et de toute règle ou discipline étrangère à chaque congrégation. Désigne les églises indépendantes de l'Eglise établie et sans hiérarchie commune. Les membres de ces multiples congrégations toujours en guerre entre elles sont désignés sous les noms de dissidents (*dissenters*), congrégationalistes, non-conformistes ou encore indépendants.

- **CRÉOLE** : le mot "créole", employé comme substantif, ne s'applique qu'aux personnes et qu'à la langue dans les dictionnaires du français édités en France, même les plus récents. On y découvre que "les créoles sont des personnes de "pure race blanche" (comme les chevaux purs sangs !) nées aux colonies." Cette définition ne correspond même pas à la situation coloniale d'Ancien Régime, puisque, de la Louisiane aux Mascareignes, on a distingué le "blanc créole" du "blanc métropolitain" comme on distinguait le "nègre créole" du "nègre bossale", c'est à dire né en Afrique. La définition des dictionnaires français, n'est curieusement contestée ni par les historiens "créoles" ni par les historiens malgaches (Esoavelomandroso) ; elle prouve que l'évolution historique est loin d'avoir décolonisé les esprits. Formulée à une époque où les seuls êtres humains présents aux tropiques étaient les blancs, les autres étant des "sauvages", des "naturels" ou des bêtes de somme, les esclaves, elle n'a pas évolué et s'est même sclérosée car l'émancipation, dans les "vieilles colonies", a immédiatement été suivie par la soumissions de peuples entiers, ailleurs. La colonisation du XIXe siècle a en effet mis en contact des Blancs, qui ne se sont jamais sentis ni appelés "créoles", et des indigènes non blancs. Par glissement, les habitants non blancs et non autochtones des vieilles colonies ont été perçus, en Europe, comme "indigènes" mais toujours pas comme créoles. On notera qu'alors que la définition des dictionnaires n'a pas changée, l'acception du terme évolue parallèlement dans la pratique franco-française comme dans celle des Antilles et de la Guyane. Le commun a la certitude, après la décolonisation de l'Afrique, qu'il ne peut y avoir sous les tropiques d'autres blancs que des "colons" et que tous les non blancs qui y vivent y sont "indigènes"

A Madagascar, on désigne toujours ainsi les originaires des Mascareignes, plus ou moins métissés, puis les individus nés dans les "vieilles colonies" créoles de la France : Guyane, Antilles, Sénégal, Pondichéry, même s'ils sont nés à Madagascar. Sans contester la définition raciale des dictionnaires, M. Esoavelomandroso écrit que "l'appellation « Créole malgache » (...) est impropre car il ne s'agit pas d'Européens nés à Madagascar". Ce faisant, il oublie, que ce groupe social se définit comme créole non par rapport à Madagascar, mais par ses attaches avec les Mascareignes. Les originaires de l'étranger, nés à Madagascar et plus ou moins intégrés aux sociétés malgaches, y portent le nom de *Zanatany* (lit. fils du sol, créole).

- **CUMMINS (John)** : 1802-? Artisan missionnaire né et recruté à Manchester comme fileur en coton. S'embarque pour Madagascar en mai 1826 avec une machine à filer dans le but de fournir à Rowlands de la matière première pour une petite manufacture. La rareté du coton brut et le comportement de Rowlands le font rapidement renoncer. S'installe avec Cameron à Amparibe dès la fin 1826. Revient en Angleterre en 1828 et disparaît ensuite.

- **FATIDRA** : serment du sang, équivalent du *covenent* des anciens Angles et Saxons, destiné à sceller une alliance par l'échange du sang des deux partenaires, recueilli par une petite incision pratiquée au poignet. Cérémonie qui accompagne, à Maurice, la ratification du premier traité anglo-merina. Après y avoir songé pour mieux s'intégrer, les missionnaires y ont renoncé.

- **GRIFFITHS (David)** : 1792-1863. Né à Glanmelivick dans le Camarthenshire, au Pays de Galles non anglophone. Débute dans la vie comme fermier à Llangodock et s'improvise prédicateur bénévole. Il décide alors d'étudier et s'inscrit dans une *Grammar school* locale puis dans des collèges indépendants (non-conformistes) à Neuaddlwyd, Wrexham et Gosport où il s'initie à l'anglais. Il est à Tananarive de 1821 à 1834. Il abandonne la L.M.S. en 1834 et se met au services de traitants européens de Tamatave jusqu'en 1840. A ce moment, il est embauché comme commissaire (*supercargo*) sur la goélette *Donna Carmelita*. Il regagne la Grande-Bretagne et devient pasteur à Hay, Buckinghamshire.

- **HASTIE (James)** : 1786-1826. Né à Cork, Irlande du Nord, dans une famille de quakers anglo-irlandais. Il s'engage dans l'armée, part pour les Indes et participe à la guerre des Marathes en 1804. En 1815 il est stationné à Maurice comme sergent et recommandé par Farquhar pour une promotion à la suite de sa conduite exemplaire pendant le grand incendie de Port-Louis en septembre 1816. Sert de garde du corps aux deux jeunes princes malgaches ramenés par Chardenoux la même année et les reconduit en Imerina en juillet 1817. Il meurt à Tananarive en octobre 1826 et aurait été inhumé à la demande de Radama dans un caveau spécial dont on ignore aujourd'hui l'emplacement.

- **HOVENDEN (Charles)** : 1708-1822. Né à Chatham, dans le Kent, Angleterre il est recruté comme imprimeur. Décède à son arrivée à Tananarive en 1822. Inhumé à Ambatonakanga.

- **JEFFREYS (John)** : 1792-1825. Né à Ellesmere, Shropshire. A l'origine simple artisan cordonnier anglais de Shrewsburry, Angleterre. S'inscrit dans une *Sunday school* puis à l'Académie dissidente (non-conformiste) de Blackburn. Devient maître d'Ecole du Dimanche à Preston et rencontre ainsi son épouse Keturah née Yarnold, en 1820. Ordonné en 1821 à Chapel Sreet, Blackburn, il se forme à Gosport pour gagner Madagascar en 1824. Après un séjour de deux ans, il meurt en mer alors qu'il regagnait l'Europe.

- **JOHNS (David)** : 1796-1843. Né à Llain, Llanarth dans le Monmouthshire, au Pays de Galles, il se forme très tôt au ministère pastoral à l'Académie de Newton, Galles du Nord. Il est ordonné à Penrhiwgaled dans le Cardiganshire. Admis à Gosport, il change son nom original de Jones en Johns en apprenant son affectation pour Madagascar. Il est ordonné en 1826, juste avant son départ. Il séjourne à Tananarive de 1826 à 1835, puis regagne l'Europe en 1836. En 1840 il publie une histoire de la persécution du christianisme en gallois qui est l'une des sources de l'histoire mythique de la mission. Il séjourne à Maurice entre 1841 et 1843. Avec John Rainison, le futur directeur des écoles de Tananarive il traduit en malgache le *Pilgrim's progress* de Bunyan. Il meurt à Nosy Be au cours d'une excursion missionnaire.

- **JONES (David)** : 1796-1841. Pionnier et doyen de la mission de Tananarive, c'est un Gallois du Camartenshire non anglophone. Ordonné en 1817, à la suite de nombreuses péripéties avec la L.M.S à propos de son mariage, il quitte l'Angleterre en 1818. Après un séjour presque ininterrompu de 1820 à 1836, il doit se replier à Maurice chez son beau-frère Lebrun. Il y meurt le 1er mai 1841.

- **LE BRUN (Jean)** : 1789-184? Né à Jersey, îles Anglo-Normandes, en 1789 de parents protestants émigrés de Saint-Malo. Entreprend, sans doute à Gosport, des études de théologie en 1809 et se fait ordonner par une église congrégationaliste de Jersey en 1813. Il se rend en Angleterre en 1814 pour être affecté comme missionnaire L.M.S. à Madagascar. Parvenu à Maurice, il ne va pas plus loin mais entreprend un travail d'évangélisation auprès des gens de couleur libres. Il fonde une école à la Chaussée (Port-Louis), sur un terrain appartenant à la famille blanche créole Mabille dont il épouse une fille, Coralie. Sa soeur, Marie Anne, deviendra la seconde Madame David Jones. Il participe à la lutte pour l'égalité des gens de couleurs avec les blancs, soutenu par Farquhar. En 1828, il fournit des preuves à la commission d'enquête conduite par Loke-Brooke et témoigne devant l'*Eastern Enquiry Commission* en faveur de ses paroissiens ce qui leur permet d'obtenir un arrêt du Conseil, du 22 juin 1829, qui leur accorde la pleine égalité des droits. En 1830, à la suite d'un long procès, il obtient gain de cause pour avoir inhumé deux hommes de couleurs dans la partie du cimetière réservée aux blancs. En 1832, il est accusé avec Labonté, chef politique des gens de couleur, d'avoir fomenté une révolte d'esclaves. Lebrun, épuisé, quitte l'île avant l'ouverture du procès et gagne l'Angleterre où il place ses enfants en pension. Après une visite à Jersey, il abandonne la L.M.S. et regagne Maurice en 1834 comme pasteur indépendant. Il meurt à Port-Louis.

- **RADAMA 1er** : 1793-1828. Fils du roi d'Imerina Andrianampoinimerina et de la princesse Rambolamasoandro, il naît en 1793, sans doute à Antananarivo. Dès l'âge de quinze ans, il reçoit le commandement de troupes et dirige une expédition contre le Betsileo puis contre le Boina après la mort de la reine sakalava Ravahiny. La première est un succès mais la seconde ne lui permet que de ramener un butin de troupeaux de bœufs. A sa mort, en 1810, Andrianampoinimerina le confirme comme son successeur et le charge d'achever la tâche d'unification de l'Imerina et de l'île. Après avoir maté quelques rébellions à la périphérie, il entreprend la soumission de la côte est par une série d'alliances et de coups de mains. C'est en 1816 qu'il entre en contact avec Farquhar, par une série d'ambassades parties de Maurice sous la conduite de traitants créoles et français. C'est en 1817 qu'il accepte de signer le traité par lequel il renonce à l'exportation d'esclaves en échange d'une indemnité et d'une assistance technique. Hastie est nommé agent britannique permanent auprès de lui. Après une série d'échecs militaire contre le Menabe (1820-1821), il parvient à un accord diplomatique, épouse Rasalimo, la fille du roi Ramitraho, lequel reconnaît la suzeraineté merina. En 1823, il descend pour la première fois à Tamatave afin de rabaisser les prétentions françaises. En 1825, il a pris le contrôle des trois quarts de l'île et personne ne peut lui disputer le titre de Roi de Madagascar que la Grande-Bretagne lui a reconnu depuis 1817. Sa santé, ébranlée par l'abus d'alcools et de femmes, s'altère brusquement au début de 1828. Il meurt le 27 juillet 1828 sans laisser d'enfant mâle. Une conspiration écarte du trône sa fille Raketaka, née de Rasalimo et son neveu Rakotobe et porte à la tête du royaume Ramavo, la première épouse et cousine du souverain défunt. Elle prend le titre de Ranavalona le 1er août 1828.

- **ROBIN** : ? -1836. On ignore l'état civil exact de ce personnage, ancien sergent des armées napoléoniennes disent les sources françaises, caporal et même simple soldat affirme Raombana. Parvenu à Maurice sous Decaen, juste avant l'occupation britannique, il déserte après un vol et se rend à Tamatave avec des traitants français. Il obtient l'autorisation de monter à Tananarive en 1818 ou 1819, profitant de la crise diplomatique provoquée par l'absence de Farquhar. Selon Raombana (*Histoire*, II, 36 et 715-716), Radama avait rapidement acquis l'usage du créole mais voulant en savoir plus invita auprès de lui un professeur français ; c'est alors que Jean René lui envoya, vers 1819, son nouvel ami Robin. Il enseigne à Radama la lecture et l'écriture du français, comme en témoigne le cahier d'écriture du roi conservé au Palais de la Reine qui porte les traces de ses leçons pour 1819-1820. Il ouvre également une école pour les enfants royaux que trouvera Jones à son arrivée en 1820. Robin devient surtout le secrétaire de Radama pour les relations avec les étrangers en même temps qu'instructeur de son armée avec le grade de colonel sous les ordres de Brady, présent depuis 1817. Il conduit en 1820 une expédition contre les Sakalava qui tourne au désastre et prouve ses maigres compétences militaires face à un Brady ou à un

Hastie, mais conserve la confiance du roi qui lui confie le gouvernement de la côte est. Il favorise le commerce avec les Français et les créoles des Mascareignes, réorganisant de ce fait la traite des esclaves. A son avènement en 1829 Ranavalona 1ère l'accuse de malversations et lui retire titres et fonctions. Revenant ensuite sur cette condamnation la reine lui propose un poste en Imerina mais il préfère gagner Tamatave se mettre au service des traitants français et conspirer contre le pouvoir de Tananarive. Replié à La Réunion, il poursuit ses manœuvres sans grand succès. Le gouvernement de La Réunion lui accorde une pension d'agent de colonisation pour lui permettre de survivre, l'employant en réalité comme interprète. Il disparaît en mer de façon obscure en 1836, alors qu'il se rendait à la pêche dans l'archipel des Amirantes.

- **ROWLANDS (Thomas)** : ? -1828. Artisan missionnaire, tisserand originaire de Shrewsbury (Angleterre). Ancien élève de Jeffreys à la *Sunday school*, il installe des métiers à tisser le coton. Seul missionnaire à avoir épousé une Malgache, il s'installe à Antsahadinta où il tente la culture du lin pour fabriquer de la toile à voile et développe l'élevage des vers à soie tout en dirigeant l'école. Y décède le 27 juillet 1828.

- **TELFAIR (Charles)** : 1778-1833. Docteur en Médecine, chimiste et naturaliste anglo-irlandais, il est né à Belfast d'un père maître d'école. Il entre dans la *Royal Navy* comme officier médical, sert en Méditerranée puis au Cap sous les ordres de l'amiral Bertie. Après la prise de Bourbon en juillet 1810, il y est nommé commissaire adjoint, chef de Saint-Paul et du district Sous-le-Vent. Les événements dont il est témoin, en particulier l'agitation servile, lui fournissent la matière de son *Account of the Conquest of Bourbon*, publié en 1820. Après la prise de Maurice en décembre 1810, Farquhar le nomme gouverneur particulier de Bourbon à Saint-Paul. En 1815, il restitue l'île à la France en application des traités de paix. Il s'installe à Maurice où il acquiert l'habitation "Bois Chéri", à Moka et bientôt "Bel Ombre", en association avec Le Sage, Blancard et le major Waugh. Secrétaire privé du gouverneur Farquhar, il est recommandé par ce dernier pour le poste de Secrétaire général, mais l'affectation avait déjà été faite après le départ de Kelso en faveur de Blane. Telfair s'embarque donc pour l'Europe avec Farquhar en 1817. Il épouse en Angleterre une représentante de la *gentry* anglaise Annabella, fille de l'amiral Chamberlayn. Rentré à Maurice avec son épouse, il y mène une existence d'habitant propriétaire, participe à l'introduction des premières machines à vapeur et meurt avant l'abolition de l'esclavage.

TABLE DES ILLUSTRATIONS

1 - L'empire britannique en 1763.	47
2 - L'Angleterre éduquée en % d'adultes.	119
3 - Les comtés de l'Angleterre et des Galles au XVIIIe siècle.	120
4 - Conjoncture et soutien à la mission.	130
5 - Densité par comté de l'enrôlement dans les *Sunday Schools*.	131
6 - Comtés où le non-conformisme est majoritaire en 1850.	134
7 - L'Angleterre éduquée à la nuance régionale.	136
8 - Les comtés de l'Ecosse au XVIIIe siècle.	141
9 - L'Europe éduquée : l'avance de l'Ecosse.	146
10 - Carte du Pays de Galles.	149
11 - Entrées et sorties de fonds de la L.M.S. de 1796 à 1829.	165
12 - La stratégie mondiale de la L.M.S.	174-175
13 - L'Afrique australe et orientale en 1800.	179
14 - Madagascar et les îles françaises de l'océan Indien.	202
15 - La formation du Royaume de Madagascar (1787-1828).	220
16 - La côte est de Madagascar au début du XIXe siècle.	231
17 - L'Ile de France en 1810, d'après Hubert Brue.	236
18 - La région de Tamatave en 1818.	256-257
19 - Le voyage de David Jones en 1819.	263
20 - Implantation des écoles en Imerina en 1826.	297
21 - Voyage effectué autour de Tananarive en sept.1823.	344
22 - Un plan d'Antananarivo dressé par David Jones en 1829.	368-369

TABLE DES MATIERES

Introduction 7

PREMIERE PARTIE :
AUX ORIGINES DE L'AVENTURE MISSIONNAIRE

Chapitre I : A la recherche de la mission.
   1 - Histoire de la mission et histoire missionnaire. 21
   2 - Histoire ou épopée mythique ? 29

Chapitre II : La poussée européenne vers les Indes.
   1 - La prépondérance britannique. 39
   2 - Le rêve de Madagascar. 42
   3 - Les premières enquêtes missionnaires. 53

Chapitre III : L'ancienneté oubliée des missions protestantes.
   1 - La préhistoire des missions. 57
   2 - Les missions néerlandaises. 61
   3 - Les missions anglaises. 65
   4 - Le modèle webérien et les missions protestantes. 69

NAISSANCE ET AFFIRMATION DE LA *LONDON MISSIONARY SOCIETY*

Chapitre IV : L'éveil missionnaire des Iles Britanniques.
   1 - Le climat religieux en Grande-Bretagne. 77
   2 - William Carey et les missions britanniques. 88
   3 - L'esprit de croisade. 87
   4 - Les évangéliques : du non-conformisme à l'anglicanisme. 98

Chapitre V : La fondation de la L.M.S.
   1.- L'acte de naissance. 104
   2 - Le principe fondamental. 108
   3 - Répandre la connaissance. 111
   4 - Une société humanitariste parmi d'autres. 117

Chapitre VI : La revanche des Dissidents : l'éducation 125
   1 - L'activisme social des non-conformistes. 127
   2 - Le rôle de la périphérie celtique. 133
   3 - Le Pays de Galles. 140

Chapitre VII : Les mutations décisives de la L.M.S.
    1 - Les racines sociales des missions britanniques.   157
    2 - L'argent des pauvres.   157
    3 - Les *Auxiliary Societies*.   167
    4 - La quête des hommes.   170
    5 - L'ouverture de la route des Indes   172
Conclusion de la première partie   177

DEUXIEME PARTIE : LES FONDATIONS D'UNE EGLISE

Introduction   183

L'ENTRÉE DU PROTESTANTISME A MADAGASCAR

Chapitre VIII : Premiers plans pour Madagascar.
    1 - Le Mémoire de Burn.   185
    2 - Des hommes pour l'Afrique.   190
    3 - Les informations de dernière heure.   203

Chapitre IX : Premiers pas vers Madagascar.
    1 - Les choix décisifs.   209
    2 - La stratégie du gouverneur Farquhar.   217
    3 - La préparation du terrain.   225

Chapitre X : La mission de Tamatave (1818-1819).   237
    1 - L'arrivée des premiers missionnaires.   238
    2 - La situation diplomatique.   243
    3 - Les séjours à Tamatave.   248
    4 - Evaluation d'un échec.   260

LA MISSION ET LES MISSIONNAIRES EN IMERINA (1820-1827)

Chapitre XI : Les missionnaires en action.
    1 - L'installation de la mission de Tananarive.   271
    2 - La crise d'adaptation (1822-1824).   279
    3 - Les responsabilités.   287
    4 - L'évangélisation de l'Imerina (1824-1827).   293

Chapitre XII : La mission au jour le jour (1818-1827).
    1 - Le voyage.   303
    2 - L'entretien.   310
    3 - Frais et ressources de la mission.   317

Chapitre XIII : Les travaux des missionnaires. 323
    1 - L'enseignement. 324
    2 - Les méthodes d'éducation. 330
    3 - L'imprégnation religieuse des enfants. 337

Chapitre XIV : Un bilan amer.
    1 - Les difficultés de l'évangélisation. 351
    2 - Les ambiguïtés de la mission. 361
    3 - Les résistances à la pénétration missionnaire. 372
    4 - Education ou évangélisation ? 382

CONCLUSION 389

SOURCES ET BIBLIOGRAPHIE 395

DICTIONNAIRE 417

Table des illustrations 425

Table des matières 427

Achevé d'imprimer en février 2001
sur les presses de la Nouvelle Imprimerie Laballery
58500 Clamecy
Dépôt légal : février 2001
Numéro d'impression : 102025

Imprimé en France

Dans l'histoire politique, sociale et culturelle de Madagascar, l'introduction du protestantisme occupe une place exceptionnelle, car c'est par les missionnaires envoyés par la Société missionnaire de Londres, à partir de 1817, que s'y exerça de façon décisive l'influence européenne. Cette période brève mais capitale avait été jusqu'ici étudiée de seconde main dans une perspective où l'apologétique et l'épique l'emportaient sur l'analyse des faits historiques.

A partir d'une étude détaillée des archives et de divers dépôts et bibliothèques en Grande-Bretagne, à l'île Maurice et à Madagascar, cet ouvrage met en lumière les origines lointaines, les causes et les circonstances réelles de l'arrivée des missionnaires protestants britanniques à Madagascar. L'enthousiasme pour l'évangélisation est d'abord un phénomène périphérique du monde protestant, au sens géographique, qui fournit les bataillons de missionnaires écossais et gallois. C'est aussi un phénomène marginal, au sens sociologique, qui touche les classes défavorisées par la mutation industrielle et les convertit à divers fondamentalismes. Certaines couches sociales aisées, mais exclues de la vie politique à cause de leur affiliation à des Églises dissidentes, encadrent ces mouvements dans un messianisme à l'échelle mondiale, l'évangélisme ou humanitarisme. Entre 1792 et 1818, ces courants s'organisent en sociétés à buts philanthropiques. Parmi elles, la London Missionary Society est la plus importante, lorsqu'un concours de circonstances la conduit à décider l'envoi de missionnaires à l'île Maurice (1814) puis à Madagascar (1817).

Le groupe des évangélisateurs, dont les caractéristiques sont toujours données comme allant de soi, est ici scruté dans sa composition ethnique et sociologique, dans sa dynamique et ses contradictions. Des parallèles et des filiations sont tracées avec des expériences antérieures ou contemporaines pour montrer l'importance des facteurs sociologiques et surtout ethniques dans la diffusion d'une religion qui se donne comme universelle. On découvre comment la culture et la sociologie de missionnaires appartenant à la périphérie celtique de la Grande-Bretagne a conditionné leur approche de la culture malgache.

Jusqu'à sa mort, survenue en 1828, le roi Radama 1er soutient énergiquement la proposition technique des missionnaires, malgré les fortes résistances de son peuple, mais manifeste une méfiance croissante devant leur offre religieuse. La crise qui affecte les relations du souverain et de la mission de Tananarive en 1827 préfigure l'expulsion des agents du christianisme et les persécutions contre les premiers convertis qui interviennent à partir de 1836.

Vincent Huyghues-Belrose, agrégé d'Histoire et docteur en Histoire est actuellement enseignant à l'Université Antilles-Guyane. Par ses origines comme par sa formation, il possède une connaissance rare de toutes les îles où l'on parle français, de l'Atlantique à l'océan Indien. Diplômé de langue malgache, qu'il pratique depuis l'enfance, il l'est également d'enseignement musical. Après avoir été directeur du Département d'Histoire de l'Université de Madagascar (1978-1981) et participé à la création de la revue Omaly sy Anio, *il a occupé des fonctions au Ministère français de la Culture (1982) avant d'aller en Guyane française ouvrir le Service éducatif des Archives et lancer l'archéologie coloniale. Ses nombreux travaux concernent aussi bien Madagascar, les Mascareignes, que la Guyane française. Il prépare une thèse d'État sur l'évangélisation du sud-ouest de l'océan Indien (fin XVe-fin XVIIIe siècle).*

Collection dirigée par Jean Copans

ISBN : 2-84586-133-8

hommes et sociétés